D1612684

Les Éditions du Boréal
4447, rue Saint-Denis
Montréal (Québec) H2J 2L2
www.editionsboreal.qc.ca

Naître, vivre, grandir

DU MÊME AUTEUR

Ménagères au temps de la crise, Montréal, Éditions du Remue-ménage, 1991.

Un Québec en mal d'enfants. La médicalisation de la maternité, 1910-1970, Montréal, Éditions du Remue-ménage, 2004.

Denyse Baillargeon

Naître, vivre, grandir

Sainte-Justine 1907-2007

Boréal

Les Éditions du Boréal reconnaissent l'aide financière du gouvernement du Canada par l'entremise du Programme d'aide au développement de l'industrie de l'édition (PADIÉ) pour ses activités d'édition et remercient le Conseil des Arts du Canada pour son soutien financier.

Les Éditions du Boréal sont inscrites au Programme d'aide aux entreprises du livre et de l'édition spécialisée de la SODEC et bénéficient du Programme de crédit d'impôt pour l'édition de livres du gouvernement du Québec.

Photos de la couverture : Archives de l'Hôpital Sainte-Justine
Maquette de la couverture : Christine Lajeunesse
Maquette de l'intérieur : Agnès Peyrefort

Dépôt légal : 2e trimestre 2007
Bibliothèque et Archives nationales du Québec

Diffusion au Canada : Dimedia
Diffusion et distribution en Europe : Volumen

Catalogage avant publication de Bibliothèque et Archives nationales du Québec et Bibliothèque et Archives Canada

Baillargeon, Denyse, 1954-

Naître, vivre, grandir : Sainte-Justine, 1907-2007

Comprend des réf. bibliogr. et un index.

ISBN 978-2-7646-0520-2

1. Centre hospitalier universitaire Sainte-Justine – Histoire. 2. Lacoste-Beaubien, Justine, 1877-1967. 3. Enfants – Hôpitaux – Québec (Province) – Montréal – Histoire. I. Titre. II. Titre : Sainte-Justine, 1907-2007.

RJ28M6B34 2007 362.198'92000971428 C2007-940587-8

REMERCIEMENTS

Un livre est toujours une entreprise collective. Au cours des années où j'ai travaillé à cette histoire de Sainte-Justine, j'ai eu la chance d'être entourée de personnes qui m'ont secondée de manière efficace et qui ont grandement facilité mon travail.

Au premier chef, il me faut très sincèrement remercier Nancy Marando qui, à partir de l'été 2004, a patiemment épluché les rapports annuels, les procès-verbaux et une foule d'autres documents sur lesquels repose la rédaction de ce livre. Outre le dépouillement des sources, elle a aussi constitué des tableaux et des figures, rédigé une première version des encadrés, participé au choix des photos et, telle Miss Marple, arpenté les couloirs de Sainte-Justine dans tous les sens pour débusquer les renseignements complémentaires dont j'avais besoin et dont la liste semblait toujours s'allonger. Plus qu'une assistante de recherche, elle s'est avérée une véritable collaboratrice à qui je dois beaucoup.

Mes remerciements s'adressent également à Isabelle Malo qui a complété le dépouillement de certaines séries documentaires, notamment les rapports annuels du centre de recherche et le journal *Interblocs,* et à Koliny Chhim qui a travaillé à la sélection des photos, à leur identification et à l'obtention des droits de reproduction, en plus d'aider à leur numérisation. Cette dernière tâche a été principalement assurée par Kunthy Chhim, que je remercie également, en particulier pour son important travail de restauration qui a réparé les outrages du temps.

Un merci tout spécial à Daniel Guindon, conseiller en gestion à la Direction de la planification et des communications au CHU Sainte-Justine, qui, malgré un horaire très chargé, a fait l'impossible pour apporter son aide technique et sa connaissance du milieu à toutes les étapes du projet. Sa collaboration indéfectible, de même que ses bouteilles d'eau et ses aspirines, ont été des plus appréciées. Ma reconnaissance s'adresse également à toutes les personnes qui ont fourni documents et renseignements, notamment Louise L'Hérault, chef de service du Service bénévole, Sylvie Demars, bénévole, qui a accepté que l'un de ses textes soit reproduit dans ce livre, Sylvie Beaulieu, assistante exécutive à la Direction générale de Sainte-Justine, Colette Trottier, assistante administrative à la Direction de la planification et des communications, et Josée Brosseau, technicienne en communication à cette même direction. Merci également à Luc Bégin, responsable des Éditions aux Éditions du CHU Sainte-Justine, et à Marise Labrecque, conseillère en gestion, pour leurs conseils.

Sœur Françoise Laporte, archiviste des Filles de la Sagesse, a toujours répondu promptement à toutes nos requêtes : qu'elle en soit très chaleureusement remerciée.

Je voudrais aussi souligner la contribution d'un groupe d'étudiants de l'Université de Montréal qui, à l'automne 2005, a procédé à une série d'entrevues auprès d'employés de l'hôpital, ce qui m'a permis de mieux comprendre la culture institutionnelle et d'étayer certains passages du livre.

Le manuscrit a fait l'objet d'une lecture attentive de la part d'un comité interne composé de Pauline Turpin, directeur général adjoint à l'administration et aux opérations, du Dr Marc Girard, directeur de l'enseignement et chef intérimaire au Département de pédiatrie, de Raymond Roberge, directeur de la planification et des communications, de Christiane Pilon, infirmière aujourd'hui retraitée, et de Daniel Guindon. Leurs commentaires m'ont plus particulièrement aidé à mieux comprendre les événements et les enjeux des décennies récentes, qui font trop souvent figure de parent pauvre dans les sources consultées, ce pour quoi je leur suis très reconnaissante. Surtout, je leur sais gré d'avoir respecté mon travail et d'en avoir saisi la complexité. Merci également à Paul-André Linteau, qui a relu le manuscrit avec grande attention.

Enfin, je me dois également de remercier l'Associated Medical Services (Institut Hannah d'histoire de la médecine), la Faculté des arts et des sciences de l'Université de Montréal et le CHU Sainte-Justine, qui ont soutenu financièrement ce projet.

AVANT-PROPOS

Une institution et ses acteurs

L'avenir ne peut pas et ne doit pas être autre chose que très brillant.

Dr Raoul Masson, 1908

Pour les Montréalais et même pour l'ensemble de la population québécoise, Sainte-Justine évoque spontanément l'image d'une institution hospitalière qui traite les enfants malades et où se pratiquent des accouchements. Si ce nom paraît familier à la plupart des gens, c'est bien le signe que cet hôpital a su faire sa marque ; son histoire demeure néanmoins beaucoup moins connue.

L'Hôpital Sainte-Justine est né en 1907 à l'instigation de la première femme médecin canadienne-française, le Dr Irma LeVasseur, et grâce à la collaboration d'un petit groupe de bourgeoises montréalaises convaincues de la nécessité de combattre l'effroyable mortalité infantile qui décimait la population de Montréal. Premier établissement pédiatrique francophone du Québec, Sainte-Justine a ainsi été l'un des rares hôpitaux québécois à avoir été fondé par des femmes laïques, et le seul à avoir été dirigé durant près de 60 ans par un conseil bénévole entièrement féminin, présidé tout ce temps par une seule et même femme, Justine Lacoste-Beaubien. Ces particularités ont profondément marqué l'histoire de l'institution qui, encore aujourd'hui, est largement associé à ses origines féminines et à la figure de sa première présidente. Phénomène peut-être moins connu, mais qui le caractérise tout autant, Sainte-Justine a cherché, dès le début de son existence, à emprunter la voie de la médecine moderne et du progrès scientifique. Aux yeux des fondatrices et des médecins dont elles se sont entourées, il ne suffisait pas de doter la communauté canadienne-française d'un hôpital pour enfants ; encore fallait-il qu'il devienne un hôpital « modèle », symbole de la fierté de tout un peuple et gage de sa survie. En fait, la cause des enfants et, par extension, l'avenir de la nation canadienne-française exigeaient que l'institution se range parmi les meilleures. Cent ans plus tard, Sainte-Justine est devenu un centre hospitalier universitaire qui traite non seulement les enfants, mais aussi les mères. Il est reconnu comme une institution de pointe dans le domaine des soins infantiles et maternels et jouit d'une réputation enviable à l'échelle internationale. Comme l'espérait le Dr Masson, premier secrétaire du bureau médical de Sainte-Justine, l'avenir s'est avéré brillant.

Ce livre retrace l'histoire du parcours de Sainte-Justine, du premier hôpital logé dans une modeste maison de la rue Saint-Denis, jusqu'au complexe hospitalier désormais situé sur le chemin de la Côte-Sainte-Catherine. En toile de fond, il met l'accent sur les deux dimensions qui ont alimenté sa culture institutionnelle : l'esprit philanthropique qui a inspiré la direction féminine durant toute la période où elle a été à la barre de l'établissement et la recherche de l'excellence qui n'a cessé de hanter ses gestionnaires depuis les premières années. L'ouvrage débute par une vue d'ensemble du développement de l'hôpital entre 1907 et 2007, pour ensuite s'attarder au financement de l'institution puis à sa clientèle, avant de céder la place aux acteurs et actrices qui y ont œuvré : les bénévoles, les médecins, les infirmières et, finalement, le personnel paramédical et les employés généraux. Chacun des chapitres reprend donc le fil des événements à partir des débuts. Cette perspective diachronique a semblé la plus appropriée, car elle permet de mettre en évidence les transformations qui ont marqué les différents aspects de l'histoire de l'hôpital et la dynamique qui leur est propre ; elle favorise également une mise en contexte qui aide à mieux cerner les constantes et les ruptures.

De fait, l'histoire de Sainte-Justine ne peut se comprendre sans que soient abordées des questions qui dépassent l'institution, mais qui ont largement influencé son développement. C'est pourquoi l'ouvrage accorde une grande importance à un ensemble de phénomènes comme l'intervention de l'État dans le domaine de la santé, l'évolution de la conception de l'enfance, les avancées de la médecine et de l'enseignement médical, les changements dans la formation des infirmières et leur professionnalisation, l'émergence du secteur paramédical après la Seconde Guerre mondiale et le mouvement de syndicalisation des employés d'hôpitaux. C'est en tenant compte de tous ces facteurs qu'il devient possible de cerner la place de Sainte-Justine dans la société québécoise et dans l'univers hospitalier, et de mieux distinguer ce qui lui est propre de ce qui relève de processus plus globaux.

S'il rend compte du travail et des nombreuses réalisations des acteurs et actrices de Sainte-Justine, ce livre témoigne également des inévitables tensions qui les ont opposés. Des escarmouches qui ont ponctué les rapports entre les médecins et les administratrices aux relations de plus en plus tendues entre les bénévoles et les infirmières, en passant par les grèves des décennies 1960 à 2000, il met en évidence la variété des intérêts professionnels et économiques qui s'affrontent à l'échelle de l'institution. Tout autant que les réalisations, les conflits qui jalonnent l'histoire de l'hôpital contribuent à en façonner les contours et, à ce titre, doivent faire partie intégrante de son récit.

La rédaction de cet ouvrage repose principalement sur une recherche dans les archives de l'hôpital, notamment le dépouillement des rapports annuels et des procès-verbaux du conseil entre 1907 et 2007. Le journal interne de Sainte-Justine, *Interblocs,* qui existe depuis 1977, la revue des élèves infirmières, *Blanc et Rose,* qui a paru sur une base épisodique dans les années 1940 et 1950, de même que les rapports du Centre de recherche mis en place en 1973 ont également fait l'objet d'un dépouillement systématique, tandis que plusieurs dossiers contenant des documents divers et de la correspondance ont été consultés de manière ponctuelle. Nous n'avons cependant pas eu accès aux procès-verbaux du Bureau médical et du Conseil des médecins, dentistes et pharmaciens. Les travaux de Rita Desjardins, qui a étudié les premières années d'existence de l'hôpital et le développement de la pédiatrie au Québec, l'ouvrage d'Aline Charles portant sur le bénévolat à Sainte-Justine jusqu'aux années 1960 et les biographies de Justine Lacoste-Beaubien, par Madeleine des Rivières, et par l'équipe de Nicole Forget, ont aussi été mis à contribution. La synthèse proposée ici s'appuie donc sur un ensemble relativement important de sources documentaires. Sans prétendre à l'exhaustivité, elle offre une vision suffisamment large de l'histoire de Sainte-Justine au cours de son premier centenaire pour qu'il soit possible d'en apprécier toute la complexité. Si le soin des enfants et de leurs mères représente la raison d'être de l'hôpital, cet ouvrage montre que d'autres éléments, d'autres forces étaient aussi à l'œuvre qui ont fait de Sainte-Justine l'institution qu'elle est devenue.

CHAPITRE 1

De la rue Saint-Denis au chemin de la Côte-Sainte-Catherine

La fondation de l'Hôpital Sainte-Justine en 1907 survient dans un contexte où les ravages causés par la mortalité infantile commencent à inquiéter sérieusement les élites canadiennes-françaises. Et pour cause : durant la première décennie du XXe siècle, plus d'un enfant sur quatre meurt à Montréal durant sa première année de vie des suites de maladies infectieuses et contagieuses, de problèmes pulmonaires et surtout de diarrhées causées par la mauvaise qualité de l'eau et du lait. Réputée être la ville occidentale la plus meurtrière pour ses nouveau-nés, Montréal se classe alors au deuxième rang à l'échelle mondiale pour sa mortalité infantile, après Calcutta. Pire encore, aux yeux de ces élites : au sein même de la population montréalaise, les familles canadiennes-françaises sont les plus touchées par le phénomène, non seulement parce qu'elles comptent parmi les plus pauvres de la ville, mais aussi parce que ces mères allaitent leurs bébés moins longtemps que les autres. Ainsi, en 1910, alors que le taux de mortalité infantile chez les anglo-protestants se situe à 163 pour mille naissances vivantes, cette proportion atteint les 224 pour mille chez les franco-catholiques, contre 207 pour mille chez les catholiques d'autres origines et 94 pour mille parmi la population juive[1].

Devant des taux de mortalité infantile aussi catastrophiques, des médecins mais également des intellectuels, des hommes politiques, des membres du clergé et des associations féminines se mobilisent pour la cause des enfants.

La maison de la rue Saint-Denis, située près de la rue Roy, où était logé l'hôpital entre novembre 1907 et mai 1908 (archives de l'Hôpital Sainte-Justine [AHSJ]).

Dr Raoul Masson (1875-1928)

Né en 1875 à Terrebonne et issu d'une famille influente de la région, Raoul Masson étudie la médecine à l'Université Laval de Montréal où il obtient son doctorat en 1902. Après un internat à l'Hôpital Notre-Dame, il se rend à Paris où il est attaché à l'Hôpital des Enfants malades pendant quatre ans. Durant ce séjour, il s'initie à l'examen clinique de l'enfant et à la thérapeutique infantile auprès du Dr Jules Comby, l'un des meilleurs professeurs de pédiatrie d'Europe, en plus de fréquenter la Goutte de lait de Belleville, fondée par le Dr Gaston Variot, où il est sensibilisé à l'hygiène sociale.

À son retour à Montréal, Raoul Masson joue un rôle prépondérant dans la lutte contre la mortalité infantile. Il se prononce en faveur de la création d'un hôpital pour enfants et fera partie de la première équipe médicale de l'Hôpital Sainte-Justine. Secrétaire du bureau médical jusqu'en 1916, il en devient le président en 1925, poste qu'il occupera jusqu'à son décès, le 17 novembre 1928, alors qu'il est foudroyé par une crise cardiaque pendant une réunion de ce même bureau. Durant les vingt années où il œuvre à l'hôpital, il met sur pied le Service de pédiatrie et structure l'enseignement aux internes et aux infirmières de l'établissement. Dès 1913, il est d'ailleurs chargé de l'enseignement de la pédiatrie à l'Université Laval de Montréal, en remplacement du Dr Séverin Lachapelle, et à partir de 1917 il sera professeur titulaire de pédiatrie et de clinique infantile, ce qui en fait un pionnier dans l'enseignement de ce champ de la médecine.

Inspirées par des sentiments humanistes, leurs préoccupations sont également alimentées par la gêne que suscitent les tristes records de mortalité infantile de leurs compatriotes et par la crainte de voir les Canadiens français devenir de plus en plus minoritaires dans l'espace politique canadien. Prenant exemple sur d'autres villes occidentales où apparaissent des groupements semblables, ils s'engagent dans un vaste mouvement pour la sauvegarde de l'enfance qui est à l'origine de plusieurs initiatives, comme la fondation de centres de distribution de lait sain et de cliniques gratuites pour les nourrissons, et ils militent pour l'adoption de mesures législatives propres à faire diminuer les décès d'enfants, telle la pasteurisation obligatoire du lait.

Ces mesures visant à prévenir la mortalité infantile ne comblent cependant pas tous les besoins. En février 1907, lors d'une conférence prononcée devant la Société médicale de Montréal, le Dr Raoul Masson, qui deviendra l'un des membres du premier bureau médical de Sainte-Justine, réclame la fondation d'un hôpital qui permettrait de soigner les enfants déjà malades. Le projet lui paraît d'autant plus essentiel qu'il existe à peine 110 lits à leur intention à Montréal, dont une quinzaine au Children's Memorial Hospital, un hôpital anglo-protestant fondé en 1904. Quelques mois plus tard, le Dr Irma LeVasseur, première femme médecin canadienne-française et interne à l'Hôpital de la Miséricorde de Montréal où accouchent les mères célibataires, reprend l'idée. En mai, elle organise une réunion à laquelle assistent quelques médecins dont le Dr Séverin Lachapelle, considéré comme le premier pédiatre canadien-français, ainsi que des dames de la bonne société montréalaise. L'une d'elles, Mme Alfred Thibodeau, s'engage alors à trouver une femme capable de concrétiser le projet. Le 26 novembre 1907, elle organise une rencontre entre Irma LeVasseur et Justine Lacoste-Beaubien. L'entrevue entre les deux femmes sera déterminante : dès le lendemain, Justine Lacoste-Beaubien trouve une maison située au 644, rue Saint-Denis, où le Dr LeVasseur transporte un bébé de cinq mois gravement malade qu'elle gardait chez elle pour mieux en prendre soin. C'est dans cette maison, prêtée par le frère d'Euphrosine Rolland, que le 30 novembre 1907 se tient la réunion de fondation de l'hôpital, d'abord appelé le Refuge des petits malades[2]. Outre le Dr LeVasseur, sept femmes sont présentes : Justine Lacoste-Beaubien, sa sœur Thaïs Lacoste, Euphrosine Rolland, Mmes Jules Hamel et

J. Macdonald ainsi que deux compagnes de couvent de Justine : Lucie Lamoureux-Bruneau, épouse du Dr Théodule Bruneau, médecin en chef à l'Hôtel-Dieu, et Blanche Bourgoin-Berthiaume, épouse du président du quotidien *La Presse.* Comme le fait remarquer l'historienne Rita Desjardins, si ce sont les médecins qui ont, les premiers, exprimé le besoin de doter la communauté canadienne-française d'un hôpital pédiatrique, ce sont des femmes qui ont finalement concrétisé ce projet.

Une fondation féminine et nationale

La fondation d'une institution aussi importante qu'un hôpital par un petit groupe de femmes appartenant à l'élite n'est certes pas un événement banal, mais en ce début du XXe siècle, un tel engagement social féminin n'est pas non plus tout à fait inhabituel. Depuis le XIXe siècle, dans la plupart des pays en voie d'industrialisation, les femmes de la bourgeoisie avaient créé de nombreuses œuvres philanthropiques visant à soulager la misère des populations ouvrières urbaines et à prendre en charge leurs membres les plus vulnérables : vieillards, orphelins, immigrants, personnes handicapées. Elles sont aussi au premier rang de la lutte pour la sauvegarde de l'enfance qui s'amorce au tournant du XXe siècle, un terrain où elles ont même souvent devancé les médecins. Animées par de profondes convictions religieuses et par un idéal élevé de charité chrétienne, ces femmes d'œuvres sont portées par le discours social qui leur prête des vertus particulières, comme la compassion et le dévouement, et par l'idée que le soin des pauvres et des malades représente une extension de leurs responsabilités domestiques. Pour Justine Lacoste-Beaubien, il ne fait d'ailleurs aucun doute que la fondation d'un hôpital pour enfants revient aux femmes, car un

Dr Irma LeVasseur (1878-1964)

L'initiative d'ouvrir un hôpital francophone pour les enfants de Montréal revient au Dr Irma LeVasseur, première femme médecin canadienne-française. Née à Québec en 1878, Irma LeVasseur étudie la médecine à l'Université Saint-Paul, au Minnesota, car à cette époque les femmes ne sont pas admises dans les facultés de médecine francophones du Québec et très peu d'universités canadiennes-anglaises les acceptent. LeVasseur doit d'ailleurs s'adresser à la législature provinciale pour obtenir une loi privée lui reconnaissant le droit de pratiquer la médecine au Québec, ce qu'elle obtient en 1903. Entre 1905 et 1907, elle se rend en France et en Allemagne pour parfaire ses connaissances des maladies infantiles. Peu après son retour, en mai 1907, elle décide d'agir pour contrer la mortalité infantile élevée qui sévit à Montréal en fondant un hôpital pour les enfants canadiens-français. C'est dans ce but qu'elle s'adresse à Mme Alfred Thibodeau, qui se charge de la mettre en contact avec Justine Lacoste-Beaubien. Le 30 novembre 1907, soit quelques jours après cette première rencontre, naissait l'Hôpital Sainte-Justine pour les enfants. En plus de compter au nombre des fondatrices, LeVasseur fera partie du premier bureau médical de l'hôpital, formé en janvier 1908, qu'elle quitte cependant après quelques mois, tout comme l'institution qu'elle avait contribué à mettre sur pied.

En 1915, LeVasseur se rend en Serbie pour combattre une épidémie de typhus avec quatre autres médecins canadiens, puis elle travaille pour la Croix-Rouge à New York avant de fonder, en 1923, l'Hôpital de l'Enfant-Jésus à Québec qu'elle quitte également au bout de quelque temps. Elle fonde ensuite une clinique pour les enfants handicapés dans le faubourg Saint-Jean-Baptiste qui, faute de fonds, doit rapidement fermer ses portes, et initie un projet d'école pour enfants infirmes qui deviendra l'école Cardinal-Villeneuve. Lors de la Seconde Guerre mondiale, elle offre également ses services à l'armée canadienne.

Le 20 juin 1950, l'Association des femmes universitaires souligne ses cinquante ans de vie professionnelle, événement auquel participe Justine Lacoste-Beaubien qui lui remet une bourse au nom des collaborateurs de la première heure à Sainte-Justine. Irma LeVasseur meurt le 15 janvier 1964 à 87 ans dans la solitude et la pauvreté absolue. En 1987, en signe de reconnaissance pour ses nombreuses initiatives, le gouvernement du Québec crée le prix Irma-LeVasseur qui souligne les succès des jeunes femmes dans le domaine des sciences, tandis qu'en 1999, le Département de pédiatrie de la Faculté de médecine de l'Université de Montréal établit, en son honneur, un fonds octroyant des bourses à des pédiatres stagiaires étrangers ou à des pédiatres qui vont acquérir une formation complémentaire hors du Québec avant de revenir pratiquer à Sainte-Justine.

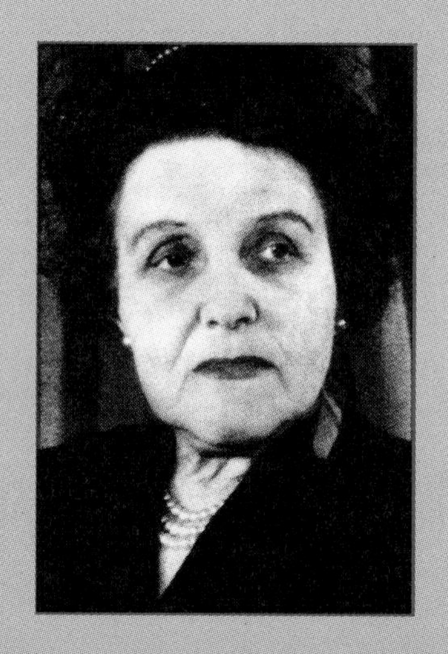

Les fondatrices de l'Hôpital Sainte-Justine. De gauche à droite, en commençant par la rangée du haut, Justine Lacoste-Beaubien (AHSJ). Thaïs Lacoste-Frémont (musée de la Civilisation, collection du Séminaire de Québec, fonds Thaïs-Lacoste-Frémont. Thaïs Lacoste. Blank and Stoller Ltd, photographe. Février 1933. N° Ph2000-13953). Euphrosine Rolland (AHSJ). Lucie Lamoureux-Bruneau (photographe inconnu. Vers 1950. Bibliothèque et Archives nationales du Québec, direction du Centre de Montréal. Fonds Justine-Lacoste-Beaubien. P655, S2, SS6, D8, P30). Blanche Bourgouin-Berthiaume (AHSJ). Dr Irma Levasseur (AHSJ). Mme Alfred Thibodeau (AHSJ).

tel hôpital constitue « le prolongement naturel du foyer », comme elle le dira plusieurs décennies plus tard. L'œuvre qu'elle entreprend en 1907 demeure tout de même exceptionnelle dans le paysage montréalais et même québécois, car la plupart des institutions d'assistance et de santé y ont plutôt été fondées par des communautés religieuses féminines ou par des médecins, pratiquement tous des hommes à cette époque, qui ont ensuite fait appel à des religieuses pour prendre en charge les soins infirmiers, comme il est arrivé à l'Hôpital Notre-Dame. Dans un cas comme dans l'autre, les femmes laïques se sont retrouvées à l'arrière-scène, jouant le rôle de dames patronnesses à qui l'on faisait appel pour visiter les malades ou recueillir des fonds[3]. Les fondatrices de l'Hôpital Sainte-Justine n'entendent pas jouer un rôle aussi effacé, ni abandonner leur œuvre aux mains des hommes après l'avoir lancée. Tout au contraire, elles aspirent à garder les rênes du pouvoir bien en main, ce qu'elles sont parvenues à faire durant de nombreuses décennies.

Au cours des quelques mois qui suivent la réunion de fondation, les dames formant le comité organisateur, dont le nombre s'élève bientôt à 15, entreprennent les démarches nécessaires pour obtenir leur incorporation, tout en voyant au fonctionnement du nouvel hôpital qui n'a encore que 12 lits. En vue de l'obtention de leur charte, elles s'entendent sur l'appellation d'Hôpital Sainte-Justine pour les Enfants. Elles définissent également leurs objectifs : « Recevoir les enfants malades jusqu'à l'âge de 12 ans et les bébés en santé jusqu'à l'âge de 1 an lorsqu'ils ont leurs parents, et que pour une raison ou une autre, ils ne peuvent s'en occuper[4]. » Le rapport annuel de 1908 précise pour sa part que l'hôpital a pour mission de :

> *Soigner les enfants malades qui ne sont pas reçus dans les autres hôpitaux. Travailler à enrayer l'effroyable mortalité infantile qui, chaque année, décime d'une façon alarmante la population de notre ville. Venir en aide aux mères honnêtes et*

Justine Lacoste-Beaubien (1877-1967)

Justine Lacoste-Beaubien naît le 1er octobre 1877 dans une famille bourgeoise de Montréal. Sa mère, Marie-Louise Globensky, est une parente éloignée de Louis-Joseph Papineau et son père, Alexandre Lacoste, un juriste réputé dont la fidélité au Parti conservateur lui vaut d'être nommé au Sénat en 1883, puis juge en chef de la Cour du banc du Roi de la province de Québec en 1891. De leur union naissent 13 enfants, dont Marie Gérin-Lajoie, l'aînée, fondatrice de la Fédération nationale Saint-Jean-Baptiste, et Thaïs Lacoste-Frémont, conférencière, journaliste et militante pour les droits sociaux et politiques des femmes.

Sixième enfant de la famille, Justine Lacoste fait ses études au couvent des sœurs des Saints-Noms-de-Jésus-et-de-Marie en compagnie de Lucie Lamoureux et de Blanche Bourgoin qui feront également partie des fondatrices de l'Hôpital Sainte-Justine et siègeront sur son conseil d'administration durant de nombreuses années. En 1899, elle épouse Louis de Gaspé-Beaubien, fils d'une famille de pionniers de la ville d'Outremont. Homme d'affaires très respecté des milieux économiques, Louis de G.-Beaubien fonde sa propre société de courtage, la maison L.G. Beaubien et Cie, en 1902, et devient l'un des financiers les plus influents de l'élite canadienne-française. Il compte parmi les grands donateurs de l'Hôpital Sainte-Justine, qu'il aide à plusieurs reprises à se sortir de mauvaises passes financières.

Décrite comme une personne énergique, volontaire et même rigide, appartenant à une élite qu'elle pouvait appeler à sa rescousse, Justine Lacoste-Beaubien était toute désignée pour réaliser le rêve du Dr Irma LeVasseur de fonder un hôpital pour enfants. Son travail comme présidente du conseil d'administration de Sainte-Justine, un poste qu'elle occupe sans interruption entre 1907 et 1966, soit jusqu'à quelques mois avant son décès, lui a valu de nombreuses distinctions, notamment un doctorat *honoris causa* qui lui a été décerné par l'Université de Montréal en 1936, le titre de « Femme de l'année 1958 » accordé par le Cercle des femmes journalistes et celui d'« Homme du mois » attribué par la Chambre de commerce de Montréal en 1960.

pauvres qui ne peuvent donner à leurs enfants souffrants les soins nécessaires. Cette œuvre est donc très humanitaire et franchement nationale[5].

Ce texte, qui apparaît dans les rapports annuels jusqu'en 1926, traduit sans doute le mieux les visées des fondatrices : sauver les enfants de la mort non seulement pour eux-mêmes, mais aussi pour le bénéfice de la nation. Il faut cependant préciser que, tout en étant une institution francophone et catholique, bénie par le pape Pie IX en 1908, Sainte-Justine n'entend pas admettre uniquement des petits Canadiens français. Les règlements adoptés peu après l'incorporation spécifient en effet que l'hôpital « reçoit indistinctement les enfants de toute nationalité et de toute religion[6] ». Malgré cet esprit d'ouverture, il reste que les patients traités à Sainte-Justine, surtout durant les premières décennies de son existence, sont franco-catholiques à plus de 90 %, alors que la proportion des Montréalais d'origine française se situe, au début du siècle, aux environs de 60 %[7]. Dans le Québec d'avant la Révolution tranquille, les œuvres d'assistance et de santé sont organisées sur des bases linguistiques et confessionnelles, formant des univers aux frontières plutôt étanches que peu de gens osent traverser. C'est d'ailleurs en partie pour faire pendant au Children's Memorial Hospital, rebaptisé Montreal Children's Hospital en 1954, et ainsi fournir à la communauté canadienne-française un hôpital pédiatrique correspondant à sa culture et à ses convictions religieuses que Sainte-Justine est fondé.

La loi constituant l'hôpital en corporation est sanctionnée le 25 avril 1908. Par cette loi, les fondatrices se constituent en personne morale appelée Hôpital Sainte-Justine, dotée d'une personnalité juridique indépendante, capable d'exercer certains droits et sujette à certaines obligations. La loi proclame que la nouvelle entité est composée de vingt-cinq dames, y compris les quinze fondatrices, expressément nommées à l'article 1 de la charte, des gouverneurs à vie, c'est-à-dire ceux et celles qui paient une contribution annuelle de 10 $, des dames patronnesses qui doivent payer une somme de 2 $ annuellement pendant cinq ans pour se mériter ce titre, des membres du bureau d'administration, lui-même élu par les membres en règle de la corporation, et des présidentes, secrétaires-trésorières et conseillères des comités et sous-comités nommés par le bureau d'administration. Véritable acte de naissance de l'hôpital, la charte prévoit que « la corporation pourra établir un hôpital catholique » pour les enfants et elle lui donne le pouvoir d'acquérir et d'administrer des biens, de choisir ses administrateurs et d'adopter les règlements qu'elle jugera utiles à la conduite de ses affaires. Elle stipule en outre que l'hôpital a le droit de former des gardes-malades et de leur décerner des diplômes, tout en l'obligeant à nommer un bureau de médecins pour assurer « le service médical et chirurgical de l'hôpital ». Ce bureau a cependant des pouvoirs assez limités, l'article 8 spécifiant que les règlements qu'il pourra adopter « devront être soumis à l'approbation des administrateurs », c'est-à-dire les dames qui forment le comité exécutif. Contrairement à la

Origine du nom de l'hôpital

L'Hôpital Sainte-Justine doit son nom non pas à sa fondatrice, mais à sainte Justine, martyre des premiers siècles de l'Église catholique, proclamée protectrice des enfants malades. Il faut dire cependant que Justine Lacoste-Beaubien tenait elle-même son prénom de cette sainte qui aurait sauvé sa sœur aînée, Marie, d'une grave maladie alors qu'elle était enfant. La famille Lacoste, qui avait demandé l'intercession de sainte Justine, avait alors promis de donner ce prénom à leur prochaine fille. Mentionnons également que plusieurs des fondatrices ont étudié au couvent des sœurs des Saints-Noms-de-Jésus-et-de-Marie où, en 1908, ont été transférées les reliques de la sainte.

pratique en vigueur à l'Hôpital Notre-Dame, par exemple, où les médecins qui avaient fondé l'établissement s'étaient octroyé des prérogatives très larges, les médecins de l'Hôpital Sainte-Justine se retrouvent donc en position subordonnée par rapport aux administratrices, ce qui ne va pas manquer de soulever certains problèmes. Enfin, élément essentiel à une époque où les femmes mariées n'ont pas la capacité juridique d'exercer une action en justice, la charte stipule, à l'article 10, que, « [p]our la validité d'aucun acte fait par une femme mariée comme membre de la corporation, une de ses officières ou administratrices, il ne sera pas nécessaire qu'elle soit spécialement autorisée par son mari. Dans aucun cas », précise le document, « le mari ne sera responsable pour les actes de sa femme faits en une telle qualité[8]. »

Les règlements adoptés en complément de la charte précisent que tous les membres en règle de la corporation ont le droit de vote, les fondatrices votant deux fois, mais que seules les membres féminines sont éligibles aux postes du bureau d'administration qui désigne, parmi les membres élues, une présidente, deux vice-présidentes, une trésorière, une secrétaire et deux conseillères[9]. L'administration de l'hôpital sera donc exclusivement féminine, la présidente et la secrétaire du comité exécutif de l'hôpital agissant d'office comme présidente et secrétaire de la corporation. Aucune limite n'ayant été fixée au nombre de mandats que peut exercer une membre, la composition du comité exécutif est demeurée particulièrement stable durant une très longue période : ainsi, Justine Lacoste-Beaubien exercera la présidence sans interruption de 1907 à 1966, soit moins d'un an avant son décès, tandis qu'Euphrosine Rolland et Lucie Lamoureux-Bruneau en feront partie durant plus de 25 ans.

Chaque année, en février, le bureau d'administration doit faire rapport devant l'assemblée générale des membres de la corporation, dûment convoquée. Entre les assemblées, le bureau, réuni en comité exécutif, voit à la gestion générale de l'hôpital, les règlements adoptés lui conférant des

Armoiries et logos de l'hôpital

Dès la fondation de l'hôpital, les administratrices l'ont doté d'une devise, « Dieu en ayde », et d'armoiries. Ces dernières se composent d'un listel où est inscrite la devise, d'une ceinture d'argent avec le nom de l'hôpital, d'une croix pour symboliser courage et foi, et d'un agneau, emblème de douceur et d'innocence, traduisant la candeur et la pureté de l'enfant souffrant. La garde de l'épée rappelle le martyr de Sainte-Justine, patronne des enfants malades. Les armoiries de l'hôpital peuvent être observées sur le plancher du hall d'entrée de l'immeuble de la Côte-Sainte-Catherine. Elles ont représenté la signature de l'hôpital jusqu'en 1982.

À partir de cette date, qui marque le 75e anniversaire de l'institution, le conseil d'administration adopte le logo créé par Robert Leblanc, illustrateur médical, afin de moderniser l'image de Sainte-Justine et de l'unifier avec celle de la Fondation Sainte-Justine. Ce logo, formé d'une croix représentant l'hôpital et d'un enfant représentant la clientèle, était déjà utilisé par le journal *Interblocs* depuis 1977.

En 1990, le besoin se fait sentir de projeter une image encore plus avant-gardiste. L'agence Cossette Communications Marketing propose alors de créer gracieusement un nouveau symbole démontrant le caractère unique de Sainte-Justine. Ce nouveau logo représente un enfant enlacé par un adulte (mère, infirmière, père, médecin, bénévole) qui cherche à le protéger. La couleur bleue a été choisie puisqu'elle rappelle le sentiment de bien-être que le personnel cherche à donner aux enfants malades. La Fondation a le même logo que l'hôpital, mais de couleur jaune, symbole d'espoir et de vie, alors que le logo du Centre de recherche est vert, couleur associée au courage et à l'espoir.

pouvoirs très étendus. Non seulement les administratrices peuvent-elles poser tous les actes nécessaires à la gestion matérielle, comme posséder, acquérir, vendre, emprunter ou hypothéquer des biens, mais elles ont le droit de créer des dispensaires, « d'établir autant de services qu'elles croiront utiles », de former autant de comités et sous-comités qu'il est nécessaire et d'adopter des règlements pour la régie interne de l'hôpital et des dispensaires,

> *y compris tout ce qui s'y rapportera accessoirement, aussi bien que ce qui sera nécessaire ou important pour la gestion de l'établissement, tant par rapport à son personnel et à ses médecins et chirurgiens qu'à l'égard des malades, les conditions de l'admission, du traitement et de la sortie de ces derniers, la nomination de tous* [les] *internes et externes, la nature de leurs devoirs ainsi que leurs obligations envers la Corporation, la visite de l'hôpital et de ses malades par les membres du corps médical et de la Faculté de Médecine* [sic], *le service et la discipline des gardes-malades et infirmières et leur préparation et instruction pour ce service et autres fonctions*[10].

Les règlements de l'hôpital reprennent en outre les dispositions de la charte d'incorporation concernant la formation des infirmières et le fonctionnement du bureau médical, si bien qu'ils confèrent aux administratrices des prérogatives très larges. Très clairement, ces dames entendent exercer un pouvoir sans partage sur leur œuvre. Avec le temps, elles devront apprendre à déléguer la gestion des affaires proprement médicales et à composer avec les religieuses qui vont bientôt assumer la direction des soins infirmiers et de la régie interne, mais dans l'ensemble on peut dire que les documents fondateurs de Sainte-Justine en ont fait, et pour longtemps, une institution féminine et laïque qui a eu peu d'équivalents dans l'histoire de la santé au Québec.

L'organisation interne de l'hôpital

Les fondatrices n'ont pas attendu d'obtenir leur charte pour se mettre à l'œuvre. Dès la fin de l'année 1907, elles forment les premiers comités pour veiller à la bonne marche des activités : comptabilité, lingerie, souscription. En juin 1908, un comité d'économie interne remplace le comité de comptabilité, alors qu'un comité de couture des enfants et un comité des fêtes s'ajoutent à la liste ; à la fin des années 1920, il en existe une bonne douzaine[11]. Ces comités, dont le nombre et les fonctions varient au fil du temps selon les besoins, sont aussi dotés d'un organe exécutif formé d'une présidente et d'une secrétaire-trésorière qui assistent aux réunions mensuelles regroupant les membres de l'administration et, à partir de 1910, la supérieure des Filles de la Sagesse, responsable de la régie interne. Pour leur part, les administratrices se réunissent chaque semaine afin de régler les affaires courantes et prendre les décisions nécessaires à la bonne marche de l'hôpital. Ce sont donc elles qui orientent son développement.

Formé en février 1908 à l'invitation des dames, le premier bureau médical — une instance administrative qui regroupe les médecins affiliés à l'hôpital et doit voir aux aspects plus proprement médicaux de la gestion hospitalière — se compose de six médecins consultants, soit les Drs Séverin Lachapelle, Joseph-Edmond Dubé, Télesphore Parizeau, Henri Hervieux, Vitalien Cléroux et Séraphin Boucher, tous professeurs à la Faculté de médecine de l'Université Laval à Montréal (rappelons que l'Université de Montréal deviendra indépendante de l'Université Laval seulement en 1920), et de six médecins visiteurs qui dispenseront les soins aux malades, soit les Drs Benjamin-Georges Bourgeois et Zéphir Rhéaume, chirurgiens, le Dr Édouard-Étienne Laurent, spécialiste des maladies des yeux, du nez, des oreilles et de la gorge, et les Drs Raoul Masson, Joseph-Charles Bourgoin et Irma

LeVasseur[12]. Cette dernière, pourtant cofondatrice de l'hôpital, avait été écartée de sa direction en janvier 1908. Le procès-verbal de la rencontre qui a décidé de son sort rapporte de manière plutôt laconique : « Les membres du comité présentes à l'assemblée [à savoir Mmes L. de G. Beaubien, Berthiaume, Leblanc, Masson et Mlles Rolland et Lacoste] ont décidé que le Dr LeVasseur resterait à l'hôpital mais n'en ferait plus partie qu'à titre de médecin. Les membres du comité ont pris toute la matinée pour arriver à cette décision[13]. » C'est donc au terme d'un long débat que le comité exécutif en arrive à la conclusion qu'il vaut mieux écarter la seule femme médecin du groupe, peut-être, précisément, parce qu'elle était médecin. Contrairement aux autres fondatrices, issues de la bourgeoisie montréalaise et ayant le loisir de consacrer tout leur temps à l'action sociale bénévole, Irma LeVasseur exerce une profession accaparante lui laissant moins de disponibilité pour s'occuper de la gestion de l'hôpital, ce qui a peut-être justifié son exclusion. Un mois plus tard, elle décide de se retirer également du bureau médical. Démissionne-t-elle par suite d'un conflit avec les autres médecins au sujet de l'horaire du dispensaire, comme l'affirme Madeleine des Rivières, la biographe de Justine Lacoste-Beaubien, ou est-elle en désaccord avec la vision de ses collègues masculins du bureau médical, qui estiment être les seuls à pouvoir diriger un hôpital pédiatrique, comme le suggère Rita Desjardins[14] ? La question demeure ouverte, mais on peut avancer que cette femme, qui a aussi été à l'origine de l'hôpital de l'Enfant-Jésus de Québec, projet dont elle s'est également retirée, a éprouvé certaines difficultés à concilier son identité féminine et professionnelle.

Présidé par le Dr J. E. Dubé, éminent praticien formé à Paris, le bureau médical s'engage dès ses débuts dans une lutte de pouvoir avec les administratrices, déterminées à avoir la main haute sur tous les aspects du développement de leur hôpital. Dans l'esprit des médecins, il revient sans doute aux dames d'assumer la gestion générale de l'œuvre qu'elles viennent de fonder, mais il ne leur incombe pas de diriger le travail des médecins ou de statuer sur des questions touchant à l'organisation des soins. Deux questions font plus particulièrement l'objet de litiges : la nomination des futurs membres du bureau médical et l'adoption des règlements médicaux. Alors que les médecins désirent avoir toute latitude dans ces deux domaines, les dames estiment qu'elles ont leur mot à dire dans le choix des praticiens qui travailleront à Sainte-Justine et elles sont bien déterminées à assujettir les règlements du bureau médical à ceux de l'hôpital afin que les premiers ne viennent pas contredire les seconds. La loi d'incorporation leur accorde d'ailleurs le pouvoir de sanctionner les nominations et les règlements des médecins, une situation que le Dr Lachapelle avait jugée regrettable[15].

Le différend au sujet de la nomination des médecins se conclut par une victoire rapide des dames, ce que le rapport annuel de 1908 ne manque pas de souligner : « nous sortîmes victorieuses d'une petite lutte, engagée entre nous, les femmes, qui voulions la plus grande liberté pour travailler le plus efficacement possible à notre chère œuvre, et messieurs les hommes, qui, jaloux de leurs droits, ne voulaient pas, sans se faire prier un peu, les partager avec nous… serait-ce même pour la charité[16]. » L'année suivante, les procédures de nomination sont précisées : le nom de tout nouveau médecin devra être transmis par le président du bureau médical à la présidente du comité exécutif. Une fois approuvée par les autres membres de la direction, il reviendra au secrétaire du bureau médical d'officialiser la nomination, mais le candidat devra servir durant deux ans avant de pouvoir siéger au bureau médical[17].

La question des règlements médicaux ne sera pas réglée aussi promptement, la direction refusant d'entériner la totalité du texte présenté par les médecins et ces derniers refusant de le modifier pour satisfaire les administratrices. La mésentente se concentre sur deux points : le pouvoir de décision exclusif, réclamé par les médecins, sur l'admission et le congé des patients, ainsi que le privilège qu'ils veulent s'accorder d'hospitaliser leur clientèle privée, comme c'est le cas dans les autres hôpitaux. Le principe de la gratuité des consultations au dispensaire, auquel la direction tient mordicus, et le respect des horaires des consultations font aussi l'objet de dissensions entre les deux groupes[18]. En 1913, le bureau médical semble sur le point de se révolter : accusant les administratrices de faire preuve « d'étroitesse d'esprit » au sujet de la tarification des consultations au dispensaire, ce qu'elles persistent à interdire malgré des demandes répétées, il menace de régler la question « non pas en demandant des faveurs mais en imposant nos [*sic*] volontés[19]. »

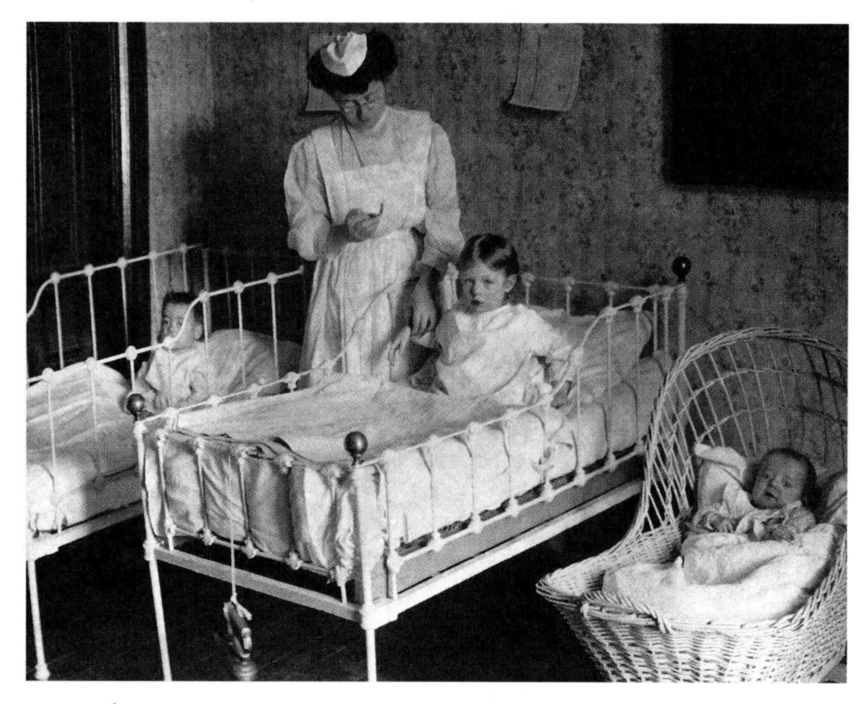

Garde Églantine Clément, première infirmière diplômée de l'Hôpital Sainte-Justine, prenant le pouls d'un enfant hospitalisé dans l'hôpital de l'avenue De Lorimier en 1908 (photographe inconnu. Bibliothèque et Archives nationales du Québec, direction du Centre de Montréal. Fonds Justine-Lacoste-Beaubien. P655, S2, SS7, D1, P3).

L'affiliation de l'hôpital à la Faculté de médecine de l'Université Laval à Montréal en 1914 met finalement un terme à certains des contentieux opposant les deux groupes. Dès 1909, la faculté avait accepté la proposition des administratrices de recevoir ses étudiants, car cet arrangement permettait d'assurer leur formation clinique en pédiatrie, nouvelle matière imposée par la loi médicale adoptée la même année. Cinq ans plus tard, c'est la Faculté qui approche l'hôpital pour lui faire une offre d'affiliation, le déménagement prochain de Sainte-Justine dans des locaux pouvant accueillir 80 lits le qualifiant pour devenir un lieu d'enseignement et de stages. L'entente, négociée sans la participation du bureau médical, place le service médical et chirurgical de Sainte-Justine sous l'égide de la Faculté de médecine, ce qui signifie que, désormais, celle-ci désignera les médecins qui travailleront dans les différents services de Sainte-Justine à partir d'une liste transmise par le bureau médical, leur nomination officielle demeurant cependant le privilège des administratrices. La Faculté détermine également le rôle et le mode de fonctionnement du bureau médical et se réserve le droit d'approuver ses règlements, ces derniers devant aussi être ratifiés par l'administration. L'hôpital met à la disposition de la Faculté ses services externes et internes pour y organiser des cliniques, alors que celle-ci s'engage à donner les cours nécessaires à la formation des infirmières. Enfin, le document, comportant plus de 70 articles, définit les tâches et les attributions des différentes catégories du personnel médical : médecins et chirurgiens visiteurs, médecins spécialistes, médecins des dispensaires, médecins internes et leurs assistants[20].

À partir de 1914, la Faculté de médecine devient donc un acteur important du développement des services médicaux de Sainte-Justine. Si les administratrices conservent certaines de leurs prérogatives, notamment l'approbation des nominations et des règlements des médecins, elles considèrent néanmoins qu'il est dans l'intérêt de leur œuvre d'en déléguer une partie à une autorité médicale reconnue. En liant le sort de l'hôpital à celui de la Faculté, elles dotent leur établissement d'une plus grande crédibilité aux yeux des autres partenaires de Sainte-Justine, qu'il s'agisse des autorités gouvernementales ou du grand public, elles assurent le développement des études pédiatriques et elles nouent une alliance avec une institution qui peut faire contrepoids lors d'éventuels conflits avec le corps médical de l'hôpital.

Les soins infirmiers mettront aussi un certain temps à s'organiser, car les dirigeantes doivent composer avec des ressources financières des plus limitées et un manque criant de personnel qualifié. Une première infirmière laïque, Églantine Clément, qui avait commencé sa formation à l'Hôpital Notre-Dame, est embauchée en 1908, mais rapidement, les administratrices constatent qu'elles arrivent difficilement à attirer et à garder les jeunes filles à leur emploi, et ce, malgré l'organisation d'un cours d'infirmière. « Les gardes-malades laïques du commencement eurent certes leurs grands mérites, souligne le rapport annuel de 1914, mais les jeunes filles sont rarement infirmières par vocation : elles le sont par nécessité, et dès que leur vie s'oriente favorablement [c'est-à-dire dès qu'elles se marient], elles abandonnent leur poste, et il est impossible qu'un hôpital ne souffre pas de ces changements incessants[21]. » La société québécoise de l'époque n'admettant le travail salarié des femmes qu'à la condition qu'elles soient célibataires, il valait certes mieux s'adjoindre les services d'une communauté religieuse qui saurait fournir, en nombre suffisant, les effectifs nécessaires aux besoins de l'hôpital.

Dès 1909, l'administration prend contact avec des communautés de religieuses hospitalières, mais, celles-ci ayant l'habitude d'œuvrer dans des établissements qui leur appartiennent, elle essuie plusieurs refus. C'est finalement par l'entremise de Mgr Bruchési, archevêque de Montréal, que les dirigeantes entrent en contact avec les Filles de la Sagesse, une communauté d'origine française déjà présente à Ottawa. En mai 1910, la supérieure générale envoie de France six religieuses qui s'occuperont des soins infirmiers et de la régie interne de l'hôpital, y compris les tâches domestiques, la charge du dispensaire et la formation pratique des infirmières et des aides maternelles, contre une rémunération de 5 $ par mois et par religieuse, en plus de l'hébergement[22]. À peine six mois plus tard, cependant, les sœurs, insatisfaites de leurs conditions de vie et de leur autonomie de travail, adressent une longue lettre à la direction. Elles se plaignent de ne pas disposer de l'espace leur permettant de vivre en communauté et de pratiquer leurs dévotions, et elles dénoncent le fait qu'elles n'ont pas la latitude promise pour gérer l'hôpital. L'intervention des dames au sujet de l'admission des patients, leurs visites quotidiennes et la présence

Les premières Filles de la Sagesse auprès des enfants hospitalisés sur l'avenue De Lorimier, mars 1910 (photo *La Presse,* tirée de AHSJ).

d'enfants qui participent au comité de couture, causant du désordre, font plus particulièrement l'objet de leurs récriminations. La lettre adressée à Justine Lacoste-Beaubien par la supérieure provinciale emprunte un ton sans équivoque : « J'admets très bien que le Comité puisse présenter les enfants, mais ils ne seront acceptés qu'avec l'agrément de la Supérieure et l'autorisation des médecins. [...] Nous admettons très bien que ces dames puissent venir visiter l'hôpital parce qu'elles se désintéresseraient de l'œuvre si elles ne la voyaient pas ; mais ces visites [...] ne doivent point être une inspection et les dames n'y donneront aucun ordre ni remarque à la Supérieure ou aux Sœurs[23]. » Habituées à diriger les hôpitaux où elles œuvrent, les religieuses n'entendent pas se plier à l'autorité absolue que la direction féminine prétend exercer.

La construction d'une chapelle, payée par Justine Lacoste-Beaubien, ne sera pas de nature à régler tous ces problèmes, et dès l'année suivante, dans une lettre qu'elles adressent cette fois à Mgr Bruchési, les sœurs menacent de partir. De nouvelles négociations s'engagent et les religieuses acceptent de rester encore six mois, ce qui permet à l'administration de gagner du temps. Le projet de construction d'un nouvel hôpital, dont il est alors question, semble avoir joué un rôle dans leur décision de rester au-delà de ce délai. Sachant bien que Sainte-Justine a besoin d'elles pour fonctionner, elles renégocient les conditions de leur association avec l'hôpital et obtiennent l'attribution d'un espace plus grand dans le nouvel immeuble et d'une autonomie accrue dans la gestion interne[24].

Selon l'entente qui scelle la collaboration entre Sainte-Justine et les Filles de la Sagesse, entérinée en 1916, la communauté s'engage maintenant à fournir 22 religieuses, dont 11 religieuses infirmières ou aptes à le devenir, et à augmenter leur nombre suivant les besoins. La supérieure de l'hôpital se voit conférer la pleine autorité sur l'administration de la maison et devient la seule interlocutrice de la direction et du bureau médical, ce qui signifie que ces dames ne pourront plus s'ingérer dans la gestion quotidienne ou le travail du personnel. Par contre, la supérieure devra en référer au comité exécutif pour les questions d'embauche et de renvoi. La supérieure générale, basée en France, pourra remplacer ou

La congrégation des Filles de la Sagesse

La Congrégation des Filles de la Sagesse a été fondée en 1703 par Louis-Marie Grignion de Montfort, un prêtre qui parcourait l'ouest de la France en prêchant et soignant les pauvres dans les hôpitaux, et Marie-Louise Trichet, qui concrétisa son projet de créer une communauté religieuse. Les Filles de la Sagesse, présentes aujourd'hui dans 21 pays, s'établissent au Canada en 1884 alors que sept d'entre elles arrivent au village de Montfort, au nord de Saint-Jérôme. À partir de ce moment, la congrégation multiplie ses œuvres dans tout le pays ainsi qu'aux États-Unis. Les Filles de la Sagesse ont notamment participé à la fondation de plusieurs hôpitaux, dont l'hôpital Montfort d'Ottawa, l'hôpital de Val-d'Or et l'hôpital de Mont-Joli, de pensionnats et d'écoles pour jeunes filles.

Arrivées à l'Hôpital Sainte-Justine en 1910, les Filles de la Sagesse y demeurent pendant plusieurs décennies, jusqu'au départ de leur dernière représentante en 1996. En plus de s'occuper de la régie interne de l'hôpital, beaucoup d'entre elles se spécialisent et remplissent différentes fonctions en tant que gardes-malades, pharmaciennes, techniciennes de laboratoire, archivistes, diététiciennes, etc. Elles sont logées à l'hôpital où une résidence et une chapelle leur sont réservées pour qu'elles puissent se conformer aux rites de leur communauté. Jusqu'aux années 1950, leur nombre dans l'hôpital n'a cessé de croître, passant de 9 en 1912, à 26 en 1922, puis à 43 en 1932 et à 73 en 1947. La baisse des vocations religieuses et l'étatisation du système de santé à compter des années 1960 signalent cependant leur retrait graduel des postes de responsabilité et, finalement, leur départ de l'hôpital.

muter les religieuses à sa guise, mais les administratrices pourront aussi demander leur renvoi ou leur remplacement, pour des raisons valables. Le contrat dactylographié envoyé en France pour étude et ratification ne comporte cependant aucune clause au sujet de l'admission des patients, un des points litigieux. Mais la supérieure générale y tenait : prétextant le désir de sa communauté de conserver uniquement des documents manuscrits dans ses archives, elle fait recopier le contrat en y ajoutant la clause jugée manquante et libellée comme suit : « La Supérieure [de Sainte-Justine] seule admettra les enfants malades sous le contrôle des médecins de l'hôpital et avec leur ordonnance[25]. » Les administratrices, qui veulent à tout prix faire admettre des enfants qui leur sont envoyés, finissent néanmoins par avoir gain de cause. Jouant de leur influence, elles s'adressent à Mgr Bruchési. L'intervention de l'ecclésiastique, qui représente la voix de l'autorité dans l'Église, oblige les sœurs à déclarer forfait. Dans une lettre adressée à la présidente en novembre 1916, la supérieure générale écrit : « nous ne pouvons que nous incliner très volontiers devant la décision de Monseigneur l'Archevêque [d'abolir la clause], et nous [nous] ferons un honneur de garder précieusement dans nos archives l'exemplaire du traité, annoté de sa main[26]. »

Il aura donc fallu près de dix ans avant que ne soient posées les bases qui ont assuré le fonctionnement de l'hôpital jusqu'après la Seconde Guerre mondiale. L'incorporation qui définit le pouvoir des administratrices, l'affiliation à l'Université Laval de Montréal qui établit les rapports entre l'hôpital, la Faculté de médecine et les médecins, de même que l'entente signée avec les Filles de la Sagesse, leur déléguant les soins infirmiers et la gestion interne, représentent en effet les éléments clés qui orienteront le développement de Sainte-Justine pour de nombreuses années.

Dès la fin de la Première Guerre mondiale, d'autres jalons sont posés afin de faire de Sainte-Justine un « hôpital modèle [...] qui ne devra rien envier à ceux des autres villes

Des enfants priant dans la chapelle de l'hôpital sous le regard attentif d'une religieuse, 1910 (AHSJ).

canadiennes et américaines », comme le propose le rapport annuel de 1917. Ainsi, en 1920, Sainte-Justine devient membre de la Catholic Hospital Association, une association qui regroupe des hôpitaux catholiques canadiens et américains et qui milite en faveur de la standardisation des procédures hospitalières. Lancé aux États-Unis en 1918, ce mouvement vise à accorder une accréditation officielle aux établissements qui instaurent divers services jugés essentiels à la bonne qualité des soins, tels un laboratoire bien équipé, un département de radiologie et un département d'archives médicales comportant des dossiers standardisés. Sainte-Justine entend bien se classer au nombre de ces hôpitaux. En 1919, la direction entreprend donc l'uniformisation des dossiers des patients, tandis qu'à partir de 1923 elle voit à l'organisation d'un département « pour classer et étudier les dossiers », placé sous la direction du Dr J.-E. Desrochers. La même année, le département d'électrothérapie et de radiologie, que les médecins réclament depuis 1916, entre en fonction sous la direction du Dr Albert Comtois, tandis que le laboratoire, inauguré en 1918, se structure peu à peu. Finalement, en 1922, les administratrices acceptent que les infirmières suivent le programme de cours élaboré par l'Université de Montréal pour tous ses hôpitaux affiliés et que leur diplôme leur soit conféré par la Faculté de médecine plutôt que par l'hôpital, comme c'était le cas jusqu'alors. En plus de consacrer une formation plus élaborée et plus exigeante, ce diplôme universitaire permet aux infirmières de Sainte-Justine de devenir membres de l'Association des gardes-malades enregistrées de la province de Québec, association fondée en 1920 dans le but d'améliorer la formation et de relever le niveau de cette profession féminine en pleine expansion[27].

Les transformations entreprises au tournant des années 1920 donnent bon espoir aux administratrices de voir leur hôpital être bientôt reconnu comme une institution digne de figurer parmi les meilleures. « Aujourd'hui, avec son outillage, ses archives de dossiers, sa capacité, son personnel travaillant en collaboration, Sainte-Justine mérite d'être standardisé, c'est-à-dire reconnu par le Collège des Chirurgiens d'Amérique et l'Union des Hôpitaux Catholiques, comme un hôpital d'une efficacité absolue », proclame le rapport annuel de 1922. Il faudra néanmoins attendre encore quelques années, puisque c'est en 1926 que Sainte-Justine reçoit son accréditation de l'American College of Surgeons. L'agrandissement de l'hôpital à partir de 1922, les projets d'aménagement d'un laboratoire mieux outillé et l'ouverture projetée d'un département d'obstétrique expliquent sans doute la décision de l'organisme américain. Cette reconnaissance amène les fondatrices à réaffirmer leur volonté de faire de l'hôpital un établissement à la fine pointe des avancées scientifiques : « L'Administration de l'hôpital désire ardemment que Sainte-Justine soit, non seulement un centre de guérison, mais un milieu scientifique d'études et de recherches, et ce, pour la gloire et le bénéfice de notre race[28] », affirme le rapport annuel de 1927. Il y aura souvent loin de la coupe aux lèvres, mais l'intention des fondatrices de faire de leur établissement un fleuron de la communauté canadienne-française, au nom de la survie et de la fierté nationales, demeurera une préoccupation constante, reprise par leurs successeurs. Loger l'hôpital dans des lieux permettant d'atteindre cet objectif constituera aussi un enjeu de taille auquel les fondatrices seront très tôt confrontées.

De la rue Saint-Denis… à la rue Saint-Denis

La maison prêtée par le frère d'Euphrosine Rolland au 644, rue Saint-Denis, où l'hôpital emménage en 1907, ne convient évidemment pas aux besoins d'un établissement de soins de santé. Dès janvier 1908, les dames se mettent donc à la recherche d'un autre lieu plus conforme à leurs ambitions et, en mai de la même année, Sainte-Justine déménage dans une nouvelle maison, située au 820, avenue De Lorimier[29]. Plus spacieuse, cette deuxième habitation présente néanmoins des inconvénients majeurs. Les six religieuses qui arrivent en 1910 en font une description qui laisse voir leur déconvenue :

> *Au rez-de-chaussée, deux grandes pièces, séparées par le corridor d'entrée, contiennent, l'une onze lits, l'autre douze. Près de l'une des salles se trouve le réfectoire destiné aux religieuses et aux gardes-malades ; c'est dans cet appartement que se servent les repas des enfants, qu'on lave leur vaisselle et que se font la préparation et la stérilisation du lait.* [...] *La dépense* [...] *est aménagée comme cuisine : c'est un étroit passage, où il n'y a pas d'espace libre.* [...] *Au premier étage... Cela rappelle aux religieuses la pauvreté de la crèche*[30].

Logées au grenier, un endroit particulièrement inconfortable où elles étouffent durant l'été et grelottent durant l'hiver, les religieuses doivent traverser le dortoir des gardes-malades laïques pour accéder à leurs quartiers, ce dont elles se plaignent à la présidente dès leur arrivée. À l'inconfort s'ajoute l'étroitesse des lieux. Dès 1909, le Dr Masson déplore que, certains jours, « la circulation est presque impossible, les malades s'entassent dans les corridors et les escaliers, envahissant les salles[31] ». L'année suivante, dans une lettre adressée à la direction, il rappelle « que la salle d'opération n'est pas une salle commune, ni une salle de réunion ni une salle d'attente », preuve que le manque d'espace atteint des niveaux critiques[32]. Et c'est sans compter que l'hôpital refuse régulièrement de nombreux patients.

Cette affluence témoigne sans équivoque de la nécessité de l'œuvre entreprise et amène le comité exécutif à envisager la construction d'un immeuble neuf, où il sera possible d'augmenter le nombre de lits et de moderniser les installations et les équipements. Au printemps 1912, l'exécutif forme un sous-comité de construction chargé de recueillir des fonds pour concrétiser ce projet, tandis qu'à l'été de la même année l'hôpital fait l'acquisition d'un premier terrain sur la rue Saint-Denis au coût de 16 200 $, une partie de cet argent provenant de la vente d'un autre terrain offert par la famille Beaubien. L'organisation de fêtes de charité et les requêtes présentées à la Ville de Montréal et au gouvernement provincial ne permettent pas d'amasser la totalité de la somme requise pour compléter la construction, mais les travaux sont quand même lancés et, en avril 1914, Sainte-Justine emménage dans un édifice flambant neuf, situé au 1879, rue Saint-Denis[33]. Comprenant trois étages plus un rez-de-chaussée et un sous-sol, cet immeuble correspond au corps principal d'une bâtisse appelée à s'agrandir.

Cette maison située sur l'avenue De Lorimier, au coin de la rue Rachel, abritera l'hôpital entre 1908 et 1914 (AHSJ, photo : studio Laprés et Lavergne).

Le nouvel hôpital dispose de 80 lits et offre tout le confort moderne de l'époque. Une cuisine, une salle à manger et une salle de bain sont attenantes à chacune des cinq salles publiques et chaque étage bénéficie d'un solarium. Les départements de médecine et de chirurgie se voient attribuer 16 lits chacun ;18 lits sont réservés aux nourrissons, 12 au service d'oto-rhino-laryngologie (ORL) et à l'ophtalmologie, et six au service de dermatologie. Pour satisfaire les demandes répétées des médecins, l'hôpital inaugure enfin un département privé de 12 lits. Quatre chambres permettant la cohabitation de l'enfant et de la mère, une initiative plutôt avant-gardiste, sont aussi aménagées. L'hospitalisation de patients payants permettra, espère-t-on, d'apporter des revenus intéressants pour l'hôpital, mais il faut dire que le département privé sera rarement rempli[34].

Dès le début du siècle, les petits patients qui peuvent se lever s'amusent pour passer le temps. On les voit ici dans l'une des pièces de la maison où se trouvait l'hôpital de l'avenue De Lorimier (AHSJ).

Le nouvel immeuble offre beaucoup plus d'espace et permet l'installation du premier laboratoire, mais très vite il faut songer à l'agrandir, car la clientèle augmente constamment, au rythme de l'accroissement de la population montréalaise. En 1920, l'administration fait l'acquisition de terrains adjacents à l'hôpital, et dès l'année suivante s'amorce la construction de l'aile nord et de deux pavillons. Ce premier agrandissement, réalisé par l'architecte Joseph Sawyer et complété en 1922, dote désormais l'hôpital de 164 lits et permet l'ouverture du service d'électroradiologie. Les nouveaux locaux permettent aussi l'agrandissement du laboratoire et l'organisation d'une section d'anatomie pathologique, d'abord placée sous la direction du Dr Edmond Dubé, auquel succèdera le Dr Pierre Masson en 1927[35]. D'autres innovations, comme des « signaux électriques », des appareils de stérilisation du lait, des réfrigérateurs chimiques et des machines plus modernes à la buanderie, sont également inaugurées, « ce qui facilite la bonne tenue de l'hôpital[36] ». Un département d'observation, visant à éviter la propagation de maladies contagieuses, et un service de massothérapie, pour faciliter la réadaptation des enfants ayant subi une fracture, font aussi partie de la liste des nouveaux services.

En 1927, on inaugure l'aile sud, ce qui augmente la capacité de l'hôpital à 300 lits, mais certains demeurent fermés en raison du manque d'infirmières : il en faudrait 125, précise le rapport annuel, alors que l'hôpital en compte seulement 80. L'année suivante, l'hôpital instaure un département d'obstétrique de 17 lits. Son ouverture marque un tournant important dans l'histoire de Sainte-Justine, puisqu'elle pose les premiers jalons du centre mère-enfant qu'il est devenu. Pourtant, cet ajout a, au départ, des visées très pragmatiques puisqu'il s'agit essentiellement de répondre aux besoins de formation des infirmières, qui doivent effectuer un stage en obstétrique pour obtenir leur diplôme de l'Université de Montréal[37].

En novembre 1914, l'Hôpital Sainte-Justine emménage dans un immeuble nouvellement construit rue Saint-Denis, près de la rue Bellechasse, que l'on aperçoit sur la première photo. Au tournant des années 1950, malgré les agrandissements successifs, ce troisième hôpital est devenu trop petit et il faut songer à construire ailleurs (AHSJ).

Entre la fin des années 1920 et le déménagement sur le chemin de la Côte-Sainte-Catherine en 1957, l'hôpital de la rue Saint-Denis sera agrandi à cinq reprises, chaque nouvel agrandissement se révélant insuffisant pour desservir le nombre toujours plus élevé de patients et accueillir des installations toujours plus sophistiquées. Réitérant leur désir de faire de Sainte-Justine « un centre de puériculture des plus importants de l'Amérique du Nord tant par son organisation complète que par le nombre de ses malades[38] », les administratrices cherchent néanmoins à répondre le plus possible aux besoins de l'enseignement de la Faculté de médecine et aux avancées médicales, tant du point de vue de l'organisation des soins que de l'appareillage nécessaire pour les dispenser. L'implantation de nouveaux services médicaux et

Joseph Sawyer et l'Hôpital Sainte-Justine

Joseph Sawyer a été l'un des pionniers de l'architecture au Québec au début du xxe siècle. Né à Trois-Rivières en 1874, il fait ses études à l'Académie Saint-Joseph de Montréal. En 1894, il se joint à la firme de l'architecte Charles Chaussé, puis à l'étude Perrault, Mesnard et Venne, qu'il quitte pour devenir membre de l'Association des architectes et ouvrir son propre studio en 1898. Au cours de sa carrière, il a participé à divers projets, notamment la restauration de l'église historique de Saint-Eustache, la construction du Séminaire de Sainte-Thérèse, de l'église Sainte-Catherine de Montréal, de l'Hôpital Notre-Dame-de-la-Merci, de l'hôpital Herbert Reddy Memorial, de l'église Saint-Thomas-More à Verdun et de nombreux couvents et écoles de la Commission des écoles catholiques de Montréal. Sawyer a par ailleurs été rapidement associé à l'Hôpital Sainte-Justine puisque l'administration fait appel à ses services pour une première fois en 1921, alors qu'elle envisage de procéder au premier agrandissement de l'édifice de la rue Saint-Denis. Il demeure l'architecte attitré de l'hôpital jusqu'à la construction de l'immeuble du chemin de la Côte-Sainte-Catherine qui débute en 1951.

Selon l'analyse des plans architecturaux du Toronto Sick Children's Hospital, du Montreal Children's Hospital et de l'Hôpital Sainte-Justine faite par Annmarie Adams et David Theodore, l'architecture de l'hôpital francophone s'est démarquée, dès le début du xxe siècle, par un modernisme plus prononcé. Ces auteurs soutiennent que l'architecture pavillonnaire du Montreal Children's Hospital, situé sur les flancs du mont Royal, aurait eu pour effet de ralentir la percée d'une médecine scientifique dans l'établissement anglophone, notamment sa conversion en un centre d'enseignement et de recherche. Au contraire, l'architecture de l'Hôpital Sainte-Justine montre une très nette volonté de s'afficher comme un établissement moderne, et ce, dès la construction de la bâtisse de la rue Saint-Denis en 1914. Situé en plein quartier ouvrier, présentant une architecture nettement institutionnelle, plutôt que domestique, et harmonieuse malgré les agrandissements successifs, l'établissement se dote très tôt de toutes les commodités nécessaires à sa reconnaissance par les organismes d'accréditation hospitalière.

L'hôpital du chemin de la Côte-Sainte-Catherine se veut l'aboutissement de la volonté de l'administration de faire de Sainte-Justine une institution d'avant-garde, favorisant une meilleure intégration des soins, de l'enseignement et de la recherche. Pour y arriver, des experts de New York ont été consultés et Justine Lacoste-Beaubien a mandaté sœur Noémi de Montfort à la surveillance du chantier de construction et à la visite d'autres établissements pour s'enquérir des dernières nouveautés dans le domaine hospitalier. Ainsi, l'édifice du chemin de la Côte-Sainte-Catherine, comportant 13 étages, pouvait contenir environ 800 lits, répartis dans des chambres de un, deux ou quatre lits, pour éviter la propagation des maladies. On y trouvait aussi les services d'admission, d'urgence, les cliniques médicales et chirurgicales spécialisées, la physiothérapie, le service social, les laboratoires, les salles d'opération, l'obstétrique, etc. On y intégra aussi des installations techniques des plus modernes pour l'époque, comme un chauffage radiant, un héliport pour accueillir les urgences et, guerre froide oblige, un abri antiaérien pouvant accueillir 20 000 personnes. De plus, deux pavillons, dont l'un est devenu le Centre de recherche, étaient destinés à l'hébergement des élèves infirmières et du personnel qui logeait à l'hôpital, en plus d'abriter l'École des infirmières.

Une fille de la Sagesse supervisant la stérilisation du lait dans le nouvel immeuble de la rue Saint-Denis en 1914 (AHSJ).

Deux filles de la Sagesse dans le laboratoire vers 1930 (AHSJ).

Deux filles de la Sagesse travaillant à la buanderie au début des années 1920 (AHSJ).

paramédicaux durant les années 1930 (bronchoscopie, neuropsychiatrie, endoscopie, électrocardiographie, service de maladies contagieuses, service d'urgence, dispensaire antituberculeux, école de phonétique, service de photographie, atelier de mécanographie, etc.) se fait donc à un rythme soutenu, même si les faibles ressources retardent l'achat de certains appareils ou la bonification des installations. Commentant les améliorations et les ajouts apportés à l'hôpital durant l'année écoulée, le rapport annuel de 1939 peut affirmer : « Si ces changements ne répondent pas entièrement à tout ce que nous avions rêvé, nous espérons néanmoins que nos médecins ont compris que nous avions tenté l'impossible pour faire droit à leurs légitimes demandes[39]. »

Les années 1940 et 1950 sont aussi le témoin d'une multiplication des services et des départements, mais cette fois grâce à une aide gouvernementale plus soutenue. La Seconde Guerre mondiale crée en effet un contexte favorable au développement d'un État-providence canadien qui se donne, entre autres mandats, celui d'améliorer l'état de santé de sa population. Conçues en premier lieu pour favoriser l'effort de guerre, ce qui nécessite une population en santé, les nouvelles politiques fédérales cherchent aussi à poursuivre la lutte contre la mortalité infantile, encore trop élevée par rapport à d'autres pays occidentaux. Les hôpitaux pour enfants, comme Sainte-Justine, vont donc se retrouver parmi les principaux bénéficiaires des largesses du fédéral. Le gouvernement provincial, surtout durant la période où le Parti libéral d'Adélard Godbout est au pouvoir (1939-1944), de même que des associations privées fondées pour stimuler la recherche sur certaines maladies, et dont le nombre s'accroît dans l'après-guerre, contribuent également à l'apparition de certaines innovations. Ainsi, l'organisation d'un centre de broncho-œsophagologie, en 1939, est rendue possible grâce à un octroi du ministère de la Santé du Québec. En 1940, le gouvernement provincial contribue, par une autre subvention, à l'établissement de services de recherche en endocrinologie et sur les anémies. De son côté, le gouvernement fédéral acquitte les coûts d'installation d'une clinique de psychiatrie infantile en 1949[40], tandis qu'en 1950 il offre une subvention de 45 452 $ à l'hôpital pour la mise sur pied et le maintien d'une clinique expérimentale destinée à fournir aux mères et aux bébés des soins prénatals, natals et post-natals. En 1956, le service des prématurés de Sainte-Justine devient un centre d'enseignement officiel pour les infirmières de toute la province. Toujours grâce à une subvention fédérale, des infirmières de l'hôpital ayant fait un stage de six semaines aux

États-Unis commencent à former leurs collègues québécoises des autres hôpitaux pour mieux les préparer à prendre soin des prématurés. Enfin, la Société canadienne du cancer et l'Association de paralysie cérébrale du Québec fournissent des fonds pour établir des cliniques spécialisées dans le traitement de ces maladies et développer la recherche, tandis qu'au milieu des années 1950 Sainte-Justine est reconnu comme un centre anticancéreux pour les enfants par l'American College of Surgeons[41]. Ces additions, pour n'en mentionner que quelques-unes, témoignent des nouvelles orientations de la médecine de l'après-guerre, qui tend à se spécialiser toujours davantage et à s'attaquer à des problèmes de santé toujours plus complexes.

Le chemin de la Côte-Sainte-Catherine

Dans l'après-guerre, il est devenu évident que l'immeuble de la rue Saint-Denis ne pourra indéfiniment faire l'objet d'agrandissements : il faut désormais songer à construire plus grand, sur un autre emplacement. Pour Sainte-Justine, l'idéal serait de s'installer tout près de l'hôpital que veut construire l'Université de Montréal. Ce projet ne se réalisera pas, mais il a suscité des débats qui ne sont pas sans rappeler ceux qui auront cours au début des années 2000 au sujet de l'emplacement du Centre hospitalier de l'Université de Montréal (CHUM). La saga, à laquelle Sainte-Justine a été étroitement associé, mérite donc d'être rapidement évoquée.

Le projet d'un hôpital universitaire remonte en fait au début des années 1920, soit au début de la construction du nouvel immeuble de l'Université de Montréal sur la montagne qui devait l'abriter. L'Hôpital universitaire de Montréal, nom officiel que l'on donne à l'établissement, reçoit même une charte d'incorporation en avril 1929, en même temps qu'il se voit octroyer une subvention de 1,5 million de dollars provenant des fonds de l'Assistance publique en vue de sa construction. L'arrêt des travaux sur le campus en raison de la crise économique brise cet élan, mais le rêve des autorités universitaires n'est pas enterré pour autant. Vers la fin des années 1930, alors que le chantier se remet en branle, des voix se font à nouveau entendre en faveur de l'intégration d'un hôpital universitaire à l'immeuble principal, aujourd'hui appelé pavillon Roger-Gaudry, du nom du premier recteur laïque. Piloté par la Faculté de médecine, le projet se heurte cependant à un refus de l'université, qui le juge trop coûteux. Le débat se poursuit néanmoins dans l'après-guerre. Cette fois, il est question non pas d'intégrer l'hôpital au pavillon Roger-Gaudry, mais bien de construire un nouvel édifice sur les terrains de l'université. Malgré une campagne de souscription assez prometteuse conduite en 1947, le projet est finalement suspendu, car la fondation Rockefeller, sur laquelle la Faculté de médecine comptait pour assumer les coûts, refuse son appui[42].

Désireuse de s'associer au projet d'hôpital universitaire, Sainte-Justine adresse une première demande à l'Université de Montréal en 1938 pour que cette dernière lui octroie un terrain sur le campus. « L'acquiescement à cette requête, précise-t-on, serait un pas marqué dans la réalisation du grand tout universitaire tant rêvé par ceux qui s'intéressent à cette cause si vitale au point de vue canadien-français[43]. » Une nouvelle revendication en ce sens est formulée en 1941, puis en 1945, alors que Sainte-Justine atteint les limites de son développement sur la rue Saint-Denis. Le rapport annuel souligne que, selon les experts, le voisinage de l'Université de Montréal constituerait le site idéal pour le nouvel hôpital puisqu'il permettrait à la Faculté de médecine « de développer son cours de pédiatrie à un degré de perfectionnement qu'il est difficile d'atteindre dans les conditions actuelles[44]. » Déjà, l'année précédente, le Dr Edmond Dubé, directeur médical de Sainte-Justine et nouveau doyen de la Faculté de médecine, avait approuvé sans réserve le projet :

L'immeuble du chemin de la Côte-Sainte-Catherine en 1957. En médaillon, on aperçoit des ouvriers en train d'installer des serpentins de cuivre qui courent dans les murs et les plafonds d'une bonne partie de l'hôpital et où circule l'eau chaude servant au chauffage (AHSJ).

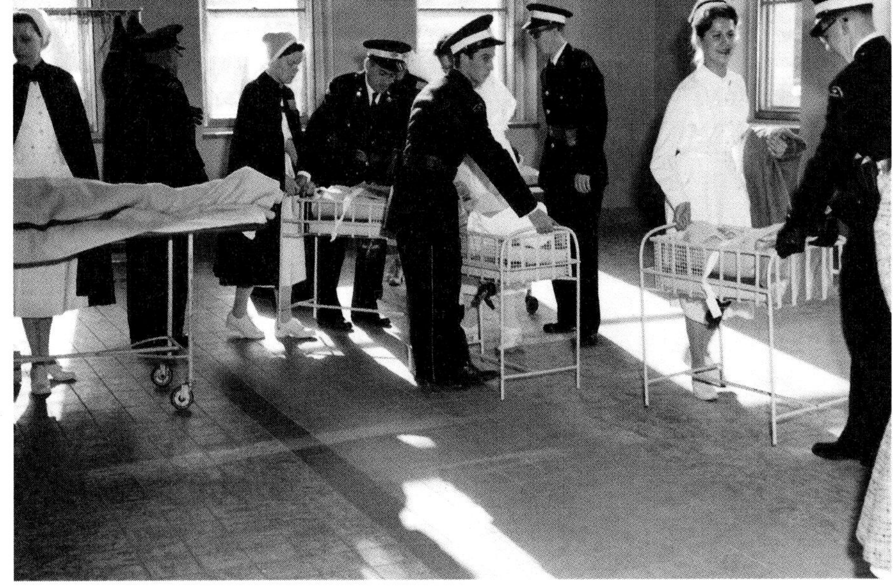

Le déménagement des patients dans le nouvel hôpital du chemin de la Côte-Sainte-Catherine le 20 octobre 1957 s'effectue grâce à la collaboration du personnel infirmier et des brigadiers de l'Ambulance Saint-Jean (AHSJ).

Il y a donc lieu de songer dès maintenant à un rapprochement universitaire plus complet, dans un centre avoisinant la Faculté de Médecine. [...] *Le groupement de nos compétences médicales assurerait* [...] *notre situation future et nous permettrait de placer l'enseignement de la médecine au niveau qu'il nous est permis de souhaiter et contribuerait à la formation postscolaire de nos gradués. Il n'est plus permis en médecine de piétiner sur place, au risque d'occuper un rang inférieur et si nous voulons progresser, il nous faut de toute nécessité chercher à rivaliser avec les institutions qui ont déjà fait leurs preuves*[45].

Le recteur de l'Université de Montréal, Mgr Olivier Maurault, appuie également l'idée de rapprocher Sainte-Justine de l'hôpital universitaire, mais, comme on l'a vu, celui-ci ne sera pas construit. Le nouvel immeuble sera donc érigé à proximité de l'Université de Montréal, mais pas sur le campus. Au printemps 1947, après quelques mois de négociations, Sainte-Justine acquiert un terrain sur le chemin de la Côte-Sainte-Catherine, où il pourra prendre toute l'expansion voulue. Propriété des Pères jésuites, ce terrain, auquel viendront s'ajouter plusieurs autres dans les années suivantes, a une superficie cinq fois plus grande que celui de la rue Saint-Denis[46]. Le site permettra la construction d'un établissement de 800 lits, « pourvu de toutes les améliorations modernes et pouvant répondre aux besoins multiples de notre Cité[47]. »

Il faudra plusieurs années avant de réunir les fonds et de compléter la construction de cet ambitieux projet. Entretemps, le déménagement de Sainte-Justine sur la montagne

Une infirmière tient dans ses bras le premier bébé né dans le nouvel immeuble du chemin de la Côte-Sainte-Catherine, le jour même du déménagement. Il s'agit d'une fille que ses parents prénommeront Justine (AHSJ).

suscite la controverse dans les quartiers populaires voisins du vieil immeuble. Des quotidiens de Montréal rapportent que les hommes d'affaires et les omnipraticiens du nord de la ville considèrent que le nouvel emplacement est trop éloigné de son lieu d'origine. À leur avis, la population canadienne-française de ces quartiers est en voie de perdre « son hôpital pour enfants », ce qui montre bien que Sainte-Justine était devenu une institution fermement ancrée dans son environnement. Justine Lacoste-Beaubien doit donc rappeler que Sainte-Justine n'est pas un hôpital de quartier, mais un lieu de traitement et de soins et un établissement d'enseignement pédiatrique ouvert à tous les enfants. Il soigne des patients provenant de tout Montréal et même de toute la province, insiste-t-elle, et il est intolérable que, faute de place, il doive sans cesse refuser d'hospitaliser des patients[48].

Les travaux sur le chemin de la Côte-Sainte-Catherine débutent en 1950, grâce à un premier octroi de 600 000 $ accordé par le gouvernement provincial, sur les trois millions promis. Une fois terminé, le nouvel hôpital aura coûté 21 millions de dollars, au lieu des huit millions initialement prévus, une somme considérable pour l'époque, qui suscite son lot de critiques. Justine Lacoste-Beaubien se défend d'avoir trop dépensé ; le toit d'un hôpital pour enfants coûte aussi cher qu'un toit d'hôpital pour adultes, s'empresse-t-elle de faire remarquer, et les enfants méritent, encore plus peut-être que les adultes, de bénéficier des derniers développements qu'offre la médecine moderne[49]. Il faut dire qu'elle ne lésine pas, même sur les détails : le système de chauffage radiant, installé dans les plafonds, demeurant sans doute un des plus grands luxes qu'elle se soit permis.

Le nouvel édifice comprend 375 chambres ayant de un à quatre lits, avec plus de 800 lits au total et 17 salles d'opération. Le déménagement des 223 patients qui sont toujours hospitalisés rue Saint-Denis a lieu le 20 octobre 1957. Pour l'occasion, 32 véhicules provenant de l'armée, de la Société de secours aux enfants infirmes, de la Société ambulancière

Tableau 1. – Nombre de lits et de berceaux, 1910-2005

Année	Nombre de lits et de berceaux
1910	34
1915	80
1920	80
1925	164
1930	320
1935	500
1940	500
1945	540
1950	540
1955	540
1960	903
1965	903
1970	891
1975	828
1979-1980	747
1984-1985	700
1989-1990	704
1995-1996	566
1998-1999	452
1999-2000	nd
2004-2005	489

Sources : AHSJ, rapports annuels, 1910-2005 ; tableau de bord du conseil d'administration 2004-2005. Trimestre 4. Site du CHU Sainte-Justine : http://hsjpreprod/images_editlive/TB_Trim_4_2004_2005_le27avril05.pdf, consulté le 11 août 2006.

La nouvelle salle d'urgence, inaugurée en 1986 et conçue par le designer de meubles Robert Éthier, permet aux enfants de jouer en attendant de voir le médecin (AHSJ).

Saint-Jean, d'entreprises ambulancières et de particuliers sont mobilisés. Le service d'ordre sur le parcours est assuré par le corps de police de Montréal et d'Outremont et par 100 militaires postés à l'extérieur des deux hôpitaux. En moins de quelques heures, tous les patients ont rejoint leur nouvelle chambre sans encombre. Pour couronner la journée, une première naissance survient dans le nouvel immeuble. Il s'agit d'une petite fille qui sera prénommée Justine. Désireuse de souligner l'événement, l'administration décide d'assumer les coûts d'accouchement et d'hospitalisation de la mère et de l'enfant, qui s'élèvent à 92,45 $[50].

Sainte-Justine est donc enfin établi dans ses nouveaux quartiers, mais il se retrouvera encore une fois au cœur de la saga de l'hôpital universitaire qui reprend de plus belle dans les années 1960. En août 1965, le gouvernement Lesage et les autorités universitaires, sans consulter la Faculté de médecine ni l'hôpital, lancent en effet l'idée de le transformer en hôpital universitaire[51]. Considérant que Sainte-Justine a trop de lits pour ses besoins et qu'il accueille déjà des patients adultes, le ministère de la Santé juge que ce changement de vocation permettrait d'économiser d'importantes sommes d'argent, en plus de régler le problème du recrutement de personnel qui affecte l'hôpital depuis la grève des infirmières de 1963. Même si le gouvernement n'en fait pas état sur la place publique, il estime en outre que Sainte-Justine coûte cher à administrer et il va même jusqu'à prétendre que « la tâche est trop lourde pour le conseil d'administration tel que constitué ». En d'autres termes, le gouvernement s'interroge sur les compétences de la direction féminine de Sainte-Justine et estime sans doute que sa transformation en hôpital universitaire permettrait un changement de régime. Dans le contexte de la Révolution tranquille, alors que l'État assure désormais la plus grande part du financement des hôpitaux, il semble que seuls des hommes peuvent assumer d'aussi importantes responsabilités que la gestion d'un hôpital. Le ministre Eric Kierans s'inquiète d'ailleurs de la latitude dont bénéficie le directeur général de Sainte-Justine et il suggère d'inclure davantage « d'hommes d'affaires influents » au conseil, de manière à le renforcer[52].

L'annonce des intentions du gouvernement a évidemment l'effet d'une bombe, et rapidement le conseil d'administration, le conseil médical, de même que l'Association des pédiatres de la Province de Québec se mobilisent pour défendre leur institution. Avec une belle unanimité, tous font valoir que Sainte-Justine est le seul hôpital pédiatrique au service de la communauté canadienne-française et que son abolition causerait une perte inestimable non seulement pour les patients, mais aussi pour l'enseignement et la recherche médicale. Une telle décision constituerait « une atteinte au prestige des canadiens-français [*sic*] dans le domaine de la pédiatrie », soutient Justine Lacoste-Beaubien dans une lettre adressée au premier ministre Jean Lesage, car les soins, la formation et la recherche pédiatriques seraient inévitablement concentrés au Montreal Children's Hospital. L'argument nationaliste a-t-il eu raison des prétentions du gouvernement, ou bien Lesage avait-il lancé cette idée sans trop réfléchir aux conséquences, comme l'a ensuite suggéré le sous-ministre de la Santé, le Dr Jacques Gélinas ? Quoi qu'il en soit, le gouvernement libéral décide finalement d'abandonner l'idée de créer un hôpital universitaire pour plutôt favoriser l'augmentation du nombre des affiliations hospitalières à la Faculté de médecine[53]. Pour Sainte-Justine, la menace est écartée, mais l'alerte a été chaude.

Après avoir été sur la brèche pour demeurer une institution pédiatrique dans les années 1960, Sainte-Justine doit à nouveau se défendre, dans les années 1970, cette fois pour sauvegarder son espace. En 1971, le ministère des Affaires sociales (MAS) décide en effet de loger les patients du Foyer Saint-Henri, jetés sur le pavé par un incendie, dans une partie des résidences des élèves infirmières, qui viennent tout juste d'être libérées en raison de la décision du ministère de l'Éducation de transférer aux cégeps la formation en soins infirmiers. La présence de cette clientèle âgée n'empêchera pas que commencent des travaux de réaménagement des résidences pour accueillir le centre de recherche, un projet que Sainte-Justine caresse depuis déjà quelques années, mais elle contraint l'hôpital à retarder d'autres réalisations. D'abord prévue pour l'été 1974, puis l'été 1975, l'ouverture du nouveau Foyer Saint-Henri a finalement lieu en 1977, signalant le départ de ses résidants. Ces locataires à peine partis, Sainte-Justine reçoit un autre appel d'urgence de la part du MAS, qui doit relocaliser des patients de l'hôpital Louis-Hyppolite-Lafontaine. La demande ne fait pas l'unanimité au sein du conseil d'administration, plusieurs craignant de voir la vocation de Sainte-Justine remise en cause par l'arrivée successive de patients nécessitant des soins de longue durée. Le conseil accepte tout de même d'en héberger une cinquantaine sur une base temporaire, mais sans assumer la responsabilité médicale ou chirurgicale de ces pensionnaires, qui ne partiront qu'en 1995[54].

Moderne et spacieux à son ouverture en 1957, l'hôpital du chemin de la Côte-Sainte-Catherine devra lui aussi s'adapter aux besoins de ses occupants et aux transformations de la médecine hospitalière. Ainsi, des travaux majeurs ont lieu

Le pavillon Vidéotron du Centre de cancérologie Charles-Bruneau, officiellement inauguré en 1995 (AHSJ).

dans les années 1980 et 1990, permettant, entre autres, l'agrandissement et la modernisation du bloc opératoire et de l'unité des soins intensifs, qui avait été ouverte en 1968, la réfection de l'entrée de l'urgence, le regroupement et le réaménagement de plusieurs services et l'agrandissement du centre de recherche. Parmi les nouvelles constructions, on note plus particulièrement le manoir Ronald McDonald, une résidence servant à héberger les parents d'enfants qui souffrent de leucémie, d'un cancer ou d'autres maladies nécessitant des soins spécialisés et qui proviennent de l'extérieur de la région montréalaise. Inauguré en 1982, il est de nouveau agrandi dans les années 1990, passant de 20 à 40 unités[55].

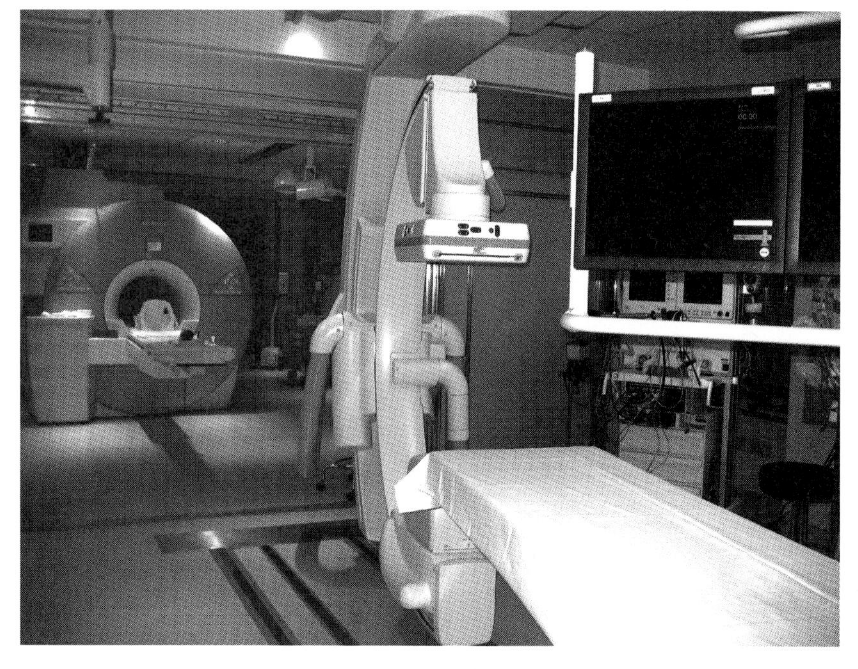

La nouvelle salle d'imagerie médicale inaugurée à l'automne 2006 permet d'effectuer des examens d'angiographie et de résonance magnétique lors d'une seule séance. Sainte-Justine est le premier hôpital canadien à être doté d'une telle installation d'angio-résonance (AHSJ).

L'érection de ce nouvel immeuble, de même que l'aménagement d'un stationnement pour satisfaire les besoins de la clientèle de l'hôpital, provoque cependant une nouvelle controverse, concernant cette fois la sauvegarde du manoir du Montreal Hunt Club, une maison centenaire qui avait hébergé le club de chasse à courre de Montréal au tournant du XXe siècle et dont Sainte-Justine avait fait l'acquisition en même temps que le terrain. Pendant un temps, cette maison avait abrité la clinique des adolescents, mais au début des années 1980, elle était devenue un lieu de rencontre pour de jeunes squatteurs dont on craignait les méfaits. Considéré comme un bien patrimonial par plusieurs groupes, dont Héritage Montréal et les Amis de la Montagne, le manoir est plutôt vu comme une source d'inquiétude et surtout une charge financière par les administrateurs de l'hôpital, étant donné sa vétusté et les sommes considérables qu'il aurait fallu investir pour le restaurer. Durant plus de vingt ans, le dossier du Hunt Club vient périodiquement hanter le conseil d'administration, qui n'a pas l'autorisation de le démolir, mais ne peut pas davantage l'entretenir. Quand, au début de 2000, la Ville de Montréal donne finalement l'ordre de le raser parce que, selon le Service de prévention des incendies, il est devenu dangereux, l'administration s'empresse d'obtempérer, s'attirant les foudres des groupes de défense du patrimoine[56].

Moins controversée, soulignons également la construction du pavillon Vidéotron du Centre de cancérologie Charles-Bruneau, qui ouvre ses portes en 1995. Ce projet de plus de 10 millions, lancé à la fin des années 1980, témoigne du renforcement des partenariats public-privé dans un contexte de désengagement de l'État en raison de la crise des finances publiques. Mais il atteste aussi la nouvelle vocation de Sainte-Justine qui, depuis les années 1970, s'affirme comme un centre de soins tertiaires, offrant des services pédiatriques ultraspécialisés. Conçu pour favoriser une meilleure intégration des services offerts en cancérologie et améliorer la qualité et la disponibilité des soins en cancérologie pédiatrique, le nouvel immeuble comprend une unité de moelle osseuse, une unité de soins hospitaliers en oncologie, une unité de recherche et un centre de jour, et il est pourvu des équipements à la fine pointe de la technologie médicale, y compris un appareil à résonance magnétique et une caméra gamma[57].

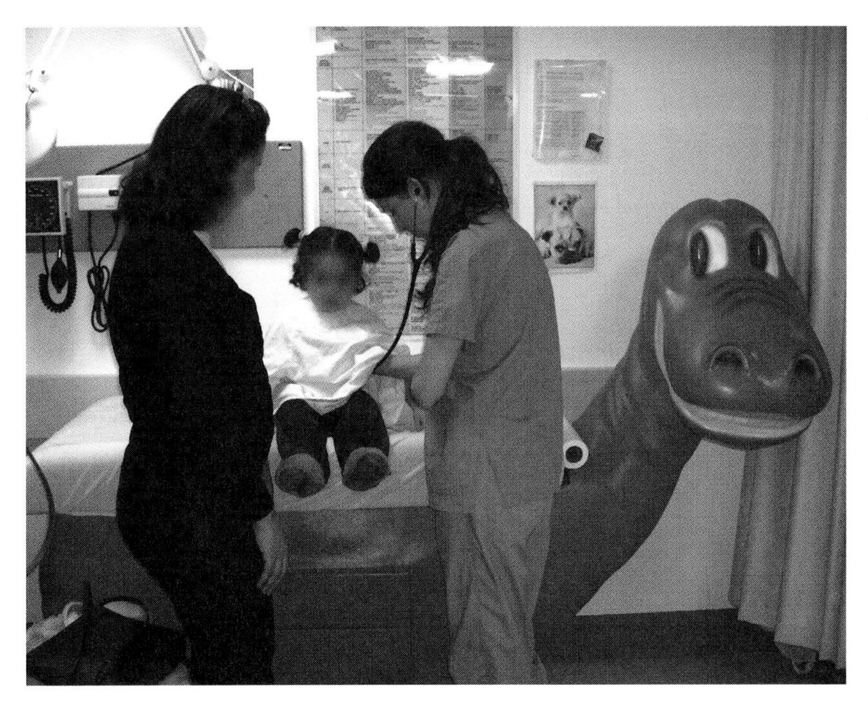

Pour attirer les petits sur la table d'examen de l'urgence, quoi de mieux que de la transformer en dinosaure ? (AHSJ)

De l'hôpital pour enfants au CHU mère-enfant

On se souvient que la présence de patients adultes à Sainte-Justine a été l'un des arguments invoqués pour justifier sa conversion en hôpital universitaire en 1965. L'amendement à la charte de l'hôpital permettant l'ouverture d'un département d'obstétrique stipulait en effet que « la corporation pourra aussi admettre les personnes malades, de tout âge », ce qui devait permettre aux médecins rattachés à l'hôpital qui traitaient aussi des adultes d'y hospitaliser leurs patients, hommes tout autant que femmes, et à Sainte-Justine d'y soigner ses employés. Comme l'avait fait remarquer le Dr Pierre-Paul Collin, leur présence n'avait cependant jamais remis en question son « caractère d'hôpital pour enfants[58] ». Pourtant, alors que Sainte-Justine lutte pour préserver ce statut, il est effectivement à la veille de perdre sa vocation strictement pédiatrique.

À partir du début des années 1960, en effet, l'hôpital est confronté à la nécessité de créer un département d'obstétrique-gynécologie de manière à répondre aux nouvelles exigences de la Faculté de médecine, elle-même soumise à la décision du Collège royal des médecins de décerner uniquement des certificats en obstétrique-gynécologie à compter de 1965. L'établissement d'un tel département, qui nécessite qu'un plus grand nombre de lits soient réservés aux femmes adultes, soulève une certaine opposition de la part des pédiatres qui craignent de perdre des places pour leurs petits malades, mais le mouvement est pratiquement irréversible : le département d'obstétrique-gynécologie voit finalement le jour en 1975. Sa création coïncide avec le transfert à Sainte-Justine des activités et du personnel de l'Hôpital de la Miséricorde, complété l'année précédente. La décision d'un tel transfert, prise par le ministère des Affaires sociales deux ans plus tôt, s'inscrit dans un contexte où de moins en moins de mères célibataires accouchent à la Miséricorde, qui perd ainsi sa raison d'être. Mais elle vise aussi à rationaliser les services d'obstétrique par suite d'une baisse généralisée de la natalité et à développer une expertise en périnatalité, un objectif qui

Le Centre de réadaptation Marie Enfant

Le Centre de réadaptation Marie Enfant (CRME) célèbre son 70e anniversaire de fondation en 2007. À ses débuts, le CRME est une simple clinique mise en place par le gouvernement québécois pour protéger les nouveau-nés dont les parents sont atteints de tuberculose en leur inoculant le vaccin BCG. D'abord affiliée à l'Assistance maternelle, une association philanthropique fondée par Caroline Leclerc-Hamilton en 1912 pour soigner les mères pauvres de la métropole, la Clinique BCG de Montréal obtient sa charte officielle en 1937. Dans les années 1950, la tuberculose étant pratiquement éradiquée, la clinique doit réorienter ses activités. Ainsi, après son déménagement rue Bélanger en 1955, elle dispense des soins de longue durée aux enfants en convalescence à la suite d'une chirurgie cardiaque ou souffrant d'une maladie cardiaque rhumatismale. Une nouvelle charte, émise en 1961, confirme son nouveau mandat de soins spécialisés en pédiatrie et en réadaptation physique tout en lui donnant une nouvelle appellation : l'Hôpital Marie Enfant (HME). Dans les années 1980, l'HME devient le premier et seul centre au Québec dont la vocation est l'adaptation et la réadaptation des enfants et adolescents physiquement handicapés. Il se voit ainsi confier la responsabilité clinique des enfants fréquentant les écoles Victor-Doré, Joseph-Charbonneau et Jean-Piaget. Enfin, en 2000, l'hôpital est intégré au Centre hospitalier universitaire mère-enfant Sainte-Justine et devient le Centre de réadaptation Marie Enfant (CRME).

Cette intégration ne fait que confirmer les liens étroits qui existent déjà entre les deux établissements. Depuis plusieurs années en effet, Marie Enfant et Sainte-Justine se partagent les mêmes patients, alors que 80 % des médecins de Marie Enfant œuvrent aux deux endroits et que les professionnels de la santé des deux institutions collaborent étroitement. En s'associant au CHU Sainte-Justine et en obtenant ainsi son statut universitaire, le CRME peut offrir une gamme de services élargie et continuer à créer des programmes de réadaptation spécialisés et surspécialisés pour les patients présentant une déficience motrice ou une déficience de la parole ou du langage, notamment dans les domaines des maladies neuromusculaires, des déficiences motrices cérébrales, de la scoliose, des traumatismes craniocérébraux, des retards de développement, des problèmes musculosquelettiques, des lésions médullaires et des amputations. Grâce à son statut universitaire, le CRME a également été reconnu comme un centre d'enseignement et de recherche où se concentre l'expertise entre autres pour le développement des aides techniques à la communication.

nécessite une concentration des accouchements dans un même établissement[59].

À partir du milieu des années 1970, Sainte-Justine s'affirme donc de plus en plus comme un centre mère-enfant offrant des soins spécialisés et intégrés à ces clientèles spécifiques. La seconde moitié de cette décennie marque à cet égard un virage important. Au département d'obstétrique-gynécologie s'ajoutent une clinique externe de gynécologie, incluant une section spéciale pour les mères célibataires, de même qu'une clinique de l'adolescence et de planification familiale, rattachée au département de pédiatrie. Une salle pour césariennes est également aménagée près d'une salle de monitorage fœtal et le nombre de lits à l'unité de soins intensifs pour les prématurés est porté à 15[60]. L'hôpital est alors désigné centre régional de périnatalogie pour la population francophone de Montréal : neuf hôpitaux de la région montréalaise pourront y diriger les cas de grossesse à risque élevé. Comme l'exprime le rapport annuel de 1978-1979, la mission de l'hôpital s'en trouve modifiée : d'une institution pour enfants, à laquelle se sont ajoutées « les vocations d'enseignement et de recherche », Sainte-Justine est devenu « un centre de référence et de consultation provincial », en même temps que « la population ciblée s'est aussi élargie pour englober les cas-limites de la pédiatrie (périnatalité, obstétrique et adolescence)[61] ».

Parallèlement à cet élargissement de son mandat et sous l'impulsion donnée par les pédiatres qui se spécialisent de plus en plus, Sainte-Justine instaure de nouvelles cliniques, de nouveaux services, de nouveaux laboratoires et innove en matière d'interventions chirurgicales, au rythme des développements de la médecine qui s'accélère au cours de la période. Ainsi, dans les années 1960, l'hôpital se dote d'une clinique de fibrose kystique, de dystrophie musculaire, de néphrologie et d'hématologie et d'un laboratoire de cytogénétique ; dès 1970, on songe à l'organisation d'un service de transplantation d'organes, alors qu'au début de la décennie 1980 c'est

Khiem Dao (1948-)

Arrivé au Canada en 1975 après avoir fui le régime communiste du Vietnam, Khiem Dao occupe d'abord un poste de préposé aux bénéficiaires à l'hôpital psychiatrique de Malartic, en Abitibi. Rapidement, il s'établit à Montréal et est embauché à la buanderie de Sainte-Justine, avant de devenir technicien de laboratoires la nuit. Détenteur de deux baccalauréats, l'un en mathématiques et l'autre en sciences physiques, il ne peut terminer son cours de médecine commencé à l'Université de Saigon. Tout en travaillant à l'hôpital, il décide donc de poursuivre des études en gestion et fait une maîtrise en administration des services de santé à l'Université de Montréal et une autre en administration des affaires à l'École des Hautes Études Commerciales, en plus d'obtenir un diplôme d'études supérieures en sciences administratives de cette même institution. Il amorce dès lors son ascension dans la hiérarchie administrative de Sainte-Justine : d'abord adjoint au directeur des soins infirmiers, puis adjoint au directeur des services hospitaliers, directeur des services financiers, directeur des ressources financières et des services techniques, directeur général adjoint, directeur général par intérim et, finalement, directeur général en 1999, après avoir occupé le même poste de 1995 à 1999 à l'Hôpital du Sacré-Cœur de Montréal.

Depuis son arrivée au poste de directeur général de l'hôpital, Khiem Dao a contribué à la modernisation du CHU Sainte-Justine et à la mise sur pied du projet Grandir en santé. Membre fondateur et président du Réseau mère-enfant de la francophonie, Khiem Dao est aussi professeur au département d'administration de la santé de l'Université de Montréal, en plus d'être très actif dans le réseau de la santé où il participe à divers organismes dont l'Association québécoise des établissements de santé et des services sociaux, l'Association des directeurs généraux des services de santé et des services sociaux, l'Association des centres pédiatriques et l'Association canadienne des institutions de santé universitaires.

la chirurgie vasculaire qui se développe[62]. Autre fait marquant, en 2000, on assiste à l'intégration de l'Hôpital Marie Enfant, une institution de réadaptation avec laquelle Sainte-Justine entretenait des liens depuis le début des années 1980.

Les années 1990 apportent d'autres changements structurels importants qui renforcent le rayonnement régional, provincial et international de Sainte-Justine. Ainsi, en 1995, l'hôpital est reconnu par le ministère comme centre hospitalier universitaire (CHU) mère-enfant. Non seulement il conserve son statut universitaire, mais, contrairement à son vis-à-vis anglophone, il échappe à la fusion avec les autres centres hospitaliers pour adultes formant le Centre hospitalier de l'Université de Montréal (CHUM). Fort de ce statut, le CHU mère-enfant Sainte-Justine reçoit par la suite le mandat de développer un réseau suprarégional mère-enfant. Ce réseau, constitué d'hôpitaux avec lesquels Sainte-Justine établit des ententes, vise à maintenir les patients dans leur milieu tout en les faisant bénéficier de l'expertise d'un centre surspécialisé dans le domaine des soins maternels et infantiles[63]. En quelques années, plusieurs hôpitaux québécois se joignent à ce réseau. En février 2002, Sainte-Justine est l'hôte de la réunion de fondation du Réseau mère-enfant de la francophonie, présidé par son directeur général Khiem Dao, « un regroupement d'établissements de santé universitaires reconnus comme des leaders en matière de soins aux mères et aux enfants dans leurs milieux[64] ». Parmi les membres de ce réseau présents à la rencontre se trouvent des représentants de centres hospitaliers universitaires de Paris, Lille, Lyon, Bruxelles et Genève. Du chemin de la Côte-Sainte-Catherine, Sainte-Justine étend donc maintenant son influence à une échelle que les fondatrices n'avaient sans doute pas imaginée.

La gestion à Sainte-Justine jusqu'aux années 1960

Comme on l'a déjà souligné, jusqu'au début des années 1960, Sainte-Justine est administré par une équipe essentiellement féminine. L'inauguration de réunions conjointes entre le bureau médical et le comité exécutif en 1921, la nomination d'un surintendant médical à temps plein à compter de 1925 et la mise en place, cette même année, d'un conseil médical distinct du bureau médical n'altèrent pas véritablement le pouvoir que les fondatrices se sont octroyé, puisque les décisions finales leur reviennent. Ces nouvelles structures sont d'ailleurs instaurées à leur demande, le développement que connaît Sainte-Justine à partir des années 1920 exigeant une plus grande participation des médecins à la gestion des affaires strictement médicales[65]. En 1933, le comité exécutif crée un comité consultatif formé d'anciennes membres du conseil d'administration, qu'il pourra convoquer au besoin, et, en 1937, les dames nomment des membres adjoints qui auront le privilège d'assister aux assemblées mensuelles, mais sans droit de vote. Les médecins, eux, seront régulièrement appelés à « comparaître » devant le comité exécutif, mais ils devront attendre leur tour dans le couloir. Nommé directeur des services administratifs en 1955, Gaspard Massue sera le premier homme à accéder à ce cénacle féminin sur une base régulière[66].

Si, sur papier, l'administration de Sainte-Justine est assumée par plusieurs femmes, il est de notoriété publique que, dans les faits, c'est la présidente, Justine Lacoste-Beaubien, qui prend en dernier lieu toutes les décisions. N'ayant pas eu d'enfant, elle se consacre entièrement à son œuvre, qui devient pratiquement sa seule raison de vivre après la mort de son mari en 1939. Mais comme le montrent les procès-verbaux de leurs réunions, les femmes dont elle a su s'entourer endossent son style de gestion paternaliste ou, devrait-on dire, « maternaliste ». Déterminées à maintenir la discipline et la bonne tenue de leur hôpital, les dirigeantes exercent en effet une surveillance étroite sur son fonctionnement et sur le personnel et elles se penchent sur tous les aspects de la gestion hospitalière, qu'il s'agisse du budget, de l'entretien des immeubles, du renouvellement de l'équipement, des achats, de la formation, des subventions de recherche ou de l'organisation des soins. Pas un sou n'est dépensé sans leur consentement, pas un employé n'est embauché sans qu'elles le sachent, y compris les internes.

Leur volonté de faire de Sainte-Justine une institution canadienne-française à l'avant-garde de la médecine pédiatrique a souvent débouché sur des initiatives tout à fait louables. Les mesures mises en place pour obtenir l'accréditation hospitalière dans les années 1920, l'octroi de bourses aux médecins, aux infirmières et à d'autres catégories de personnel, l'instauration d'un internat de quatre ans couronné par une année d'étude à l'étranger en 1939, une innovation à l'époque, sont autant d'exemples du soutien apporté à l'amélioration constante des soins. À ce chapitre, il semble que seul le manque de fonds empêche les membres de l'administration de doter l'hôpital du meilleur personnel et des meilleurs équipements.

Il faut cependant reconnaître que leur désir de tout contrôler s'est aussi traduit par une gestion tatillonne, parfois même arbitraire et mesquine. Ainsi, en 1939, l'administration « récompense » par une légère augmentation de salaire les employés qui ont refusé de prendre part à une poursuite intentée contre l'hôpital pour faire appliquer une ordonnance de la Commission des salaires raisonnables, tandis qu'en 1942 elle retire la demi-journée de congé, « accordée facultativement » le Jeudi ou le Samedi saint à près de 103 employées de bureau, parce que ces congés « n'atteignent pas le but proposé », qui était de favoriser la fréquentation des offices religieux. En 1946, le conseil suggère même de reprendre les visites qu'il faisait durant les premières années : « On croit qu'il serait dans l'intérêt de l'hôpital que les divers services ne soient pas prévenus de cette visite, qui sera faite dans un but de courtoisie et d'observation », précise le procès-verbal. En fait, plus les années passent, plus il semble que la direction soit obsédée par la discipline, ou plutôt par le manque de discipline qu'elle croit percevoir chez ses employés. La tenue des infirmières, les retards, les absences, la durée et la fréquence des pauses deviennent autant de sujets discutés par la haute direction[67]. En 1951, quand Mme Clerk rapporte que des cas de médecine ont été traités dans le Service de contagion, faute d'espace ailleurs, la présidente approuve l'initiative, mais s'étonne tout de même « que l'on ait changé la destination du service de contagion sans l'autorisation du CA[68]. » L'année suivante, sans doute pour éviter qu'une telle situation ne se reproduise, il est décidé « qu'aucune innovation ne [sera] mise en vigueur

Gaspard Massue (1911-)

Arrivé à l'hôpital à titre de statisticien bénévole en 1944, Gaspard Massue devient finalement un employé salarié en 1950 avant d'être nommé coordonnateur des services administratifs en 1951, puis directeur des services administratifs en 1955. À ce titre, il devient le premier homme à faire partie du conseil d'administration de l'établissement, dont il devient aussi le premier directeur général en 1963. Jusqu'à son départ de l'hôpital en 1973, Gaspard Massue a dû faire face à d'importants conflits de travail avec les infirmières, les employés et les médecins tout en assurant la transformation de l'hôpital conformément aux exigences de la Loi des hôpitaux. Il quitte Sainte-Justine en 1973 pour diriger l'Association des foyers pour adultes et œuvrer à titre de consultant, notamment à l'Hôpital Maisonneuve-Rosemont, à l'Université de Montréal et à la Société Radio-Canada. À sa retraite, entamée à l'âge de 80 ans, il se consacre au bénévolat et fait partie du bureau d'administration du Forum des citoyens âgés.

dans l'hôpital sans que l'administration n'en ait été préalablement informée et qu'un avis écrit de sa part n'ait été donné à cet effet[69]. »

Cette manière de traiter les employés et les velléités de contrôle des administratrices ne sont sans doute pas exceptionnelles à l'époque. Le roulement du personnel, dont l'administration se plaint régulièrement, de même que la pénurie presque continuelle d'infirmières sont aussi chose courante dans d'autres hôpitaux, mais ces problèmes paraissent encore plus criants à Sainte-Justine, qui offre des conditions de travail et des salaires nettement inférieurs à ceux des autres établissements. L'idée de dévouement et de vocation, qui imprègne profondément la culture hospitalière du Québec en raison de la forte présence des religieuses, est d'autant plus présente à Sainte-Justine qu'il s'agit d'un hôpital pour enfants. Pour l'administration, il est tout simplement inadmissible que les employés refusent de se sacrifier comme elles-mêmes ou les religieuses le font, pour le bien-être des tout-petits et la renommée de l'hôpital.

À certains égards pourtant, le conseil prend des positions que l'on peut qualifier de féministes. Ainsi, en 1938, il décide de prendre en considération les charges familiales des employés pour déterminer leur augmentation de salaire, une mesure typiquement paternaliste, mais qui débouche sur l'octroi d'un surplus de « 5 $ par mois par enfant aux employées femmes des bureaux de l'hôpital et aux gardes-malades graduées[70]. » En 1945, les administratrices se joignent à la lutte menée pour forcer le gouvernement fédéral à payer les allocations familiales aux mères plutôt qu'aux pères, comme l'auraient voulu les nationalistes conservateurs du Québec ; vers la fin des années 1950, elles appuient les demandes de changements au Code civil pour libérer les femmes mariées de la tutelle de leur mari, changements finalement adoptés en 1964. À d'autres occasions, elles font figure de pionnières : par exemple, en 1953, la présidente suggère que l'hôpital s'attache le plus grand nombre possible de femmes médecins, tandis que deux ans plus tard elle propose de continuer de payer le salaire du Dr Claire Laberge-Nadeau durant son congé de maternité, une mesure très avant-gardiste pour l'époque[71]. Ainsi, ces administratrices ont su se montrer solidaires des autres femmes, très conscientes sans doute des limites que la société leur imposait à toutes. En 1955, dans son allocution présidentielle, Justine Lacoste-Beaubien remarque d'ailleurs que la direction de Sainte-Justine avait donné aux femmes « l'opportunité d'acquérir une expérience en administration et en affaires, à une époque où ces occasions ne leur étaient pas souvent offertes[72]. »

Sous la gouverne de l'État

Dès les années 1950, le pouvoir exercé par la direction féminine depuis les débuts de l'hôpital commence à subir les assauts d'une plus grande bureaucratisation et d'une complexification du fonctionnement du milieu hospitalier, ce qui l'oblige à déléguer un minimum de responsabilités. Les diverses interventions du gouvernement québécois dans le domaine de la santé dans les années 1960 entraînent cependant un véritable effritement de ce pouvoir de gestion. Rappelons que, depuis la Seconde Guerre mondiale, le gouvernement canadien avait investi dans le secteur de la santé, un domaine de compétence provinciale, en instaurant divers programmes afin de soutenir la recherche, la formation du personnel médical et infirmier et le développement de services de nature préventive, ce dont Sainte-Justine avait bénéficié ; en 1957, le fédéral fait un pas de plus quand il inaugure un programme d'assurance-hospitalisation dont les coûts sont partagés entre le gouvernement central et les provinces. Cette politique, qui vise à élargir l'accessibilité des soins de santé, assure la gratuité de l'hospitalisation et des services auxiliaires à toutes les personnes admises dans les salles publiques des hôpitaux et a pour effet de diminuer considérablement les coûts pour les patients en chambre privée ou semi-privée. Sous prétexte de préserver l'autonomie de la province, le gouvernement de Maurice Duplessis avait toujours refusé de participer à ce programme, mais les libéraux qui prennent le pouvoir en 1960 ne partagent pas ces appréhensions. Dès janvier 1961, le Québec adhère au programme fédéral. L'année suivante, à la suite d'un scandale qui secoue l'Hôpital Jean-Talon, dénoncé pour ses pratiques administratives et médicales douteuses allant jusqu'au décès de patients, Québec adopte la Loi des hôpitaux de manière à réglementer et à uniformiser tous les aspects de la gestion hospitalière, y compris leur financement[73]. Cette nouvelle législation impose la constitution d'un conseil des médecins, déjà en place à Sainte-Justine, et limite l'autonomie des établissements, dont certains des pouvoirs sont transférés au ministère de la Santé ; ce dernier pourra même intervenir directement dans la gestion hospitalière grâce à un mécanisme de mise en tutelle prévu par la loi. Sans toucher à la propriété des établissements, la loi restreint la latitude des propriétaires, communautés religieuses ou corporations laïques comme dans le cas de Sainte-Justine, puisqu'elle détermine la formation du conseil d'administration, où les médecins devront désormais être représentés, tout en imposant la création de directions pour assurer la bonne gestion des services.

La Loi de l'assurance-hospitalisation qui entre en vigueur le 1er janvier 1961 ne représente pas un bouleversement majeur pour les hôpitaux, puisque l'État québécois payait déjà pour les soins aux indigents depuis 1921. Tout au contraire, la Loi des hôpitaux reflète un profond changement de philosophie dans la gestion des services de santé. De plus en plus préoccupé par le bien-être de la population, sur qui repose le développement économique, et animé par l'idée de justice sociale et de droit à la santé, plutôt que par les notions de charité et d'assistance, l'État québécois, comme l'État fédéral avant lui, s'engage sur la voie d'une intervention toujours plus poussée. Même s'il faut attendre jusqu'en 1969 pour que soient adoptés les règlements découlant de la Loi des hôpitaux, ses répercussions sur Sainte-Justine se font sentir dès le début de la décennie. En 1963, pour se conformer à la loi, la composition du conseil d'administration est modifiée. Le Dr Pierre Brodeur, nommé par le bureau médical, en fera désormais partie, tandis que le Dr Raymond Labrecque, directeur médical, et Gaspard Massue, nommé directeur général, deviennent des membres adjoints au même titre que sœur Noémi de Montfort, supérieure et directrice de la régie interne[74]. L'année suivante, le nombre des membres du conseil d'administration est réduit à dix, dont le Dr Pierre-Paul Collin et Me Raymond Crépeault qui agissent à titre de conseiller. En 1965, Hervé Belzile, comptable, se joint au conseil d'administration.

La direction, jusque-là entièrement féminine, fait donc une place à quelques hommes. Bien plus, le conseil doit maintenant s'adresser à Québec avant de prendre des décisions qui engagent des fonds importants (achat de mobilier, d'équipement ou de nouveaux appareils), car le gouverne-

Liste des présidentes et présidents du conseil d'administration depuis 1907

1907-1966 : Justine Lacoste-Beaubien

1966-1980 : Marcelle Hémond-Lacoste

1980-1982 : Hubert B. Salvador

1982-1987 : Henri Favre

1987-1995 : Justine Lacoste

1995- : Monic Houde

Sœur Jeanne Laporte, s.g.m. (1918-1998)

Née en 1918 à Montréal, Pierrette Laporte a d'abord travaillé comme secrétaire-comptable à l'Hôpital Notre-Dame, avant d'entrer chez les Sœurs grises à l'âge de 19 ans. C'est à ce moment qu'elle adopte le prénom de Jeanne, en l'honneur de la sainte du même nom. Après avoir reçu un diplôme en comptabilité à Chicago en 1949 et un diplôme en enseignement supérieur à l'École normale des Sœurs grises en 1950, elle est choisie pour accompagner la supérieure générale de la communauté à titre de secrétaire lors d'une mission au nord-ouest de la baie d'Hudson. À son retour, elle est nommée secrétaire-trésorière et comptable à l'Hôpital Saint-Boniface, au Manitoba, puis à l'Hôpital de Regina de 1953 à 1957. En 1957, elle devient économe provinciale à l'Hôpital Saint-Albert, en Alberta, fonction qu'elle occupera pendant onze ans.

En 1968, elle entreprend de nouvelles études à l'Université d'Ottawa qui lui vaudront un baccalauréat ès arts et une maîtrise en administration hospitalière. Après un stage en administration à l'Hôpital Sainte-Justine, elle est nommée directrice générale de l'établissement en 1973. Elle dirige l'hôpital jusqu'en 1981, soit jusqu'au moment où elle devient directrice générale des services administratifs à la maison mère des Sœurs grises.

Sœur Laporte a dirigé Sainte-Justine pendant une période plutôt mouvementée de son histoire. Arrivée en poste peu après l'entrée en vigueur de la Loi sur les services de santé et services sociaux, elle doit composer avec de nombreux conflits de travail et voir au maintien de l'équilibre budgétaire. Elle implante de nombreuses mesures, notamment l'adoption de nouvelles méthodes de gestion visant à décentraliser les responsabilités budgétaires. Son passage à la direction de l'hôpital coïncide également avec l'ouverture du Centre de recherche, l'intégration du personnel de l'Hôpital de la Miséricorde, le développement des soins ambulatoires, le réaménagement de divers services, dont l'urgence et la néonatalogie, et la création du service de médecine nucléaire.

Sœur Laporte est décédée le 18 avril 1998.

ment assure désormais la plus grande part du financement des hôpitaux. Ces derniers doivent aussi en référer au Service de l'assurance-hospitalisation (SAH) en ce qui concerne les échelles de salaire ou le nombre des internes dans chaque service. Cette bureaucratisation croissante du fonctionnement va finalement s'accompagner d'une plus grande centralisation en ce qui a trait à la négociation des conventions collectives avec les employés, à mesure que ceux-ci s'organisent et revendiquent des hausses de salaire importantes. Sainte-Justine, comme les autres hôpitaux, perd ainsi sa capacité à s'entendre avec ses employés, qui deviennent, dans les faits, des employés de l'État. Enfin, en 1969, à la suite de l'adoption des règlements issus de la Loi des hôpitaux, l'hôpital se dote d'un comité de régie composé des directeurs administratifs. À partir de cette date, le recteur de l'Université de Montréal, ou son représentant, devra également faire partie du conseil d'administration, une mesure visant à faire de l'hôpital universitaire un véritable prolongement de l'université[75].

Les années 1970 marquent une autre étape dans l'intervention étatique. D'une part, Québec adhère au programme conjoint d'assurance-maladie mis en place par le gouvernement fédéral à partir de 1966. Entrée en vigueur le 1er novembre 1970, la nouvelle loi garantit la gratuité des soins de santé offerts non seulement à l'hôpital, mais en cabinet privé. D'autre part, et de manière toute aussi importante, l'État québécois s'engage sur la voie d'une meilleure intégration des services sociaux et de santé, comme le recommande le rapport de la commission Castonguay-Neveu, instaurée en 1966. Considérant que des déterminants sociaux, comme l'éducation, les habitudes de vie et la pauvreté, influencent grandement l'état de santé de la population, les commissaires enjoignent au gouvernement d'agir simultanément à tous ces niveaux et de mettre l'accent non seulement sur les soins curatifs, mais aussi sur l'éducation et la prévention. Pour permettre un accès plus large et mieux coordonné à un ensemble de services propres à relever le niveau de bien-être, le gouvernement crée le ministère des Affaires sociales et adopte, en 1971 la Loi sur les services de santé et les services sociaux. Celle-ci démocratise le fonctionnement des établissements hospitaliers en modifiant encore une fois la composition de leurs conseils d'administration et crée un réseau d'organismes comprenant, outre les hôpitaux, les Centres locaux de services communautaires (CLSC), les Départements de santé communautaire (DSC) intégrés à certains hôpitaux dont Sainte-Justine, les Centres de services sociaux (CSS) et les Conseils de la santé et des services sociaux (CSSS). De la sorte, on espère favoriser une médecine plus globale, décentraliser les services pour les rapprocher des usagers et ainsi mieux les desservir, en particulier dans les régions, et faire participer les citoyens aux processus de décision[76].

À partir des années 1970, Sainte-Justine entreprend donc de réformer son mode de gestion afin de se conformer aux nouvelles règles édictées par le ministère. Un conseil d'administration de 15 membres est élu. La Corporation de l'Hôpital Sainte-Justine, formée en 1907, procède toujours à l'élection d'un conseil d'administration, mais celui-ci est désormais séparé du conseil d'administration de l'hôpital. Ce dernier, où la corporation délègue tout de même quatre de ses membres, devient responsable des grandes politiques et de la gestion des immeubles, alors qu'un comité de régie assure désormais la gestion courante et endosse tous les pouvoirs nécessaires à cette gestion. En d'autres termes, la corporation ne contrôle plus l'hôpital comme autrefois, même si elle demeure propriétaire des immeubles. Malgré tous ces chambardements, la continuité est en quelque sorte assurée puisque Mme Marcelle Lacoste, nièce de Justine Lacoste-Beaubien, décédée en 1967, assume la présidence de la corporation et du conseil d'administration de l'hôpital durant près d'une dizaine d'années, alors que sœur Jeanne Laporte, membre de la communauté des Sœurs grises, devient la première femme à assurer la direction générale de Sainte-Justine, en remplacement de Gaspard Massue[77], en 1973. Lorsqu'elle entre en poste, le comité de régie se compose, outre le directeur général adjoint, de six directorats : services professionnels, soins infirmiers, services auxiliaires, services hospitaliers, finances et services du personnel.

Au fil des décennies suivantes, d'autres lois et d'autres directives ministérielles viennent modifier la composition du conseil d'administration de l'hôpital, fusionner des directions ou en créer de nouvelles, ou encore changer leurs mandats. Cette fois, cependant, les réformes entreprises vont dans le sens d'une rationalisation des services et d'une compression des dépenses en matière de santé. La crise des finances publiques qui sévit à compter des années 1980 incite l'État à exiger des hôpitaux une gestion budgétaire beaucoup plus serrée qui se traduit, entre autres choses, par la fermeture de lits et la réduction du personnel. La commission Rochon, mandatée au milieu des années 1980 pour revoir les objectifs, le fonctionnement, le financement et le développement des services de santé et des services sociaux, constitue à ce chapitre une étape importante. Le rapport, déposé en 1987, va dans le sens du rapport Castonguay-Neveu en proposant de démocratiser encore davantage les structures administratives et de recentrer les services sur ceux qui les utilisent. Mais, dans un contexte où l'argent se fait rare, plusieurs soupçonnent que les réformes envisagées ne visent en fait qu'à faire d'importantes économies. À Sainte-Justine, le virage ambulatoire imposé par le ministère, mais également encouragé par le manque de personnel et par des avancées scientifiques et technologiques permettant une médecine moins invasive, a entraîné une diminution radicale du nombre des lits et des berceaux, qui est passé de près de 650 au début des années 1990 à 450 vers la fin de la décennie, soit près de la moitié seulement des 800 lits que l'hôpital comptait lors de l'inauguration du nouvel immeuble en 1957[78]. Mentionnons finalement qu'au début des années 1990 le ministère de la Santé et des Services sociaux, nommé ainsi depuis 1985, crée les Régies régionales de la santé, en remplacement des CRSSS, qui deviennent des intermédiaires entre le ministère et les établissements.

Au cours des quatre dernières décennies du XXe siècle, on peut donc dire que la gestion de Sainte-Justine est devenue de plus en plus tributaire de normes qui lui ont été imposées par l'État. Marquées par des difficultés budgétaires croissantes et par de nombreux conflits de travail, dont nous allons reparler, ces décennies ont aussi été le témoin d'efforts constants de la part de la direction pour assurer la qualité et l'humanisation des soins, la satisfaction des patients et celle du personnel, tout en soutenant le développement de sa vocation de centre de soins ultraspécialisés. La poursuite de ces objectifs, parfois difficilement conciliables, constitue la toile de fond sur laquelle se déploie son histoire plus récente.

CHAPITRE 2

Assurer le pain et le beurre

Au moment de la fondation de l'hôpital en novembre 1907, les administratrices disposent en tout et pour tout de 287,11 $, une somme provenant d'une activité-bénéfice tenue l'été précédent et d'un don de la Ville de Montréal[1]. Ce montant, équivalant à peu près au salaire annuel d'un journalier de l'époque, est sans doute moins négligeable qu'il n'y paraît à première vue, mais il demeure tout de même dérisoire par rapport aux besoins que génère le fonctionnement d'une institution hospitalière. Trouver l'argent nécessaire à la bonne marche de l'hôpital constitue donc une des priorités des fondatrices, qui devront sans cesse lutter pour garantir la survie de leur établissement. En fait, assurer le pain et le beurre et les mille et une choses essentielles pour dispenser des soins adéquats représentera, tout au long de l'histoire de Sainte-Justine, une préoccupation majeure. Ce casse-tête quasi permanent sera résolu de diverses façons au cours des décennies, mais, en dépit des transformations qu'a connues le mode de financement du système hospitalier québécois durant le XXe siècle, une chose demeure : autant hier qu'aujourd'hui, Sainte-Justine a dû s'appuyer sur une combinaison de fonds privés et publics pour financer ses activités.

Soirée de Gala

AU BÉNÉFICE DE L'HOPITAL
SAINTE-JUSTINE

Sous le patronage de Son Honneur le Lieutenant Gouverneur de la province de Québec et de Lady Jetté.

Mardi 21 Avril 1908

La Loi de Pardon

PIECE EN 4 ACTES PAR MAURICE LANDEY.

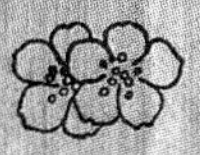

DONNÉE AU

Théâtre des Nouveautés

Annonce d'une soirée de gala au Théâtre des Nouveautés au profit de l'Hôpital Sainte-Justine, avril 1908 (AHSJ).

Sous le signe de la charité (1908-1920)

Jusqu'au début des années 1920, les institutions québécoises d'assistance et de santé relèvent d'abord de la charité privée. Aux yeux des contemporains, la prise en charge des individus fragilisés n'incombe pas en premier lieu à l'État, mais à des organismes dont les membres accomplissent ainsi leurs devoirs chrétiens de partage et de compassion. Du côté francophone, ces institutions sont d'ailleurs très souvent dirigées par des communautés religieuses qui assument la plus grande part des coûts de fonctionnement des établissements dont elles sont les propriétaires. Les hôpitaux laïques, tant francophones qu'anglophones, s'appuient pour leur part sur le mécénat et la générosité du public. Ce dernier, en effet, fait régulièrement l'objet de sollicitations, lors de quêtes spéciales à domicile ou dans les églises, et d'invitations à participer à des activités-bénéfices — bals, concerts, pièces de théâtre, tombolas ou parties de cartes — qui deviennent autant d'événements mondains où les membres de l'élite aiment se faire valoir.

Cela dit, il faut préciser que l'État n'est pas totalement absent du domaine de la santé car, depuis le XIXe siècle au moins, les pouvoirs publics ont compris l'importance de protéger la population contre les épidémies. Outre la mise en place d'hôpitaux temporaires pour isoler les personnes souffrant de maladies contagieuses comme le choléra ou la variole, les interventions étatiques sont cependant limitées et se traduisent surtout par l'adoption de mesures préventives et par l'octroi discrétionnaire de subsides, une situation qui perdure jusqu'à l'adoption de la Loi de l'Assistance publique en 1921. En réaction à l'importante épidémie de variole qui touche le Québec en 1885, faisant plus de 19 000 victimes et 3 200 morts, la province met sur pied le Conseil d'hygiène chargé du contrôle sanitaire, mais cet organisme, fondé en 1888, a surtout pour mandat d'inciter les autorités locales à créer des bureaux d'hygiène. Considérées comme les premières responsables des mesures de santé publique, les villes du début du XXe siècle doivent aussi contribuer à l'entretien des indigents, aliénés et malades vivant sur leur territoire[2]. Davantage que les autorités provinciales, les autorités municipales constituent donc les interlocuteurs privilégiés des administrations hospitalières durant cette période.

Visiblement, les fondatrices de Sainte-Justine sont parfaitement au courant des différentes avenues qui s'offrent à elles pour réunir l'argent nécessaire au fonctionnement de leur hôpital. Dès le mois de décembre 1907, elles instaurent un comité de souscriptions pour obtenir des dons de personnes influentes et les inciter à devenir gouverneurs ou dames patronnesses, ce qui leur donne le privilège d'être membres de la corporation de l'hôpital. Au total, durant la première année, ces souscriptions rapportent plus de 1 180 $. S'y ajoutent de nombreux dons en nature provenant de philanthropes des deux sexes, de médecins et d'hommes d'affaires qui offrent les articles les plus variés : lits, matelas, armoires, vaisselle, ustensiles, lingerie, poêle, charbon, abonnement au téléphone, térébenthine, huile de lin, savon, crucifix, machine à coudre, bouteilles, médicaments et même un stérilisateur. Parallèlement, les fondatrices sollicitent les pouvoirs publics : en décembre 1907, elles adressent une pétition à la Ville au montant de 2 000 $, tandis qu'au printemps 1908 elles demandent un subside de 5 000 $ à Québec. Malgré l'importance de la mortalité infantile et les inquiétudes qu'elle génère, les autorités se montrent peu généreuses, Montréal octroyant seulement 800 $ et la province, un maigre montant de 500 $[3]. Un comité chargé d'organiser des fêtes de charité parvient de son côté à réunir près de 470 $, soit presque autant que ce que les administratrices récoltent auprès des patients qui peuvent payer au moins une partie des coûts de leur pension, des frais du dispensaire ou des médicaments. Sur un revenu total de 3 895 $ pour l'année 1908, 54 % provient de souscriptions de philanthropes ou d'activités philanthropiques et de dons divers, contre 33 % des pouvoirs publics et à peine 12 % des patients. Comme le montre le rapport de la trésorière, reproduit ci-contre, cette première année se termine tout de même avec un surplus de 403 $.

Les rapports financiers pour les années suivantes font état des mêmes sources de revenu, mais leur importance varie quelque peu. Ainsi, la part des patients tend à augmenter avec les années, surtout à compter de 1914, alors que l'inauguration du nouvel immeuble permet l'ouverture d'un département privé. Jusqu'en 1916, la contribution de l'État s'élève constamment pour atteindre 2 700 $ grâce, essentiellement, à une augmentation des octrois de la Ville de Montréal. Quant au revenu provenant de donations, il demeure très important, variant entre le quart et la moitié du budget de fonctionnement. Tout en cherchant à augmenter le nombre des gouverneurs et des patronnesses, les fondatrices s'ingénient à multiplier les façons de souscrire à l'hôpital. Ainsi, à partir de 1909, les rapports annuels précisent que l'on peut contribuer à l'œuvre de Sainte-Justine en devenant enfant souscripteur contre un don de 0,25 $; en assurant l'entretien d'un lit à perpétuité contre la somme de 1 000 $ ou, pour un an, en versant 25 $ ou en donnant une certaine quantité de lingerie. Pour attirer la sympathie d'un large public, le comité des fêtes, mis sur pied dès la fondation de l'hôpital, organise aussi de nombreuses activités qui durent généralement une semaine et auxquelles il convie la population montréalaise. Ainsi, en 1909, une kermesse au profit de l'hôpital qui se tient au parc Sohmer, un parc d'amusement situé à l'est du centre-ville de Montréal, accroît le total des dons à plus de 3 000 $ pour cette année-là. En 1914, une fête des berceaux, qui se déroule à l'École des hautes études commerciales, rapporte

"Donnez, riches, l'aumône est soeur de la prière."
(Victor Hugo)

Rapport de la Trésorière

Du 1er Décembre 1907 au 31 Décembre 1908.

RECETTES.

Souscriptions	$1,182.88	
Dons divers	345.96	
Pensions des malades	402.85	
Dispensaire et pharmacie	69.51	
Recettes, Comité des Fêtes	469.09	
Recettes diverses	116.33	
Ville de Montréal	800.00	
Gouvernement Provincial	500.00	
Intérêt sur dépôt	8.50	
	$3,895.12	
En caisse au 1er décembre 1907	287.11	
		$4,182.23

DEPENSES

Provisions (viande, épiceries, pain, etc.)	$ 800.90	
Lait	208.90	
Salaires	779.41	
Eclairage et chauffage	261.03	
Téléphone	55.00	
Médicaments et pharmacie	209.53	
Assurance	15.50	
Ameublement et réparations	590.99	
Loyer	450.00	
Marchandises (lingerie, literie, etc.)	84.82	
Frais d'incorporation	107.77	
Impressions et timbres	41.18	
Diverses dépenses	174.10	
	$3,779.13	
En caisse au 31 décembre 1908	403.10	
		$4,182.23

J. L. FRIGON, Auditeur. E. ROLLAND, Trésorière.

Moyenne du coût d'un malade par jour $1.10

Rapport annuel 1908, p. 23.

Dessin illustrant la fête de charité qui s'est déroulée au parc Sohmer en 1909 au profit de l'Hôpital Sainte-Justine. Plusieurs des dames présentes sont déguisées en Japonaise, ce qui témoigne bien de la fascination qu'exerce ce pays sur les Occidentaux au début du XXe siècle (AHSJ).

près de 6 670 $, somme qui sera consacrée à la construction du nouvel immeuble. En 1915, le quotidien *La Presse* fait don de poupées que les dames patronnesses, sensibles au contexte de la guerre, habillent en infirmières de la Croix-Rouge ou en costumes des pays alliés ; leur exposition dans les grands magasins du centre-ville à l'approche de Noël et les ventes qui en découlent permettent d'amasser plus de 3 400 $[4]. À ces grands événements s'ajoutent des activités plus modestes : *rafles* (c'est-à-dire des tirages qui offrent en prix des objets donnés par des bienfaiteurs), thés, parties de cartes, séances récréatives.

De 1911 à 1915, l'hôpital profite également du *Tag Day* organisé par la Fédération nationale Saint-Jean-Baptiste (FNSJB). Le produit du *Tag Day,* sorte de quête publique qui consiste à remettre un macaron de carton à toute personne qui offre une obole, sert à subventionner les œuvres de charité féminines affiliées à la FNSJB et à son pendant anglophone, le Montreal Local Council of Women. De 1911 à 1913, l'hôpital se voit ainsi remettre la somme de 900 $, montant réduit à 400 $ puis à 300 $ les années suivantes, le *Tag Day* devant alors faire face à la concurrence de collectes organisées en faveur des œuvres de guerre.

Pour l'organisation de ces activités de bienfaisance et du *Tag Day,* Sainte-Justine compte sur un vaste réseau de bénévoles féminines, dont plusieurs sont membres des associations affiliées à la FNSJB et trouvent dans ce genre d'engagement social un créneau où elles peuvent faire valoir leurs compétences sur la place publique. Mais les fêtes et les quêtes qu'elles organisent ne pourraient se passer de la publicité que leur accordent volontiers, et gratuitement, les grands journaux montréalais. Il faut dire que certaines des fondatrices, dont Blanche Bourgoin-Berthiaume, épouse du propriétaire du quotidien *La Presse,* ont des liens privilégiés avec le milieu journalistique et le milieu des affaires, ce qui leur permet d'obtenir certaines faveurs. Les textes que publient les journaux, articles ou éditoriaux pour appuyer l'œuvre de Sainte-Justine font appel à la générosité, mais aussi à la compassion et à la solidarité de la population, en particulier des mères de famille qui ont la chance d'avoir des enfants bien portants. Ainsi, en 1911, un article de *La Patrie* invite le public à « une séance récréative avec vues animées », au profit de l'hôpital, en ces termes : « Mères de famille qui avez à vos côtés des enfants à la mine éveillée dont les joues roses respirent la santé, songez-vous quelque fois [*sic*] aux petits déshérités pâles et souffrants qui trouvent refuge à l'Hôpital Sainte-Justine ? [...] C'est sur vous toutes mères au cœur tendre et dévoué que les directrices de l'hôpital comptent pour mener à bien leur entreprise[5]. »

La plupart du temps, ces invitations invoquent aussi des arguments nationalistes pour convaincre la population de donner généreusement : « tous doivent contribuer à cette œuvre qui est avant tout nationale ; à cette œuvre qui a pour but primordial de conserver au pays le plus grand nombre possible de ses enfants sur lesquels il a droit de compter pour son développement et au besoin pour sa défense », affirme *La Patrie* en 1912. « L'œuvre de l'Hôpital Sainte-Justine est nationale au plus haut titre », renchérit Fred Pelletier dans un éditorial paru dans *Le Devoir* en 1913, « puisqu'elle a pour but de sauver de la mort et de l'infirmité les petits enfants qui sont l'espoir de notre race. » À une époque où la mortalité infantile atteint des taux effarants, la presse n'hésite pas non plus à admonester la population pour qu'elle se montre généreuse : « Montréal qui s'est donné un si mauvais renom par le taux jusqu'ici anormal de sa mortalité infantile, peut donc en ce moment se réhabiliter en assurant le succès de ce projet », soutient un éditorial de *La Patrie* annonçant la construction du nouvel hôpital en 1912[6].

À compter de 1916, Sainte-Justine bénéficie d'un subside provenant d'une taxe « d'amusement », appelée le « sou du pauvre » et instaurée par la Ville de Montréal. Dès 1907, la métropole avait créé le Bureau d'assistance municipale pour veiller au placement des enfants abandonnés, des aliénés, des sans-abri et des malades qui ne pouvaient payer leurs frais médicaux. En contrepartie, elle versait une subvention aux établissements qui les accueillaient. L'augmentation constante des sommes dépensées par la Ville pour acquitter la pension de tous ces miséreux, dont le nombre s'accroissait au rythme de l'immigration et de l'exode rural, l'oblige finalement à mettre en place une nouvelle taxe, car il devenait impossible de prendre cet argent à même le budget de fonctionnement de la municipalité. La perception du sou du pauvre, soit une taxe d'un cent sur chaque billet de théâtre, cinéma et autres lieux d'amusement, permet à la Ville de financer l'assistance publique, y compris les hôpitaux, sur une base plus acceptable[7]. Suivant les règlements, le partage de la taxe entre les établissements situés sur le territoire montréalais devait se faire en fonction de leur classement en deux catégories et selon le nombre de patients publics dont ils prenaient soin.

Sainte-Justine profite de cette mesure, mais la direction doit néanmoins plaider sa cause auprès du gouvernement provincial afin que son institution soit reconnue au nombre

La Fédération nationale Saint-Jean-Baptiste

La Fédération nationale Saint-Jean-Baptiste (FNSJB) est une organisation féministe créée en 1907 pour revendiquer des droits sociaux et politiques pour les femmes, notamment le droit de vote, l'émancipation juridique des femmes mariées et l'accès à l'enseignement supérieur pour les filles. Marie Lacoste-Gérin-Lajoie, la sœur aînée de Justine Lacoste-Beaubien, et Lady Lacoste, leur mère, sont au nombre des fondatrices, qui proviennent en majorité de l'élite canadienne-française. Dès les débuts de l'hôpital, soit en décembre 1907, les administratrices de Sainte-Justine décident de s'affilier à la FNSJB, qui regroupe déjà une vingtaine d'œuvres et d'associations féminines à vocation charitable, économique et éducative. Cette alliance leur permet de profiter de la couverture de presse dont bénéficie la Fédération dans les grands quotidiens comme *La Presse, La Patrie* et *Le Canada* et de bénéficier des activités de souscriptions, comme le *Tag Day,* organisé par la FNSJB au profit des groupes qu'elle chapeaute. La FNSJB aide aussi au recrutement des visiteuses-bénévoles pour le service social de Sainte-Justine créé en 1917 ; dans les années 1920, son bureau des renseignements fournit l'information nécessaire aux enquêtes économiques que mène l'hôpital afin de déterminer la capacité financière des familles des patients. Vers la même époque, la Fédération met sur pied un comité de visites des hôpitaux dont les membres viennent à Sainte-Justine afin d'enseigner le catéchisme aux enfants hospitalisés et les préparer à leur première communion. D'autres s'occupent de divertir les enfants ou font de la couture pour l'hôpital. En fait, grâce à son réseau d'associations, implantées dans plusieurs paroisses de la ville, la FNSJB a servi d'agent de liaison pour le recrutement des nombreuses bénévoles dont Sainte-Justine avait besoin pour assurer son fonctionnement.

Dessin réalisé pour annoncer la fête des berceaux organisée en faveur de l'Hôpital Sainte-Justine en 1914 (AHSJ).

Exposition de poupées qui s'est tenue en 1915 au profit de l'hôpital. Chacune d'elles porte le costume national de l'un des pays alliés lors de la Première Guerre mondiale (AHSJ).

des hôpitaux généraux qui se partagent les deux tiers du produit de la nouvelle taxe montréalaise. En vertu de la charte municipale, en effet, Sainte-Justine se retrouvait parmi les établissements de deuxième catégorie, c'est-à-dire dans la même classe que les hospices et les orphelinats. Les dépenses de ces établissements d'hébergement étant moindres que celles des hôpitaux, ils s'étaient vu attribuer le tiers seulement des revenus générés par le sou du pauvre. Pour Sainte-Justine, qui offre des soins au même titre que les autres hôpitaux, il s'agit là d'une injustice flagrante qu'il faut corriger. En dépit des protestations de quelques députés qui estiment qu'un hôpital pour enfants engage moins de dépenses qu'un hôpital pour adultes, les administratrices parviennent, dès la fin de l'année 1916, à obtenir un amendement à la charte municipale conférant à Sainte-Justine le statut d'hôpital général, ce qui lui permet de doubler les revenus qu'il reçoit de cette source[8].

D'une taxe fixe, le sou du pauvre devient, au cours des années suivantes, une taxe progressive, c'est-à-dire proportionnelle au prix des billets de spectacle. Mais l'augmentation des revenus qui s'ensuit ne bénéficie pas immédiatement aux établissements de santé et d'assistance de la métropole, car Québec accapare les sommes supplémentaires ainsi perçues, ne laissant toujours à la Ville qu'un sou pour chaque billet de spectacle vendu. Les difficultés financières de plus en plus aiguës qu'affrontent les hôpitaux durant la Première Guerre mondiale obligent cependant la province à revoir cette politique. En 1919, elle décide donc de retourner le total du produit de la taxe d'amusement aux municipalités qui en avaient

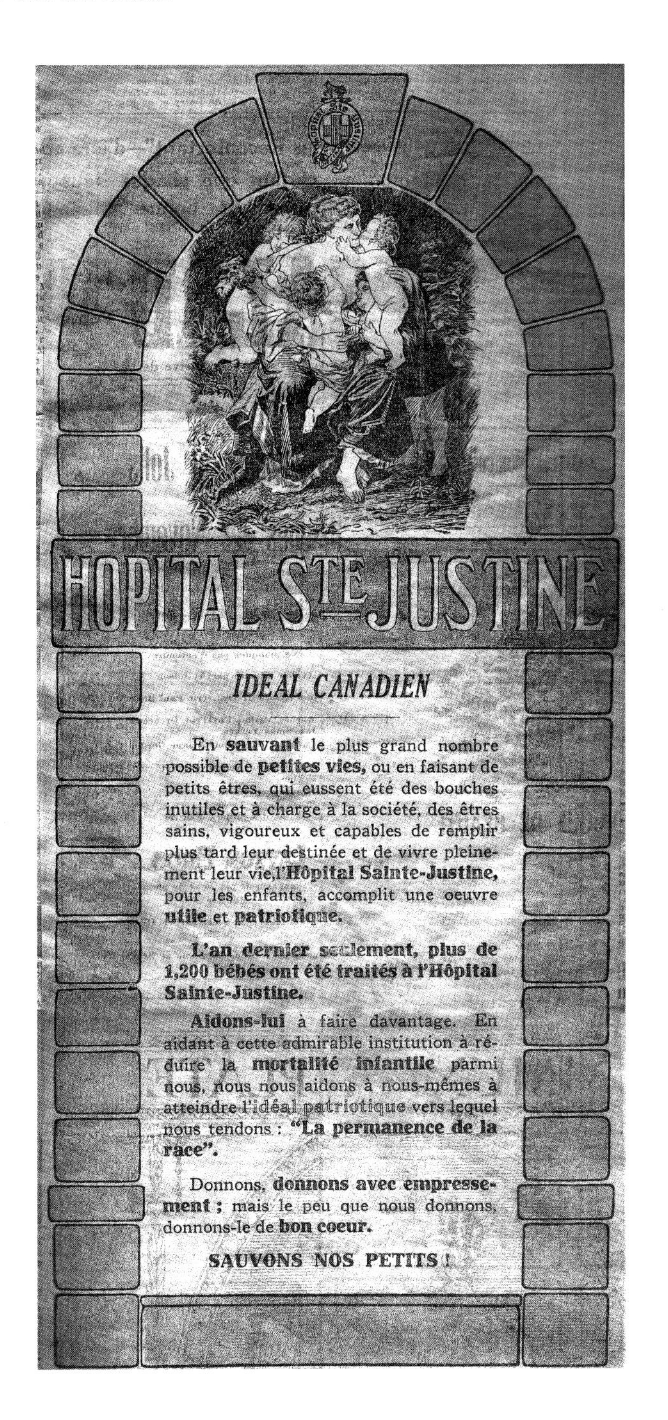

Publicité parue dans le quotidien *La Presse* en 1920 pour solliciter des dons en faveur de Sainte-Justine. Comme on peut le voir, l'hôpital fait appel à l'idéal patriotique pour encourager le public à donner généreusement (AHSJ).

instauré une ; à Montréal, cependant, les hôpitaux doivent se battre pour que le plein montant leur soit transféré. Prétextant la précarité de ses finances, la Ville prétend en effet conserver le surplus que génère la taxe, comme l'a fait le gouvernement avant elle. Ce n'est qu'au terme d'une campagne au cours de laquelle 12 000 Montréalais signent une pétition en ce sens que les hôpitaux et les organismes de charité de la métropole obtiennent finalement gain de cause[9].

Le soutien financier dont Sainte-Justine bénéficie grâce à la distribution du sou du pauvre lui assure une part importante, mais totalement imprévisible, de son budget, soit entre 17 % et 40 % de 1916 à 1920[10]. Les sommes provenant de cette source dépendent en effet du degré de fréquentation des salles de spectacles par les Montréalais, sans égard aux besoins réels de l'hôpital. À ce titre, elles s'apparentent aux activités-bénéfices organisées par les bénévoles, dont le succès repose sur la bonne volonté, ou la bonne fortune, de la population. En fait, cette contribution des autorités municipales ressemble davantage à une forme de charité publique qu'à une véritable intervention de l'État. Combinée à un accroissement constant des revenus provenant des dons et des patients, cette participation des instances municipales au financement de son budget d'exploitation permettra néanmoins à Sainte-Justine de dégager, presque chaque année, un surplus allant de quelques centaines à quelques milliers de dollars jusqu'en 1920. Cette année-là, les revenus totaux s'élèvent à 33 444 $, une somme huit fois plus élevée qu'en 1908[11].

Au chapitre des dépenses, on note que la nourriture constitue l'un des postes budgétaires les plus importants pour l'ensemble de la période, surtout quand on lui ajoute le lait, denrée essentielle s'il en est une dans un hôpital pour enfants. Le loyer et tout ce qui concerne les dépenses liées à l'immeuble (chauffage, éclairage, taxes, réparations, etc.) arrivent généralement en deuxième place, suivis des salaires auxquels il faut additionner l'indemnité versée aux religieuses à partir de 1910. Ensuite seulement viennent les achats de médicaments et d'autres frais associés au dispensaire, à la salle d'opération et, en 1920, au laboratoire. Le reste est accaparé par des dépenses liées à l'entretien des malades, comme la buanderie, et à divers achats : ameublement, lingerie et literie, fournitures de bureau et frais juridiques. En 1920, le total des dépenses s'élève à plus de 30 700 $. En ce qui concerne son fonctionnement, l'hôpital affiche un surplus de plus de 2 600 $, mais les dettes accumulées en raison de la construction du nouvel immeuble s'élèvent à plus de 210 000 $, ce qui le place dans une position financière plutôt précaire[12]. Comme l'ensemble des hôpitaux montréalais, Sainte-Justine voit aussi ses frais augmenter constamment en raison du développement de la technologie médicale et de la fréquentation croissante de ses salles publiques. En fait, à l'aube des années 1920, les besoins sont devenus tels qu'il est désormais illusoire de compter sur la charité publique et privée pour financer le réseau des établissements de santé et d'assistance. Avec réticence, mais sans recul possible, l'État doit accepter de s'engager davantage dans ce secteur autrefois considéré comme du ressort des communautés locales.

Sous le régime de la Loi de l'Assistance publique (1921-1960)

La Loi de l'Assistance publique, adoptée en 1921 par le gouvernement du Québec, marque un tournant majeur dans l'histoire de la santé et des services sociaux, car désormais l'État reconnaît qu'il a le devoir d'intervenir pour aider les pauvres et les malades. Même s'il s'agit d'une mesure d'aide visant certaines catégories d'individus seulement, cette nouvelle loi sera d'une grande importance, car elle permettra aux établissements concernés d'en tirer des revenus non négligeables, bien que toujours insuffisants. Financée principalement par une taxe sur l'alcool, cette loi est à l'origine de la création de la Commission des liqueurs. Au départ, elle s'attire une vive opposition des milieux catholiques et conservateurs, car en retour des sommes versées le gouvernement entend bien exiger des comptes, ce qui fait craindre pour l'autonomie des institutions dirigées, pour une bonne part, par des communautés religieuses. Les évêques du Québec dénoncent alors ce qu'ils appellent « l'étatisation de la charité » et vont même jusqu'à évoquer « l'asservissement des communautés religieuses[13] ». L'ingérence de l'État, qui saura finalement se montrer assez discret, est cependant un faible prix à payer en regard du soutien qu'il apporte, et, peu à peu, les résistances font place à une adhésion massive à la nouvelle loi[14].

Les administratrices de Sainte-Justine ne semblent pas avoir redouté outre mesure les conséquences de cette manne provinciale. Sans plus de commentaires, le procès-verbal de la réunion du comité exécutif tenue le 10 octobre 1921 signale que l'hôpital doit immédiatement « faire application au gouvernement provincial afin d'être reconnu comme œuvre d'utilité publique et de bénéficier par le fait même de la loi [*sic*] de l'Assistance publique de Québec[15]. » Cette procédure exigée de tous les établissements permet au gouvernement de les classer par catégorie, ce qui déterminera les sommes qui leur seront versées, calculées en fonction du nombre des patients indigents et des jours d'hébergement. Cette fois, Sainte-Justine n'a pas de mal à se faire admettre dans la catégorie des hôpitaux généraux qui reçoivent les allocations les plus élevées ; il faut dire cependant que le gouvernement provincial ne paie pas le plein montant de la pension des indigents, mais seulement le tiers, le deuxième tiers devant être payé par leur municipalité d'origine et le tiers restant par l'établissement lui-même. Au moment de son adoption, la loi fixe à 1,34 $ par jour d'hospitalisation la somme que les deux paliers de gouvernement devront conjointement assumer, alors qu'en 1924 Sainte-Justine estime que l'hospitalisation d'un malade lui coûte 1,91 $ par jour, ce qui signifie qu'au début des années 1920, l'hôpital doit débourser 0,57 $ pour chacun des patients indigents admis[16]. Même si les subventions étatiques ne couvrent pas tous les frais, le rapport annuel de 1924 souligne cet apport gouvernemental en ces termes : « Nous savons fort bien que l'un des grands facteurs qui permettent d'assurer la vie à l'Hôpital Sainte-Justine est la loi [*sic*] de l'Assistance Publique. Cette loi, due à l'Honorable Athanase David, est l'inspiration d'un caractère à la fois juste et charitable[17]... »

La Loi de l'Assistance publique entraîne effectivement une augmentation notable de la participation des pouvoirs publics aux revenus de l'hôpital, qui décuplent en moins d'une décennie, passant de 12 200 $ en 1920 à plus de 122 700 $ en 1929. Mais cet accroissement, même jumelé à une contribution accrue des patients payants, ne suffit pas, car les coûts d'hospitalisation subissent eux aussi une hausse marquée due aux récents développements de la médecine. Dès 1922, les administratrices se joignent à une délégation de représentants des hôpitaux pour obtenir une bonification de la pension versée par l'État, qui sera finalement établie à 2 $ par jour à compter de 1929. Selon le rapport annuel, le nouveau tarif correspond davantage au coût réel du traitement des patients et va aider Sainte-Justine à mieux assumer ses obligations financières[18].

Ce n'est pourtant pas ce qui va se produire. Non seulement l'hôpital continue d'accumuler des dettes en raison de la poursuite de la construction de nouveaux pavillons rue Saint-Denis, mais il doit faire face à des déficits d'exploitation qui passent de 10 000 $ à plus de 82 000 $ entre 1925 et 1936[19]. La crise économique qui sévit alors est la principale responsable de cette situation, car elle génère une pauvreté sans précédent. Les pertes de revenus enregistrées par les ménages réduisent considérablement leur capacité de payer pour obtenir des services médicaux, alors même que leur état de santé se dégrade en raison de la malnutrition et de la détérioration de leurs conditions de vie et de logement. Résultat : les hôpitaux doivent soutenir une proportion de plus en plus élevée de patients publics, comme le souligne le père Verrault à l'assemblée annuelle de l'hôpital en 1935 :

> *Les hôpitaux, comme toutes les autres institutions, subissent le contrecoup de la crise économique. Trop souvent les patients privés ne peuvent plus payer leur part du coût toujours montant des services spécialisés, certaines municipalités refusent sous toutes sortes de prétextes de contribuer aux frais d'hospitalisation de leurs indigents. Les médecins ne pouvant plus porter le fardeau que la charité leur impose dirigent un nombre grandissant de patients vers les salles publiques des hôpitaux. Souvent, l'hôpital doit garder ces patients au-delà de la première période de convalescence, parce que la pénurie et le manque de soins dans les foyers ou l'atmosphère peu invitante des parcs et des refuges de nuit ne sont guère propres à recevoir des êtres humains qui peuvent à peine marcher et encore moins travailler*[20].

Tableau 2. – Tarifs de l'Assistance publique et coûts estimés par patient, 1940 et 1950

Années	Tarifs de l'Ass. publ.	Coûts estimés par l'HSJ
1944	3,00 $	5,25 $
1947	4,00 $	7,25 $
1951	5,50 $	9,51 $
1955	7,50 $	12,91 $
1957	10,50 $	17,44 $
1958	10,50 $	20,35 $

Source : rapports annuels 1944-1958.

La crise a aussi des effets catastrophiques sur les finances de l'État, si bien qu'en dépit des demandes répétées des hôpitaux, les tarifs de l'Assistance publique demeurent les mêmes pour toute la période : ce n'est qu'en 1942 que le gouvernement du Québec consent à octroyer une nouvelle hausse, le taux quotidien s'établissant désormais à 3,00 $. Mais comme le souligne le rapport annuel de Sainte-Justine, c'est trop peu, trop tard : « Malheureusement, nous constatons qu'en dépit des apparences, cette aide sera moins effective que nous l'avions d'abord prévu, tant le coût de la vie et l'augmentation des salaires dépassent de beaucoup nos prévisions[21]. » En fait, durant les années 1940 et 1950, l'écart se creuse de plus en plus entre les tarifs consentis par Québec et le coût d'hospitalisation réel comme le montre le tableau 2.

Le manque à gagner entre les montants offerts par l'État et ce qu'il en coûte réellement pour traiter les patients, une différence qui atteint près de 50 % à la fin des années 1950, est aussi aggravé par le fait que le gouvernement n'accepte pas automatiquement de payer pour tous ceux qui ne le peuvent pas. Pour être admissible à l'Assistance publique, il faut en effet être absolument sans le sou. Cette définition de l'indigence exclut d'emblée tous les travailleurs pauvres dont les revenus ne leur permettent pas de s'offrir des soins de santé. Ainsi, en 1938, le rapport annuel souligne que le déficit d'exploitation provient du fait que 90 % des patients traités à Sainte-Justine appartiennent à la catégorie des indigents et que beaucoup d'entre eux « ne répondent pas aux critères de l'Assistance publique », ce qui oblige l'hôpital à les soigner à ses frais. Au milieu des années 1940, la proportion des patients publics se situe à 75 %, et dix ans plus tard, alors que l'économie d'après-guerre engendre une période de prospérité sans précédent, leur pourcentage s'établit tout de même à 56 %, preuve s'il en est une que les soins de santé demeurent un luxe pour plusieurs. Selon la direction de l'hôpital, les assurances privées, qui se sont répandues à partir des années 1940, ne sont toujours pas à la portée de tous et ne couvrent pas de nombreux traitements et examens qui demeurent inaccessibles pour la classe ouvrière et la classe moyenne inférieure. La Loi de l'Assistance publique, conçue dans les années 1920, n'avait pas non plus prévu le développement des services auxiliaires et ne remboursait pas les frais de dispensaire, ce qui explique l'écart croissant entre les sommes consenties par l'État et ce que l'hôpital doit débourser en moyenne pour chaque patient traité[22].

Le déficit d'exploitation de l'hôpital augmente donc de manière considérable à partir de la Seconde Guerre mondiale, passant de 117 800 $ en 1945 à près de trois millions en 1960[23]. Inlassablement, les rapports annuels rappellent les difficultés financières qu'affronte l'hôpital en raison de l'insuffisance de la contribution de l'État. Mais ce manque à gagner est aussi mis au compte des salaires qui augmentent quelque peu à compter de la toute fin des années 1930, à la suite du mouvement de syndicalisation des employés d'hôpitaux. En 1948, selon le rapport annuel, les salaires constituent 56 % des dépenses totales. Onze ans plus tard, le même document note que les salaires représentent désormais plus de 60 % du budget et exprime la crainte « que cette tendance ne s'accentue durant les années à venir », avant d'ajouter : « Les salaires, les heures de travail, les bénéfices marginaux [*sic*] semblent devoir de plus en plus s'établir sur une base comparable à celle qui est en vigueur dans l'industrie et le commerce[24]. » Si les dirigeantes déplorent cette évolution, c'est parce qu'elles considèrent que le fonctionnement des établissements de santé devrait relever d'une logique autre que celle du monde marchand : selon elles, le dévouement et la compassion devraient toujours constituer les principales motivations du personnel. Donnant en quelque sorte l'exemple, elles estiment d'ailleurs que la vocation pédiatrique de l'hôpital leur interdit de sélectionner les patients pour mieux boucler leur budget : « La pensée de réduire l'admission des cas d'Assistance publique ne nous vient même pas à l'idée, car ce serait éviter de suivre le but même de l'Hôpital d'aider la famille en recueillant l'enfant malade[25]. »

Autres contributions des pouvoirs publics

La Loi de l'Assistance publique instaure un mode de financement qui systématise l'aide apportée par l'État en ce qui concerne les soins à certains patients. L'évolution de la médecine hospitalière, qui exige des investissements de plus en plus considérables, et l'importance croissante que les dirigeants politiques, en particulier canadiens, accordent à la santé de la population se traduisent cependant par d'autres types d'interventions gouvernementales plus ciblées, dont Sainte-Justine va chercher à se prévaloir.

Les dirigeantes font plus particulièrement appel aux différents paliers de gouvernement chaque fois qu'elles envisagent des travaux de construction ou d'agrandissement. Ainsi, malgré la crise, le gouvernement provincial leur octroie 150 000 $ en 1931 pour poursuivre la construction amorcée rue Saint-Denis. En 1948, il accorde 120 000 $ pour compléter l'achat des terrains du chemin de la Côte-Sainte-Catherine, alors qu'au total il contribue une somme de 5,6 millions de dollars, dont les premiers trois millions sont versés au rythme de 600 000 $ par année, pour la construction de l'immeuble. À cette occasion, Sainte-Justine reçoit également un montant d'un million de dollars de la part du gouvernement fédéral et près de deux millions de la Ville de Montréal, ce qui porte à 42,5 % la part assumée par les différents paliers de gouvernement pour ce projet. Périodiquement, Québec va aussi éponger une partie du déficit par des octrois spéciaux : par exemple, en 1942 et 1945, des subventions de 200 000 $ permettent à l'hôpital de souffler un peu[26].

Dès les années 1930 et plus encore dans l'après-guerre, Sainte-Justine va bénéficier des nouveaux programmes mis en place par le gouvernement fédéral, qui devient un partenaire majeur en matière de santé à travers le Canada, comme nous aurons l'occasion de le voir. Aux contributions provenant des deux paliers de gouvernement, il faut aussi ajouter la participation de la Ville de Montréal, dont la générosité demeure cependant bien limitée. Après l'adoption de la Loi de l'Assistance publique, en effet, les autorités municipales semblent de plus en plus indifférentes à la situation de Sainte-Justine, une attitude que les dirigeantes dénoncent parfois avec virulence. Ainsi, en 1932, l'hôpital parvient à soutirer 30 000 $ à la Ville, pour l'aider à acquitter les coûts de l'agrandissement de son immeuble de la rue Saint-Denis, et 5 000 $ par année, pour une période de trois ans, pour l'aider à payer le transport et les traitements de nombreux enfants victimes de l'épidémie de poliomyélite en 1931[27]. L'aide apportée est certes appréciée, mais le rapport annuel exprime la déception des dirigeantes devant le peu d'intérêt que l'administration municipale a manifesté à l'égard de leurs difficultés financières par le passé, alors même que Sainte-Justine rend de signalés services à l'ensemble de la population infantile montréalaise depuis si longtemps : « [...] nous regrettons vivement que le Comité Exécutif ait fait la sourde oreille aux requêtes que nous lui avons présentées ; cette annuité que nous réclamons depuis longtemps ne serait, après tout, qu'un acompte sur ce que, moralement, la Ville doit à Sainte-Justine pour les soins donnés pendant vingt-six ans aux enfants malades et pauvres de Montréal[28]. » Quelques années plus tard, Montréal consent à verser une somme de 100 000 $ par versements annuels de 5 000 $, mais s'attire de nouveau les reproches de l'administration : « Évidemment nous sommes reconnaissantes à la Cité de cet octroi, qui nous fera grand bien, au cours des ans, mais comme nous regrettons que la somme votée ne soit pas au moins doublée ; il nous semblait que Sainte-Justine ayant fait sa large part pour les enfants malades et pauvres de Montréal, la Ville, à son tour, se devait de faire sa part pour Sainte-Justine[29]. » Vers la fin des années 1950, la présidente va même jusqu'à mettre une partie du déficit accumulé sur le compte de l'indifférence dont les autorités municipales ont toujours fait preuve, selon elle, à l'égard de l'hôpital. Ce manque de collaboration et les insuffisances du régime d'Assistance publique sont alors invoqués pour justifier la reprise de la campagne de souscription annuelle, qui avait été abandonnée au début des années 1950[30].

La part des patients

L'admission de patients privés et semi-privés permet à Sainte-Justine de compter sur l'apport financier de ceux, plus fortunés, qui peuvent se permettre de payer, en tout ou en partie, les soins dispensés. Dès les débuts de l'hôpital, il semble que les trois statuts (public, semi-privé, privé) existent, mais ce n'est qu'en 1914, au moment du déménagement dans le nouvel immeuble de la rue Saint-Denis, que l'hôpital inaugure un véritable département privé, comprenant des chambres à un ou deux lits, le second étant réservé à la mère ou à une infirmière[31]. En 1927, le rapport annuel signale que Sainte-Justine possède également un département semi-privé, composé « de deux vastes salles subdivisées en compartiments par des cloisons vitrées, form[a]nt de petites chambrettes lesquelles, sans présenter tout le confort des chambres privées, donnent néanmoins aux petits malades l'avantage d'un isolement relatif et d'une tranquillité qu'ils ne peuvent avoir dans les salles publiques[32] ». Les rapports annuels subséquents ne font cependant plus état de son existence, alors que le département privé continue de faire l'objet de publicité. Le nombre de chambres qu'il comprend passe de 21 en 1922 à 25 dix ans plus tard, puis à 100 en 1945. Au cours de ces mêmes années, le département d'obstétrique comporte une vingtaine de lits privés, tandis que 10 lits privés sont aussi disponibles au service d'isolement. Ce n'est qu'à partir de 1958, soit après le déménagement sur le chemin de la Côte-Sainte-Catherine, que les rapports mentionnent de nouveau que l'hôpital offre des chambres privées et semi-privées, sans en préciser le nombre[33].

Comparées à la capacité d'hospitalisation de Sainte-Justine, ces données montrent que le département privé représente un peu plus de 10 % des lits jusqu'aux années 1940, autour de 20 % par la suite. En principe, les patients privés doivent assumer tous les coûts de leur hospitalisation, y compris les frais de la salle d'opération et des examens, des médicaments et des honoraires médicaux. Mais ces lits ne sont pas toujours tous occupés et l'administration hésite à augmenter les tarifs, comme le font régulièrement les hôpitaux pour adultes, sous prétexte qu'un hôpital pour enfants doit tenir compte de la situation des familles : « l'Hôpital Sainte-Justine existe pour aider la famille, la comprendre et la secourir dans les épreuves de la maladie. N'oublions jamais que c'est sur la famille nombreuse que la nation compte pour l'aider et se sauver au besoin », précise la présidente au milieu des années 1950[34]. Même si le département privé contribue à générer des revenus pour l'hôpital, ceux-ci ne correspondent donc pas toujours aux coûts réels des soins dispensés.

Les patients semi-privés et ceux qui sont hébergés dans les salles communes sans avoir le statut d'indigent paient une partie de leur pension, des coûts des examens (radiologie, endoscopie, etc.), des analyses de laboratoire de même que des médicaments prescrits. Les patients qui se présentent au dispensaire doivent aussi débourser pour les soins reçus si leurs revenus le leur permettent : dans les années 1930, afin de les encourager à donner ne serait-ce qu'une obole, la direction songe même à y afficher certains proverbes incitant à la charité[35]. Quant aux patients publics, de loin les plus nombreux, ils reçoivent gratuitement tous les traitements voulus, ce qui, on l'a déjà vu, a des conséquences plutôt dramatiques pour la situation financière de l'hôpital.

L'ensemble des revenus provenant des patients suit fidèlement la courbe des fluctuations économiques ; d'un peu plus de 35 % des revenus totaux dans la première moitié des années 1920, ils chutent à moins de 15 % dans les années 1930, pour remonter vers la fin de la décennie et atteindre de nouveau plus de 30 % et même 40 % durant la guerre. Les rapports annuels ne permettent pas de suivre aussi fidèlement la proportion des revenus de l'hôpital provenant de ce que paient les patients durant les années suivantes, mais, étant donné que le pourcentage de patients publics diminue de 75 % à 56 % entre 1946 et 1956, on peut à tout le moins supposer que cette part continue de s'accroître dans l'après-guerre. D'ailleurs, vers la fin des années 1940, l'administration doit adopter divers règlements concernant les frais exigés des patients privés et semi-privés qui, faute de place, se retrouvent dans les salles publiques, signe que le nombre de lits qui leur sont alloués ne suffit plus[36].

L'adhésion d'un nombre croissant de familles à des régimes privés d'assurance-hospitalisation à compter des années 1940 représente l'une des principales raisons qui expliquent cette augmentation des patients privés et semi-privés et, conséquemment, de la part des patients dans les revenus de l'hôpital. Ce type d'assurance, qui existe depuis au moins les années 1910, prend en effet son essor à partir de 1942, alors que la Croix Bleue, incorporée sous deux appellations (Quebec Hospital Service Association et Association d'hospitalisation du Québec), entre en fonction et parvient à convaincre quelques gros employeurs d'appuyer l'introduction de cette assurance collective dans leur entreprise. À la fin de la guerre, 142 000 personnes étaient ainsi assurées au Québec ; elles étaient près de 650 000 en 1952[37].

Le système des assurances privées exige que les hôpitaux signent des contrats d'affiliation avec la compagnie qui remboursera les frais au nom de l'assuré. En principe, les hôpitaux ont tout à gagner puisque cela leur garantit des rentrées d'argent, mais l'affiliation de Sainte-Justine à la Croix Bleue, ou plus précisément à son entité francophone, l'Association d'hospitalisation du Québec (AHQ), ne lui rapporte pas que des avantages, car la compagnie rembourse les frais encourus par les patients assurés suivant des barèmes qui ne lui profitent pas toujours. Ainsi, en 1949, jugeant que la durée de l'hospitalisation des victimes de la poliomyélite est trop longue, l'AHQ décide de verser une allocation de 1,50 $ par jour, pour un maximum de 31 jours, pour ces cas, ce qui défavorise Sainte-Justine par rapport à d'autres hôpitaux pour contagieux qui reçoivent, en plus des versements de la Croix Bleue, une allocation municipale. En 1951, plutôt que d'offrir un barème uniforme à tous les hôpitaux, comme c'était le cas jusque-là, l'AHQ propose de rembourser les frais d'hospitalisation des patients assurés suivant les taux demandés par l'hôpital où chaque patient est traité ; Sainte-Justine ayant toujours hésité à augmenter ses tarifs, il recevrait donc moins que les autres établissements montréalais, ce contre quoi s'élève la présidente. Ses protestations auprès du directeur de l'AHQ demeurent cependant sans effet et, pour obtenir davantage de la Croix Bleue, l'administration se voit dans l'obligation d'augmenter le prix des chambres privées et semi-privées[38].

En 1953, Gaspard Massue estime que les compagnies d'assurance fournissent près du quart des revenus que l'hôpital retire en retour des soins qu'il dispense, alors que le régime de l'Assistance publique fournit 31 %, les 44 % restants étant payés par les patients eux-mêmes. En comparaison, en 1951, l'ensemble des hôpitaux du Québec étaient financés à 75 % par de l'argent provenant soit directement des patients, soit des régimes d'assurance privée qu'ils détenaient[39]. En d'autres termes, si les assurances privées se sont grandement développées dans l'après-guerre, il reste qu'elles ne rejoignent qu'une proportion encore minoritaire de la population et qu'elles ne fournissent qu'une maigre portion du budget de Sainte-Justine et même de l'ensemble des hôpitaux. Le régime public d'assurance-hospitalisation qui entre en vigueur le 1er janvier 1961 viendra donc combler un besoin criant. En attendant, l'hôpital doit compter sur d'autres méthodes de financement pour tenter de boucler son budget.

L'apport de fonds privés

L'intervention plus soutenue de l'État à compter de 1920 ne dispense pas Sainte-Justine de faire appel au public montréalais, bien au contraire. En fait, à compter de cette décennie, l'hôpital est aux prises avec des déficits récurrents qui vont plutôt l'obliger à mieux structurer ses appels à la charité privée. Comme durant les premières années, les administratrices continuent de solliciter des donations en échange du titre de gouverneur à vie, de dame patronnesse ou d'enfant souscripteur et elles organisent toujours des activités-bénéfices, mais ces dernières diminuent en nombre et en importance à mesure que les campagnes de financement publiques prennent de l'ampleur.

Ainsi, à l'automne 1920, les administratrices lancent une grande campagne afin de financer un premier agrandissement de l'immeuble de la rue Saint-Denis. Durant deux semaines, des équipes de bénévoles parcourent la ville et recueillent les dons à domicile, dans les paroisses et dans les salons des grands hôtels montréalais ; des comités spéciaux, formés de dames et de messieurs de la bourgeoisie, sollicitent les gens de leur milieu, tandis qu'un groupe de médecins de

Sainte-Justine recueillent des sommes auprès de leurs collègues. Les journaux contribuent à toute l'opération en lui consacrant plusieurs articles et éditoriaux et en publiant des annonces de même que des appels lancés par des médecins de l'hôpital. Pour attirer davantage de dons, les quotidiens font périodiquement état des résultats de la collecte, mentionnant les noms des bienfaiteurs ayant souscrit plus de 5 $. Une production cinématographique représentant diverses scènes de la vie à l'hôpital est également projetée dans les salles de cinéma afin d'inciter les spectateurs à délier les cordons de leur bourse[40].

Malgré des contributions importantes, dont 10 000 $ versés par le Séminaire de Saint-Sulpice et 10 000 $ offerts par Louis de Gaspé-Beaubien, cette campagne ne rapporte que 126 000 $ au lieu des 200 000 $ espérés. Les administratrices devront donc se contenter d'amorcer la construction d'une seule des deux ailes prévues à l'origine, seulement trois des huit étages pouvant être terminés. Les coûts des travaux obligent néanmoins l'hôpital à organiser un *Tag Day* en 1924 et 1925 pour réduire le déficit accumulé. En 1926, Sainte-Justine entreprend une nouvelle campagne de financement de manière à compléter cette nouvelle aile et, si possible, à effacer sa dette. Baptisée « La semaine des petits lits blancs », cette deuxième campagne publique rapporte plus de 70 000 $ en moins de quinze jours[41]. Comme on le sait, l'immeuble de la rue Saint-Denis sera maintes fois agrandi par la suite, et chaque fois l'hôpital comptera sur des octrois gouvernementaux, des souscriptions individuelles, des legs et des revenus divers pour en assumer les coûts.

Une infirmière-bénévole de Sainte-Justine portant son voile participe à une quête publique en faveur de l'hôpital en 1924 (AHSJ).

À compter de 1928, Sainte-Justine initie une campagne annuelle appelée la « Journée du dollar ». Recourant de nouveau aux journaux, à la radio, aux cinémas et même aux tramways, l'hôpital demande aux familles montréalaises de faire chacune l'obole de 1 $ afin de l'aider à combler le déficit auquel il doit faire face chaque année. Malgré la crise économique qui sévit durant les années 1930, les administratrices maintiennent cette activité de financement, car elles ont plus que jamais besoin de l'argent ainsi amassé pour pallier la hausse de leur clientèle publique. Comme le mentionne le slogan de la campagne de 1932, en parlant des enfants, « Leurs souffrances ne chôment pas[42] ». Tout au contraire, cette souffrance s'accroît à mesure que se détériorent les conditions de vie des familles, ce qui justifie le maintien de la Journée du dollar.

Pour mieux convaincre la population de donner, les articles et les dépliants qui sont largement distribués présen-

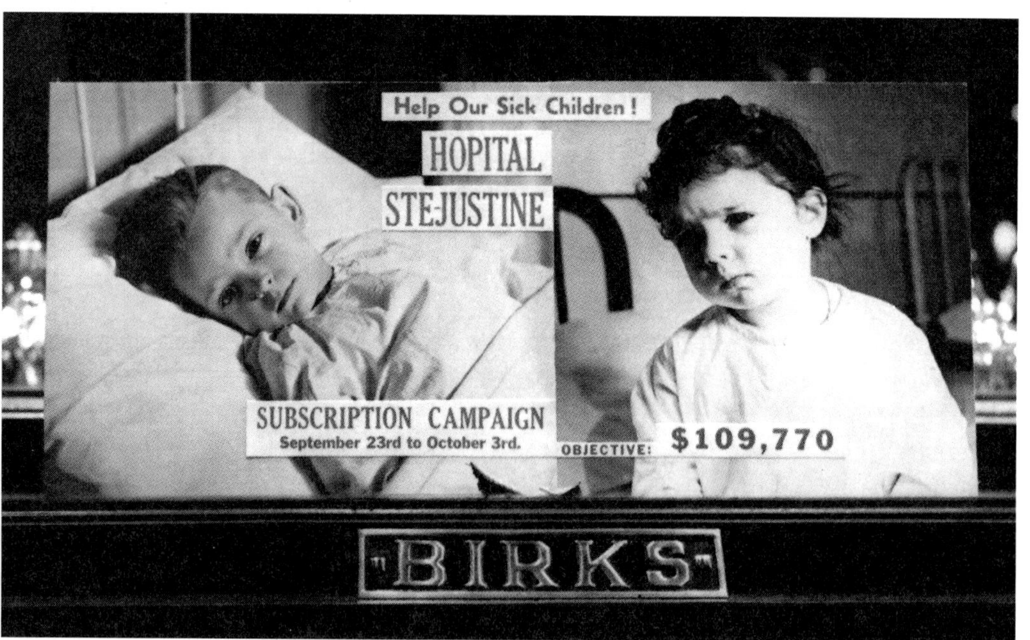

Les grands magasins du centre-ville de Montréal, comme Birks et Dupuis Frères, contribuent aux campagnes de souscription annuelles de Sainte-Justine en leur faisant de la publicité dans leurs vitrines (AHSJ).

tent d'ailleurs les enfants comme des êtres vulnérables qui, « du fond de leur lit de douleur », tendent la main aux adultes. Tout autant que l'hôpital, ce sont eux qui font appel au public, un public que la publicité cherche visiblement à sensibiliser au sort des petits malades : « Tout leur espoir est en vous », proclame le dépliant de la campagne de 1942 ; « Ils attendent tout de vous », assure celui distribué en 1944 ; « Leur vie est entre vos mains », renchérit-on en 1947[43]. La publicité insiste également sur le nombre d'enfants traités à Sainte-Justine chaque année, sur le « capital humain » que l'hôpital permet de sauver, et elle rappelle que les accidents ou la maladie peuvent survenir à tout moment : « Nul ne peut dire que son enfant ne sera pas malade prochainement. Qui de vous pourrait se passer de Sainte-Justine si la maladie frappait son foyer ? », demande-t-on au public en 1942.

Fondées sur des appels à la compassion et sur la nécessité d'assurer la survie de Sainte-Justine, « une œuvre humanitaire et nationale », comme se plaisent à le rappeler les journaux[44], ces campagnes annuelles vont remporter un succès sans cesse croissant. Il faut dire que leur organisation prend constamment de l'ampleur et rejoint des segments de plus en plus larges de la population. En 1928, la Journée du dollar repose essentiellement sur l'initiative de bénévoles qui distribuent des circulaires dans 92 paroisses de la ville et recueillent les dons au cours d'une seule journée, mais dès le début des années 1930 on assiste à une professionnalisation et à un élargissement des activités. Un comité de publicité formé en 1932 et ayant à sa tête Hector Fontaine, de l'Agence canadienne de publicité, orchestre désormais la campagne. Outre les journaux, la radio, puis les salles de cinéma et même les tramways annoncent la tenue de la Journée du dollar. Pour susciter la générosité du public, le comité organise, dès 1933, un tirage parmi les donateurs. En 1937, des affiches sont aussi installées dans les vitrines des magasins et un nouveau film est diffusé dans les salles de cinéma ; en 1939, mille panneaux-réclame sont distribués dans les commerces à travers la ville. Les journalistes des pages féminines sont aussi mobilisées et rédigent des « textes émouvants » pour inciter leur lectorat, particulièrement sensible à la cause des enfants, à donner. À partir des années 1940, l'hôpital fait également appel à une entreprise spécialisée pour distribuer ses

Rose Létourneau-LaSalle (1894-1968)

Entrée en poste à Sainte-Justine en 1939, Rose Létourneau-LaSalle a été directrice des relations extérieures de l'hôpital pendant 28 ans. Journaliste depuis 1915, elle a collaboré au journal *L'Opinion publique de Worcester,* au *Progrès du Nord,* au *Progrès de Villeray* et à *La Presse,* où elle a été titulaire, sous le nom de Tante Rosette, de la chronique le « Coin des enfants » de 1949 à 1958. Conférencière renommée, elle était aussi membre du Cercle des femmes journalistes, dont elle a été trésorière et vice-présidente, et faisait partie de diverses associations culturelles et religieuses dont la Société du Bon Parler Français, la Société historique de Montréal et le Club du Premier vendredi du mois de l'Oratoire qu'elle a fondé et présidé.

À Sainte-Justine, elle rédige des livrets de renseignements sur l'hospitalisation des enfants à l'intention des parents, des feuillets pour enrôler des enfants souscripteurs ou encore des dépliants pour favoriser le recrutement des gardes-malades. En tant que responsable de la publicité des campagnes de financement annuelles et de la campagne de construction dans les années 1950, elle rédige des communiqués, des dépliants promotionnels et le scénario d'un film, *Le Grand Appel,* diffusé dans les collèges et les couvents de Montréal. C'est aussi à elle que l'on doit l'initiative d'une collecte dans les écoles de la Commission des écoles catholiques de Montréal à partir de 1948 dans le cadre des campagnes de souscription. À son décès en janvier 1968, elle lègue 5 000 $ à l'hôpital, somme destinée à la recherche en cardiologie.

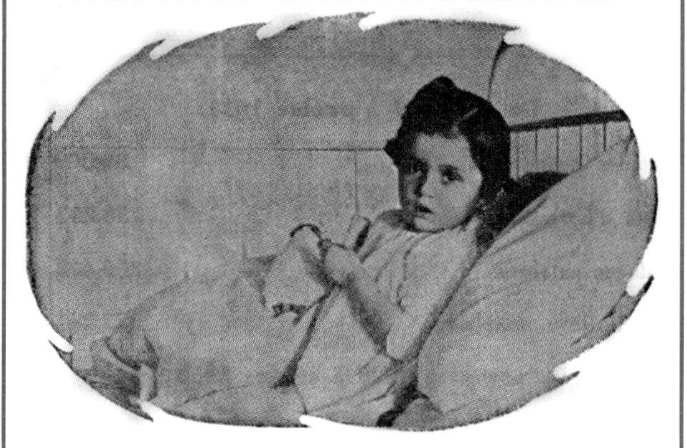

Chaque année entre 1928 et 1950, Sainte-Justine organise une campagne de souscription placée sous un thème particulier comme l'illustrent ces reproductions de dépliant (AHSJ).

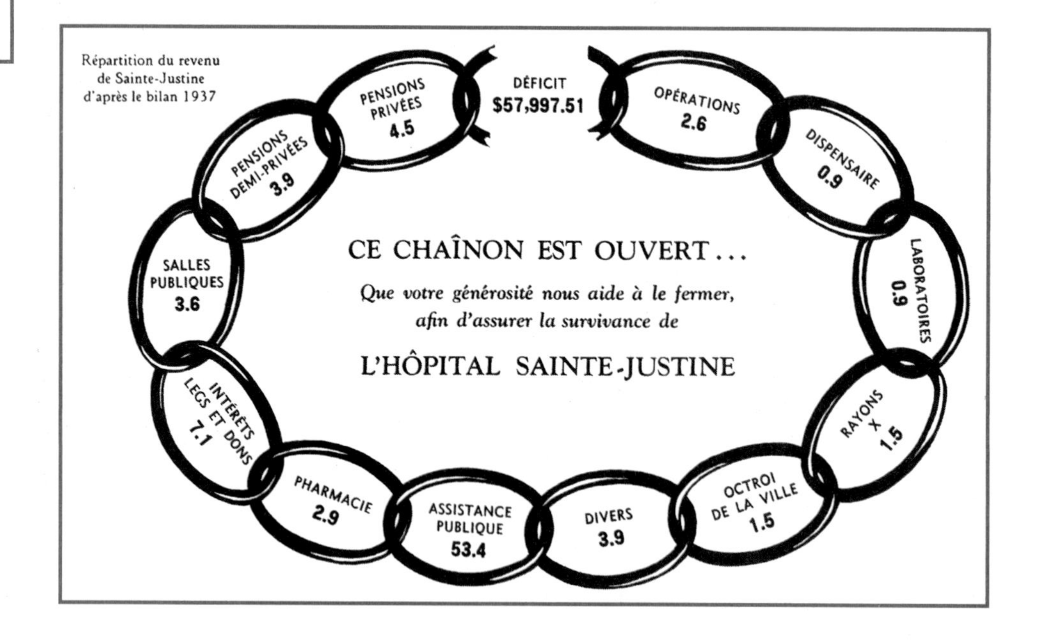

APPEL DES PETITS DE
SAINTE-JUSTINE
Ils attendent
tout de Vous !

22 SEPTEMBRE au 2 OCTOBRE
Campagne de Souscription
Hôpital Sainte-Justine
LEUR VIE EST
ENTRE VOS MAINS!

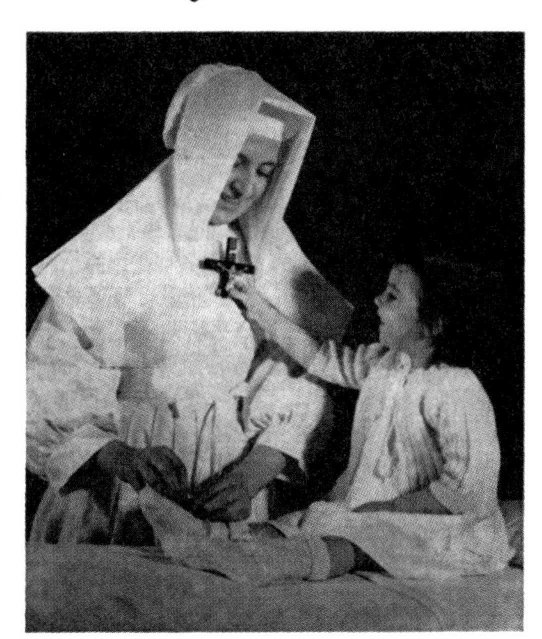
APPEL DES PETITS
— DE —
SAINTE-JUSTINE
Secourons
nos enfants malades
Campagne de souscription 1946
du 23 septembre au 3 octobre
Objectif : $109,770.00

circulaires de sollicitation au domicile des Montréalais ; désormais, on ne parle plus de la Journée du dollar, mais de la campagne de souscription en faveur de Sainte-Justine qui s'étend sur plusieurs jours. Finalement, en 1943, l'hôpital engage sa propre publiciste, Rose Létourneau-LaSalle, qui deviendra responsable de tous les aspects entourant les campagnes de souscription[45].

Le succès des campagnes repose non seulement sur la publicité qui leur est faite, mais aussi sur la diversification des publics ciblés. Sans abandonner les quêtes dans les églises et la sollicitation à domicile par voie de circulaires, les campagnes des années 1930 comptent également sur la formation de comités « des noms spéciaux », féminins et masculins, c'est-à-dire sur le démarchage auprès de personnalités influentes et bien nanties qui sont susceptibles de donner des sommes importantes. Les lieux des quêtes se diversifient également ; dès la fin des années 1930, les bénévoles se tiennent aux portes des succursales de la Commission des liqueurs et dans les lobbys des grands hôtels, puis à la sortie des théâtres, des magasins et même des bars, si on en croit le témoignage de Madeleine Morgan qui, avant d'être infirmière à Sainte-Justine et l'une des principales figures de la grève de 1963, avait participé à ces collectes :

> *Plus tard viendront les collectes dans les clubs souvent mal famés comme le* 50, *le* St. John's Café, *les restaurants du quartier chinois, les salles de vaudeville. Il faut noter que toutes les jeunes filles étaient accompagnées d'une escorte. Mes sœurs plus âgées avaient l'avantage de se présenter au* Normandie Roof, *et autres lieux* fashionables *où elles amassaient des sommes effarantes, certains clients n'hésitant pas à offrir des billets de $100. Sainte-Justine ? Tout le monde connaissait l'hôpital et presque tous contribuaient*[46].

Les sommes accumulées à partir des années 1940 donnent en effet à penser que tout le monde contribuait à la campagne de Sainte-Justine. Si, au début de la crise, l'hôpital n'arrive pas à dépasser les 20 000 $ atteints la première année, les sommes recueillies franchissent de nouveau ce cap dès la seconde moitié des années 1930, pour atteindre 25 000 $ en 1939 et même 50 000 $ en 1940. Il faut toutefois préciser que si l'hôpital récolte deux fois plus d'argent en 1940 que l'année précédente, c'est sans doute parce qu'il comptabilise désormais sous la rubrique « campagne de souscription » tous les dons qu'il reçoit durant l'année. Il faut dire également que plus de 75 % de cette somme a été recueillie par le comité des « noms spéciaux », preuve s'il en est une que cette recette fonctionne bien. Ce succès semble d'ailleurs avoir inquiété les dirigeantes puisque le rapport annuel prend la peine de justifier les besoins de l'hôpital :

> *En présence des merveilleux résultats de notre campagne, nous croyons sage de faire une mise au point ; c'est que cette*

Figure 1. – Revenus de la Journée du dollar et des campagnes de souscription, 1928-1950

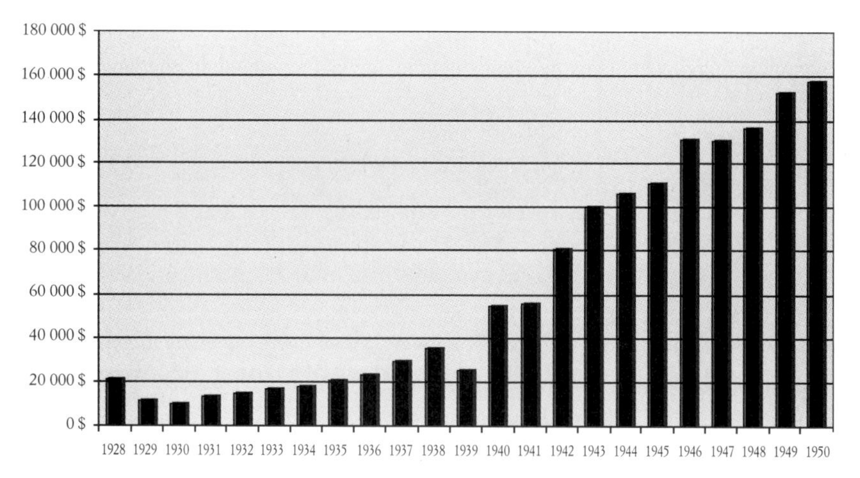

Sources : AHSJ, rapports annuels 1928-1950.

souscription annuelle s'impose afin d'éviter à l'hôpital de graves embarras financiers. Il ne faut pas perdre de vue que l'hôpital fonctionne à perte, puisque notre coût d'hospitalisation est de 3,31 $ par jour, que 90 % de nos patients relèvent de l'Assistance publique et que celle-ci ne nous paie que 2,00 $ par jour pour chacun des malades qui remplissent les conditions de cette loi. [...] *De plus, dans tout hôpital, un Département Privé est toujours une source de revenus, or, sur nos 536 lits, 40 seulement relèvent de notre Département Privé*[47].

Comme le montre la figure 1, les campagnes de financement subséquentes, qui se poursuivent jusqu'en 1950, rapportent des sommes toujours plus élevées, dépassant le seuil des 150 000 $ en 1949[48]. Deux ans plus tard cependant, Sainte-Justine abandonne cette tradition pour entreprendre une série de sollicitations publiques en faveur de la construction de son nouvel immeuble sur le chemin de la Côte-Sainte-Catherine.

Les campagnes de construction

Les campagnes en faveur de la construction sur le chemin de la Côte-Sainte-Catherine s'étendent de 1951 à 1957 et vont s'appuyer sur une organisation encore plus élaborée. Avant de se lancer dans cette nouvelle aventure, Sainte-Justine fait appel à une firme américaine spécialisée, la John Price Jones Company, qui recommande de faire une enquête afin de déterminer le montant à être recueilli, les moyens à prendre pour récolter cet argent, l'étendue de la publicité nécessaire et les meilleures méthodes à retenir pour la sollicitation. L'objectif global est alors fixé à 10 millions de dollars, la population étant appelée à fournir 40 % de cette somme et les différents paliers de gouvernement, 60 %[49].

Placée sous la présidence d'honneur de Mgr Paul-Émile Léger et sous la présidence active de Gérald Ryan, président de la maison Louis de Gaspé-Beaubien et Cie Ltd., la première campagne s'amorce le 1er octobre 1951. Son déroulement est plus particulièrement marqué par un marathon de la charité qui se tient de 20 h à 5 h, les samedi 6 octobre et dimanche 7 octobre, à la radio de Radio-Canada. Pendant ces neuf heures, le maire de Montréal Camillien Houde tient le micro avec l'animateur Jacques Normand, pendant que défilent les invités de marque et que Justine Lacoste-Beaubien, Yvonne Letellier de Saint-Just et Mme Walter Clerk, membres du conseil d'administration de Sainte-Justine, passent la nuit à répondre aux appels du public donateur, en compagnie de trois artistes et interprètes féminines bien connues : Muriel Millard, Lucille Dumont et Lise Roy. Au petit matin, elles ont récolté plus de 25 000 $[50]. Cet événement « sans précédent dans les annales de la radio canadienne », selon le journal *Le Devoir,* représente certainement le point d'orgue de cette première campagne de financement, mais les méthodes plus traditionnelles ne sont pas négligées : de nombreux comités se partagent le travail de sollicitation auprès de la population, y compris les communautés juive et italienne, des personnalités féminines et masculines, des commerces et des entreprises, alors qu'un nouveau film documentaire, scénarisé par Rose Létourneau-LaSalle et intitulé *Le Grand Appel,* est projeté dans les cinémas, mais aussi dans les collèges et les couvents. Plus de mille personnes participent à cette collecte qui permet de réunir plus de trois des quatre millions de dollars fixés au départ. Lors de la deuxième campagne, qui se déroule en novembre 1954, 2,3 millions de dollars supplémentaires sont amassés auprès du public à l'échelle de la province, tandis qu'à la fin de l'année 1957 la troisième campagne rapporte 1,3 million de dollars. Au final, c'est plus de 5,5 millions que la population aura souscrit pour la construction du nouvel immeuble[51].

Si le grand public montréalais s'est montré généreux à l'endroit de Sainte-Justine, il n'a pas été le seul à le soutenir, loin s'en faut. De 1920 à 1960, en effet, de très nombreux organismes philanthropiques de même que des entreprises privées, des associations médicales et des clubs sociaux ont offert des biens et des services soit à l'hôpital, soit directement à ses patients. Ainsi, plusieurs conférences de la Société Saint-Vincent-de-Paul, les Chevaliers de Colomb et la Ligue de la jeunesse féminine offrent régulièrement vêtements, nourriture, chaussures et « caoutchoucs » pour les patients démunis, tandis que la Société Saint-Jean-Baptiste de Montréal donne des centaines de livres pour garnir la bibliothèque des petits malades. À compter de la fin des années 1930 et jusqu'en 1949, l'Institut national canadien pour les aveugles fournit des centaines de paires de lunettes aux enfants dans le besoin, tandis que, des années 1930 aux années 1960, la Société de secours aux enfants infirmes prend en charge le coût des appareils et des chaussures orthopédiques pour des patients pauvres et assure leur transport quand ils doivent suivre des traitements à l'hôpital. Le camp de vacances Le Grillon, fondé spécialement pour les enfants « infirmes », accueille chaque année plusieurs des patients de Sainte-Justine, pendant que des entreprises comme Eaton's et Steinberg et que l'Association des chefs de police et de pompiers offrent plusieurs centaines de cadeaux chaque année pour garnir les arbres de Noël de l'hôpital.

De leur côté, les associations médicales et les clubs sociaux font don à l'hôpital d'appareils coûteux ou contribuent au paiement des salaires de soignants qualifiés. En 1947, par exemple, la Légion canadienne remet à Sainte-

Le Club Kiwanis

Le Club Kiwanis est une association d'hommes et de femmes d'affaires actifs ou à la retraite qui parrainent plusieurs organismes dédiés aux jeunes en organisant des campagnes de financement et en contribuant à des projets par leur travail bénévole. Le premier Club Kiwanis a été fondé à Detroit en 1915. Rapidement, des clubs Kiwanis sont mis sur pied un peu partout en Amérique du Nord. À partir de 1962, le Kiwanis entame son expansion sur le plan mondial si bien que, en 2007, on retrouve plus de 8 400 clubs Kiwanis, regroupant près de 280 000 membres dans 96 pays et régions.

Dès les années 1920, le Club Kiwanis Saint-Laurent de Montréal apporte son aide à l'Hôpital Sainte-Justine en lui offrant des dons en argent, des appareils médicaux et en s'occupant du transport des enfants malades. Entre 1925 et 1951, il lui a remis plus de 13 000 $ en dons de toutes sortes.

La Société de secours aux enfants infirmes

Fondée en 1930, alors qu'une épidémie de poliomyélite sévissait et que le contexte de crise économique rendait difficile la tâche des parents de soutenir leurs enfants, la Société de secours aux enfants infirmes veut donner aux enfants handicapés accès à l'instruction de manière à favoriser leur autonomie une fois qu'ils auront atteint l'âge adulte. Devenue la Société pour les enfants handicapés du Québec en 1985, elle a mis sur pied, au cours des décennies, un ensemble de services, notamment un service de transport facilitant le suivi des traitements, un service orthopédique, un camp de vacances à Saint-Alphonse-de-Rodriguez, la garderie Papillon pour les mères d'enfants handicapés se retrouvant sur le marché du travail et la résidence Papillon offrant des séjours de répit pour les parents.

La Société de secours aux enfants infirmes vient en aide aux enfants handicapés de l'Hôpital Sainte-Justine dès le début des années 1930 par le don d'appareils et de chaussures orthopédiques, le transport des malades pour leurs traitements de physiothérapie, l'organisation de sorties, notamment au cirque ou au Parc Belmont, le prêt d'infirmières pendant les épidémies de poliomyélite et l'exposition de travaux d'enfants handicapés lors de son congrès annuel. En retour, l'hôpital fournit un service de résidents en médecine au Camp de vacances de Saint-Alphonse durant l'été.

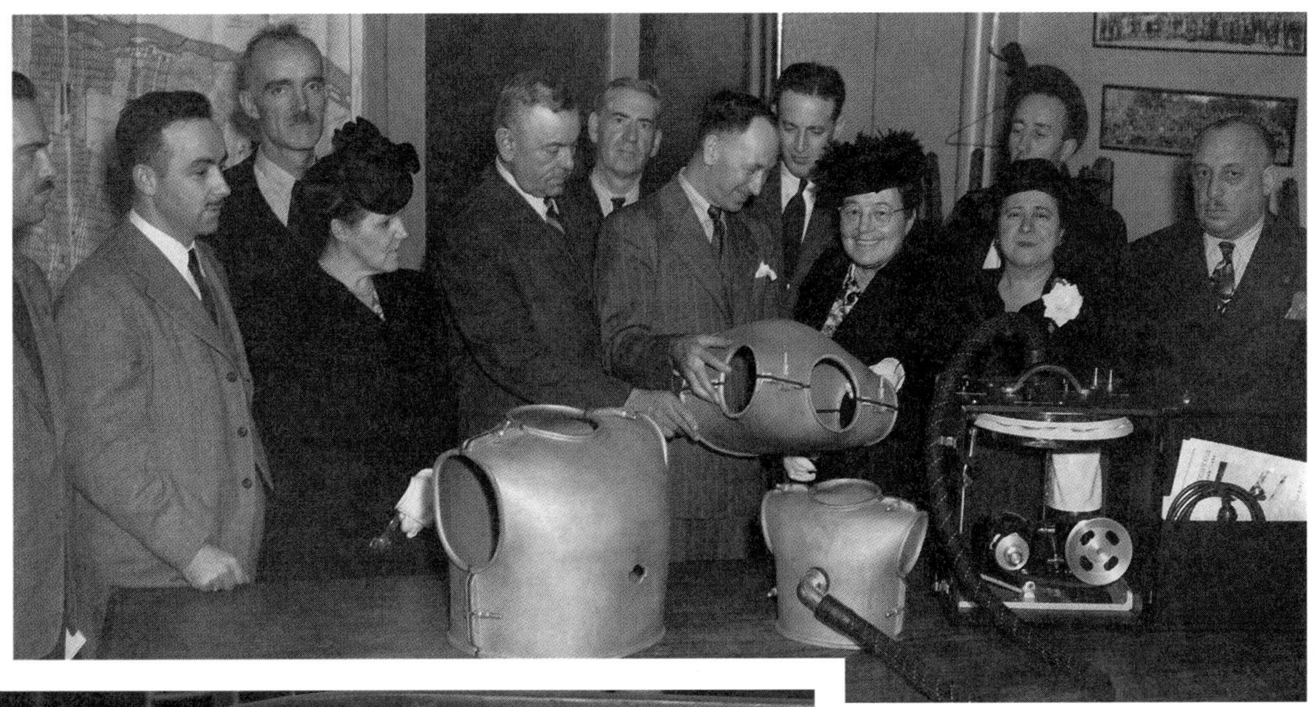

De nombreux organismes philanthropiques offrent des appareils médicaux ou des dons en nature en tout genre pour combler les besoins de l'hôpital. En haut, la Légion canadienne fait don de pulmomètres à l'Hôpital Sainte-Justine et à l'Hôpital Pasteur (photographe inconnu. 24 septembre 1946. Bibliothèque et Archives nationales du Québec. Québec. Direction du Centre de Montréal. Fonds Justine Lacoste-Beaubien. P655, S2, SS7, D1, P18). En bas, on aperçoit des enfants devant un autobus donné par le Club Kiwanis à la Société de secours des enfants infirmes (AHSJ).

Maurice Richard en visite à l'Hôpital Sainte-Justine en décembre 1956 (AHSJ, photo studio Rose et Marcel Deschamps).

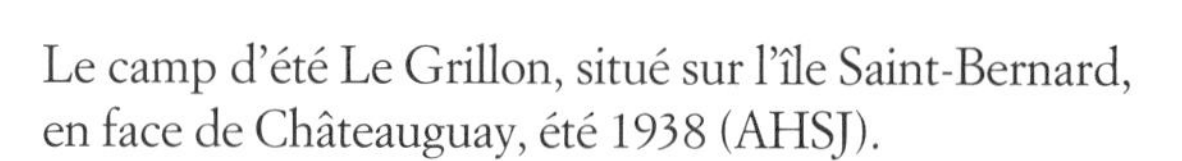

Le camp d'été Le Grillon, situé sur l'île Saint-Bernard, en face de Châteauguay, été 1938 (AHSJ).

La Fondation Hubert-Biermans

Hubert Biermans a été une personnalité influente de la Mauricie au début du XXe siècle. Né en 1864 aux Pays-Bas, il participe, en 1890, à la construction d'une première ligne ferroviaire au Congo, avant d'être envoyé, en 1900, à Shawinigan par la Banque d'Outre-Mer de Bruxelles pour y surveiller les investissements de cette dernière dans une pulperie en construction. Il convainc finalement la banque d'investir dans l'entreprise en intégrant la production de la pâte à celle du papier, marquant ainsi la fondation de la Belgo Canadian Pulp and Paper. Au milieu des années 1920, il procède au regroupement de plusieurs sociétés et constitue la Consolidated Paper Corp. avant de quitter le pays en 1930 pour retourner en Europe. Déjà de son vivant, il distribue une partie de son argent à bon nombre d'œuvres par l'entremise de sa fondation. À son décès, en 1953, il lègue la majorité de sa fortune à des organismes de charité, des institutions et des universités québécoises.

L'Hôpital Sainte-Justine faisant partie des bénéficiaires de son testament, une première tranche de 100 000 $, que le donateur destinait à la recherche sur la poliomyélite, lui a été remise peu après le décès de Biermans. Une fois cette maladie vaincue au début des années 1960, le reste de la somme léguée par Biermans est affectée à la recherche sur la génétique, la cardiologie pédiatrique, les allergies infantiles et les maladies du rein. Jusque dans les années 1980, des sommes importantes venant du fonds Biermans ont aussi permis l'achat d'appareils et d'équipements médicaux.

Justine un pulmomètre portatif d'une valeur de 1 700 $, alors que le Club Kiwanis de Saint-Laurent offre 2 500 $ pour l'achat d'un appareil portatif de radiographie. Le Club Rotary, l'Association de paralysie cérébrale et le Club Kinsmen-Alouette sont également au nombre des fidèles donateurs. Sainte-Justine leur doit l'achat de chaises roulantes, de civières, d'appareils physiothérapeutiques, mais aussi l'installation, le fonctionnement et l'entretien d'une clinique de paralysie infantile, de même que le paiement des salaires d'orthophonistes et de physiothérapeutes. Les sommes en jeu sont donc considérables, atteignant souvent plusieurs dizaines de milliers de dollars. Pour parvenir à faire des dons aussi importants, ces associations ont d'ailleurs elles-mêmes recours à la charité du grand public : ainsi, à partir de 1954, les Kinsmen organisent un téléthon dont les recettes sont versées à l'Hôpital Sainte-Justine et au Montreal Children's Hospital pour leurs services de paralysie cérébrale. Enfin, mentionnons qu'en 1956 Sainte-Justine reçoit un legs de 100 000 $ de la succession d'Hubert Biermans, qui demande que cette somme soit affectée à la recherche et au traitement de la poliomyélite. En janvier 1955, Maurice Richard a donné à Sainte-Justine les 1 000 $ que la Ligue nationale de hockey lui avait remis à l'occasion de son 400e but[52].

À l'ère de l'État-providence

La prise en charge du domaine de la santé par l'État québécois, à compter du début des années 1960, a des répercussions majeures sur le financement, mais aussi sur la gestion des établissements hospitaliers. Répondant aux critiques qui se faisaient entendre depuis un certain temps et aux récriminations des hôpitaux qui accumulaient déficit sur déficit, le gouvernement de Jean Lesage, qui prend le pouvoir en 1960, s'engage sur la voie de l'État-providence en adoptant la Loi de l'assurance-hospitalisation. Par cette loi, qui entre en vigueur le 1er janvier 1961, Québec adhère au programme à frais partagés instauré par le gouvernement fédéral en 1957, dont le but était de fournir un accès gratuit aux soins hospitaliers. Désormais, les hôpitaux devront signer des contrats de service avec le ministère de la Santé du Québec qui assumera les coûts des soins et des examens diagnostiques pour tous les patients hospitalisés, quels que soient leurs revenus. Parce qu'il devient leur principal bailleur de fonds, l'État va cependant imposer ses règles aux administrations hospitalières. Pour recevoir leur dû, celles-ci devront présenter des prévisions budgétaires détaillées, fournir des statistiques précises sur les admissions, les revenus et les dépenses, se conformer aux normes salariales édictées par Québec et restreindre les embauches selon les ratios déterminés par le ministère. Malgré les contraintes qu'elle leur impose, la loi ne prétend pas couvrir toutes les dépenses des hôpitaux, car l'entente fédérale-provinciale dont elle est issue et qui détermine les frais admissibles ou « partageables » exclut les soins et traitements dispensés dans les services externes, les frais d'immobilisations, le service de la dette et la dépréciation. En principe, ces frais devraient être couverts par les suppléments que versent les patients hospitalisés dans les chambres privées et semi-privées, dont l'existence n'est pas remise en cause, mais comme le gouvernement récupère 60 % de ces sommes, la marge de manœuvre des hôpitaux demeure plutôt mince[53].

Contrairement à la Loi de l'Assistance publique de 1921, qui avait suscité sa part d'opposition dans les milieux catholiques, la Loi de l'assurance-hospitalisation est généralement bien accueillie, car elle est considérée comme une mesure sociale devenue incontournable. À Sainte-Justine, les administratrices admettent également la nécessité de la nouvelle loi qui semble leur promettre une plus grande stabilité financière, mais du même souffle elles déplorent que le gouvernement accapare une bonne partie des sommes provenant de la clientèle privée et semi-privée et, surtout, elles s'inquiètent des transformations que cette loi risque d'entraîner dans la manière de concevoir les soins aux malades. Se faisant le porte-parole de son conseil, Justine Lacoste-Beaubien s'interroge :

> *Je comprends qu'il existe une certaine nécessité d'uniformité, mais jusqu'à quel point cette uniformité conduira-t-elle nos hôpitaux à considérer les malades comme des unités portant un numéro, plutôt que des êtres humains dont les besoins peuvent être aussi variés que les facteurs qui les entourent ?* [...] *La charité aura toujours sa raison d'être dans le monde et trouvera toujours l'occasion de s'exercer, mais les hôpitaux auront-ils encore le droit de la pratiquer*[54] ?

Fidèle à elle-même, la présidente souhaite préserver son autonomie de gestion afin de pouvoir continuer à appliquer les principes philanthropiques qui avaient toujours fondé son action. Dans le climat de bouleversements sociaux et politiques des années 1960, ce genre d'intervention apparaît cependant comme un combat d'arrière-garde. Loin de favoriser l'expression de la charité, l'État semble plutôt déterminé à restreindre son rayon d'action en prenant à sa charge une part toujours plus importante des services sociaux et de santé. Ainsi, dès 1966, devant la hausse vertigineuse du nombre des hospitalisations à des fins diagnostiques, un moyen qu'utilisaient les médecins pour éviter à leurs patients d'avoir à payer des examens dont ils ne pouvaient assumer les coûts, le gouvernement adopte la Loi de l'assistance médicale et chirurgicale qui assure la gratuité des services médicaux ambulatoires aux personnes bénéficiaires de l'assistance sociale. Finalement, le 1er novembre 1970, Québec implante un programme d'assurance-maladie sur la base du programme fédéral lancé quelques années plus tôt, ce qui garantit l'universalité de l'accès aux soins de santé, tant à l'hôpital qu'en cabinet privé[55].

Dans l'immédiat, l'entrée en scène de la Loi de l'assurance-hospitalisation va s'avérer salutaire pour Sainte-Justine, car elle lui permet de diminuer considérablement son déficit d'exploitation, qui passe de près de trois millions de dollars en 1960 à un peu plus de 900 000 $ l'année suivante. Comme le mentionne le rapport annuel de 1961, l'augmentation des tarifs d'hospitalisation de 10,50 $ à 21,50 $ par jour, et ce, pour tous les patients, a grandement contribué à ce redressement financier, mais sans pour autant permettre d'atteindre l'équilibre, l'hôpital ne recevant aucune compensation pour les services externes. Au cours des années suivantes, le déficit a plutôt tendance à fluctuer, mais à compter de 1965 il remonte carrément pour atteindre la barre des deux millions en 1967. Les hausses de salaire, qui représentent plus de 70 % des dépenses à partir du milieu des années 1960, mais aussi l'accroissement du coût des équipements et des traitements, l'ajout de nouveaux services et le fait que, année après année, l'hôpital doit prendre à sa charge des dépenses jugées inadmissibles en vertu des normes imposées par le ministère, tout cela explique, selon la direction, que le budget soit toujours dans le rouge[56].

Presque chaque année, il est vrai, le Service d'assurance-hospitalisation (SAH), qui passe au crible les prévisions budgétaires soumises par les hôpitaux, revoit les projections de Sainte-Justine à la baisse : « Le budget de l'hôpital pour 1966 a été retourné avec une coupe de deux millions de dollars », constate par exemple, avec un certain fatalisme, le procès-verbal d'une assemblée du conseil d'administration en janvier 1966[57]. La plupart du temps, c'est au chapitre du nombre des emplois que les compressions sont les plus draconiennes, car le SAH refuse de financer toute augmentation du nombre des employés qui ne correspond pas à une augmentation des activités hospitalières : or, à cette époque, le nombre des admissions est en baisse à Sainte-Justine[58]. Aux yeux de l'administration, cela ne justifie pas pour autant de sabrer dans les effectifs. Comme le signale le rapport annuel de 1969, compte tenu de sa vocation pédiatrique et des besoins accrus en personnel qu'elle engendre, il est presque impossible pour Sainte-Justine de se conformer aux normes ministérielles : « Les restrictions imposées quant au personnel infirmier et autre, jointes aux normes de travail imposées par les conventions collectives, créent à l'hôpital un problème très sérieux », constate Me Marcelle Hémond-Lacoste, nièce de Justine Lacoste-Beaubien et nouvelle présidente du conseil d'administration. Certaines années, l'administration parvient à obtenir des sommes additionnelles, mais les bilans annuels faisant état d'un déficit montrent bien que le contrôle

Marcelle Hémond-Lacoste (1909-1983)

Marcelle Hémond-Lacoste (Mme Roger Lacoste) entre à l'Université de Montréal en 1937 pour y faire des études de droit. Elle a fait partie du groupe des quatre premières femmes à être admises au Barreau du Québec en 1942. Deux ans plus tard, elle épouse le neveu de Justine Lacoste-Beaubien, Roger Lacoste, et pratique le droit pendant quelques années au sein du cabinet Kavanagh, Lajoie et Lacoste, fondé par Sir Alexandre Lacoste. Marcelle Lacoste a aussi été la première femme à obtenir le titre de Conseil de la Reine dans la province et la première présidente de l'Association des femmes avocates du Québec. Admise au conseil d'administration de Sainte-Justine en 1950, elle en devient la secrétaire en 1953, avant d'être élue présidente en 1966, à la suite du départ de Justine Lacoste-Beaubien, poste qu'elle occupera jusqu'en 1980. Elle est aussi présidente de la Corporation de l'Hôpital Sainte-Justine et présidente de la Fondation Justine-Lacoste-Beaubien à partir de 1968. Elle quitte ces dernières fonctions en 1983, quelques mois avant son décès.

de l'État s'exerce avec rigueur et qu'il ne se laisse pas impressionner par ce genre d'arguments. Dès 1967, le premier ministre Daniel Johnson avertit d'ailleurs les hôpitaux qu'il entend instaurer « un régime d'austérité », ce qui se traduit pour Sainte-Justine par une diminution du budget autorisé de plus de 15 %[59].

L'application de la Loi de l'assurance-maladie à compter du 1er novembre 1970 annonce un certain assouplissement des règles budgétaires, les hôpitaux étant désormais financés de manière globale et non plus pour chacune des catégories de dépenses. Le ministère continue néanmoins de réviser les budgets et, à partir de 1974, il décide de ne plus accepter de déficit et d'abandonner la « pratique des ajustements de fin d'année[60] ». La plus grande latitude accordée aux hôpitaux dans la gestion interne s'accompagne donc de mesures plus restrictives quant à la planification. Par ailleurs, tout comme dans les années 1960, les hôpitaux doivent obtenir l'aval du ministère en ce qui concerne les dépenses d'immobilisation et l'achat d'équipements ou lorsqu'ils songent à mettre en place de nouveaux services.

Au cours de cette décennie, Sainte-Justine tire quand même assez bien son épingle du jeu : à l'exception de l'année 1973, où l'augmentation des salaires et du volume d'activité de l'hôpital entraîne un dépassement budgétaire de plus d'un million de dollars, il parvient à réduire considérablement ses déficits et même à dégager des surplus. Ce résultat est atteint grâce à une décentralisation des responsabilités vers les services et les départements, ce qui diminue les coûts d'exploitation, et ce, sans réduction des services à la clientèle ni mises à pied. Le ministère demeure par ailleurs ouvert à certaines demandes de l'hôpital au sujet du renouvellement ou de l'achat de nouveaux appareils, en radiologie notamment. Il se laisse aussi assez facilement convaincre de la nécessité de hausser le budget du service d'obstétrique, devenu un département universitaire en 1975, dont les coûts se sont considérablement accrus à la suite de la fermeture de l'Hôpital de la Miséricorde et du transfert de ses patientes et de son personnel à Sainte-Justine.

Avec le recul, les restrictions budgétaires imposées par Québec durant les années 1970 paraissent plutôt minimes, car le pire était encore à venir. À partir du début des années 1980, invoquant la crise des finances publiques, les gouvernements qui se succèdent à Québec cherchent à rationaliser leurs dépenses afin de diminuer leurs emprunts et de réduire la dette nationale, ce qui aura des conséquences majeures pour le système de santé et plus particulièrement pour les hôpitaux, qui doivent absorber des coûts de main-d'œuvre et de fournitures toujours croissants. Dès le début des années 1980, les nouvelles compressions de l'ordre de 7 % décrétées par Québec, et surtout sa décision de ne pas reconnaître l'impact des nouvelles conventions collectives, forcent Sainte-Justine à renouer avec les déficits d'exploitation. Pour en réduire l'ampleur, la direction met au point un plan de redressement qui implique des compressions de quatre millions de dollars étalées sur une période de deux ans, comprenant des mesures relatives à l'organisation des activités, de même que le gel temporaire de tous les postes vacants. L'administration envisage également la fermeture d'une unité de soins, une mesure à laquelle elle aura finalement recours à compter de mars 1982[61].

Quand cette première vague de compressions s'achève en 1983, le conseil d'administration, fort de l'expérience qu'il vient de vivre, prend la résolution de viser l'équilibre budgétaire, ce qu'il parvient assez bien à faire en dépit des nouvelles restrictions qui s'abattent sur le système hospitalier dès le milieu des années 1980. À partir de là, il devient cependant beaucoup plus difficile d'atteindre cet objectif sans que les services et les employés n'en soient directement affectés. Ainsi, en 1986 et 1987, le maintien de l'équilibre budgétaire exige la mise en veilleuse de plusieurs projets de développement et la fermeture temporaire de lits, ce qui entraîne le report de chirurgies électives[62].

La mise en place des régies régionales en 1988, dont l'un des principaux rôles est d'allouer les budgets aux établissements situés sur leur territoire, semble avoir marqué une autre étape dans le resserrement des politiques budgétaires, qui prennent alors une nouvelle ampleur. À Sainte-Justine, on tente d'intensifier les efforts pour éviter de replonger dans le rouge. En 1991, un document intitulé *Mesures pour assurer l'équilibre budgétaire* demande à toutes les directions d'éviter les heures supplémentaires, de favoriser les congés sans solde et de limiter le remplacement des absences à l'essentiel. À partir de 1994, la direction crée un nouveau programme appelé Revue de l'utilisation des ressources (RUR), visant à améliorer la performance de chacun des secteurs d'activité de l'hôpital pour mieux maximiser les économies. Placé sous la coordination du directeur général, Richard L'Écuyer, ce premier RUR entend maintenir le volume et la qualité des soins et des services et minimiser les effets sur le personnel. Son application implique néanmoins des changements dans la distribution des soins et dans la gestion des ressources humaines, l'hôpital cherchant à développer des solutions de rechange à l'hospitalisation dans plusieurs secteurs, à réduire les embauches, à favoriser la réduction volontaire des heures de travail et à relancer les programmes de retraite[63].

Les efforts consentis par Sainte-Justine pour atteindre et maintenir l'équilibre budgétaire durant toutes ces années ne le mettent pas à l'abri des compressions encore plus sévères que décrète le gouvernement à compter du milieu des années 1990. La situation se corse alors d'autant plus que les nouvelles restrictions s'accompagnent d'une restructuration du réseau impliquant la fermeture de plusieurs centres hospitaliers et l'absorption de leur personnel par les autres hôpitaux, en plus d'un programme de mise à la retraite, deux mesures qui ont des incidences budgétaires importantes. Bien déterminé à ne pas assumer les répercussions financières de ces décisions ministérielles, Sainte-Justine décide, au printemps 1996, de « tenir une comptabilité séparée de tous les coûts supplémentaires générés par l'intégration à l'hôpital des employés des autres hôpitaux et d'aviser la Régie régionale que le conseil d'administration considérera ces coûts comme un compte à recevoir[64] ». En janvier 1997, quand la régie régionale signale à l'hôpital qu'elle n'accepte pas de régler ce compte et qu'elle s'attend à ce que l'hôpital résorbe son déficit avant la fin de l'exercice financier fixée au 31 mars, le conseil, incrédule, réplique : « Cette demande, compte tenu des règles régissant les conventions collectives du personnel, est totalement irréaliste. Même en fermant la plus grande partie de l'hôpital au cours des deux prochains mois, l'équilibre ne pourrait être atteint[65]. » Dans les faits, le ministère acceptera finalement de rembourser la moitié de ces coûts de transition, laissant à l'hôpital une facture de 4,6 millions de dollars[66]. Entre-temps, à la demande de la régie régionale, Sainte-Justine s'engage, encore une fois, dans la mise au point d'un plan de redressement. Au début de l'année 1998, devant la perspective de compressions additionnelles, des membres du conseil d'administration ne peuvent cependant s'empêcher de faire remarquer que « l'équilibre budgétaire n'est pas la raison d'être de l'hôpital[67] ».

En 1999, Sainte-Justine se propose de devenir « le premier hôpital universitaire à ne plus être endetté », ce qui lui permettrait de mettre en branle un plan de développement de l'ordre de 11 millions, un défi de taille dans le contexte des compressions encore à venir[68]. Malgré des réinvestissements de la part du gouvernement dans le domaine de la santé, de l'ordre de 400 millions de dollars en 2000, l'État semble en effet bien déterminé à restreindre toujours plus le budget des hôpitaux. À Sainte-Justine, la situation déficitaire perdure, alors même que l'annonce d'une loi antidéficit s'appliquant au réseau de la santé et des services sociaux fait craindre le pire. S'inquiétant des conséquences de cette loi pour Sainte-Justine et pour sa vocation de centre pédiatrique de soins spécialisés et ultraspécialisés, les membres du conseil déplorent qu'elle « oblige les hôpitaux à respecter l'équilibre budgétaire

Figure 2. – Revenus de la Croisade des enfants, 1959-1968

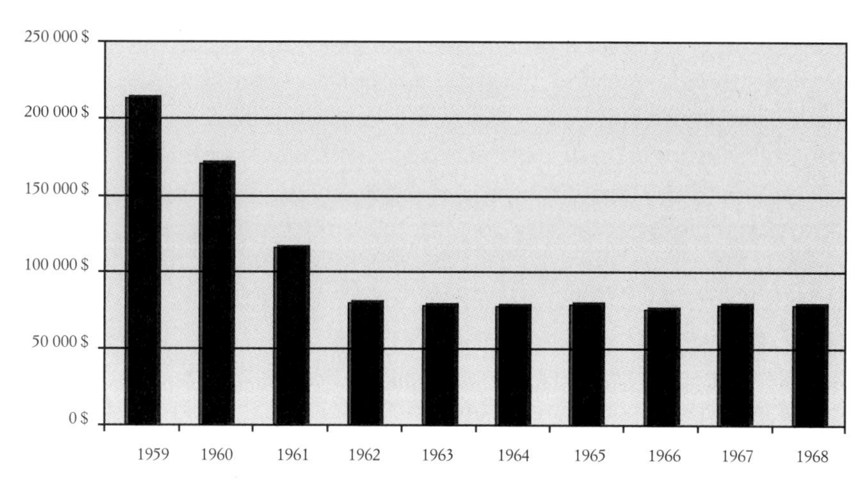

Sources : AHSJ, rapports annuels 1959-1968.

sans toutefois se soucier des services à offrir et de la notion de qualité[69] ». La volonté du gouvernement de maintenir cet objectif au moyen de contrôles sévères ne laisse cependant d'autre choix à l'administration que de concocter un nouveau « plan de retour à l'équilibre budgétaire », cible que l'on se proposait d'atteindre le 31 mars 2004[70]. Mission qui s'est révélée impossible : l'enregistrement de déficits plus importants pour les années 2001 à 2004, soit 4,5 % du budget pour cette dernière année, montre que les nouvelles mesures d'austérité, y compris la réorganisation des activités, les abolitions de postes, les mises à la retraite, la fermeture de lits et même d'unités, le report d'achats d'équipement, n'arrivent vraiment plus à compenser les insuffisances du financement public. Si les administrateurs qui se sont succédé à Sainte-Justine depuis le milieu des années 1970 ont fait preuve de beaucoup de rigueur dans leur gestion, il reste que la montée constante des coûts, non seulement en ce qui concerne les salaires, mais aussi les médicaments, les équipements de même que les chirurgies et les traitements de pointe, ne leur a pas laissé beaucoup de répit.

Souscriptions publiques et fondations privées

Outre son budget de fonctionnement, Sainte-Justine s'est vu attribuer plusieurs subventions spéciales de la part de l'État depuis les années 1960. Durant cette décennie, ces montants vont plus particulièrement lui permettre de payer les intérêts sur les obligations émises au cours des années antérieures pour faire face aux dépenses courantes ou aux dépenses d'immobilisations[71]. En 1965, le gouvernement s'engage finalement à prendre entièrement à sa charge la dette de l'hôpital, qui s'élève alors à 21 millions de dollars, soit la somme qu'il avait fallu réunir pour construire l'immeuble du chemin de la Côte-Sainte-Catherine. Les procès-verbaux des réunions du conseil font aussi état de nombreux octrois spéciaux pour le fonctionnement de cliniques spécialisées, dont certaines avaient été ouvertes au cours des années 1950, pour l'ouverture de nouveaux services, pour l'établissement de laboratoires et pour l'achat d'équipement[72]. Et c'est sans compter l'augmentation du nombre et des montants des subventions de recherche que reçoivent les médecins et chercheurs de l'hôpital de la part des deux paliers de gouvernement, sujet sur lequel nous reviendrons dans un prochain chapitre.

Malgré l'ajout de ces sommes supplémentaires de la part des autorités publiques, il est évident que Sainte-Justine n'aurait pu atteindre le même niveau de développement sans l'apport de fonds privés. Cette source de financement, loin de devenir désuète avec l'arrivée de l'État-providence, va prendre au contraire une importance de plus en plus considérable, non seulement en regard des montants en cause, mais aussi du fait qu'elle apporte à l'hôpital une contribution indispensable dans un contexte où les gouvernements ont cherché à restreindre leurs dépenses en matière de santé au cours des 25 dernières années.

Après avoir abandonné les campagnes de financement annuelles en 1951 au profit de campagnes ponctuelles visant à amasser des sommes pour la construction du nouvel immeuble, Justine Lacoste-Beaubien décide, en 1959, de renouer avec la coutume. Comme le montre la figure 2, la première de cette nouvelle série de campagnes, baptisée la « Croisade des enfants », s'avère cependant décevante, car l'hôpital ne recueille que 210 000 $ plutôt que le million qu'il s'était fixé[73]. Plus modestement, la croisade de 1960 entend recueillir 400 000 $, somme réduite à 200 000 $ l'année suivante, mais les dons amassés pour chacune de ces deux années n'arrivent même pas à totaliser ce dernier montant ; jusqu'en 1969, dernière année de la Croisade, les sommes recueillies plafonnent généralement autour de 75 000 $, soit la moitié des 150 000 $ atteints à la fin des années 1940.

Il faut dire que l'implantation de l'assurance-hospitalisation en 1961 n'aide pas la cause de l'hôpital : cette année-là, la CÉCM, qui permettait, depuis 1948, l'organisation d'une quête dans ses écoles en faveur de Sainte-Justine, refuse de collaborer sous prétexte que le gouvernement acquitte désormais les dépenses administratives des hôpitaux. Rapportée dans les journaux, cette affaire fait d'autant plus de bruit que la commission scolaire prétend avoir reçu ses informations d'un haut fonctionnaire du ministère de la Santé. Dans une tentative de rétablir la réputation de l'hôpital, accusé d'exploiter la bonne foi du public, le président de la campagne,

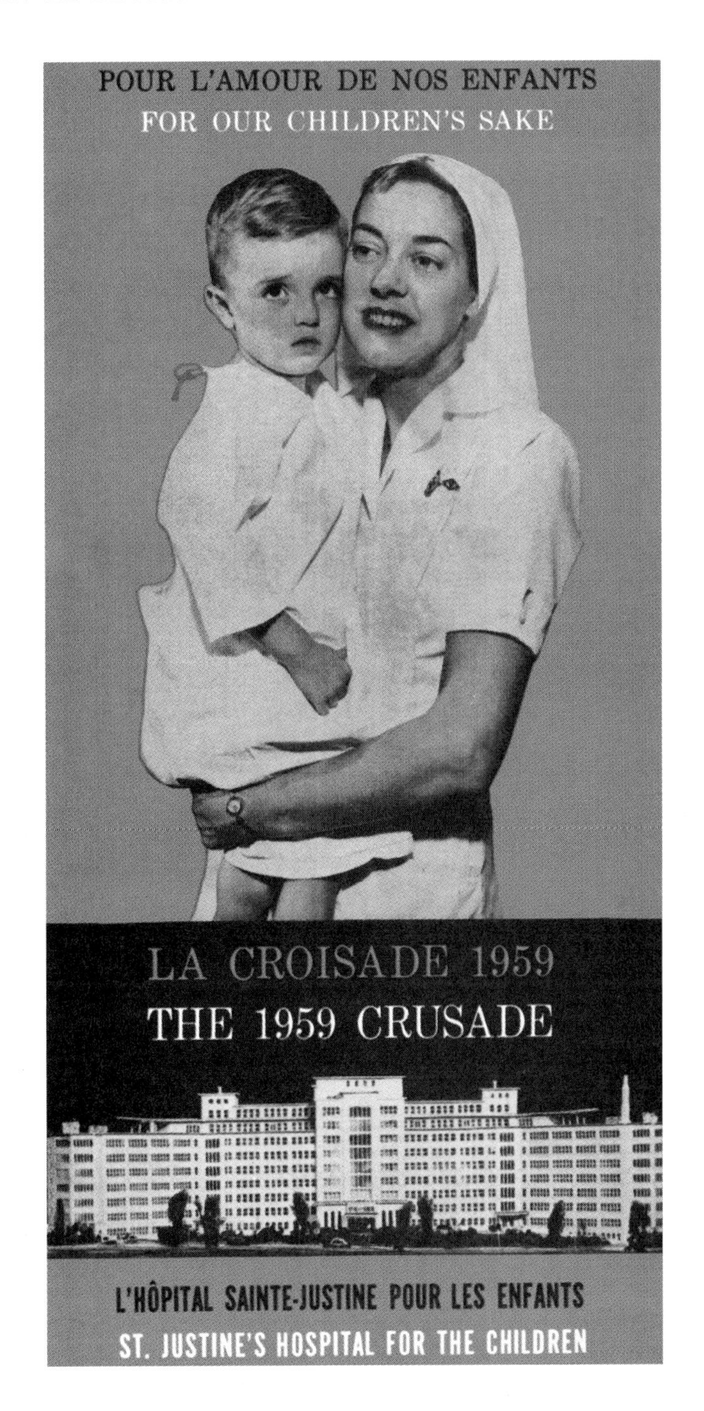

Publicité bilingue pour la première Croisade des enfants, organisée en 1959 (AHSJ).

Marcel Baril, fait publiquement remarquer que la Croisade des enfants « a été conçue strictement pour combler les dépenses découlant de l'exploitation de 25 dispensaires » dont les frais ne sont pas couverts par la nouvelle loi, mais, de toute évidence, cette mise au point n'a pas suffi pour ranimer la ferveur du public[74].

L'abandon de la Croisade des enfants à la fin des années 1960 ne signifie pas pour autant la fin des campagnes de sollicitation de Sainte-Justine. En fait, cette décennie marque plutôt le début d'une nouvelle ère, qui s'ouvre avec la création de la Fondation Justine-Lacoste-Beaubien (FJLB) en 1968, dont les activités vont prendre une ampleur inégalée après sa fusion avec la Fondation Sainte-Justine (FSJ), elle-même mise en place en 1973. Délaissant le financement des soins, de plus en plus largement assumé par l'État, la FJLB se donne pour mandat de soutenir la recherche sur les maladies infantiles. Dès lors, les dons des gouverneurs, le montant de leur cotisation annuelle, les offrandes à la mémoire des défunts, les profits de la Boutique du cadeau et le produit des campagnes de souscription, qui continuent de se tenir chaque année, vont aller grossir un même fonds qui servira à distribuer des subventions aux chercheurs de l'hôpital ou à payer de l'équipement de pointe. En dix ans, soit de 1969 à 1979, la FJLB parvient à doubler les sommes qu'elle recueille annuellement, celles-ci passant d'un peu plus de 100 000 $ à 225 000 $, mais cela paraît bien peu quand on les compare aux montants amassés lors des campagnes des années 1940 et 1950. Tout de même, en 1975, le rapport annuel estime que, depuis sa création, la FJLB a donné près de 600 000 $ en subventions, dont 175 000 $ pour des appareils et de l'équipement. En 1981, pour souligner le 75e anniversaire de Sainte-Justine, la FJLB s'engage à remettre un don de 1 000 000 $ à l'hôpital pour l'achat d'un tomodensitomètre[75].

Pour sa part, la FSJ est mise sur pied à partir du fonds de dotation de l'hôpital, qui contenait à l'époque un peu plus de 450 000 $, « pour servir aux fins hospitalières et plus particulièrement à l'œuvre de l'hôpital[76] ». Un partage des tâches semble donc s'instaurer entre les deux fondations, la FJLB subventionnant plus particulièrement l'équipement et la recherche, alors que la FSJ veille aux besoins plus généraux de l'hôpital, mais les rapports annuels montrent qu'il existait certains recoupements. Ce fait, mais aussi la crise des finances publiques qui sévit au début des années 1980 et l'organisation d'une campagne de souscription extraordinaire dans le cadre des célébrations du 75e anniversaire de l'hôpital, conduit à une première prise de conscience au sujet de l'importance de mieux articuler les activités des deux groupes. À partir de 1985, les deux fondations sollicitent le public sous une seule appellation, la FSJ, mais chacune conserve encore sa vocation propre. Leur conseil d'administration respectif est cependant constitué des mêmes personnes, ce qui annonce une fusion prochaine des deux entités[77]. Celle-ci est complétée en 1988, marquant une volonté d'exploiter plus à fond le potentiel qu'offre le domaine des donations et de le faire de manière beaucoup plus dynamique et plus organisée. Le rapport annuel de la nouvelle fondation, appelée Fondation de l'Hôpital Sainte-Justine (FHSJ), pour l'année 1989-1990, signale d'ailleurs qu'elle « a transformé son image au cours de l'année. Elle est passée d'œuvre de charité à "PME philanthropique" en plus de changer son logo[78] ».

Le désengagement de l'État, qui prend alors une nouvelle ampleur, force en effet Sainte-Justine à s'engager dans une recherche constante de fonds pour assurer le développement de projets spéciaux, acheter de l'équipement coûteux, réaménager et moderniser les laboratoires et les espaces et même procéder à de nouvelles constructions. Plus qu'une simple addition au budget, comme cela a pu être le cas dans les années 1970, le financement privé devient une nécessité vitale et doit plus que jamais être pris en charge par des professionnels se consacrant entièrement à cette tâche tout au long de l'année. En 1990-1991, la fondation crée un poste en

Photo prise lors du téléthon des Étoiles de 1984. Danielle Ouimet, Pierre Lalonde, Don McGowan et Suzanne Desautels, animent l'événement (AHSJ).

communication. L'année suivante, estimant que « le recrutement de fonds est sous-développé », surtout en comparaison avec les grands hôpitaux pour enfants anglophones de Montréal et de Toronto, elle engage un directeur du développement afin « de [se] doter [...] d'un mécanisme de sollicitation des entreprises pour rejoindre et même dépasser la concurrence », de même qu'un directeur des campagnes annuelles « pour donner un second souffle aux activités lucratives et s'occuper des fonds d'employés[79] ». En 1993-1994, le conseil formé de 60 bénévoles est dissous et remplacé par un conseil d'administration de 12 membres, tandis que le personnel se répartit désormais entre cinq services spécialisés : administration, campagnes annuelles, campagnes de développement, communications et dons planifiés, que chapeaute la direction générale. Finalement, en 1997, de manière à mieux s'adapter aux besoins de l'hôpital, la fondation décide de créer une structure de campagne de financement correspondant aux programmes de l'établissement : soins, enseignement, recherche, promotion de la santé, évaluation et chaires de recherche[80].

En même temps qu'elle procède à une restructuration administrative, la fondation se donne des objectifs de plus en plus ambitieux, qu'elle cherche à atteindre par des moyens de plus en plus complexes et imaginatifs. Alors que la campagne

Les téléthons de la recherche sur les maladies infantiles et Opération Enfant Soleil

Depuis les années 1950, une part du financement des cliniques spécialisées, des réaménagements, des équipements ou de la recherche qui se fait à Sainte-Justine provient de téléthons, notamment le téléthon de la recherche sur les maladies infantiles et le téléthon Opération Enfant Soleil.

Le premier naît en 1977 alors que le Conseil des clubs de service — un organisme lui-même créé en 1963 par le regroupement de onze associations, dont le Club Kiwanis, le Club Richelieu, le Club Rotary et les Chevaliers de Colomb —, décide de créer la Fondation de la recherche sur les maladies infantiles dans le but de financer la recherche pédiatrique au Québec. Le téléthon de la recherche sur les maladies infantiles vient donc remplacer le téléthon des Étoiles que le Club Kinsmen-Alouette organisait depuis 1954 et dont une partie des sommes recueillies était distribuée à la clinique de paralysie cérébrale de l'hôpital. Depuis 1977, cette activité a permis de remettre plus de 47 millions de dollars aux centres de recherche de l'Hôpital Sainte-Justine, de l'Hôpital de Montréal pour enfants, du Centre hospitalier universitaire de Québec et du Centre hospitalier universitaire de Sherbrooke, Sainte-Justine recevant à lui seul près de 21 millions. Grâce à cet événement, la Fondation de la recherche sur les maladies infantiles est devenue la source de financement non gouvernementale la plus importante pour la recherche pédiatrique au Québec.

De son côté, le téléthon Opération Enfant Soleil, un projet mis sur pied par le Centre hospitalier de l'Université Laval en 1988, a pour but de recueillir des fonds pour soutenir le développement de la pédiatrie et rendre possible la réalisation de divers projets d'intervention sociale pour les enfants de la province. Le grand succès de l'entreprise a incité l'Hôpital Sainte-Justine et l'Hôpital de Montréal pour enfants à se joindre à l'événement dès 1989 ; en 2005, c'est au tour du Centre hospitalier de l'Université de Sherbrooke de s'y affilier. Les quatre centres pédiatriques se partagent 87 % des revenus du téléthon alors que 13 % des sommes récoltés sont remises aux centres hospitaliers et organismes régionaux. Jusqu'à ce jour, Opération Enfant Soleil a distribué plus de 90 millions de dollars dans toute la province, ce qui permet aux hôpitaux d'offrir des soins d'avant-garde aux enfants et d'améliorer leur qualité de vie autant dans le domaine de la santé physique que dans le domaine de la santé mentale et sociale. Par exemple, au début des années 1990, la moitié des sommes récoltées par le téléthon ont été consacrées à la construction du Centre de cancérologie à l'Hôpital Sainte-Justine.

entreprise dans le cadre du 75e anniversaire s'était donné pour objectif d'amasser 15 millions sur une période de cinq ans, en 1995, sous le thème « Investir pour l'amour des enfants », ce sont 45 millions de dollars que la fondation entend réunir au cours des cinq années suivantes : en 2002, elle lance une nouvelle campagne, baptisée « Grandir en santé », dont l'objectif est d'amasser 100 des 400 millions de dollars nécessaires à la réalisation du projet d'agrandissement de l'hôpital.

Tout en plaçant la cible toujours plus haut, la fondation cherche aussi à diversifier ses techniques de collecte en s'adressant de façon plus systématique à différentes clientèles, de manière à maximiser les entrées d'argent. Les différentes catégories d'employés de l'hôpital, les familles des patients, le grand public, les grandes entreprises, les PME et les fondations privées, comme la Fondation Jean-Louis-Lévesque ou la Fondation J.-A. de Sève, toutes deux très actives dans le domaine de la santé, font l'objet de sollicitations spécifiques par le biais d'une panoplie d'activités. De la vente d'un ourson par le grand magasin Simpson dans les années 1980 au profit de l'hôpital aux défilés de mode et aux dîners de gala, dont l'un animé par Jean-Marc Chaput, en passant par les tournois de golf, la diffusion de capsules radiophoniques, l'organisation de téléthons par l'organisme Opération Enfant Soleil et la Fondation de la recherche sur les maladies infantiles, ainsi que la sollicitation de legs testamentaires, rien n'est négligé. Lors de la campagne entreprise en 2002, Sainte-Justine frappe un coup de maître en annonçant que Céline Dion et René Angélil ont accepté d'agir comme marraine et parrain de l'événement. Pour l'occasion, Céline Dion enregistre une publicité télévisuelle axée sur les maladies infantiles, assurant une très large visibilité à l'hôpital et à ses besoins en matière de recherche. En une seule année, la campagne permet de recueillir 53,9 millions de dollars auprès des entreprises. En décembre 2005, lors d'une conférence de presse à laquelle assistent les célèbres parrain et marraine, la fondation est fière d'annoncer que l'objectif global a été dépassé et que ce sont 125,4 millions de dollars, dont plus de 40 % venant du grand public, qui ont été amassés en trois ans au lieu de cinq ans[81].

Depuis les années 1980, les montants recueillis par les trois fondations leur ont permis de transmettre à l'hôpital des sommes de plus en plus importantes. Ainsi, en 1983, la FSJ et la FJLB lui ont remis un peu plus de 900 000 $. Dix ans plus tard, ce sont cinq millions de dollars qui ont été transférés pour la recherche et l'achat d'appareils, et huit millions en 2003-2004. Les activités des trois fondations ne doivent cependant pas faire oublier que de très nombreuses entreprises privées, des associations et des individus ont aussi contribué au développement de l'hôpital durant ces décennies. Ainsi, dans les années 1960, l'Association de dystrophie musculaire et l'Association de paralysie cérébrale continuent

Figure 3. – Répartition des dons provenant de la campagne Grandir en santé 2002-2005

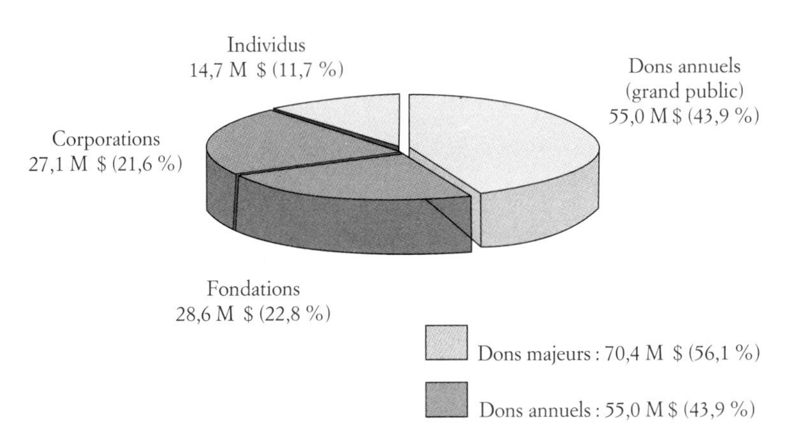

Source : Fondation de l'Hôpital Sainte-Justine [en ligne] : www.fondation-sainte-justine.org/fr/grandir/

La Fondation Charles-Bruneau

En 1990, deux ans après le décès de Charles Bruneau, un groupe de parents et d'amis d'enfants atteints du cancer créent la Fondation Charles-Bruneau ayant pour mission de fournir l'aide financière nécessaire à la construction d'un centre de cancérologie pour favoriser les chances de guérison des enfants atteints de la maladie. Les membres du conseil d'administration regroupés autour du Dr Jocelyn Demers, hématologiste-oncologiste à Sainte-Justine, qui a eu l'idée de la construction du centre et qui a activement participé à la mise sur pied de la fondation, dont il est le vice-président, unissent leurs efforts pour recueillir des fonds auprès du grand public et du monde des affaires pour mener à bien ce projet.

Le Centre de cancérologie Charles-Bruneau, pavillon Vidéotron, qui ouvre ses portes en 1995, intègre les soins et la recherche clinique et fondamentale et offre des traitements de pointe, notamment les greffes de la moelle osseuse. L'évolution rapide de la recherche et l'augmentation importante de la clientèle rendent toutefois nécessaire l'agrandissement du centre qui, en 2007, hospitalise plus de 1 000 enfants par année et en reçoit plus de 14 000 en clinique externe. La construction du pavillon Lucie-et-André-Chagnon, qui correspond à la deuxième phase de développement, vise à augmenter la capacité d'hospitalisation et les espaces de travail et à moderniser les équipements de recherche. Afin d'offrir un environnement plus humain aux enfants hospitalisés et d'améliorer la qualité des soins, le nouveau pavillon comprendra également des locaux réservés à des thérapies complémentaires comme la musicothérapie et l'art-thérapie. Pour ériger ce deuxième pavillon, la Fondation Charles-Bruneau lançait, en 2000, une campagne de financement visant à amasser la moitié des 20 millions de dollars nécessaires au projet.

de soutenir financièrement des cliniques spécialisées dans ces deux domaines et les salaires de certains thérapeutes. À partir des années 1970 et surtout dans les années 1980, d'autres fondations, comme la Fondation Macdonald-Stewart, la Fondation les amis de l'enfance (qui exploite le manoir Ronald McDonald), la Fondation canadienne des maladies du rein, la Fondation canadienne de la fibrose kystique, la Fondation du Conseil des clubs sociaux, la Fondation Caroline-Durand, la Fondation Gustave-Levinschi et la Fondation Richelieu, pour ne nommer que celles-là, assument régulièrement le coût d'appareils ou d'aménagements. En 1978, un groupe de parents fonde une association pour les enfants souffrant de leucémie ou de cancer (LEUCAN), qui deviendra un partenaire très important de l'hôpital, auquel il fait très régulièrement des dons importants. LEUCAN est d'ailleurs étroitement associé au projet de construction du Centre de cancérologie Charles-Bruneau, tout comme la fondation du même nom[82]. De manière générale, à partir du début des années 1980, les entreprises québécoises, davantage sollicitées, ont également contribué de plus en plus généreusement aux projets de l'hôpital. Bref, même à l'ère de l'État-providence, on peut sans aucun doute affirmer que Sainte-Justine n'aurait pu poursuivre son développement, intensifier la recherche médicale et dispenser des soins de plus en plus sophistiqués sans l'apport de nombreux acteurs en provenance de tous les milieux.

Le 5 juillet 2006, 25 cyclistes, dont Pierre Bruneau, chef d'antenne à Télé-métropole et père de Charles Bruneau, décédé du cancer en 1988, prennent le départ devant l'hôpital pour le Tour cycliste CIBC Charles-Bruneau, un parcours de 600 km, afin d'amasser 300 000 $ pour les enfants atteints de cette maladie (AHSJ).

CHAPITRE 3

Maux d'enfants

Au cours du dernier siècle, des centaines de milliers d'enfants ont franchi les portes de Sainte-Justine. Depuis 1928, des milliers de femmes sont également venues y accoucher. En cent ans, les découvertes de la médecine ont cependant radicalement changé le visage des maladies infantiles et maternelles, tout en modifiant le fonctionnement de l'hôpital et l'organisation des soins. La hausse du niveau de vie des classes populaires et l'adoption de lois qui ont élargi l'accès aux services de santé représentent d'autres variables importantes qui ont influé sur cette évolution. Tout en s'attardant aux origines et aux principales caractéristiques des patients de Sainte-Justine, aux maux dont ils ont souffert, de même qu'à la vie quotidienne des malades et aux rapports entre les autorités hospitalières et leurs familles, ce chapitre fait état de ces mutations et de leur impact sur l'hôpital et sa clientèle. Il montre également que le milieu hospitalier a dû s'adapter aux transformations du statut de l'enfant et de la conception de l'enfance qui ont marqué la société québécoise, comme toutes les sociétés occidentales, au cours du dernier siècle.

La clientèle de Sainte-Justine

Lors de son adoption en 1908, la charte de l'hôpital stipule qu'il peut accueillir « les bébés et des enfants malades, nécessiteux ou autres, de quelque religion ou nationalité qu'ils soient[1] ». Dans les faits, cependant, les enfants soignés à Sainte-Justine, jusqu'à la fin des années 1970, se recrutaient très majoritairement au sein de la communauté canadienne-française, ce qui signifie qu'ils étaient de confession catholique; jusqu'à la Seconde Guerre mondiale tout au moins, ils provenaient également des couches les plus pauvres de la population.

Les données contenues dans les rapports annuels au sujet de l'origine ethnique et religieuse des patients révèlent en effet que, de 1908 au début des années 1940, moment où cette information cesse d'apparaître, entre 85 % et 92 % d'entre eux sont d'origine canadienne-française, ce qui témoigne bien du cloisonnement des institutions de santé et d'assistance dans le Québec du début du siècle. Avant les années 1930, les patients d'origine « étrangère », dont la proportion demeure bien en deçà des 10 %, sont généralement deux fois plus nombreux que les Canadiens anglais, sans doute parce que leur appartenance religieuse les incite à fréquenter Sainte-Justine plutôt que le Children's Memorial, associé aux protestants. Le pourcentage des catholiques parmi les patients est, en effet, encore plus élevé que celui des Canadiens français, atteignant de 94 % à 98 % des malades hospitalisés. S'il est impossible, à l'aide des rapports annuels, de suivre exactement la progression de cette répartition après la Seconde Guerre mondiale, une étude du Dr Claire Laberge-Nadeau montre néanmoins qu'au début des années 1960 la proportion des patients canadiens-français se situe toujours autour de 90 %, preuve s'il en est

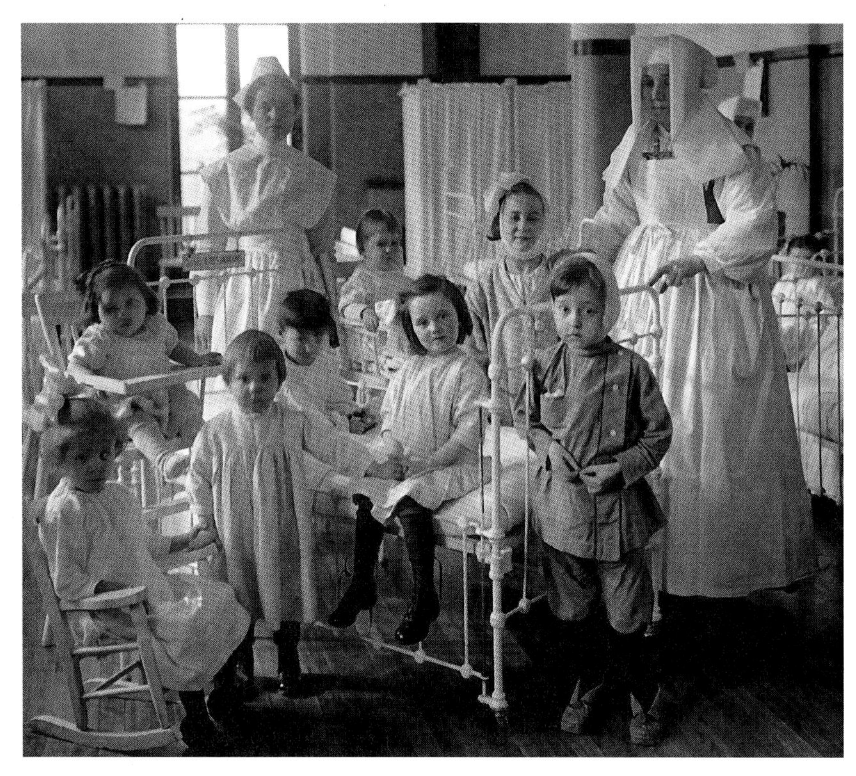

Un groupe d'enfants hospitalisés vers 1930 (AHSJ).

une que Sainte-Justine est encore à cette époque étroitement associé à cette communauté. En 1996, par contre, 30 % des patients appartiennent à une « communauté ethnolinguistique ou culturelle », ce qui n'est pas sans poser de nombreux défis, ne serait-ce qu'en matière de communication. Dès la fin des années 1980, de manière à mieux répondre aux besoins de ces patients et à éviter les malentendus, Sainte-Justine a d'ailleurs entrepris de dispenser une formation à son personnel[2].

Sans un examen des dossiers, il est certes très difficile de déterminer avec exactitude l'origine sociale des malades hospitalisés. Les données établies par Rita Desjardins, à partir d'une étude détaillée des registres d'inscriptions pour la période 1908-1921, montrent cependant qu'à cette époque 60 % des patients proviennent de familles ouvrières et qu'un peu moins de 20 % sont issus de familles dont le père est employé dans le secteur des services. Les familles de cultivateurs, encore assez nombreuses sur l'île de Montréal au début du siècle, ne fournissent que 3 % de la clientèle, tandis que les patients envoyés par l'Assistance publique ou dont le père est incapable de subvenir aux besoins de la famille composent environ 7 % du total. Très peu d'enfants de professionnels fréquentent alors l'hôpital : jusqu'en 1914, ils forment 2 % de la clientèle, contre 4 % de 1914 à 1921, une augmentation que Desjardins attribue à l'ouverture du département privé après le déménagement rue Saint-Denis. Il faut dire qu'à cette époque les familles aisées préfèrent encore s'offrir des soins à domicile dispensés par des infirmières privées selon les directives d'un médecin traitant. Pour l'ensemble de ces années, moins de 15 % des patients paient tous leurs frais hospitaliers et moins de 25 % assument une partie seulement des coûts, ce qui signifie que plus de 60 % de la clientèle se range dans la catégorie des indigents et ne paie rien pour les soins qu'elle reçoit[3]. Un tel pourcentage, s'il peut paraître élevé, n'est guère surprenant, car, au début du siècle plus encore peut-être que maintenant, la maladie, nourrie par la misère, frappe les classes populaires bien davantage que les bien nantis. D'ailleurs, jusqu'à la Seconde Guerre mondiale tout au moins, les administratrices ne cessent de faire valoir que la proportion de la clientèle de Sainte-Justine qui dépend de l'Assistance publique dépasse largement celle des hôpitaux pour adultes ; durant la crise des années 1930, elles estiment que 90 % des patients sont trop pauvres pour payer leur hospitalisation. Dans les années 1950, on assiste à un net recul de la proportion des patients relevant de l'Assistance publique, mais en 1957 ils constituent tout de même un peu plus de 55 % de la clientèle de l'hôpital[4].

Durant les premières décennies de son existence,

Sainte-Justine attire principalement des enfants de Montréal et des environs. La spécialisation croissante de ses services et de son personnel médical et infirmier à compter des années 1940, de même que l'embauche d'un personnel paramédical toujours plus nombreux et plus diversifié, va cependant lui conférer une vocation provinciale qui ira en s'accentuant. Ainsi, lors de la grande épidémie de poliomyélite de 1946, Sainte-Justine accueille des patients venant de tous les coins du Québec, car il est l'un des rares établissements à posséder l'appareillage et les sérums utilisés pour le traitement de la maladie. À compter des années 1950, l'ouverture de cliniques spécialisées et le développement de chirurgies de pointe confirment son envergure nationale. C'est ainsi qu'en 1956 Sainte-Justine estime que plus du tiers de ses patients proviennent de l'extérieur de la métropole, un chiffre avancé, faut-il le dire, pour convaincre l'ensemble de la population québécoise de contribuer à la campagne de financement pour la construction du nouvel immeuble[5]. La tendance à la régionalisation de la pédiatrie dans les années 1970, l'arrivée de la télémédecine dans les années 1990, mais surtout la constitution d'un réseau mère-enfant à compter de cette même époque signifient cependant que l'hôpital cherche désormais à rejoindre les patients là où ils sont, plutôt que d'attirer la clientèle entre ses murs. Il reste que Sainte-Justine se démarque dans des domaines chirurgicaux ultraspécialisés, comme les greffes, et dans des soins et des traitements de pointe (néonatalogie, oncologie) qui continuent de lui attirer une clientèle venant de l'extérieur de la métropole ou de sa région immédiate. En 2004-2005, 54,3 % du total des patients proviennent de l'extérieur de la région de Montréal-centre[6].

Ce tour d'horizon des principales caractéristiques de la clientèle de Sainte-Justine ne saurait être complet sans s'attarder au sexe et à l'âge des patients traités. En ce qui concerne le sexe des patients hospitalisés, on constate, jusqu'au début des années 1930, un nombre beaucoup plus élevé de garçons que de filles, la différence atteignant 38 % en 1925, alors que l'hôpital admet 1 154 garçons et 832 filles. Cet écart provient sans doute en partie de la plus grande vulnérabilité des nourrissons mâles à la maladie et aussi de la plus grande témérité des petits garçons, source d'accidents plus nombreux, mais il est fort possible que les parents aient été plus enclins à faire soigner les garçons, davantage valorisés, que les filles, à qui on apprend très tôt à ne pas trop se plaindre. À partir de 1935, on constate un renversement de cette tendance, les patientes étant désormais plus nombreuses que les patients, mais cela

Une infirmière pesant un bébé au début des années 1910 (AHSJ).

est dû essentiellement au fait que les rapports annuels ne distinguent plus les petites filles des femmes qui viennent accoucher à l'hôpital. En 1955, l'une des dernières années pour lesquelles on dispose de ces statistiques, le nombre des patientes se situe à 6 840, alors que l'hôpital accueille 5 839 patients de sexe masculin, tous âges confondus[7].

Loin de représenter une donnée fixée une fois pour toutes, l'âge d'admission des patients a pour sa part grandement varié au fil du temps, en fonction de la conception que la société québécoise se faisait de l'enfance, mais aussi du développement de la médecine infantile puis adolescente. L'ouverture d'un service d'obstétrique en 1928 et surtout la décision d'accueillir les patients des médecins rattachés à l'hôpital signifient également que des adultes ont dès lors côtoyé les enfants, ce qui a suscité des débats qui ont perduré jusque dans les années 1980.

La salle d'attente du dispensaire dans les années 1940. Debout près de l'affiche annonçant l'horaire se trouve le Dr L.-N. Lamothe (AHSJ).

Ainsi, en janvier 1908, les administratrices conviennent d'accepter les enfants jusqu'à 12 ans, âge auquel la plupart des jeunes des classes populaires commencent à assumer des responsabilités d'adulte. À peine quelques mois plus tard, l'exiguïté des locaux les amène cependant à revoir cette décision et à restreindre l'accès de l'hôpital aux enfants de moins de cinq ans, puis, à compter de 1911, à ceux de moins de sept ans, sauf en cas d'urgence. À cette occasion, les dames du conseil prennent soin de spécifier que « la durée de séjour d'un malade dans les salles publiques ne doit pas dépasser trois mois », ce qui signifie que les très longues hospitalisations sont alors chose courante. En 1914, elles décrètent que le dispensaire pourra accueillir les malades jusqu'à 14 ans, mais ce n'est que dix ans plus tard qu'un amendement aux règlements autorise également leur admission dans les salles publiques[8].

L'agrandissement de l'immeuble de la rue Saint-Denis au début des années 1920 favorise donc une augmentation de l'âge d'admission pour tous les jeunes patients, internes comme externes. Mais c'est aussi à cette époque que Sainte-Justine obtient un amendement à sa charte qui lui permet d'admettre « des malades de tout âge », pour autant que « le conseil d'administration de la corporation jugera la chose nécessaire ou utile dans l'intérêt et à l'avantage dudit hôpital pour les enfants[9] ». En principe, cet amendement vise surtout les femmes enceintes ; en pratique, cependant, la formulation ouvre la porte à l'admission de tous les adultes, un privilège que les médecins, qui ne sont pas tous pédiatres, réclament depuis longtemps, mais qui ne fait pas l'unanimité au sein du conseil[10].

Dès 1926, les médecins obtiennent que leurs patientes âgées de 14 à 18 ans puissent être admises dans le département privé. À compter des années 1930, les orthopédistes peuvent hospitaliser des patientes jusqu'à l'âge de 20 ans et même 25 ans « dans des circonstances particulières », mais pas leurs patients. Craignait-on la promiscuité entre jeunes adultes des deux sexes ? Quoi qu'il en soit et malgré les limites que le conseil tente d'imposer, il semble bien que les médecins prennent l'habitude d'hospitaliser des adultes, sans égard à l'âge ou au sexe, car en 1933 Lucie Bruneau déplore cette pratique, jugeant que celle-ci pouvait nuire à la réputation de l'hôpital. La présidente ne partage pas ces réticences : le département privé étant le plus souvent à moitié vide, elle ne voit pas d'objection à ce que les médecins y hospitalisent des patients qui rapportent un peu d'argent. Faisant remarquer que les hôpitaux généraux pour adultes acceptent désormais les enfants, elle ajoute que Sainte-Justine n'a pas à se priver d'une clientèle adulte[11].

La perspective du déménagement, chemin de la Côte-Sainte-Catherine, relance le débat au sujet de la présence des adultes parmi les patients hospitalisés. Ainsi, au début des années 1950, alors que Sainte-Justine projette de faire appel à la générosité du public, Mme Walter Clerk, l'une des membres du conseil, condamne l'idée d'utiliser cet argent pour construire un hôpital dans lequel il y aurait pas moins d'une centaine de lits réservés aux patients de plus de 16 ans, âge auquel on abandonne l'enfance selon les nouveaux critères de l'après-guerre, en plus des 100 lits réservés à l'obstétrique. Pour Justine Lacoste-Beaubien, il ne s'agit pas de tromper le public, mais simplement d'accorder aux médecins le droit d'hospitaliser leur clientèle adulte, comme ils peuvent le faire dans les autres hôpitaux, et de permettre l'hospitalisation des employés quand ils nécessitent des soins. Malgré les réticences de certaines administratrices, Sainte-Justine continuera donc d'accueillir des adultes[12].

La présence de ces patients est cependant de plus en plus contestée à partir des années 1960. Les objections viennent d'abord des internes, qui refusent de traiter les adultes qui se présentent à l'urgence sous prétexte qu'ils ne sont pas compétents pour le faire et qu'ils viennent à Sainte-Justine précisément pour se spécialiser dans les soins pédiatriques. Alerté, le conseil médical statue que toute personne qui se présente à l'urgence doit être examinée par un médecin, mais il s'entend aussi pour dire que les adultes seront, autant que possible, dirigés vers les hôpitaux pouvant les recevoir[13]. En 1971, l'âge limite pour les patients externes est fixé à 21 ans, ce qui correspond encore, mais pas pour bien longtemps, à la majorité légale[14]. Trois ans plus tard, l'exécutif du bureau médical recommande que ses nouveaux membres « soient limités à la pédiatrie ou à la chirurgie pédiatrique et n'aient aucun privilège de traitement d'adultes, à l'exception des cas d'urgence, ou des consultations dans le département de gynécologie-obstétrique[15]. » Mais les traditions ne meurent pas aussi facilement, et c'est seulement en 1985 que l'administration décide de ramener de 21 à 18 ans l'âge d'admission et d'inscription, sauf pour les patientes en obstétrique et en gynécologie, une modification à laquelle s'opposent la majorité des membres du Conseil des médecins, dentistes et pharmaciens (CMDP), mais qui entrera néanmoins en vigueur en janvier 1986[16].

Les patients et leurs maladies

Les maladies infantiles avant les antibiotiques

Les enfants hospitalisés à Sainte-Justine au cours des premières décennies de son existence souffrent principalement de maladies infectieuses et contagieuses, alors difficiles à traiter. Ainsi, selon les calculs que Rita Desjardins a effectués à partir du classement des maladies qui se retrouve dans le rapport annuel de 1957, les affections du système digestif, du système respiratoire et de la peau sont, à elles seules, à l'origine de plus de 55 % des admissions entre les années 1908 et 1921. La compilation des données relatives aux maladies les plus fréquentes qui sont comprises dans ces trois groupes pour les décennies suivantes montre qu'elles représentent entre 35 % et 40 % des cas dans les années 1920 et 1930 et autour de 30 % dans les années 1940. Dans les années 1950, cette proportion grimpe à nouveau à 35 %, mais c'est surtout en raison d'une augmentation notable des hospitalisations pour les amygdales et les végétations adénoïdes, incluses dans le groupe des maladies de l'appareil respiratoire1[17].

Malgré cette remontée, on peut donc dire que, dans l'ensemble, on assiste à une régression constante de ces trois groupes de maladies, recoupant plusieurs affections associées à la misère et à une hygiène déficiente. Les problèmes digestifs graves, notamment les diarrhées et les entérites, tout comme les maladies pulmonaires, telles les pneumonies et les pleurésies, sont en effet plus susceptibles de se développer dans les familles pauvres, qui peuvent plus difficilement s'offrir du lait de bonne qualité et qui vivent dans des taudis mal isolés et difficiles à chauffer durant la saison froide. De même, certaines maladies de peau, comme la gale et *l'impetigo contagiosa,* consécutives à une mauvaise hygiène, peuvent être liées au manque d'installations sanitaires dans les quartiers ouvriers — notamment l'absence de baignoire et d'eau chaude courante — qui complique la tâche des mères de famille et les empêche de suivre les règles élémentaires de propreté. L'insalubrité des conditions de logement représente aussi un vecteur important de la tuberculose, dont la prévalence est très élevée au Québec au début du siècle, mais la classification des maladies retenue dans les rapports annuels ne permet pas d'établir son incidence.

D'autres maladies, comme le rachitisme, le scorbut et la débilité congénitale, qui se retrouvent parmi les maladies du métabolisme et de la nutrition, constituent également un reflet de la misère urbaine, qui se traduit par une alimentation déficiente des enfants et des femmes enceintes. Les infections des yeux et des oreilles, comme les otites, les mastoïdites et l'ophtalmie purulente, peuvent aussi s'expliquer ou être sérieusement aggravées par l'absence d'hygiène. Les fractures et les brûlures, très souvent mortelles, témoignent pour leur part des risques associés à l'enfance au début du siècle ; moins surveillés par des mères surchargées de travail, amenés très jeunes à circuler dans la rue pour faire des courses et, pour ce qui est des filles, à aider aux tâches ménagères, les enfants sont plus susceptibles de faire une mauvaise chute dans l'escalier, de tomber du haut d'une fenêtre ou d'un balcon, de se faire renverser par une auto ou un tramway ou de se brûler très gravement en soulevant une casserole d'eau bouillante[18].

À ses débuts, Sainte-Justine n'accepte pas les enfants atteints d'une maladie contagieuse, mais cela n'empêche pas l'hôpital de se retrouver aux prises avec des épidémies déclenchées par des patients admis sans que l'on connaisse leur état. De manière à éviter la propagation de ces affections, l'hôpital instaure, en 1924, un département d'observation où les petits malades sont isolés avant d'être répartis dans les salles ; c'est finalement en 1932 qu'est inauguré un véritable département de maladies contagieuses, à la demande de la Faculté de médecine de l'Université de Montréal. Mais ce département

La vache à lait de l'hôpital...

Au début du xxe siècle, de nombreux décès chez les nourrissons sont dus à la mauvaise qualité du lait consommé. Conscientes de cette réalité, les autorités administratives et médicales de l'hôpital ont tenté d'offrir un lait non contaminé aux enfants hospitalisés. Pour ce faire, le conseil se propose, en juin 1908, d'acheter une vache. La question demeure cependant à l'étude jusqu'à l'année suivante, car une telle acquisition pose des problèmes logistiques. Les administratrices se demandent en effet si la vache pourra être logée dans l'écurie avec les chevaux et si les médecins sauront l'examiner pour s'assurer qu'elle est en bonne santé. Finalement, en mai 1909, le comité d'économie interne décide plutôt de faire appel aux services d'un laitier et la question de l'achat d'une ou de plusieurs vaches est remise à plus tard, pour ne plus jamais être abordée par la suite.

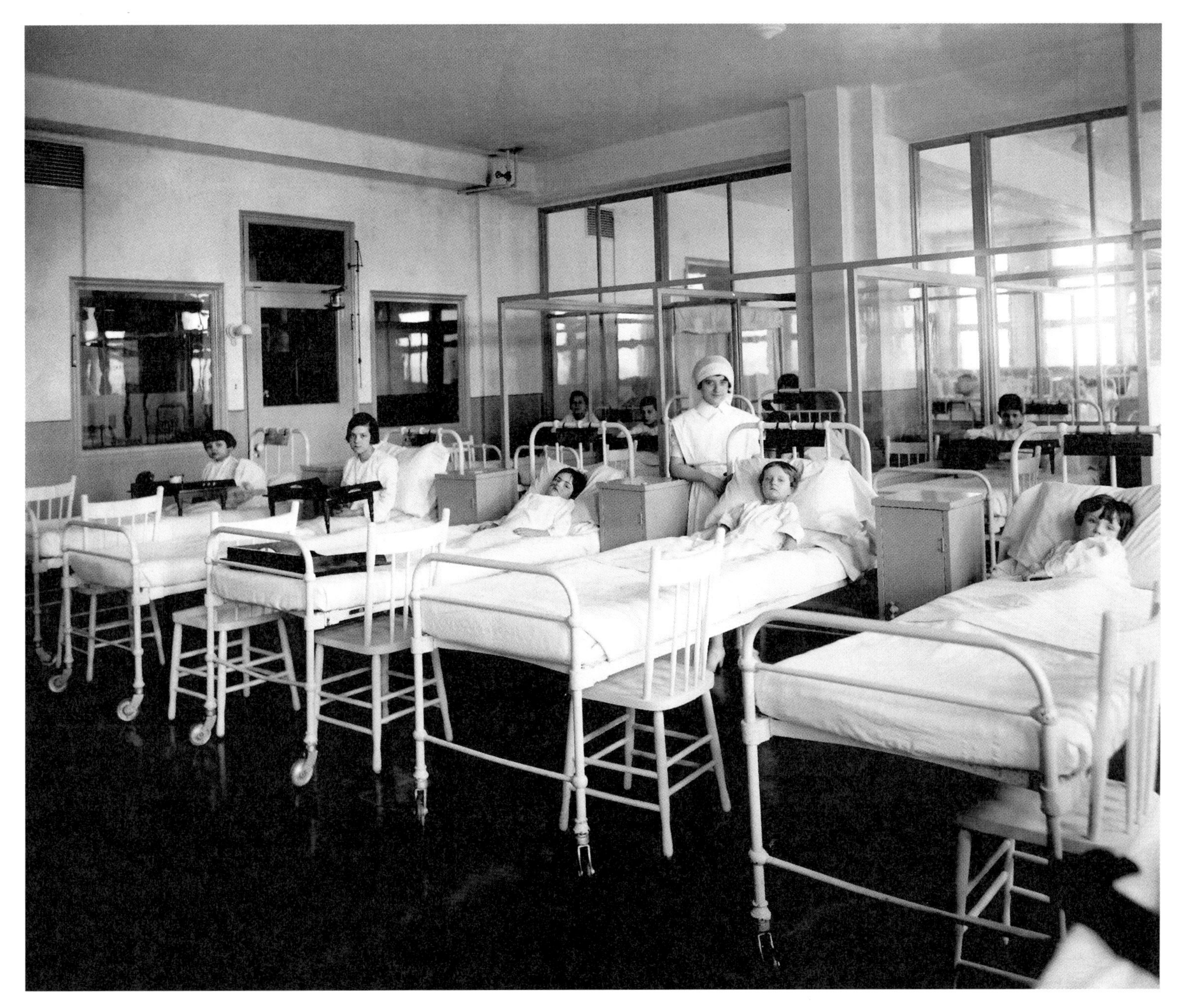

La salle Sainte-Cécile en 1927. La partie vitrée, formant des chambrettes, accueille les patients « semi-privés » (AHSJ).

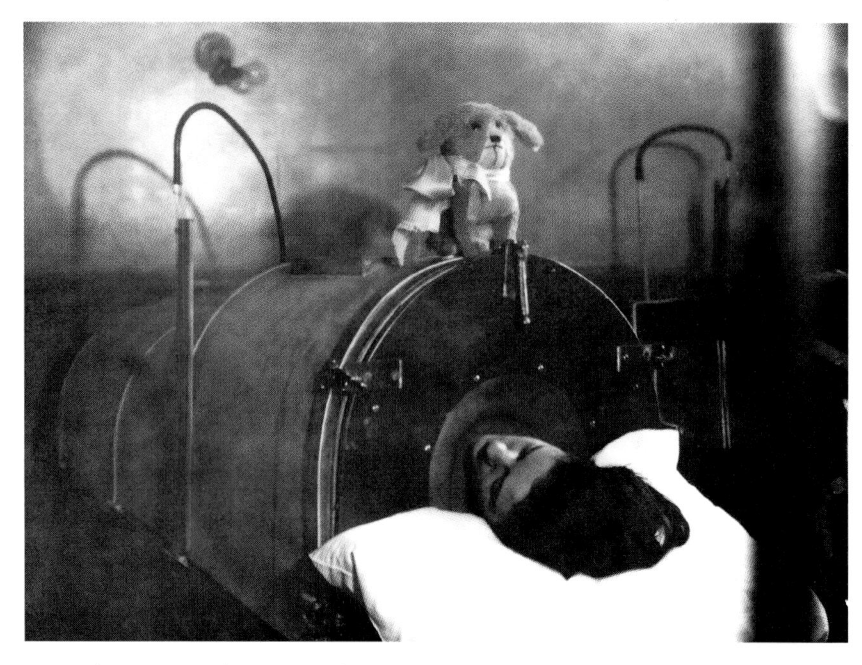

Un enfant atteint de poliomyélite séjournant dans un pulmomètre dans les années 1940. Pour tenter de le distraire malgré l'immobilisme auquel il est condamné, quelqu'un a placé un chien en peluche sur l'appareil (AHSJ).

accueille surtout les enfants diagnostiqués après leur admission à Sainte-Justine, car à cette époque il existe des hôpitaux spécialisés où ces malades sont normalement dirigés[19]. L'immunisation contre la diphtérie à partir de la fin des années 1920, puis contre la coqueluche, dans les années 1940, permet de réduire l'incidence de ces affections, mais jusqu'à la Seconde Guerre mondiale, l'hôpital doit composer, certaines années, avec des centaines de patients atteints de la rougeole, de la varicelle, de la scarlatine ou des oreillons.

De manière beaucoup plus marquante, en 1931, 1946 et 1959, Sainte-Justine doit affronter trois grandes épidémies de poliomyélite. En 1931, l'hôpital soigne 562 patients, dont 157 doivent être hospitalisés. En 1946, lors de la deuxième irruption de poliomyélite, ce sont 468 patients que l'hôpital doit soigner, en plus des 225 traités en clinique externe, une situation catastrophique qui nécessite la suspension des chirurgies non urgentes et la réquisition d'une bonne partie des lits de l'hôpital. Cette fois, le personnel dispose d'une demi-douzaine de pulmo-respirateurs, dont certains avaient été fabriqués dans les ateliers de l'hôpital durant les années 1930 pour le compte de la Ville. Pour soulager les patients, on applique le traitement développé par l'infirmière australienne Elizabeth Kenny, déjà utilisé par l'hôpital en 1942. Ce traitement, qui consiste à envelopper tous les membres de chaleur toutes les deux heures afin d'éviter les spasmes musculaires et de prévenir la paralysie, nécessite un personnel nombreux ; douze filles de la Sagesse provenant de l'extérieur viennent alors assister le personnel infirmier de Sainte-Justine, complètement débordé par la tâche[20].

Dr Alphonse Ferron (1884-1942)

Né en 1884 à Sainte-Flore, le Dr Alphonse Ferron commence ses études de médecine en 1905 à l'Université Laval de Montréal. Diplômé en 1909, il devient interne à l'Hôpital Notre-Dame avant de faire une spécialisation en chirurgie à Paris, où il étudie l'urologie, la chirurgie infantile et l'orthopédie. Arrivé à Sainte-Justine en 1911 en tant qu'assistant-chirurgien, il y poursuit une brillante carrière jusqu'à son décès en 1942. Nommé chef du service de chirurgie-orthopédie en 1918, il devient professeur de chirurgie infantile à l'Université de Montréal et, à compter de 1926, titulaire de la chaire de chirurgie infantile et orthopédique. Sa grande renommée lui vient, notamment, de la mise au point d'un procédé chirurgical révolutionnaire pour corriger les becs-de-lièvre, dont de nombreux patients ont pu bénéficier. Cette nouvelle technique, qui le fait connaître à l'étranger, lui vaut une invitation à faire partie de la Clinique Mayo, au Minnesota. En 1928, il est nommé Fellow of the Royal College of Surgeons du Canada.

C'est dans le nouvel immeuble du chemin de la Côte-Sainte-Catherine que l'hôpital vit la troisième et dernière grande épidémie de polio, survenue en 1959. En tout, 433 patients doivent être hospitalisés, ce qui oblige une nouvelle fois l'hôpital à suspendre les chirurgies électives et à récupérer les lits de divers départements. Ce nouvel épisode, survenu après l'introduction du vaccin Salk administré à plus de 53 000 petits Montréalais de moins de 10 ans en 1954 et 1955, fait la preuve du faible degré de protection qu'il procure. C'est finalement l'introduction du vaccin Sabbin, disponible au Québec à compter de 1962, qui aura raison de cette maladie[21].

Durée de séjour et taux de mortalité

Avant l'entrée en scène des sulfamides dans la seconde moitié des années 1930, puis de la pénicilline et enfin des nouveaux antibiotiques dans les années 1940 et 1950, les patients atteints d'une maladie infectieuse, qui composent la plus grande partie de la clientèle de Sainte-Justine, tout comme les cas d'orthopédie, nécessitent de longues périodes d'hospitalisation. Ainsi, en 1910, alors que l'hôpital occupe toujours la maison de l'avenue De Lorimier, il admet 312 patients pour une durée moyenne de près de 25 jours[22]. Constatant que les petits malades séjournent très longtemps à l'hôpital, même lorsque leur maladie n'entraîne pas une longue convalescence, le Dr Raoul Masson explique cette situation en faisant valoir que « les parents pauvres, misérables, qui voient leurs petits enfants si chaudement et si confortablement installés à l'hôpital, font parfois la sourde oreille lorsqu'on les avertit de venir les chercher[23] ». On peut croire que certains parents ont ainsi utilisé l'hôpital comme un lieu d'hébergement commode, mais il faut dire que le séjour moyen demeure bien au-dessus de vingt jours jusqu'en 1940, ce qui laisse supposer que d'autres facteurs, notamment l'efficacité toute relative de bien des traitements ou leur extrême complexité, sont également à l'œuvre. Comme le montre plus loin le tableau 3, à partir des années 1940, alors que des médicaments et certains traitements plus efficaces sont introduits, on assiste d'ailleurs à une diminution assez notable du nombre moyen de jours d'hospitalisation, qui se situe alors aux environs de 15[24].

Elizabeth Kenny (1880-1952)

Née en 1880, Elizabeth Kenny a grandi dans une région isolée du sud de l'Australie, où elle n'a reçu qu'une mince éducation. Bien que le titre d'infirmière lui ait été accordé pendant la Première Guerre mondiale, aucun diplôme ou certificat ne permet de croire qu'elle ait fait quelque études que ce soit en sciences infirmières, ses connaissances ayant probablement été acquises en travaillant bénévolement dans les maternités de sa région.

En 1911, confrontée à son premier cas de poliomyélite, elle improvise une thérapeutique basée sur sa compréhension de l'anatomie et qui consiste à appliquer des compresses chaudes sur les muscles touchés par la paralysie. Le traitement Kenny semble donner de bons résultats puisqu'un fort pourcentage de ses patients s'en tirent sans trop de séquelles, mais les médecins australiens contestent son efficacité et réussissent à obtenir la mise sur pied d'une commission royale d'enquête qui leur donne raison. Sister Kenny quitte l'Australie pour les États-Unis en 1940, où elle devient une célébrité après avoir aidé la ville de Minneapolis à combattre l'une des pires épidémies de paralysie infantile de son histoire. Tous les patients qu'elle traite sont guéris et même le président Franklin D. Roosevelt, lui-même victime de la maladie, fait appel à ses services. En 1942, elle fonde l'Institut Kenny, devenu aujourd'hui l'un des centres de réhabilitation les plus réputés aux États-Unis, pour y offrir la formation sur la méthode qu'elle a mise au point. Dès lors, l'administration de Sainte-Justine, avec l'approbation de la direction médicale, y envoie Mary Hepworth et quelques autres infirmières et religieuses pour se familiariser avec ce nouveau traitement. Quant à Sister Kenny, vers la fin de ses jours, elle retourne en Australie où elle meurt en 1952.

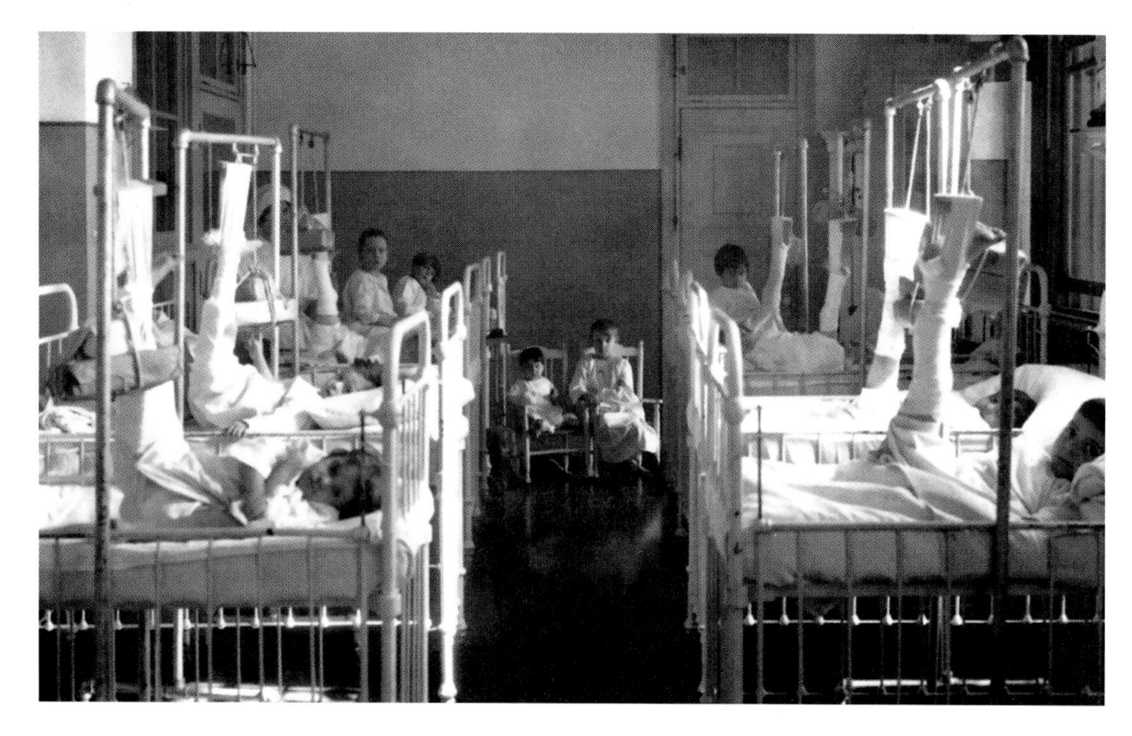

La salle Sainte-Thérèse réservée aux cas d'orthopédie en 1928. Ces patients doivent souvent être placés en traction pour de très longues périodes (AHSJ).

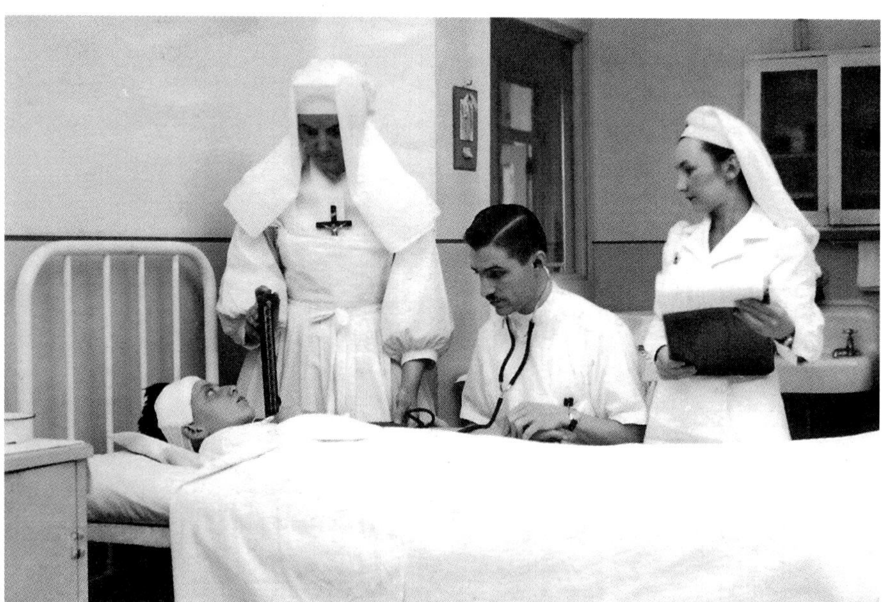

Une religieuse, un médecin et une infirmière au chevet d'un patient en 1942 (AHSJ).

L'évolution des taux de mortalité des malades hospitalisés, qui figurent également au tableau 3, représente un autre indice de l'efficacité des traitements, quoique ces taux reflètent aussi l'état dans lequel les malades arrivent à l'hôpital. Entre 1908 et 1920, le taux de mortalité des patients de Sainte-Justine frôle souvent les 10 %, soit le double du taux de l'Hôpital Notre-Dame à la même époque. Pour les médecins, cette mortalité élevée, attribuable principalement aux maladies des systèmes digestif ou respiratoire, est une conséquence directe de la réticence des parents à emmener leurs enfants à l'hôpital dès qu'ils constatent les premiers symptômes de la maladie : « nous ne devons pas oublier que ces enfants nous arrivent de leurs foyers très débiles, après que la mère a épuisé tous ses petits moyens », constate le rapport annuel de 1928 au sujet de la mortalité très élevée parmi les nourrissons, pour la plupart victimes de diarrhées. Vers le milieu des années 1930, le taux de mortalité diminue à un peu plus de 5 % ; il franchit la barre des 3 % dès la première moitié des années 1940, le taux le plus bas de tous les hôpitaux montréalais, fait remarquer le doyen de la Faculté de médecine en 1943, pour finalement s'établir à moins de 2 % à partir de 1956[25]. En 1957, profitant du 50e anniversaire de l'hôpital, le Dr Edmond Dubé retrace l'évolution des maladies traitées à Sainte-Justine depuis ses débuts, avant de conclure ainsi :

> *Avec les progrès constants de la médecine qui, dans les derniers dix ans ont été phénoménaux, l'aspect de nos services a subi une évolution qui surprendrait les médecins des premières heures. Plusieurs maladies ont disparu et d'autres semblent prendre le même chemin ; on ne voit plus par exemple, le rachitisme et ses déformations secondaires, les tuberculoses osseuses et les ostéomyélites, les pleurésies purulentes se font de plus en plus rares et combien d'autres maladies qu'on pourrait mentionner*[26].

Tableau 3. – Bilan du travail médical, 1910-1965

Années	Nombre d'admissions	Séjour moyen	Taux de mortalité*	Nombre de consultations externes
1910	389	20,0	5,4 %	2 875
1915	875	25,0	9,5 %	8 432
1920	1 179	24,1	10,4 %	9 366
1925	1 986	24,5	8,0 %	17 951
1930	3 683	25,2	8,6 %	33 700
1935	5 877	22,6	5,2 %	62 143
1940	7 249	20,3	3,0 %	61 729
1945	9 288	15,8	2,8 %	52 377
1950	11 327	14,8	2,8 %	57 277
1955	12 679	14,1	2,3 %	110 276
1960	20 709	13,0	0,9 %	129 914
1965	23 049	10,8	0,7 %	138 319

* Taux excluant les décès survenus moins de 48 heures après l'admission.

Sources : AHSJ, rapports annuels, 1910-1965.

Si, effectivement, on peut dire que les progrès de la médecine ont été responsables de la baisse de la mortalité infantile et de l'éradication de certains maux durant ce premier demi-siècle, il reste que des facteurs sociaux, comme la hausse du niveau de vie et l'amélioration de la diète des mères et des bébés, ont également joué un rôle non négligeable, mais plus souvent occulté par les médecins de l'époque.

Les maladies infantiles depuis les années 1950

S'il n'est plus possible de suivre précisément l'évolution des maladies dont souffrent les enfants après 1957 à partir des rapports annuels, ces derniers laissent tout de même voir que la prématurité, que nous examinerons plus loin, de même que les maladies héréditaires, les traumatismes et les cancers comptent désormais parmi les causes les plus importantes de la morbidité et de la mortalité infantiles et deviennent les plus graves motifs d'hospitalisation. En d'autres termes, si l'hôpital continue de recevoir des patients atteints de maladies d'origine virale ou bactérienne, pour lesquelles il existe désormais des remèdes connus et éprouvés et qui paraissent dès lors plutôt bénignes, il traite de plus en plus d'enfants atteints de pathologies d'ordre génétique qui nécessitent des soins ou des interventions complexes. Ainsi, en 1968, le rapport annuel note une augmentation de 10 % du nombre de chirurgies, avant d'ajouter : « Ce que les statistiques ne montrent pas cependant, c'est qu'un gros pourcentage de cette augmentation porte sur la chirurgie d'envergure et que, transposée sur une base horaire, cette augmentation est beaucoup plus considérable que les chiffres ne l'indiquent[27]. » À peine cinq ans plus tard, le même document fait

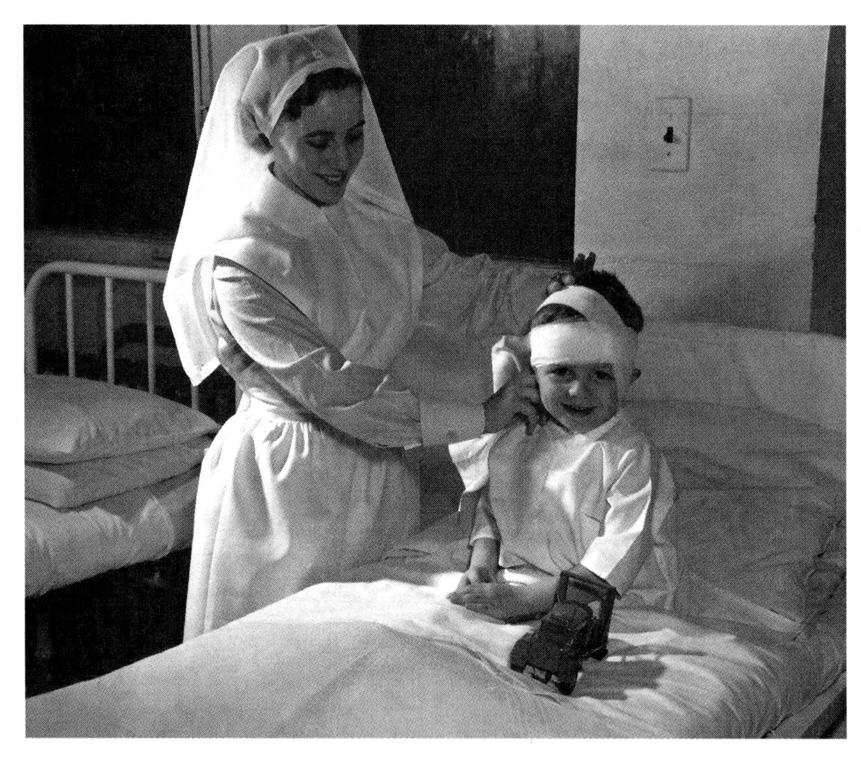

Lucille Bastien, élève infirmière à Sainte-Justine entre 1956 et 1959, fait un bandage à un patient tout sourire (AHSJ).

Dr Christa Kratz (1930-)

Originaire d'Allemagne, Christa Kratz y a fait des études en médecine avant de compléter sa formation aux États-Unis, où elle obtient un fellowship en cardiologie pédiatrique du Children's Hospital de Philadelphie. Arrivée à Sainte-Justine en 1962, elle poursuit sa spécialisation en pédiatrie et cardiologie pédiatrique pour finalement obtenir le titre de cardiologue en 1968. Membre du Service de cardiologie et médecine pulmonaire de l'hôpital, elle sera assistante au laboratoire d'hémodynamie de 1968 à 1993, directrice de la clinique de rhumatisme articulaire aigu à partir de 1968 et membre du Service des soins intensifs jusqu'en 1998. Le Dr Kratz a aussi été médecin agrégé au Service de cardiologie et professeur agrégé de clinique au département de pédiatrie jusqu'à sa retraite en 2000. Pour souligner son travail et celui du Dr Paul Stanley, les « Conférences Christa Kratz — Paul Stanley », ont été inaugurées en 2004 par le Service de cardiologie de l'hôpital.

Dr Hervé Blanchard (1932-)

Après des études à la Faculté de médecine de l'Université d'Haïti et un stage au Colorado Medical Center, le Dr Blanchard est embauché au Service de chirurgie de Sainte-Justine en 1968 pour mettre sur pied une équipe de transplantation et y développer la recherche dans ce domaine. En 1974, il réalise la première greffe rénale pédiatrique à Sainte-Justine, tandis qu'en 1985, il effectue la première greffe hépatique sur un enfant au Québec. Il a aussi dirigé les chirurgies pour séparer des bébés siamois ischiopagus en 1978, une première dans l'histoire de l'hôpital, et des bébés siamois omphalopagus en 1993. Parallèlement à cette carrière en chirurgie, le Dr Blanchard accorde une importance capitale à l'enseignement. Professeur de 1970 à 2000 à la Faculté de médecine de l'Université de Montréal et directeur du programme de chirurgie pédiatrique, il a formé toute une génération de chirurgiens et de professeurs. Ses réalisations et sa contribution au domaine de la chirurgie infantile lui ont valu plusieurs distinctions, dont le prix de reconnaissance de l'Hôpital Sainte-Justine en 1997 et le prix Sylvio-Cator qui lui a été remis en 1998 par la communauté haïtienne de Montréal en reconnaissance de l'ensemble de sa carrière. En 1999, il se voyait également décerner le titre de chevalier de la République d'Haïti avec médaille et diplôme d'honneur et mérite. La même année, il recevait un certificat d'honneur de la Ville de Montréal et du ministère des Relations avec les citoyens et de l'Immigration du Québec pour son engagement et son rôle de leader au sein de sa communauté. Mis en nomination pour le Mois de l'histoire des Noirs en 2003, il a également été nommé professeur émérite de l'Université de Montréal en 2001 et membre émérite de l'Association médicale du Canada en 2006.

état de près de 17 000 chirurgies réalisées au cours de l'année, avant d'ajouter que « le tiers était des procédures de haut calibre et de longue durée[28] ». « En 1977-1978, ce sont environ 50 % des admissions en chirurgie et 70 % en pédiatrie qui « nécessitent des ressources ultraspécialisées[29]. »

Les chirurgies cardiaques, déjà expérimentées depuis l'ouverture du service de cardiologie en 1940, sont au nombre des interventions délicates de plus en plus pratiquées, souvent pour corriger des malformations congénitales. De la première opération à cœur ouvert, réalisée en 1959 par le Dr Paul Stanley, jusqu'à l'installation d'une assistance ventriculaire mécanique, ou cœur de Berlin, effectuée en 2004, les développements qu'a connus ce type d'intervention témoignent bien du mouvement de spécialisation qui s'amplifie à partir des années 1960. À compter des années 1970, l'hôpital met en place un programme de transplantations d'organes, dont le nombre va en s'accroissant. Une première transplantation cardiaque est réalisée avec succès en 1984, mais ce sont surtout les transplantations rénales dont le nombre augmente le plus rapidement : 200 de ces greffes sont pratiquées entre 1974 et 1993. Au milieu des années 1980, Sainte-Justine est en mesure de faire ses premières transplantations hépatiques, alors qu'en 1990 il amorce son programme de greffes de la moelle osseuse pour les enfants atteints de leucémie[30].

Dès 1956, Sainte-Justine est reconnu comme un centre anticancéreux par l'American College of Surgeon, signe que cette affection, dont le traitement va constamment s'améliorer au cours des décennies suivantes, préoccupe déjà les pédiatres. La mise en place de cliniques d'oncologie et d'hémato-oncologie dans les années 1960 et 1970, la fondation de LEUCAN en 1978 et l'ouverture du pavillon Vidéotron comprenant une unité de 30 lits en 1995 témoignent, chacune à sa manière, de l'importance croissante que l'hôpital accorde à cette catégorie de patients. Selon Rita

Les associations de parents

Dans les années d'après-guerre, des parents dont les enfants souffrent de maladies dégénératives se regroupent afin d'amasser des fonds pour encourager la recherche et obtenir davantage de soins spécialisés. Ainsi, dès 1952, l'Association de paralysie cérébrale, une organisation fondée en 1949, fournit à Sainte-Justine les sommes nécessaires à l'ouverture d'une clinique et à la formation du personnel pour dispenser des traitements aux enfants atteints de cette maladie. En 1959, c'est au tour de l'Association canadienne de la dystrophie musculaire, créée cinq ans plus tôt, de favoriser la mise sur pied d'une clinique à l'hôpital et de contribuer au financement de la recherche. Enfin, à compter de 1981, l'organisation de l'Association québécoise de la fibrose kystique, soit la branche provinciale de la Fondation canadienne de la fibrose kystique qui existe depuis 1960, permet de recueillir des fonds pour faire avancer la recherche et les traitements concernant une maladie qui, encore dans les années 1930, n'avait pas de nom. Le Canada est d'ailleurs l'un des quatre pays dans le monde à encourager la recherche sur la fibrose kystique, ce qui a permis de hausser l'âge médian de survie des jeunes de quatre ans en 1960, à 37 ans en 2002. Entre-temps, soit en 1989, le gène responsable de cette affection était finalement découvert, ce qui laisse présager que de moins en moins d'enfants seront affectés à l'avenir. Soulignons qu'en plus de stimuler la recherche sur ces maladies afin d'en déterminer la cause et de découvrir des traitements plus efficaces, ces associations se donnent aussi pour objectif d'améliorer la qualité de vie des enfants malades, de favoriser leur intégration sociale et d'offrir un soutien financier et affectif aux familles.

Desjardins, l'établissement de nouvelles spécialités pédiatriques dans les années 1960, comme la gastro-entérologie et la néphrologie, et les développements que connaissent des spécialités plus anciennes, comme la neurologie ou l'urologie, attestent pour leur part l'intérêt de plus en plus marqué que suscitent les maladies héréditaires et les malformations congénitales. L'inauguration d'une section de génétique médicale en 1970 indique que leur dépistage est effectivement devenu l'une des priorités : au milieu des années 1990, des tests permettant d'en détecter une cinquantaine ont déjà été mis au point[31].

Les progrès parfois spectaculaires enregistrés par la médecine depuis les années 1970 et les exploits réalisés en chirurgie, notamment dans le domaine des transplantations et de la microchirurgie vasculaire et nerveuse, ne doivent pas faire oublier que plusieurs affections demeurent sans remède et que de nombreux enfants continuent de vivre avec des déficiences motrices, musculaires, sensorielles ou intellec-

Dr Michel Lemay (1931-)

Né en France, Michel Lemay a fait des études en pédiatrie à Paris avant d'obtenir une licence en lettres puis un doctorat d'État en psychologie de l'Université de Nanterre. En 1973, il se joint au département de psychiatrie de l'hôpital, où il sera responsable de l'enseignement de 1976 à 1989 et médecin actif à la clinique de l'autisme et des troubles envahissants du développement à compter de 1979. Il enseigne également au département de psychiatrie de l'Université de Montréal, où il est professeur titulaire depuis 1987.

Le Dr Lemay est reconnu au niveau international, notamment dans les pays francophones d'Europe, pour ses nombreuses communications et publications dans ses domaines d'expertise, dont la psychopathologie infantile et juvénile, l'autisme et la relation mère-enfant. Il est l'auteur de plusieurs volumes dont *Les Psychoses infantiles* (1983), *J'ai mal à ma mère : approche thérapeutique du carencé relationnel* (1980 et 1993), *L'Autisme aujourd'hui* (2004) et *Aveux et désaveu d'un psychiatre* (2006).

Pour souligner sa contribution au département de psychiatrie, l'Université de Montréal lui a décerné le Prix d'excellence académique en 1994-1995.

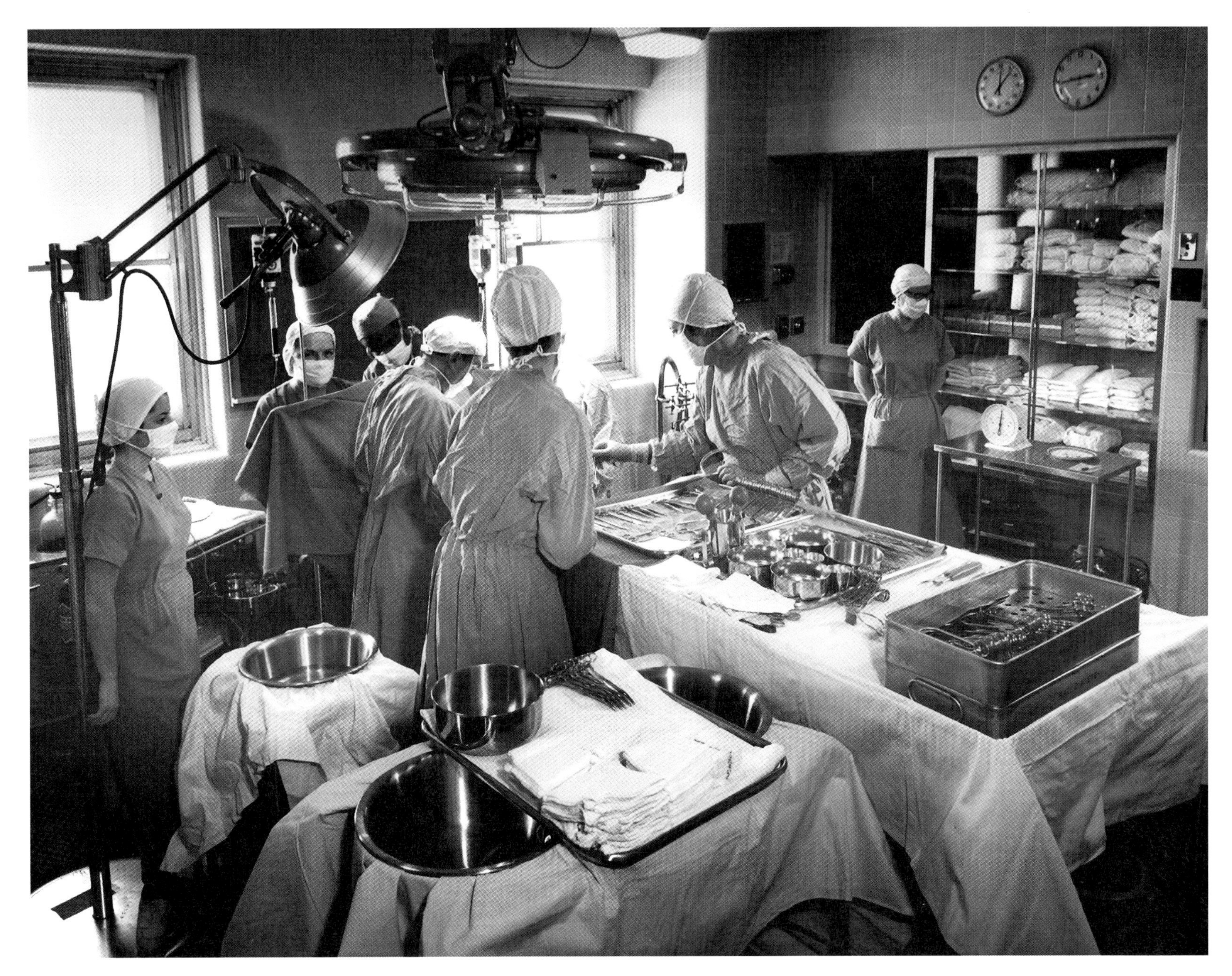

Une opération à cœur ouvert en 1965 (AHSJ).

tuelles pour lesquelles il n'existe pas encore de thérapeutique efficace. À partir des années 1950, pour répondre à leurs besoins, on assiste à la création de cliniques subventionnées par des associations privées, qui se spécialisent notamment dans le traitement de la paralysie cérébrale, de la fibrose kystique et de la dystrophie musculaire et dans la recherche sur ces maladies. Une nouvelle philosophie des soins pédiatriques visant le développement optimal de l'enfant qui apparaît dans l'après-guerre amène l'hôpital à mettre l'accent sur la réadaptation de ces patients afin qu'ils puissent développer leur plein potentiel. Le rapport annuel de 1970 souligne qu'à :

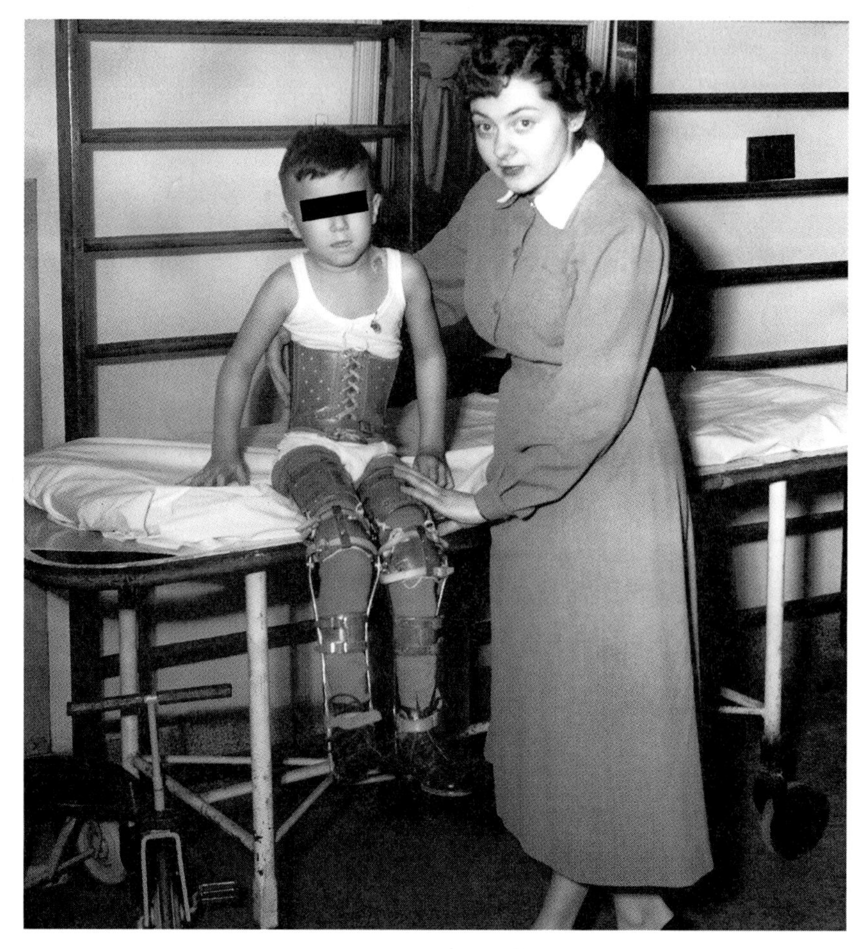

Un enfant atteint de paralysie cérébrale portant un corset et des appareils orthopédiques lourds et encombrants est aidé par une bénévole de la Société de secours aux enfants infirmes après un traitement de physiothérapie à Sainte-Justine (AHSJ, photo studio Allard).

> *la prévention et au traitement des enfants au cours de la phase aiguë de leur maladie s'ajoute un troisième aspect dont nous sommes appelés à nous soucier de plus en plus : la réadaptation et les soins de garde. Les enfants et leurs parents sont en droit d'exiger la mise sur pied d'institutions de ce genre, de premier ordre et en nombre suffisant. Une fois la phase aiguë de la maladie terminée, il doit exister des maisons adéquatement outillées où l'on puisse transférer les cas qui le nécessitent, soit pour qu'ils y poursuivent leur convalescence ou qu'ils y soient soignés sur une base à long terme*[32].

Cette prise de position coïncide avec les premiers rapprochements entre Sainte-Justine et l'Hôpital Marie Enfant, où est transférée la clinique des déficits moteurs cérébraux en 1983. La collaboration entre les deux établissements s'intensifiera au cours des décennies suivantes, jusqu'à amener, en 2000, l'intégration de l'Hôpital Marie Enfant, qui prend alors le nom de Centre de réadaptation Marie Enfant (CRME), à Sainte-Justine[33].

Le développement de la psychiatrie infantile relève aussi de cette conception du soin global de l'enfant. L'ouverture d'une clinique externe en 1949 dans des locaux provisoires installés chemin de la Côte-Sainte-Catherine, grâce à des subventions gouvernementales et à un legs de Justine Lacoste-Beaubien, marque les véritables débuts de cette spécialité à Sainte-Justine, alors que la psychiatrie est séparée de la neurologie, qui se concentre dorénavant sur les maladies neuromusculaires. Jusqu'au déménagement en 1957, la clinique de psychiatrie reçoit plus de 1 500 enfants, qui sont suivis par une équipe multidisciplinaire composée de travailleurs sociaux, de psychologues, de psychiatres et d'infirmières[34]. La plupart des cas y sont dirigés par des hôpitaux, le plus souvent par Sainte-Justine, ce qui signifie que l'hôpital, plutôt que la famille, est responsable de leur dépistage. Rappelons que le personnel médical avait aussi été à la source de la création du service de neuropsychiatrie en 1930, comme en témoigne le rapport annuel : « C'est en observant certains cas hospitalisés dans nos salles ou traités au dispensaire, présentant des symptômes mentaux anormaux, mais susceptibles d'être améliorés, et même guéris, que la nécessité de ce service s'est imposée[35]. »

De 1957 à 1969, le Service de psychiatrie est dirigé par le Dr Denis Lazure, qui lui donne une impulsion considérable. Non seulement le déménagement permet l'ouverture d'une consultation interne, la première en son genre au Canada, mais à compter de 1960 s'ajoutent les services d'une maternelle thérapeutique, de consultations externes pour les patients atteints d'arriération mentale ou de troubles d'apprentissage, ainsi que d'un centre de jour. Au même moment, l'équipe pluridisciplinaire s'élargit pour inclure des psychopédagogues et bientôt des psychologues. Dans le but de mener une action préventive et d'offrir des services aux populations considérées plus vulnérables directement dans leur milieu, l'hôpital ouvre une clinique dans le quartier Saint-Henri au tournant des années 1970. Le Service interne d'hospitalisation comprend alors 50 lits, auxquels s'ajoutent une centaine de lits destinés aux soins de jour ; en 1978, afin de mieux répondre à leurs besoins particuliers, une unité d'une douzaine de lits est réservée aux adolescents[36].

C'est d'ailleurs à cette époque que Sainte-Justine institue une médecine de l'adolescence et développe une gamme de services à leur intention. Non pas que les adolescents aient été absents de l'hôpital auparavant ; comme on l'a vu, dès les années 1920, celui-ci accueille des patients jusqu'à l'âge de 14 ans, limite qui sera reportée à 16 ans dans les années 1950. Mais, avant les années 1970, la pédiatrie se préoccupe assez peu du caractère particulier de l'adolescence, sinon pour

Dr Luc Chicoine (1929-)

Le Dr Luc Chicoine est l'un des pionniers de la pédiatrie au Québec. Diplômé de l'Université de Montréal, il a complété une résidence en pédiatrie à l'Hôpital Sainte-Justine en 1957, pour ensuite entreprendre un stage de spécialisation au Western Reserve University Hospital de Cleveland. À son retour, il est nommé directeur du Centre de lutte contre les intoxications, inauguré en 1958, qui devient rapidement une référence dans le domaine au Québec. Pendant les vingt-cinq années où il a dirigé ce centre, il a également été responsable de la clinique de fibrose kystique, mise sur pied en 1963, et directeur du département de pédiatrie (1975-1982). Le Dr Chicoine a en outre consacré une partie importante de sa carrière à l'enseignement de la pédiatrie à l'Université de Montréal, où il devient professeur agrégé en 1964 et professeur titulaire en 1971. Dès 1960, il est également moniteur et veille à la formation scientifique dans l'hôpital.

Le Dr Chicoine s'est démarqué notamment par ses recherches dans le domaine de la toxicologie et des maladies infectieuses. Son expertise lui a valu d'être nommé membre du conseil de coordination, secteur santé, de la commission Castonguay en 1968, membre du Comité sur les drogues de la Cour du bien-être social du Québec et président du Comité de sécurité publique de la Société canadienne de pédiatrie en 1969. Il a également participé à la préparation du *Guide pratique sur les toxicomanies* en 1970. Il quitte Sainte-Justine en 1997 après plus de 40 ans d'une carrière bien remplie. En 1999, l'Association des pédiatres du Québec reconnaissait sa contribution à la profession en lui octroyant le prix Letondal, tandis qu'en 2005, l'hôpital lui remettait le prix Sainte-Justine pour souligner son apport au développement de l'institution.

étudier les changements associés à la puberté et traiter les problèmes physiques, endocriniens ou autres, qui peuvent survenir. À compter des années 1950, cependant, et même avant, selon certains historiens, l'adolescence est en voie de s'affirmer comme une étape spécifique de la vie, différente de l'enfance et de la vie adulte[37]. Ce phénomène de stratification des âges, qui se poursuit aujourd'hui avec la constitution de la catégorie des préadolescents, reflète d'importants changements sociaux et culturels. La dépendance prolongée des jeunes en raison d'une plus longue scolarisation, alors même que l'âge de la puberté recule, l'émergence d'une culture qui leur est spécifiquement associée et la contestation plus vigoureuse de l'autorité parentale et religieuse singularisent désormais ce groupe d'âge aux yeux de la société et bientôt des médecins. Ceux-ci estiment que les adolescents ont des besoins particuliers, aux plans tant physique que psychologique et social, auxquels il faut répondre : face à des jeunes qui revendiquent de plus en plus leur autonomie d'action, y compris sur le plan sexuel, la médecine de l'adolescence, mise en place à Sainte-Justine en 1975, va aussi se distinguer par l'attention portée à la confidentialité de la relation patient-médecin, ce qui n'est pas le cas de la pédiatrie, le parent étant d'emblée intégré à cette relation. Cette question, qui fait l'objet de la rédaction d'un document dans les années 1980, se posera plus particulièrement dans le cas des adolescentes qui consultent pour un avortement[38].

Les décennies 1970 à 2000 sont aussi marquées par de nouvelles préoccupations au sujet de la sécurité des enfants dans leur milieu familial. À Sainte-Justine, cela se traduit par l'ouverture, à la fin des années 1950, d'un centre de lutte contre les intoxications subventionné par les deux paliers de gouvernement. Appelé successivement Centre de lutte contre les intoxications, contre les empoisonnements et Centre antipoison, son inauguration coïncide avec une intensification des campagnes d'éducation populaire qui mettent les parents en garde contre les accidents domestiques et l'absorption de produits toxiques et de médicaments par les jeunes enfants. En 20 ans, soit de 1962 à 1982, le centre traite plus de 15 000 enfants, dont le quart environ nécessitent une hospitalisation, et il donne plus de 100 000 consultations[39].

L'ouverture de la clinique de protection de l'enfance au milieu des années 1970 est un autre exemple des efforts que déploie Sainte-Justine pour assurer l'intégrité physique des petits. Cette initiative remonte à la fin des années 1960, alors qu'un rapport du service social sur le syndrome des enfants battus avait mené à la formation d'un comité des enfants maltraités, qui devient réellement actif à compter de 1972, pour finalement se transformer en clinique quelques années plus tard. Réunissant une équipe multidisciplinaire, cette clinique prend en charge les enfants victimes de mauvais traitements, d'abus sexuels, de malnutrition et de mauvaise hygiène et elle assure le suivi de ces cas par des professionnels qui accordent également un soutien à la famille. En 1975, un document préparé à l'intention des autorités de l'hôpital estime qu'en 1974 et 1975 « environ 15 % des enfants hospitalisés sont des enfants carencés ou maltraités, issus de milieux sociaux à problèmes multiples, ayant des besoins d'ordre social, médical et psychologique. Leurs familles ont également besoin de soins et de support [*sic*][40] ». On peut facilement imaginer que de tels cas existaient auparavant, mais, dans une société qui glorifiait l'autorité paternelle et le caractère sacré de la famille, il aurait été impensable d'intervenir. L'adoption de la Loi concernant la protection des enfants soumis à de mauvais traitements en 1974 et surtout l'entrée en vigueur de la Loi sur la protection de la jeunesse en 1979 viennent consacrer des changements de mentalité importants au sujet des droits des enfants. Cette législation signale que la société ne tolère plus ces abus, ce qui ouvre la voie à une intervention plus structurée de la part des médecins, en particulier les pédiatres. Ainsi, en 2003, Sainte-Justine prépare un programme de prévention à l'intention des parents et des professionnels œuvrant auprès des familles pour contrer le syndrome du bébé secoué ; la même année, l'hôpital organise un premier colloque sur la maltraitance des enfants et des adolescents[41].

Enfin, en 1985, Sainte-Justine devient un centre de référence, d'évaluation diagnostique et de traitement des syndromes d'immunodéficience acquise de l'enfant, ou infections au VIH. À cette époque, il traite une cinquantaine d'enfants, un nombre qui est resté relativement stable grâce à la recherche et aux méthodes de prévention que celle-ci a permis de développer. En fait, depuis le milieu des années 1990, il n'y a plus guère de cas de transmission du VIH de la mère à l'enfant, du moins quand le suivi prénatal est suffisamment précoce. Des enfants déjà infectés sont cependant toujours traités à Sainte-Justine, où se retrouvent 92 % des petits Québécois atteints.

Des séjours et des taux de mortalité en baisse

Comme le montre les tableaux 3 et 4 (p. 116), à partir des années 1950, la durée moyenne du séjour à l'hôpital décroît constamment, passant de neuf à sept jours entre le début et la fin des années 1970, avant de se stabiliser autour de six jours à partir du début des années 1980. Cette diminution, particulièrement notable dans les années 1970, est en bonne partie attribuable au développement de thérapeutiques plus efficaces et au recours à des chirurgies moins invasives qui préparent le virage ambulatoire des années 1980[42]. Les transformations que connaît la médecine infantile au cours de cette période ont aussi un impact notable sur les admissions, qui fluctuent au cours des années 1960, à 2000, après avoir constamment augmenté durant les cinquante premières années d'existence de l'hôpital. Ainsi, en 1955, le nombre des hospitalisations se situe à plus de 12 000, nombre qui grimpe

Dr Gloria Jeliu (1925-)

Le Dr Gloria Jeliu est une pionnière de la pédiatrie sociale au Québec. Née en France de parents bulgares, elle a obtenu un doctorat en médecine de l'Université de Paris en 1952. Elle s'installe alors à Montréal et entreprend sa résidence en pédiatrie à l'Hôpital Sainte-Justine puis se perfectionne au Boston City Hospital. À son retour à Sainte-Justine, elle se consacre à la pédiatrie et à l'enseignement et s'intéresse plus particulièrement au problème des enfants maltraités. En 1972, elle présente un mémoire à la Commission parlementaire permanente des affaires sociales du Québec, qui a mené à la création du Comité québécois pour la protection de la jeunesse. Trois ans plus tard, elle fonde la clinique de protection de l'enfance. Au début des années 1980, après un nouveau séjour à Boston, elle met au point un programme spécialisé en développement de l'enfant à l'Université de Montréal et aide à la formation du Centre de développement de l'enfance de Sainte-Justine. Dans les années 1990, le Dr Jeliu obtient un diplôme d'études supérieures dans le domaine de la bioéthique et devient membre du comité de bioéthique de l'hôpital.

Les réalisations du Dr Jeliu ont été reconnues par de nombreux organismes. En 1985, elle est la première lauréate du Prix du Comité de la protection de la jeunesse qui lui est remis en hommage à son travail exceptionnel dans le domaine de la protection de l'enfance. Elle reçoit le prix Letondal en 1991 puis, en 2003, elle devient la première récipiendaire du prix Sainte-Justine décerné à une personne ayant contribué de façon exceptionnelle au développement et au rayonnement de l'hôpital ; la même année, elle reçoit également le prix Prestige de l'Association médicale du Québec. En 2004, elle sera aussi désignée « Personnalité de la semaine » par le quotidien *La Presse* et se verra remettre par la Société canadienne de pédiatrie le prix Victor-Marchessault qui souligne tous les deux ans les actions d'un individu ou d'un organisme dans le domaine de la défense des enfants. L'Université de Montréal a également reconnu sa contribution à la pédiatrie en la nommant professeur émérite.

Tableau 4. – Bilan du travail médical, 1970-2005

Années	Nombre d'admissions	Séjour moyen	Consultations externes
1970	22 647	9,2	236 756
1975	24 251	7,1	196 957
1979-1980	24 003	7,0	182 467*
1984-1985	29 515	6,2	205 799
1989-1990	31 449	5,97	235 852
1995-1996	24 416	5,39	189 552
1999-2000	21 613	7,7	242 879
2000-2004	17 481	5,90	189 390

*Résultat régularisé selon les nouvelles règles comptables du gouvernement.

Sources : AHSJ, rapports annuels 1910-2005 ; procès-verbal du conseil d'administration, 20 juin 1995. tableau de bord du conseil d'administration 2004-2005. Trimestre 4. Site du CHU Sainte-Justine : http ://hsjpreprod/images_editlive/TB_Trim_4_2004_2005_le27avril.pdf, consulté le 11 août 2006.

à plus de 20 000 en 1960, puis à 23 000 en 1965, avant de retomber à 22 000 en 1970. De 1970 à 1990, alors que de plus en plus de patients sont rapidement retournés chez eux après une chirurgie, libérant rapidement les lits pour faire place à de nouveaux malades, l'hôpital connaît une hausse de sa clientèle, dont le volume passe de 22 000 à 31 000. Par la suite, la chute des naissances et la concentration de l'hôpital sur sa vocation tertiaire et quaternaire amènent une nouvelle baisse des admissions, qui se situent à un peu moins de 18 000 en 2004-2005[43].

La baisse de la natalité, les transformations dans les pratiques médicales et chirurgicales de même que le recentrage de Sainte-Justine sur la médecine pédiatrique de pointe ont aussi eu pour effet d'entraîner la fermeture de lits. Dès la fin des années 1960, alors que le taux d'occupation des lits est d'à peine 65 %, l'administration ferme 153 des 850 lits alors disponibles. Dix ans plus tard, le nombre de lits de courte durée et de berceaux est inférieur à 600 ; en 2005-2006, l'hôpital compte 449 lits (535, avec les lits du CRME), dont 15 en soins prolongés (55, avec les lits du CRME), et 57 pour les patients en néonatalogie[44]. Cette diminution de la capacité d'hospitalisation de Sainte-Justine témoigne de deux tendances récentes qui se sont mutuellement renforcées : l'introduction de nouvelles interventions ou de nouvelles thérapies, permettant le maintien de l'enfant dans son milieu, et l'apparition d'une nouvelle conception de l'enfance, qui accorde davantage d'importance au bien-être émotif des tout-petits et à la relation parents-enfant. Le séjour à l'hôpital, tout en devenant de moins en moins nécessaire d'un strict point de vue médical, est en effet de plus en plus considéré comme une source de traumatisme qu'il vaut mieux éviter à l'enfant, au point où le développement des services ambulatoires est envisagé comme une partie intégrante du programme d'humanisation des soins de Sainte-Justine.

Quant au taux de mortalité, il se situe depuis les années 1960 en dessous de 1 %, preuve que la médecine sauve désormais la quasi-totalité des petits malades. Mais, dans un contexte où le nombre d'enfants par famille a singulièrement diminué et où, précisément, la médecine parvient à traiter et même à guérir la très grande majorité d'entre eux, la mort des enfants paraît d'autant moins acceptable et d'autant plus pénible pour les parents. En 1985, dans le cadre de son programme d'humanisation des soins, Sainte-Justine met sur pied une équipe de spécialistes en santé mentale afin d'aider les parents à traverser ces moments difficiles, ce qui montre bien que le décès des enfants est maintenant devenu un événement exceptionnel, digne de la plus grande compassion[45].

Les mères et les nourrissons

Comme on l'a déjà mentionné, l'ouverture d'un service d'obstétrique de 17 lits en 1928 vise essentiellement à permettre aux infirmières de l'hôpital de compléter leur formation afin de recevoir leur diplôme de l'Université de Montréal. Il faut dire qu'avant les années 1930 bien peu de femmes accouchent en milieu hospitalier, soit moins de 6 % pour l'ensemble du Québec. Outre les « filles-mères » qui donnent naissance dans des établissements hospitaliers depuis le XIXe siècle, seules les mères courant un grave danger ou celles dont les conditions de logement sont trop misérables pour accoucher à domicile sont alors dirigées vers l'hôpital. L'Assistance maternelle, une association philanthropique féminine fondée en 1912 pour venir en aide aux mères pauvres, a d'ailleurs maintes fois dirigé des cas vers Sainte-Justine. À compter des années 1940 cependant, la majorité des Montréalaises, soit près de 60 %, accouchent déjà à l'hôpital, une proportion qui s'accroîtra très rapidement pour atteindre 95 % au début des années 1950[46].

Le nombre d'accouchements pratiqués à Sainte-Justine demeure donc assez modeste durant les premières années, mais il connaît une progression rapide, passant d'une centaine en 1929 à près de 600 cinq ans plus tard, pour atteindre le millier au début des années 1940. Jusqu'à la guerre, l'hôpital déplore, en moyenne, près de 14 décès pour mille femmes admises, ce qui correspond presque au triple du taux québécois de mortalité maternelle de l'époque[47]. Le nombre plutôt élevé de ces décès semble confirmer que les femmes enceintes, comme les enfants, se présentent à l'hôpital lorsque leur condition s'est grandement détériorée et que seuls les cas vraiment graves s'y retrouvent ; on ne peut cependant totalement écarter l'hypothèse que l'hôpital, en raison de la promiscuité, de techniques d'asepsie déficientes ou d'interventions risquées, est à l'origine d'un certain nombre de ces décès.

De 1945 à 1960, alors que le Québec vit son *baby boom* et que l'accouchement hospitalier devient la norme, Sainte-Justine accueille chaque année un nombre toujours plus élevé de nouvelles mères, pour dépasser le seuil des 2 300 accouchements à la fin de cette période. Le déclin de la natalité à compter des années 1960 entraîne ensuite une lente décroissance jusqu'en 1973, alors que le nombre des accouchements se situe à 1 700, avant de remonter, dès l'année suivante, à plus de 2 500. Le transfert des activités de l'Hôpital de la Miséricorde à Sainte-Justine en 1974 et sa désignation comme centre de grossesses à risques élevés (GARE) et centre de périnatalogie font en sorte qu'à la fin des

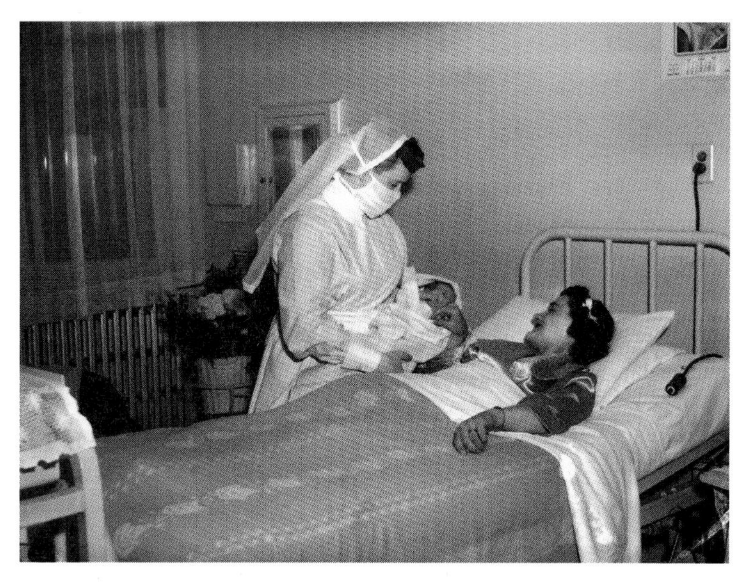

Une infirmière masquée présente un nouveau-né à sa mère dans les années 1930 (AHSJ).

années 1970 l'hôpital effectue près de 4 000 accouchements ; par la suite, il s'est pratiqué jusqu'à 4 500 accouchements par année, parmi lesquels de 35 % à 40 % sont considérés comme des grossesses à risques. Sa vocation d'hôpital ultraspécialisé n'empêche pas Sainte-Justine d'ouvrir des chambres de naissance à compter du début des années 1980[48]. Ce projet répond à une demande des femmes, devenues de plus en plus critiques envers la médicalisation de l'accouchement, mais il correspond également au programme d'humanisation des soins entrepris dans tout l'hôpital à la même époque.

La spécialisation de Sainte-Justine dans les grossesses à risques élevés au cours des dernières décennies et les prouesses techniques et médicales qu'elle suppose ne doivent pas faire oublier que l'hôpital s'est rapidement intéressé au suivi médical des femmes enceintes afin, justement, d'éviter les complications au moment de l'accouchement et la mortalité infantile et maternelle qui en résulte trop souvent. Ainsi, dès 1929, le Service d'obstétrique se dote d'une clinique prénatale, ouverte un après-midi par semaine, afin de « mieux suivre les futures mères, de prévenir un danger qui peut sur-

Les baptêmes à l'hôpital

L'Hôpital Sainte-Justine étant une institution destinée d'abord aux catholiques de Montréal, le baptême y prend, dès l'ouverture du département d'obstétrique en 1928, une importance particulière. Selon les croyances religieuses, il est en effet primordial de baptiser un nouveau-né le plus tôt possible après la naissance pour éviter à son âme, en cas de décès périnatal, de passer l'éternité dans les limbes. Comme tous les hôpitaux catholiques où se pratiquent des accouchements, Sainte-Justine offre donc la possibilité aux parents de faire baptiser leur enfant à la chapelle. Dans les années 1940 cependant, les médecins commencent à remettre en question cette pratique qui, disent-ils, est antihygiénique et peut s'avérer dangereuse pour la santé et même pour la vie des nourrissons. Ainsi, en 1948, ils demandent que les nouveau-nés soient revêtus de leur ensemble de baptême à l'extérieur de la pouponnière afin que les autres bébés n'entrent pas en contact avec ces vêtements fournis par les familles. Au fil des ans, les préoccupations sanitaires prendront clairement le dessus sur la dimension morale et religieuse, si bien qu'en 1966, l'hôpital abandonne la célébration des baptêmes dans l'établissement. Cette mesure ne fait pas le bonheur de tous, comme le démontre une lettre ouverte envoyée au *Petit Journal* par une patiente de l'hôpital, frustrée de voir que l'on « ne baptise plus les bébés pour aucune raison » dans un centre hospitalier catholique. Soulignons cependant qu'à la demande des parents, les infirmières du Service de néonatalogie vont continuer d'ondoyer les nouveau-nés très malades ou ceux qui doivent subir une chirurgie peu après leur naissance.

gir inopinément et même de secourir les cas de misère[49] ». Cette consultation devient si populaire qu'en 1931 l'hôpital ajoute une deuxième séance hebdomadaire[50].

Dans les années 1950, grâce à l'ouverture d'une clinique subventionnée par le gouvernement fédéral et visant à offrir des soins prénatals, natals et postnatals, le suivi des femmes enceintes s'oriente non seulement vers la prévention, mais aussi vers la recherche des causes de la néomortalité[51]. En 1958, l'hôpital inaugure un centre de préparation à l'accouchement fondé sur la méthode « psychoprophylactique » et comprenant des exercices de gymnastique. Considérée comme un complément intéressant « à l'accouchement dirigé et aux moyens analgésiques déjà mis en œuvre », cette méthode était, croyait-on, « susceptible de réduire la douleur de l'acte obstétrical, d'assurer l'hygiène mentale des parturientes et d'améliorer ainsi les relations mères-enfants[52] ». En 1966, alors que le Centre de préparation à l'accouchement devient le Centre prénatal et de préparation psychoprophylactique obstétrical, des conférences sont offertes aux femmes enceintes et à leurs époux afin de les renseigner sur les « méthodes modernes prénatales[53] ». En 1975, ces cours et conférences sont intégrés au département de santé communautaire[54].

Devenue la principale cause de la mortalité infantile dans l'après-guerre, la prématurité fait alors l'objet d'une attention de plus en plus soutenue de la part des pouvoirs publics et du corps médical. Tout en continuant d'insister sur l'importance du suivi prénatal comme meilleur moyen de prévenir les naissances avant terme, les autorités sanitaires et médicales mettent l'accent sur l'amélioration des services offerts aux prématurés afin d'en sauver le plus grand nombre, ce qui favorise le développement d'unités de soins spécialisés. En raison de son statut d'hôpital pédiatrique doté d'un service d'obstétrique et, à compter de 1950, d'une clinique prénatale, natale et postnatale, Sainte-Justine accueille un nombre toujours plus élevé de prématurés, qui atteint plus de 340 en 1952. À compter de 1956, grâce à des subventions, le service des prématurés, comprenant maintenant 50 lits, devient également l'un des deux centres québécois, avec l'hôpital Royal Victoria, à dispenser une formation spécialisée aux infirmières travaillant auprès de ces patients. Cette même année, ce sont 452 bébés prématurés, c'est-à-dire des nourrissons pesant moins de 2 500 g, quel que soit le nombre de semaines de gestation au moment de leur naissance, que le service accueille[55].

Dr Louis Dallaire (1935-)

Le Dr Louis Dallaire a été un pionnier et un expert canadien dans le diagnostic prénatal des maladies génétiques par cytogénétique. Dès 1969, il fonde le Service de génétique médicale de Sainte-Justine, qui prend une expansion considérable sous sa direction, le nombre de personnes qui lui sont rattachées passant de 3 à 60 entre 1970 et 2000, au moment où il quitte l'hôpital. Au cours de sa carrière, le Dr Dallaire coordonne des activités de dépistage des maladies génétiques, se consacre à la recherche et fonde le comité de bioéthique de l'hôpital, en plus d'être professeur titulaire pendant vingt ans à la Faculté de médecine de l'Université de Montréal, où il a dirigé le programme de diagnostic prénatal.

Sa renommée lui a valu d'être nommé membre du Comité de spécialité en génétique médicale du Collège royal du Canada, président du Canadian College of Medical Geneticists, Fellow de la Canadian Pediatric Society, en plus de recevoir le Prix de recherche clinique de l'Association des médecins de langue française du Canada et le Founder's Award du Canadian College of Medical Geneticists. Après sa retraite en 2000, le Dr Dallaire poursuit ses activités, notamment au sein du Comité d'experts sur les maladies génétiques d'apparition tardive de Santé Canada.

Une ambulance munie d'un incubateur portatif permet d'aller chercher les bébés prématurés nés à domicile ou dans d'autres hôpitaux pour les amener d'urgence à Sainte-Justine, premier hôpital à se doter d'un tel service dans les années 1950 (AHSJ).

Au cours des années 1960, grâce à l'intensification des recherches sur les prématurés et les affections du nourrisson — notamment le syndrome de détresse respiratoire du nouveau-né devenu la première cause de mortalité infantile —, Sainte-Justine acquiert une véritable expertise dans le domaine de la néonatalogie, ce qui lui vaut de nouvelles hausses de clientèle. Ainsi, en 1969, l'hôpital admet 714 prématurés et nouveau-nés gravement malades ; l'année suivante, leur nombre passe à plus de 1 000. L'instauration d'un service de génétique médicale en 1970 de même que la désignation de Sainte-Justine, en 1973, comme centre de grossesses à risques élevés, puis, deux ans plus tard, comme centre régional de périnatalogie, contribuent par la suite à l'essor de la néonatalogie[56]. Les découvertes de la génétique et la mise au point d'examens et de tests permettant de dépister certaines maladies héréditaires et les anomalies congénitales durant la grossesse entraînent en effet un accroissement de la demande pour des soins et des traitements hautement spécialisés, tant pour la mère que pour le nourrisson. Les développements en matière de diagnostic prénatal, grâce, entre autres, à l'apparition des diverses techniques d'exploration, à commencer par l'échographie et l'amniocentèse, ont aussi pour effet de faire du fœtus un patient à part entière[57] ; les avancées médicales des deux dernières décennies qui ont permis d'envisager le sauvetage de bébés nés après moins de 30 ou même 28 semaines de gestation constituent une autre dimension de ce recul de l'âge des patients.

À compter des années 1970, Sainte-Justine se voit confier de plus en plus de bébés lourdement atteints auxquels il doit consacrer des ressources toujours plus importantes, alors même que les fonds sont de plus en plus rationnés : « il faut souligner [...] la lourdeur des cas des prématurés [qui] a augmenté de façon substantielle et ce, avec impact important sur les coûts d'opération », constate un rapport datant de 1988[58]. En fait, dans le contexte des compressions budgétaires des années 1990, il est tout simplement devenu impossible de répondre à la demande, comme en témoignent les nombreuses références « à la crise de la néonatalogie » qui sévit non seulement à Sainte-Justine, mais dans l'ensemble des hôpitaux pédiatriques du Québec. Ainsi que le soulignent les procès-verbaux, le manque de lits, d'équipement ou de personnel limite les admissions et entraîne régulièrement des refus de transfert, plus d'une centaine certaines années[59].

Les problèmes d'accessibilité vécus en néonatalogie depuis les années 1980 reflètent le décalage qui s'est fait jour entre, d'une part, les connaissances médicales et les possibilités de traitement qui en découlent et, d'autre part, les moyens mis en œuvre pour les rendre disponibles, un écart qui affecte d'ailleurs bien d'autres domaines de la médecine. La prise en charge des très grands prématurés a aussi généré sa part de controverses au cours des années 1990 et 2000, car nombre d'entre eux survivent au prix de séquelles importantes aux plans tant physique qu'intellectuel. Pareille situation soulève bien des interrogations, car se pose la question de leur qualité de vie future et du soutien que leur famille reçoit à moyen et à long terme. Pour sa part, dans un avis formulé au début des années 1990, le comité de bioéthique de l'hôpital adopte une position essentiellement favorable à l'interventionnisme médical : « Le comité de bioéthique suggère qu'une plus grande prudence doit entourer la prise en charge et les soins des nouveau-nés vivants et nés prématurément ou lors d'une interruption de grossesse. Un certain nombre de ces enfants pourraient survivre et il est recommandé que les soins usuels soient rendus à ces nouveau-nés même si leur naissance a été provoquée[60] », précise-t-il.

Depuis les années 1970, Sainte-Justine pratique également des avortements, notamment lorsque le diagnostic prénatal permet de prévoir la naissance d'un bébé atteint d'une anomalie sévère et incurable. Rappelons qu'en 1969, le gouvernement fédéral légalise la pratique de l'avortement thérapeutique, c'est-à-dire une interruption de grossesse effectuée en milieu hospitalier et selon la recommandation d'un comité formé de trois médecins. Pour éviter de heurter les convictions religieuses du corps médical et des administrations hospitalières, la loi n'impose toutefois pas aux hôpitaux l'obligation de mettre en place un tel comité, et il a fallu un certain temps avant que les institutions catholiques acceptent de le faire. À Sainte-Justine, c'est par un vote très serré, marqué par la dissidence de Mme de Ligny-Labbé, l'une des collaboratrices de Justine Lacoste-Beaubien, que l'hôpital met sur pied un premier comité en 1974. Les débats internes se poursuivent néanmoins durant plusieurs années, certains médecins et des membres de la direction s'opposant carrément à tout avortement, qu'ils associent à un meurtre, pendant que plusieurs autres désirent en limiter l'accès[61].

Dr Harry Bard (1935-)

Détenteur d'un baccalauréat en sciences de l'Université McGill, Harry Bard entreprend des études en médecine à l'Université de Lausanne avant de se spécialiser en pédiatrie à l'hôpital de Montréal pour enfants et, en 1967, en périnatalogie à l'Université du Colorado. De retour à Montréal en 1970, il est embauché à l'Université de Montréal et se joint au Service de néonatalogie de Sainte-Justine. De 1974 à 2001, il est chef du Service de périnatalogie à l'hôpital, période pendant laquelle il met sur pied un programme clinique et de recherche en néonatalogie, bientôt reconnu mondialement. Au cours de sa carrière, il a aussi dirigé le programme de médecine périnatale et néonatale de la Faculté de médecine de l'Université de Montréal.

Les recherches du Dr Bard portant sur les pathologies fœto-maternelles ont grandement contribué à l'avancement des connaissances dans le domaine du développement des prématurés et ont donné lieu à la publication de plus d'une centaine d'articles dans les revues médicales les plus prestigieuses. Membre, entre autres, de la Perinatal Research Society, de l'American Pediatric Society et, depuis 1992, du comité d'enquête sur la morbidité et la mortalité périnatale de la Corporation professionnelle des médecins du Québec, le Dr Bard a été sélectionné parmi les meilleurs médecins du continent américain dans l'édition 1994-1995 du livre *Best Doctors in America.* En 2005, la Faculté de médecine de l'Université de Montréal reconnaissait sa contribution exceptionnelle au développement de sa profession en lui remettant la médaille de carrière.

En 1978, le comité, qui a reçu 50 demandes et en a accepté 37, affirme ne pas recommander l'avortement « pour des raisons eugéniques ni pour des raisons économiques » et accepter surtout les cas d'adolescentes envoyées par l'hôpital. Les luttes des groupes féministes pour l'avortement libre et gratuit, qui s'intensifient au tournant des années 1980, et le développement de la génétique médicale semblent toutefois avoir imprimé leur marque sur les orientations du comité, où siègent une majorité de femmes à compter de 1980. Ainsi, le nombre des avortements grimpe de 86 en 1978-1979 à 207 en 1979-1980, pour ensuite atteindre 350 en 1984, une augmentation attribuable aux demandes de femmes adultes venant de l'extérieur de l'hôpital et aux cas « génétiques ». Si ces derniers semblent désormais faire l'unanimité, le nombre toujours croissant des avortements pratiqués sur des patientes adultes provenant de l'extérieur paraît cependant inacceptable aux yeux de plusieurs membres du conseil. En 1986, une résolution visant à limiter les services d'avortement à la clientèle des 18 ans ou moins et aux femmes adultes de tous âges qui ont recours à cette intervention pour des raisons génétiques est adoptée. Elle demeure cependant difficilement applicable dans un contexte où la plupart des hôpitaux de la région montréalaise ont pris l'habitude de diriger vers Sainte-Justine les demandes d'avortement au deuxième trimestre de la grossesse, en raison des risques plus grands que cela comporte et de l'expertise développée par l'hôpital[62]. Le comité d'avortement thérapeutique de Sainte-Justine n'a toutefois pas à prendre de mesures radicales pour faire respecter cette décision puisque, en 1988, la Cour suprême du Canada déclare inconstitutionnel l'article de loi qui rend l'avortement illégal et elle invalide du même coup l'existence des comités d'avortement thérapeutique qui limitaient le choix des femmes.

Vivre à l'hôpital

Plus qu'un lieu de soins, l'hôpital pédiatrique du début du XXe siècle constitue un milieu de vie pour de nombreux enfants qui y séjournent durant plusieurs semaines, sinon des mois entiers. Comme on l'a vu, l'amélioration des techniques chirurgicales et des thérapeutiques va peu à peu réduire la durée moyenne des hospitalisations, mais il reste que, aujourd'hui encore, certains petits patients y demeurent durant de longues périodes ou font de nombreux allers-retours entre la maison et l'hôpital pour recevoir des traitements complexes, au point où ce dernier devient un deuxième chez-soi.

Que faire pour les tenir occupés ? Les premiers hôpitaux pour enfants parisiens ouverts au début du XIXe siècle avaient déjà trouvé une réponse à cette question : dès cette époque, ils combattent l'oisiveté, mère de tous les vices comme on aime alors à le répéter, en mettant sur pied des ateliers de travail pour les plus âgés et des classes pour les plus jeunes[63]. À compter des années 1920, Sainte-Justine va aussi offrir des programmes de cours et même d'apprentissage au travail, en plus d'organiser des jeux et des loisirs pour distraire ses petits patients. Si elles contribuent à calmer les plus turbulents, ces activités ont surtout pour but de « tromper la longueur des journées en développant le sens intellectuel et moral des enfants[64] ». Aux yeux des médecins appelés à œuvrer auprès des patients qui nécessitent une longue hospitalisation, ce genre d'initiative ne peut qu'être bénéfique, « le travail et la distraction fai[san]t en quelque sorte partie du traitement de certains cas[65] ».

Les premiers à bénéficier d'un enseignement à l'intérieur des murs de l'hôpital ne sont cependant pas des patients hospitalisés, mais plutôt des enfants infirmes, comme on les appelle alors, qui viennent à Sainte-Justine pour y recevoir des traitements. Ouverte en novembre 1926 à l'initiative de Lucie Lamoureux-Bruneau, l'une des fondatrices de l'hôpital, l'École des enfants infirmes de Sainte-Justine se donne pour mission « d'instruire dans leur religion les enfants infirmes et pauvres incapables de fréquenter l'école de leur district ; de leur donner les soins médicaux nécessaires, de leur procurer, suivant leurs aptitudes, les moyens de gagner leur vie et devenir des citoyens utiles à la famille et à la société[66] ».

En fait, l'École des enfants infirmes veut surtout récupérer les enfants que la Commission des écoles catholiques de Montréal (CÉCM) refuse d'admettre et qui « étaient donc privés d'instruction ou allaient la chercher dans les milieux anglais et protestants », une situation jugée inacceptable. Dans ces conditions, on ne s'étonnera guère d'apprendre que l'instruction religieuse tient « assurément la première place » dans le programme d'études, ce qui doit préparer les enfants à accepter leur « triste sort » et à « trouver la vie moins pénible ». Dès sa deuxième année d'existence, pour soutenir cet enseignement religieux, l'école va même jusqu'à s'assurer que les enfants assistent à la messe du dimanche en leur fournissant le transport depuis leur domicile. Il faut dire qu'à cette époque il n'est pas rare que les enfants d'âge scolaire se rendent au service dominical depuis l'école, où ils doivent rejoindre leur titulaire de classe. En raison de leurs problèmes de mobilité, les enfants infirmes sont aussi transportés durant la semaine entre leur résidence et Sainte-Justine. Ces déplacements sont assurés par trois autobus, dont deux offerts par la section Saint-Laurent du club Kiwanis et les Chevaliers de Colomb[67].

Si la religion occupe une place prépondérante dans la formation de ces jeunes, l'école cherche aussi à développer leurs capacités manuelles de sorte qu'ils puissent un jour gagner leur vie malgré leur handicap. L'enseignement technique prend donc, dès le début, une place importante dans le programme scolaire qui leur est offert. En 1928, des cours d'horlogerie, donnés par des spécialistes, sont offerts aux garçons, tandis que les filles « apprennent à fabriquer de leurs petites mains des fleurs de papier et d'autres menus articles de fantaisie. » Candidement, le rapport annuel de cette même année révèle que « Madame J. A. Trudeau fournit les matériaux nécessaires pour enseigner l'art de monter des chapelets dans l'espoir que les fillettes trouveront de l'emploi dans la fabrique Génin et Trudeau[68] ». L'année suivante, l'école inaugure deux sections distinctes : l'une pour la formation scolaire, l'autre pour l'apprentissage des métiers. Le programme technique est alors élargi pour comprendre le dessin industriel, offert tant aux filles qu'aux garçons, la menuiserie, la cordonnerie, la couture et l'enseignement ménager.

Lucie Lamoureux-Bruneau (1877-1951)

Lucie Lamoureux-Bruneau (Mme Théodule Bruneau) fait partie du groupe des fondatrices de l'Hôpital Sainte-Justine. Camarade de pensionnat de Justine Lacoste-Beaubien, elle est sollicitée dès le départ pour faire partie de l'administration de l'établissement où, durant 25 ans, elle occupe successivement les postes de conseillère et de vice-présidente du conseil d'administration.

L'œuvre de Lucie Bruneau dépasse considérablement la seule sphère de l'Hôpital Sainte-Justine. En 1926, elle fonde l'Association catholique de l'aide aux infirmes et met sur pied, à l'intérieur même des murs de l'hôpital, l'École des enfants infirmes, qui sera finalement transférée à la Commission des écoles catholiques de Montréal en 1932. En 1930, elle inaugure également un camp de vacances pour permettre aux enfants infirmes de profiter de l'été au même titre que leurs camarades. En 1934, elle quitte l'Hôpital Sainte-Justine pour se consacrer entièrement à la cause des personnes handicapées. Elle ouvre une école professionnelle, une clinique et des ateliers pour les adultes souffrant d'un handicap, puis elle met sur pied une école dirigée par les Sœurs grises pour les enfants atteints d'épilepsie.

En plus de s'occuper de toutes ces œuvres, Lucie Bruneau a été présidente de l'Aide aux infirmes et échevin de la ville de Montréal en 1941 et 1942. En 1951, soit peu après son décès, son nom est donné à l'immeuble qui hébergeait les services aux adultes handicapés. Cette maison, qui existe toujours aujourd'hui, est devenue le Centre de réadaptation Lucie-Bruneau, un centre affilié à l'Université de Montréal et spécialisé dans l'adaptation et la réadaptation des adultes aux prises avec un handicap.

Garçons inscrits à l'École des enfants infirmes en 1929 et qui s'initient aux métiers d'horloger et de cordonnier (photo *La Presse,* tirée des AHSJ).

Dès le début des années 1930 cependant, la prise en charge de l'école par Sainte-Justine est remise en question. Malgré le montant de 5 000 $ accordé par la CÉCM à partir de 1929 et les sommes octroyées par l'Assistance publique pour chaque enfant qui la fréquente à compter de 1930, les coûts de son maintien deviennent prohibitifs, sans compter que la tenue des classes gruge un espace dont l'hôpital a grand besoin pour ses patients hospitalisés. Après avoir envisagé la construction d'un immeuble séparé, Lucie Bruneau propose de contacter la CÉCM afin de lui demander de prendre en charge cette école. C'est ainsi qu'à la rentrée de 1932, les élèves infirmes prennent le chemin de l'ancienne école Montcalm, rebaptisée école Victor-Doré. Située rue Crémazie dans le quartier Villeray, elle accueille encore aujourd'hui des élèves de niveau préscolaire et primaire souffrant de déficiences. Au total, durant les six années où l'École des enfants infirmes a été logée à Sainte-Justine, 207 enfants âgés de 7 à 16 ans l'ont fréquentée sur une base régulière. Un peu plus de la moitié, soit 127, ont suivi l'un des cours techniques offerts, mais seulement 10 fillettes se sont inscrites au cours de fabrication de chapelets[69].

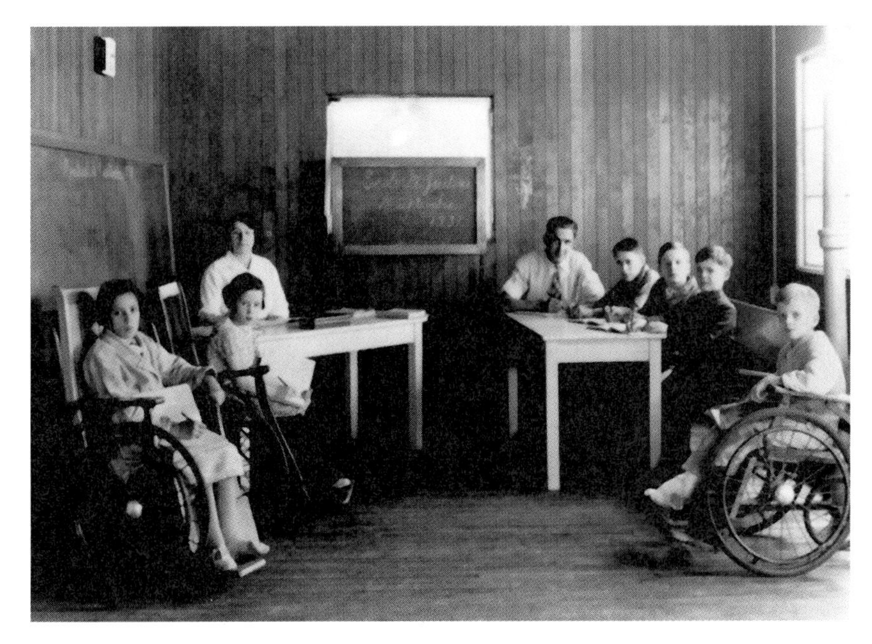

La classe des filles et la classe des garçons de l'école Sainte-Justine, en septembre 1937 (AHSJ).

Le transfert de l'École des enfants infirmes à la CÉCM ne signifie pas la fin de tout enseignement à Sainte-Justine, bien au contraire. En fait, à compter de 1932, l'administration instaure l'enseignement aux malades hospitalisés, un service qui perdure jusqu'à ce jour. D'abord offerte aux patients du service d'orthopédie, les plus nombreux à faire de longs séjours à l'hôpital, l'instruction des petits malades rejoint, à partir de 1937, tous ceux qui doivent demeurer à l'hôpital pour de longs traitements ou une longue convalescence. En 1932, une seule institutrice, embauchée par l'hôpital, peut suffire à la tâche, mais en 1939 le service comprend trois enseignantes, dont deux détachées par la CÉCM à laquelle l'école Sainte-Justine, officiellement créée en 1937, est désormais affiliée. Près de 200 élèves de la première à la huitième année bénéficient alors de cet enseignement, qui comprend des leçons de catéchisme, de français, de mathématiques, d'histoire, de géographie et d'hygiène. Le programme suit celui de la commission scolaire et les enfants sont soumis à des examens mensuels pour évaluer leur parcours. De plus, des travaux manuels sont ajoutés à la scolarité. À partir de 1941, la commission scolaire fournit également les services d'un professeur de travaux manuels pour les garçons ; en 1946 s'ajoutent des cours de dessin et de peinture offerts aux jeunes des deux sexes[70].

Le nombre des malades qui suivent des cours est en croissance entre les années 1940 et le début des années 1960, passant de 189 en 1940 à 476 en 1949, puis à 1 740 en 1959. Cette augmentation, proportionnellement beaucoup plus forte que celle des admissions, fait en sorte qu'à la fin des

Des patientes s'amusent à faire un casse-tête en 1946 (AHSJ, photo Conrad Poirier).

L'initiation à la peinture, une des activités proposées aux enfants dans le cadre des loisirs organisés, en 1965 (AHSJ).

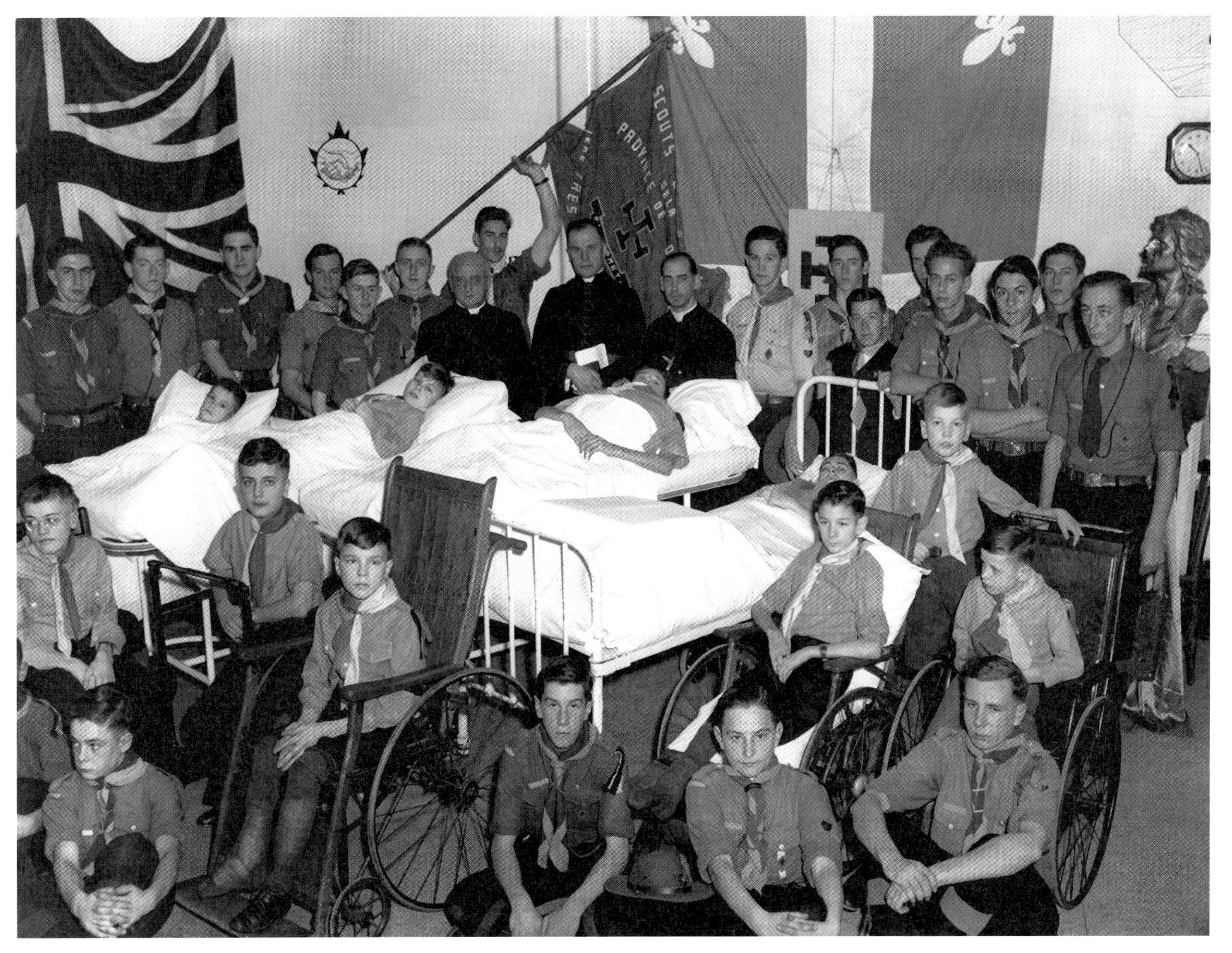

La troupe des « scouts allongés » de Sainte-Justine, photographiée en 1942, avec l'abbé Siméon Charron, aumônier de l'Hôpital Sainte-Justine, et le chanoine Raoul Drouin, aumônier diocésain des scouts (photo *La Presse,* R. Carrière, photographe, tirée des AHSJ).

années 1950 la CÉCM délègue quatre institutrices, en plus d'une éducatrice spécialisée pour les patients de la clinique de paralysie cérébrale. Le nombre d'élèves, qui atteint un sommet en 1959, ira cependant en diminuant par la suite, d'abord parce que les longues hospitalisations deviennent plus rares, mais aussi parce qu'à compter de 1965 la CÉCM accepte de dispenser un enseignement seulement aux enfants hospitalisés pendant plus de trois semaines. Cette règle est toujours en vigueur aujourd'hui, sauf pour les malades chroniques dont on sait qu'ils resteront à l'hôpital plus de trois semaines et qui peuvent recevoir des cours dès leur admission[71].

Dès 1934, l'enseignement aux malades est complété par des activités comme la lecture, le dessin, les leçons de chant, les jeux et les casse-tête. D'abord conçus comme un moyen de distraire les enfants de leurs maux et de leur faire passer le temps entre les visites du médecin, les examens diagnostiques et les traitements, les loisirs prennent une nouvelle dimension avec l'apparition de l'occupation thérapeutique, ce qu'on appelle aujourd'hui l'ergothérapie, une pratique visant la guérison ou l'amélioration de l'état du malade au moyen d'un travail manuel adapté à sa condition. L'organisation de ces activités est cependant laissée entre les mains de bénévoles, et non de professionnels, si bien que dans les années 1950 Mme Gérard Parizeau, membre du conseil, déplore l'absence d'un véritable service d'occupation thérapeutique dans l'hôpital. Celui-ci verra finalement le jour à la fin des années 1950, alors que l'hôpital embauche ses premières ergothérapeutes[72]. Dans les années 1960, deux monitrices salariées, aidées de nombreuses bénévoles, sont également affectées à l'organisation des loisirs. Sous l'influence des nouvelles théories psychologiques qui accordent une importance croissante à l'individualité de chaque enfant et à son bien-être émotif, le jeu est alors perçu comme un moyen de faciliter son adaptation à l'hôpital, ce dont on ne se préoccupait qu'assez peu auparavant, et de « favoriser son développement physique, psychologique, émotif et social[73] ».

Dès les premières décennies, en plus des activités de loisir, les patients de Sainte-Justine sont aussi conviés à participer à des pique-niques, à assister à des projections de films et à des spectacles de marionnettes organisés dans l'hôpital ou même à des représentations de cirque ou de la troupe des *Ice Follies* et des *Ice Capades* qui se tiennent au Forum. Les sorties des enfants hospitalisés sont cependant interrompues en 1947, l'administration jugeant que leur transport représente une trop grande responsabilité pour l'hôpital[74]. À compter de 1933, une bibliothèque pour les enfants est mise sur pied, tandis qu'en 1936 la troupe des « scouts allongés » de Sainte-Justine, dont l'animation est assurée par des scouts venant de l'extérieur, voit le jour. Dans les années 1950, la maison Eaton's prête des appareils de télévision à l'occasion du défilé de la Saint-Jean et de la parade du Père Noël afin de distraire les patients. La fête de Noël représente d'ailleurs un temps fort de la vie des petits malades depuis les débuts de l'hôpital : dès les premières années, des bénévoles décorent des sapins et organisent une distribution de jouets, de vêtements et de bonbons, tant pour les enfants du dispensaire recommandés par le service social en raison de leur grande pauvreté que pour ceux qui sont hospitalisés. La tradition, qui se poursuit jusqu'à ce jour, s'accompagne, dès les années 1950, de visites spéciales comme celles des joueurs de hockey du Canadien de Montréal et d'autres personnalités, dont le Père Noël et la Fée des étoiles. Si plusieurs des activités offertes aux enfants ont traversé le temps, le contexte hospitalier dans lequel elles se déroulent, marqué par une médecine plus scientifique, a cependant grandement changé, alors même que s'adoucissait la discipline régissant l'organisation des soins. Comme nous allons le voir, l'évolution des droits de visite des parents constitue un exemple probant de ces transformations.

Depuis les tout débuts de l'histoire de l'hôpital, la fête de Noël a toujours constitué un temps fort dans la vie des malades. Dans les années 1930, les enfants reçoivent des cadeaux et des oranges ; dans les années 1960 et 1970, c'est la visite du père Noël et des joueurs des Canadiens de Montréal qui marque la fête. Sur la photo, on reconnaît Mario Tremblay, Pierre Mondoux et Serge Savard (photo *La Presse,* tirée des AHSJ et AHSJ).

Les heures des visites

Rendues nécessaires par les longues hospitalisations, les activités scolaires et de loisirs diminuent sans doute en importance à mesure que le séjour des patients à l'hôpital s'abrège, mais elles demeurent toujours indispensables. Le maintien du service d'enseignement et l'inauguration d'une joujouthèque en 1982 montrent bien, par exemple, que certains petits malades y passent encore de nombreuses semaines. L'école et les loisirs peuvent alors contribuer à tromper l'attente, mais, depuis plusieurs décennies maintenant, Sainte-Justine compte aussi sur la présence accrue des parents, qui peuvent même dormir auprès de leurs enfants.

Les parents n'ont pourtant pas toujours été les bienvenus. Persuadée qu'ils transportent germes et microbes, mais aussi que leurs visites dérangent la vie hospitalière et provoquent des crises de larmes chez les enfants au moment du départ, l'administration de Sainte-Justine, comme les autres institutions pédiatriques à la même époque, préfère limiter leur présence. Ainsi, en mars 1909, les dames décident de permettre les visites trois jours par semaine, les mardis, jeudis et dimanches, et uniquement de 14 h à 16 h, mais, quelques mois plus tard, à la demande de l'infirmière en chef et pour assurer le « bon ordre de l'hôpital », elles retranchent la journée du mardi. Pour éviter la propagation de maladies contagieuses, il est même question « d'interroger les parents avant de les introduire dans les salles[75] ».

Ce règlement, qui s'applique aux malades hospitalisés dans les salles publiques jusqu'au début des années 1950, limite également à deux le nombre de visiteurs et interdit les visites des enfants. À partir du début des années 1920, les patients hospitalisés dans le département privé peuvent, pour leur part, recevoir des visiteurs tous les après-midi de 14 h à 17 h, mais on prend soin de préciser qu'aucun parent ne peut être admis dans le département d'isolement, quel que soit le statut du petit malade. Un autre règlement, adopté en 1924, stipule que les visites aux nourrissons sont également interdites : les parents pourront seulement les observer à travers une vitre. Enfin, en 1928, le conseil décide que les patients semi-privés pourront recevoir des visiteurs tous les jours, mais seulement aux mêmes heures que les patients des salles publiques[76]. En d'autres termes, le paiement total ou partiel des frais d'hospitalisation donne droit à certains privilèges dont celui de voir ses parents plus souvent. Par ailleurs, les visites étant restreintes à la journée, cela signifie que la plupart des enfants voient leur père seulement le dimanche. Quant au département d'obstétrique, les visites sont permises de 14 h à 15 h et de 19 h à 20 h, mais seul le mari de la patiente peut la visiter quotidiennement ; les autres visiteurs sont admis trois jours par semaine seulement.

La mise au point de vaccins et de médicaments diminuant les risques associés aux maladies infectieuses et contagieuses aurait sans doute permis de libéraliser l'accès aux malades dès les années 1940, mais ce n'est que timidement que l'hôpital ouvre un peu plus grand ses portes à compter des années 1950. Ainsi, en 1951, les parents des patients hospitalisés dans le département privé ont l'autorisation de demeurer auprès de leurs enfants en tout temps s'ils le désirent. Quant aux patients des salles publiques, les visiteurs sont également admis le soir, mais sans que le nombre de jours de visite soit augmenté. Dans la seconde moitié des années 1950, l'hospitalisation de patients privés et semi-privés dans les salles publiques en raison du manque de place occasionne des plaintes de la part des parents de ces enfants qui auraient bien voulu bénéficier des conditions de visite auxquelles leur statut leur donnait droit. Ce sont finalement leurs récriminations qui amènent Sainte-Justine à adopter, en 1956, un règlement uniforme pour toutes ses catégories de patients, les visites étant désormais permises tous les jours de 14 h à 15 h et de 18 h à 19 h. Invoquant les « difficultés que créent les parents », la mère supérieure obtient cependant que le nombre de visiteurs par patient soit restreint à deux, pendant que la présidente suggère que toute « personne visitant un enfant soit munie d'un billet d'admission », recommandation qui n'est cependant pas retenue[77].

C'est à la toute fin des années 1950 que les heures sont de nouveau prolongées, soit de 14 h à 16 h et de 19 h à 21 h, sauf pour les plus jeunes patients, et que les enfants de plus de 12 ans sont admis comme visiteurs. À partir de 1965, les parents peuvent se présenter à l'hôpital de 11 h à 20 h sans interruption, tandis qu'à compter de 1980 ils sont incités à demeurer le plus longtemps possible auprès de leurs enfants, l'hôpital allant jusqu'à prévoir des lits pliants et des couvertures pour ceux qui désirent y passer la nuit. Reconnaissant que « la présence [des parents] peut diminuer l'anxiété découlant de l'hospitalisation », Sainte-Justine entreprend, au début des années 1990, le réaménagement de certaines unités de manière à favoriser « l'intégration des parents à l'hospitalisation des enfants tant pour le traitement que la cohabitation ». Dès cette époque, l'administration estime qu'un peu plus de 40 % des parents cohabitent avec leurs enfants[78].

Autrefois considéré comme un indésirable propagateur de germes et un obstacle au bon fonctionnement de la routine hospitalière, le parent est désormais reconnu comme un partenaire essentiel de l'équipe soignante. Amorcé dans les années 1960, ce retournement doit beaucoup à la nouvelle conception de l'enfance qui se développera durant les décennies suivantes et qui accordera de plus en plus d'importance à la sécurité affective des enfants. Les séparer de leurs parents des journées entières, comme c'était le cas auparavant, paraît désormais non seulement cruel, mais peu propice à leur guérison. En fait, si les compressions budgétaires ont pu conduire le personnel infirmier à « sollicite[r] de plus en plus les parents à les seconder dans leur travail[79] », leur collaboration dans les soins à leurs enfants est d'abord venue répondre à une vision plus globale des besoins de l'enfant.

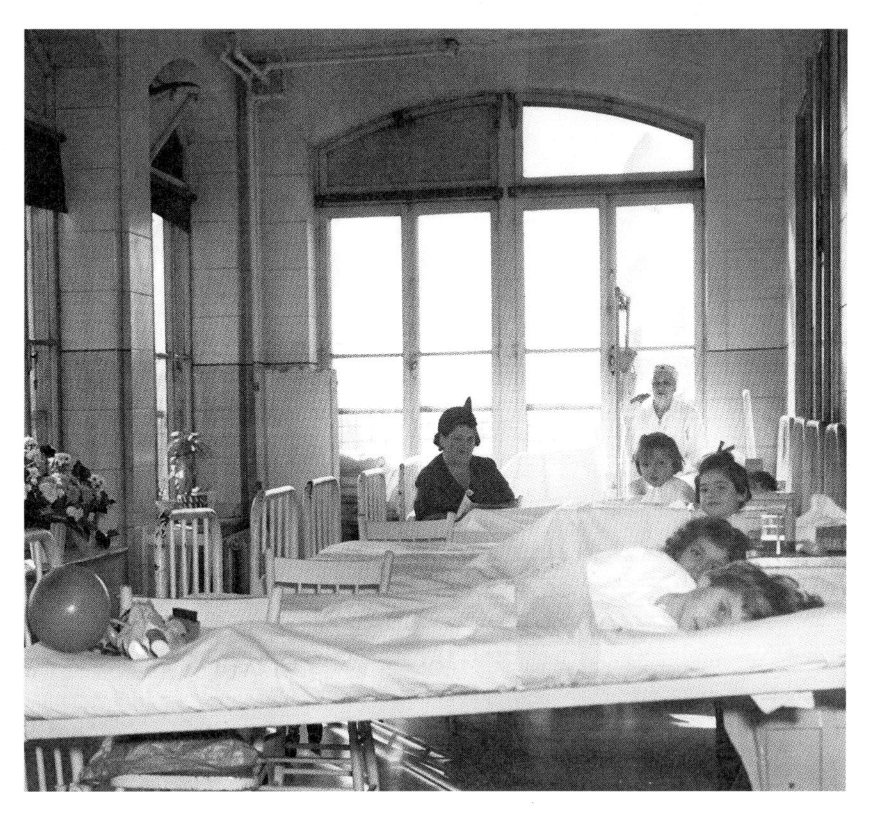

Une mère rend visite à sa fillette dans les années 1940 (AHSJ, photo studio Alain).

Sainte-Justine et la famille

Il ne faudrait pourtant pas croire que les parents étaient totalement mis de côté avant les années 1960. En réalité, dès sa création, Sainte-Justine, tout comme les autres institutions sociosanitaires, peut difficilement faire abstraction de la famille de l'enfant, en particulier de la mère, plus spécialement chargée de son bien-être, car l'enfant appartient avant tout à ses parents et est dépendant de leurs décisions. Pour soigner l'enfant, surtout à une époque où la fréquentation des médecins ne va pas encore de soi, il faut d'abord convaincre les parents de la nécessité de le faire examiner et de respecter les directives médicales. Plus encore, il faut chercher à prévenir les maladies infantiles en instruisant les mères sur la meilleure manière de prendre soin de leur progéniture. Aux yeux des autorités médicales et hospitalières du début du siècle, en effet, l'ignorance des femmes représente la première cause de la maladie et même de la mort des enfants, et la prévention par l'éducation l'une des missions essentielles de l'hôpital.

C'est ainsi qu'en 1911 le Dr Séverin Lachapelle, considéré comme le premier pédiatre canadien-français, entreprend de donner une série de conférences aux mères qui viennent à l'hôpital avec leurs enfants, conférences que le bureau médical veut reprendre l'année suivante : « Nous sommes même absolument convaincus que ces cours devraient se donner et se répéter plusieurs fois par année dans des milieux différents de manière à atteindre un plus grand nombre de personnes et, par là, instruire les mères dont l'ignorance est malheureusement une des principales causes de la mortalité infantile[80] », soutient le rapport annuel de 1912. La mise sur pied d'une Goutte de lait affiliée à l'hôpital relève de cette même volonté d'éduquer le peuple, mais aussi, dans ce cas précis, de lui procurer du lait de bonne qualité afin d'éviter les diarrhées, souvent mortelles. Fondée en 1910, soit la même année où ces cliniques de puériculture s'implantent dans toute la ville, la Goutte de lait de Sainte-Justine fonctionne jusqu'au premier déménagement rue Saint-Denis, en 1914. Bénéficiant d'une allocation municipale annuelle de 1 500 $, la clinique fournit, soit gratuitement, soit en échange d'une somme minime, la ration quotidienne de lait de chaque nourrisson inscrit[81]. Pour bénéficier de ce service, les mères doivent cependant amener leur bébé à la consultation chaque semaine afin qu'il soit pesé et que son état de santé soit évalué. Cette visite hebdomadaire devient l'occasion de les instruire sur l'hygiène et la puériculture, ce qui fait dire aux médecins que la Goutte de lait représente à la fois « le salut des nourrissons et une école de vulgarisation scientifique pour les mères[82] ». Selon les estimations de Rita Desjardins, la Goutte de lait de Sainte-Justine aurait desservi 800 enfants en 1910 à 1914, mais aurait eu de la difficulté à convaincre les mères de l'importance d'être assidues[83].

À maintes reprises durant les premières décennies, les médecins de Sainte-Justine, de même que les administratrices, déplorent en effet la « négligence » des parents qui tardent à amener leurs enfants à l'hôpital, même dans des cas d'urgence. Ainsi, en 1928, tout en constatant que les enfants souffrant d'appendicite étaient dirigés vers Sainte-Justine plus rapidement qu'auparavant, le rapport annuel ne peut s'empêcher de constater : « il existe encore un retard regrettable qui ne doit pas être attribué au médecin traitant, mais plutôt à la famille, qui en rejetant le conseil de leur [*sic*] médecin, ne se rend pas compte de la gravité de leur [*sic*] hésitation. L'éducation des familles en matière d'appendicite est encore à faire[84]. » Des remarques du même genre accompagnent les rapports d'activité des services d'odontologie, d'ORL et d'ophtalmologie vers la même période. Dans chaque cas, les hésitations des parents à consulter ou leur refus de soumettre leurs enfants à des traitements ou à des exercices, dans le cas du strabisme par exemple, font l'objet de commentaires agacés ou résignés[85]. Au service de neuropsychiatrie, ouvert en 1930, les médecins constatent cependant que les mères assistent volontiers aux conférences organisées à leur intention et qu'elles « ne demandent pas mieux que de connaître aussi exactement que possible la façon de comprendre et de traiter leurs petits nerveux[86]. »

Les rapports annuels ne commentent plus guère l'attitude des parents après le début des années 1930, peut-être justement parce qu'il devenait plus facile pour les médecins de les gagner à leur cause. Mais Sainte-Justine n'abandonne pas pour autant la mission éducative qu'elle s'est donnée : de l'inauguration d'un comptoir de démonstration culinaire, installé au dispensaire en 1934 pour apprendre aux mères comment apprêter la nourriture de leurs bébés selon les recommandations du médecin, à l'élaboration d'un « thermomètre de la colère », visant à prévenir le syndrome du bébé secoué au début des années 2000, en passant par la production de centaines de brochures, de manuels et de vidéos sur les maladies infantiles ou le développement des nourrissons et des enfants, l'hôpital cherche, tout au long de son existence, à faire œuvre d'éducation auprès du grand public. En outre, le personnel de l'hôpital enseigne directement aux parents d'enfants atteints de divers problèmes de santé la manière d'en prendre soin ou d'appliquer les traitements recommandés après leur retour à domicile. Ainsi, dès les années 1920, le Service social de l'hôpital instaure des visites de nature médicale, en plus des visites à caractère économique visant à vérifier le degré de pauvreté des familles qui réclament le statut d'indigent. Dans les années 1930, une forte proportion de ces visites médicales, effectuées par des infirmières, sont consacrées au suivi d'enfants ayant reçu le vaccin BCG contre la tuberculose. À partir des années 1950, des infirmières visitent les mères de prématurés pour assurer un meilleur suivi, alors que, plus récemment, les parents sont appelés à apprendre des techniques de soins encore plus complexes comme la nutrition entérale et parentérale ou encore le traitement des enfants ayant subi une trachéotomie ou souffrant de problèmes d'apnée ou de fibrose kystique, pour ne mentionner que quelques exemples[87].

Il est bien difficile de savoir comment les infirmières, les travailleuses sociales ou même les bénévoles appelées à visiter les familles se comportent avec elles, mais on peut présumer que, jusqu'aux années 1950, l'attitude qui prévaut dans l'hôpital envers les parents, et qui comporte une bonne dose de méfiance et de condescendance, constitue la norme. Celles qui se rendent au domicile des patients pour s'assurer de leur degré de pauvreté avant de leur conférer le statut d'indigent sont manifestement à la recherche de fraudeurs potentiels, ce qui les incite très probablement à se montrer soupçonneuses. En 1948, une travailleuse sociale de la clinique prénatale note pour sa part qu'elle « s'est gardé[e] de visiter à domicile les cas enregistrés comme cas semi-privés, et cela pour se conformer à la demande de l'hôpital et afin de respecter l'indépendance à laquelle ces personnes ont droit[88] ». Ainsi, plus les familles sont en mesure de payer, moins elles sont soumises à des mesures de contrôle comme des visites non sollicitées, car elles sont considérées comme aptes à se prendre en charge. Dans le cas des plus pauvres, comme le dit si bien cette même travailleuse sociale, « [l]a pénétration à domicile seule permet à l'auxiliaire sociale de relever toutes les fautes d'hygiène corporelles et alimentaires ; de constater l'état de propreté, la salubrité, l'aération du logis ou de la chambre[89] ».

La distribution des paniers de bouteilles de lait pasteurisé à la Goutte de lait de l'Hôpital Sainte-Justine en 1912 (AHSJ).

À compter de la fin des années 1950, soit au moment où les heures de visite commencent à s'allonger, Sainte-Justine semble cependant se préoccuper davantage de ses relations avec les parents. Ainsi, en 1958, l'hôpital prépare un premier fascicule, intitulé *Hospitalisation de votre enfant,* pour les informer des modalités entourant l'admission et le séjour hospitalier de leur enfant ; signe tangible des changements de mentalité qui s'opèrent à l'égard de l'enfance, en 1981, c'est une vidéo intitulée *Une journée à l'hôpital* et destinée, cette fois, à préparer les enfants à subir une intervention chirurgicale que Sainte-Justine produit. À partir des années 1950 également, l'hôpital collabore avec les parents réunis en associations pour encourager la recherche sur diverses maladies de l'enfance, comme la paralysie cérébrale, la fibrose kystique et plus récemment la leucémie et le cancer ; dans les années 1980, l'administration fait la promotion de ces regroupements, qui jouent désormais un rôle de soutien indispensable auprès des parents d'enfants atteints d'une maladie chronique ou dégénérative. Dans le cadre de sa campagne d'humanisation des soins amorcée au début des années 1980, Sainte-Justine tente aussi d'apporter un peu de confort aux parents qui doivent passer de longues heures à l'hôpital par l'aménagement de salons et d'une halte-garderie ouverte le soir et les fins de semaine. La construction du manoir Ronald McDonald en 1982, qui permet à des parents de demeurer sur place pendant que leur enfant subit un traitement, représente une autre initiative du même type. Manifestement, depuis plusieurs décennies, l'hôpital cherche à mieux accueillir la famille. La création d'un poste de conseiller à la clientèle à la fin des années 1970, afin de mieux connaître les attentes des parents et de répondre à leurs plaintes concernant le fonctionnement des cliniques, la qualité des soins ou les rapports avec le personnel, marque à cet égard un tournant important[90].

Distribution de l'ouvrage de puériculture rédigé par le Dr Helen MacMurchy et intitulé *Le Livre de la mère canadienne* à l'Hôpital Sainte-Justine en 1919 (AHSJ).

Dr Gaston Lapierre (1885-1958)

Né en 1885 à Saint-Hyacinthe, Gaston Lapierre termine son cours de médecine à l'Université Laval de Montréal en 1908. Après quelques années de pratique générale dans sa ville natale, il décide de s'orienter vers la pédiatrie. Arrivé à l'Hôpital Sainte-Justine en 1918 en tant qu'assistant-bénévole, il quitte temporairement l'hôpital pour poursuivre ses études à la Faculté de médecine de Paris. Après l'obtention de son diplôme de puériculture en 1921, il revient à Sainte-Justine pour y poursuivre sa carrière jusqu'à son décès en 1958. De 1932 jusqu'à sa mort, il occupe le poste de chef du Service médico-social de l'hôpital, en plus d'être élu président du conseil médical à quatre reprises. Auteur d'un ouvrage très populaire sur le soin des enfants, *Pour la mère et l'infirmière,* publié en 1931, Lapierre organise également le cours de perfectionnement en pédiatrie donné sous les auspices de Sainte-Justine à partir de la fin des années 1930. Parallèlement à ses activités médicales, il se consacre aussi à l'enseignement. Nommé assistant à la chaire de pédiatrie de la Faculté de médecine de l'Université de Montréal en 1924, il en devient le titulaire en 1937 tout en donnant des cours à l'École des infirmières de l'hôpital et à l'École d'infirmières hygiénistes de l'Université de Montréal.

L'attitude autoritaire, souvent même méprisante, des autorités hospitalières à l'égard des parents, qui allait de pair avec leur exclusion des soins et leur accès limité à l'hôpital, a donc fait place depuis plusieurs décennies à une approche plus respectueuse de leurs droits et plus ouverte à leurs réalités et leurs besoins. Dans un contexte où la famille est de plus en plus intégrée aux soins donnés aux enfants et où le but de l'hôpital est de favoriser l'autonomie des parents et même des enfants, ce rapprochement était sans doute inévitable.

CHAPITRE 4

Travailler sans compter

À l'inverse de la plupart des établissements de santé et d'assistance, Sainte-Justine a été fondé par des bénévoles féminines qui se sont employées à instaurer une véritable culture du bénévolat féminin dans leur institution. De fait, au cours des cinquante premières années de son existence, on peut dire que cette forme de travail a occupé une place prépondérante dans tout l'hôpital et qu'elle a atteint une ampleur inégalée par les autres établissements hospitaliers. Conçu comme une occupation féminine tout à fait légitime, le travail bénévole semblait d'autant mieux convenir à Sainte-Justine que celui-ci accueillait principalement des enfants, autre domaine féminin par excellence. À partir des années 1950, le bénévolat est cependant confronté à la montée du travail salarié des femmes et aux profondes transformations que connaît le système hospitalier, phénomènes devant lesquels il a dû retraiter, mais sans toutefois disparaître. Aujourd'hui encore, les bénévoles constituent l'un des rouages essentiels au fonctionnement d'un hôpital, à plus forte raison d'un hôpital pour enfants qui exigent davantage d'encadrement et d'attention.

Le bénévolat et les bénévoles, 1907-1957

Déjà très présent en milieu urbain au XIXe siècle, le bénévolat féminin s'amplifie à partir du début du XXe siècle pour mieux répondre aux problèmes sociaux que génèrent l'industrialisation et l'urbanisation. Considéré comme un champ d'action convenant tout particulièrement aux femmes en raison des qualités innées de dévouement et de compassion dont elles savent faire preuve, le bénévolat est aussi associé à leurs devoirs religieux. Pour les femmes de la bourgeoisie et des classes moyennes qui ont du temps et parfois, comme Justine Lacoste-Beaubien, de l'argent, le bénévolat devient un moyen de contribuer à la communauté, de sortir de la sphère domestique sans pour autant s'attirer l'opprobre de leur époux, de leur père et de l'ensemble de la société[1]. En fait, contrairement au travail salarié, qui fait encore régulièrement l'objet de virulentes dénonciations même s'il ne cesse de gagner du terrain chez les femmes célibataires, le travail bénévole est considéré comme une occupation tout à fait respectable, véritable antidote à la superficialité de la vie mondaine : « Si, au lieu de courir les magasins et les salons, la femme allait, de temps en temps visiter les enfants pauvres, elle constaterait qu'il y a un moyen bien joli de dépenser son activité, tout en faisant voir ses chapeaux à plumes et ses blouses brodées ! », déclare par exemple le rapport annuel de Sainte-Justine en 1909[2]. Dans le cas de cette institution pédiatrique, l'engagement bénévole est aussi perçu comme la meilleure préparation au futur rôle de mère, en particulier pour celles qui suivent les cours afin de devenir infirmières-bénévoles, une autre particularité de l'Hôpital Sainte-Justine sur laquelle nous reviendrons :

> *Toute femme ou jeune fille qui, pour mieux se préparer à sa grande mission de mère, veut obtenir les connaissances*

> *nécessaires dans les soins à donner aux enfants et aux malades, peut, en se conformant aux conditions requises, être admise comme étudiante dans les services des dispensaires.* [Grâce à cette formation], *elle s'initie à une science pratique qui lui permettra non seulement de mieux soigner ses enfants mais de prévenir pour eux tant de misères physiques dont l'ignorance, si elle n'en est pas toujours la cause, est trop souvent responsable de leur gravité.* [...] *D'ailleurs toute femme est naturellement garde-malade : c'est sa mission de soulager et de consoler*[3].

Comme le signale l'historienne Aline Charles, le portrait de la bénévole issue d'un milieu bourgeois, femme du monde désœuvrée ou jeune fille occupant ses loisirs entre les études et le mariage, correspond à une certaine réalité, mais il doit tout de même être relativisé. La recherche qu'elle a menée dans les dossiers des bénévoles de Sainte-Justine pour la période 1907-1960 laisse en effet entrevoir que si la majorité d'entre elles proviennent des couches aisées de la population montréalaise, femmes et filles d'hommes d'affaires ou de membres des professions libérales, certaines sont issues de familles dont le père est commerçant, employé de bureau ou petit fonctionnaire. L'obligation de disposer de temps libre, le coût de la cotisation annuelle exigée des bénévoles, même s'il n'est que de 2 $, les frais de transport ou l'achat d'un uniforme, en ce qui concerne les infirmières-bénévoles, constituent autant de freins au recrutement des filles et des mères de famille moins nanties. Il reste que certaines activités bénévoles, notamment la couture qui peut se pratiquer à domicile, attirent même des femmes d'ouvrier. Pour celles-là, il peut s'agir d'une façon de remercier l'hôpital, comme le signale le rapport annuel de 1932 : « Des dévouements touchants viennent parfois s'offrir à nous. Je connais deux mères de famille qui, ne pouvant aider financièrement l'hôpital à qui elles sont redevables de bons soins prodigués à leurs enfants, travaillent assidûment pour notre comité afin de prouver leur gratitude[4]. » Notons qu'à partir des années 1950, alors que davantage de jeunes filles des classes moyennes deviennent employées de bureau, de plus en plus de bénévoles sont aussi des salariées qui viennent donner de leur temps après le travail.

Très majoritairement féminines, les bénévoles de cette époque se retrouvent principalement dans deux tranches d'âge, les moins de 25 ans et les plus de 40 ans, qui correspondent aux moments de la vie des femmes où elles sont le moins accaparées par leurs responsabilités domestiques et surtout maternelles. En fait, ce sont les 15-25 ans qui sont les plus nombreuses, une situation qui prévaut encore aujourd'hui[5]. Au tout début du siècle, les administratrices cherchent aussi à recruter les petites filles des écoles et des pensionnats afin « de les inviter de bonne heure à soulager les souffrances de leurs semblables[6] » et ainsi de créer une relève. Le comité de couture des enfants, auquel elles sont intégrées, disparaît cependant dans la seconde moitié des années 1920.

Parmi les bénévoles masculins, on compte les médecins qui ne reçoivent aucune rémunération jusqu'au milieu des années 1930. Plus rarement soulignée, leur contribution fait néanmoins l'objet de quelques commentaires élogieux. Ainsi, en 1958, le rapport annuel précise qu'ils « ont donné leurs soins à titre gracieux durant 103 682 jours d'hospitalisation » et pratiqué gratuitement plus de 6 000 chirurgies. « C'est le SEUL [en majuscule dans le texte] hôpital dans la province de Québec, et peut-être aussi dans tout le Canada, où les médecins consacrent à la classe indigente une si large proportion de leur travail sans recevoir la moindre rémunération[7] », poursuit le rapport. D'autres professionnels, notaires, avocats, comptables, offrent aussi gratuitement leurs services, du moins tant que l'hôpital n'est pas en mesure de les payer. Dans leur cas cependant, il s'agit d'un bénévolat commandé davantage par les circonstances, pour répondre aux demandes expresses des administratrices. En fait, la plupart des hommes bénévoles participent plutôt aux campagnes de souscription, dont ils prennent la direction à compter des années 1930, formant plus de 40 % et jusqu'à plus de 50 % des effectifs après 1950, sans oublier les scouts de divers collèges qui viennent distraire les petits patients à raison de quelques heures par semaine. Selon les données du Service bénévole, créé en 1958, les hommes ne constituent tout de même que 1 % de l'ensemble des volontaires au début des années 1960.

Avant la fin des années 1950, les données disponibles ne permettent pas une évaluation précise du nombre de bénévoles qui œuvrent à Sainte-Justine chaque année, car à celles qui sont membres de comités directement rattachés à l'hôpital, dont le total n'apparaît pas toujours dans les rapports annuels, se greffent les membres d'organisations satellites, comme la Ligue de la jeunesse féminine, dont il est encore plus difficile de déterminer le nombre. Les effectifs se répartissent aussi entre les bénévoles qui donnent régulièrement de leur temps pour l'hôpital et celles qui contribuent occasionnellement à ses activités, pour répondre à des besoins ponctuels. L'organisation des campagnes de souscription nécessite, par exemple, le recours à plusieurs centaines de personnes qui travaillent durant quelques semaines ou quelques mois jusqu'à la campagne suivante; la couture mobilise pour sa part de très nombreuses femmes tout au long de l'année, mais la plupart s'activent en dehors de l'hôpital, ce qui rend presque impossible la tâche de les comptabiliser. Selon Aline Charles, quelques centaines de femmes agissent comme bénévoles régulières à Sainte-Justine dès les années 1930; le Service bénévole en répertorie plus de 540 en 1958, première année de son existence. Cette année-là, les bénévoles régulières représentent 31 % du total du personnel de l'hôpital; en 1930, si on ne tient compte que des membres des six comités les plus stables et les plus importants, leur proportion s'établit à 84 %, un pourcentage que l'on peut qualifier de renversant et qui est dû essentiellement à la présence des 150 infirmières-bénévoles qui forment le plus gros contingent[8].

La Ligue de la jeunesse féminine

La Ligue de la jeunesse féminine est une association qui vise à donner la possibilité aux jeunes filles de venir en aide aux plus pauvres par un engagement dans des œuvres de charité. Fondée en 1926 par Thérèse Casgrain, cette organisation se distingue de plusieurs autres regroupements féminins par son indépendance morale, la présidente et fondatrice ayant refusé d'y adjoindre les services d'un aumônier.

À partir des années 1930, les membres de la ligue offrent leurs services bénévolement à l'Hôpital Sainte-Justine, notamment au comité des infirmières-bénévoles et au comité d'occupation et d'amusement. Elles se chargent de la sélection et de la distribution des livres de la bibliothèque pour les enfants, font la lecture au lit des patients et voient à leur divertissement dans les salles de loisirs, tout en fournissant le matériel nécessaire pour les travaux manuels. Les jeunes filles de la ligue participent aussi à la Journée du dollar en faisant du travail de bureau ou en quêtant à la porte des églises. Outre ces activités, la Ligue de la jeunesse féminine organise annuellement le Bal des petits souliers qui permet de recueillir des fonds servant à l'achat de chaussures distribuées à divers organismes. Cette tradition, qui se poursuit jusqu'en 1961, permet à Sainte-Justine de bénéficier de la générosité de la ligue en recevant chaque année entre une vingtaine et jusqu'à plus d'une centaine de paires de chaussures destinées aux enfants défavorisés du dispensaire.

Le bénévolat n'est donc pas un phénomène marginal dans l'histoire de Sainte-Justine. Durant son premier demi-siècle, on peut même dire que le fonctionnement de l'hôpital repose principalement sur l'apport de bénévoles, une situation probablement unique dans le monde hospitalier montréalais et québécois. Sa vocation d'hôpital pédiatrique a très certainement contribué à lui attirer de nombreux dévouements, mais il faut dire que les dirigeantes, elles-mêmes bénévoles, ont largement encouragé ces élans de sympathie envers la cause des enfants. Jusqu'aux années 1960, chaque fois que c'est possible, l'administration cherche en effet à combler ses besoins de main-d'œuvre en recourant à du personnel bénévole, une source d'économies appréciables quand l'argent

Les Services volontaires féminins

Le bénévolat féminin est à son apogée pendant la Seconde Guerre mondiale alors que les femmes contribuent à l'effort de guerre en s'adonnant à toutes sortes d'activités, comme distribuer les cartes de rationnement, faire la promotion des bons d'épargne de guerre, seconder le personnel des bureaux du service de guerre, travailler dans les cliniques de donneurs de sang de la Société canadienne de la Croix-Rouge ou fabriquer des pansements pour cette dernière. En 1941, pour coordonner tout ce travail bénévole, le gouvernement fédéral crée, au sein du ministère des Services nationaux de guerre, la division des Services volontaires féminins. Chaque grande ville possédait son centre local qui veillait au recrutement et au placement des bénévoles selon leurs intérêts et leurs compétences. Mise sur pied dès le début du conflit, la branche montréalaise des Services volontaires féminins devient, après la guerre, un bureau de placement de bénévoles pour les agences sociales, les organismes de bienfaisance et les groupes communautaires. En 1957, soit dix ans après avoir obtenu ses lettres patentes, il prend le nom de Service bénévole de Montréal, une façon de monter que le bénévolat n'est pas une activité strictement féminine. Appelé par la suite Centre d'action bénévole de Montréal, il recrute, en 2007, des bénévoles pour environ 830 organismes à but non lucratif.

Les administratrices de l'Hôpital Sainte-Justine ont fait appel aux Services volontaires féminins dès 1949 pour pallier le manque de bénévoles, notamment le soir, les fins de semaine et les jours fériés. De 10 à 25 bénévoles par année, recrutées par l'organisme, ont joint les rangs de l'hôpital jusqu'au début des années 1950.

manque, ce qui est généralement le cas. Qu'il s'agisse de trouver du personnel infirmier, de fournir une aide à la massothérapeute, de donner des cours de diction aux enfants opérés pour une fissure palatine, d'enseigner le dessin aux petits malades, de surveiller les patients au département privé ou dans les salles publiques, d'assister les parents qui attendent au dispensaire ou de faire du travail de bureau, chaque fois, il est question de recourir à des bénévoles[9]. En 1937, alors que les employés d'hôpitaux menacent de débrayer, la direction entend même utiliser les bénévoles pour remplacer les grévistes et « organiser [...] tout le service de l'hôpital qui pourrait être mis en souffrance[10] », une position qui va contribuer à attiser les tensions entre salariés et bénévoles dans les décennies subséquentes.

Jusqu'à la Seconde Guerre mondiale, l'hôpital ne semble d'ailleurs jamais à court de bénévoles, femmes et jeunes filles se montrant plutôt désireuses de travailler pour une institution reconnue et qui se consacre à la cause des

Liste des comités de bénévoles en 1930

Comité des souscriptions et de la Journée du dollar

Comité de lingerie

Comité de réception

École des infirmes

Comité des infirmières-bénévoles

Comité du service social

Comité de publicité

Comité de la bibliothèque des gardes-malades

Comité de couture

Comité du rapport annuel

Comité des gardes-malades graduées

Comité des réclamations

Comité de l'économie interne

enfants, un domaine qui les touche plus spécialement. Le conflit aura cependant de graves répercussions sur le travail et le recrutement de certains comités, plusieurs bénévoles étant mobilisées pour répondre à l'effort de guerre et en particulier aux demandes de la Croix-Rouge, qui compte sur les femmes pour fabriquer des pansements et préparer des colis pour les soldats. Signe des temps, la rareté accrue des bénévoles perdure même après la guerre, car à maintes reprises l'administration doit s'adresser à des organismes extérieurs, comme la Ligue de la jeunesse féminine et les Services volontaires féminins, pour obtenir les bénévoles dont l'hôpital a besoin. Cette situation, qui ne s'était jamais produite avant la guerre, témoigne sans aucun doute de la moindre disponibilité des jeunes filles, dont un plus grand nombre se retrouvent sur le marché de l'emploi à partir de cette époque, même chez celles qui sont issues des classes moyennes ou aisées. Par ailleurs, le bénévolat peut lui-même déboucher sur un emploi, comme l'ont constaté quelques-unes parmi les plus dévouées : « Prenant en considération le fait des 33 années de services bénévoles rendus à l'hôpital, l'administration recommande l'embauche de Mme A. E. Hudon au service social économique », peut-on lire dans un procès-verbal en octobre 1940. Sans être exceptionnelle, cette forme de reconnaissance du travail bénévole et de l'expérience acquise est quand même plutôt rare ; par contre, l'hôpital témoigne régulièrement de sa gratitude envers ses bénévoles par la remise de médailles et de certificats. Les règlements de l'hôpital prévoient d'ailleurs que toute personne qui travaille activement pour l'un des comités durant plus de six ans devient automatiquement gouverneur à vie[11].

La manière dont est organisé le personnel bénévole constitue une autre caractéristique propre à Sainte-Justine. Plutôt que d'être réunies au sein d'une structure centralisée d'auxiliaires ou de dames patronnesses, comme c'était généralement le cas dans les autres hôpitaux, les bénévoles se retrouvent en effet au sein d'une multitude de comités, qui ne seront regroupés qu'en 1958[12]. Fonctionnant de manière autonome les uns par rapport aux autres et dotés chacun d'une direction pour en assurer la gestion, ces comités relèvent directement du conseil d'administration, qui peut ainsi mieux les encadrer ; en fait, dans plusieurs cas, les présidentes des comités sont membres du conseil. Au total, il en aurait existé plus d'une quarantaine de 1907 à 1960, mais certains ont été plutôt éphémères. D'autres, par contre, se maintiennent tout au long de la période, tandis que plusieurs demeurent en place durant plus d'une décennie. Au tournant des années 1930, alors que le système des comités est bien implanté, plus d'une douzaine sont en fonction. Globalement, ils se répartissent en deux catégories : ceux qui voient à l'administration et à la bonne marche de l'hôpital et ceux dont les membres sont plus directement affectés au service des patients.

Clara Benoît-Hudon (1880-1975)

Clara Benoit-Hudon a été bénévole à l'Hôpital Sainte-Justine de 1908 à 1975, soit jusqu'à son décès à l'âge de 95 ans. Entre 1908 et 1941, elle a fait partie du Comité de couture, dont elle a été la présidente à partir de 1935. Elle démissionne de ce poste pour ensuite œuvrer au service social économique. Dès les débuts de l'hôpital, elle donne aussi de son temps au comité des fêtes, au comité de lingerie, au dispensaire de la Goutte de lait, aux visites à domicile et au comité de souscription, en plus de participer, jusque dans les années 1970, aux différentes campagnes de souscription comme la Journée du dollar, la Croisade des enfants et la campagne de la Fondation Justine-Lacoste-Beaubien. De 1958 à 1975, elle a offert près de 3 400 heures au service bénévole. Quelques jours avant sa mort, elle s'activait encore à envoyer des circulaires pour la Fondation Justine-Lacoste-Beaubien.

Assurer la gestion et le fonctionnement de l'hôpital

Les comités administratifs et financiers

Le conseil d'administration, où siègent bénévolement les dirigeantes de l'hôpital, compte évidemment parmi les comités dont l'action a été la plus fondamentale pour l'essor de Sainte-Justine. Comme on l'a vu au premier chapitre, les dames du conseil, et en particulier la présidente, qui demeurera en poste durant près de 60 ans, prennent une part très active, pour ne pas dire exclusive, à la direction de l'œuvre qu'elles ont fondée, préservant jalousement leur droit de regard sur toutes les dimensions de son développement. Sans retirer aucun salaire, ces femmes consacrent le plus clair de leur temps libre à l'hôpital. Dans l'après-guerre, elles commencent à déléguer certaines fonctions à des chefs de service, mais ce n'est que dans les années 1960 que des médecins et quelques gestionnaires masculins sont admis à siéger au conseil.

Parmi les premiers comités à voir le jour, le Comité des souscriptions, créé en décembre 1907, a pour responsabilité de recueillir les dons provenant des gouverneurs à vie, des dames patronnesses et des enfants souscripteurs, de même que ceux du public. Avec le Comité des fêtes, mis sur pied en 1908 et chargé de la tenue d'activités-bénéfices, et les comités qui se consacrent à l'organisation de campagnes de financement annuelles — comme le Comité de la Journée du dollar établi en 1928 — ou spéciales, dans le cas des campagnes de construction et d'agrandissement, le Comité de souscription fournit une part importante du budget de l'hôpital, jusqu'à 50 % au cours des premières années. Si les sommes recueillies sont souvent impressionnantes, le nombre de bénévoles que ces campagnes mobilisent ne l'est pas moins. Ainsi, plus de 300 femmes et jeunes filles participent à l'organisation de la Fête des berceaux qui a lieu au parc Sohmer en 1909 et plus d'un millier distribuent des macarons lors du *Tag Day* qui s'est tenu en 1925 ; au total, 5 000 personnes s'activent lors de la campagne spéciale de 1957[13]. La sollicitation à domicile, les quêtes dans les églises et dans divers endroits de Montréal, les démarches auprès des entreprises et des donateurs les plus prestigieux constituent certainement une large part du travail que doivent accomplir ces bénévoles, mais leurs responsabilités s'étendent aussi à la planification, à la publicité, à l'organisation technique et au suivi qu'exigent de telles activités, comme l'envoi de cartes de remerciements et de reçus, ce qui nécessite des mois de labeur.

La générosité du public pour Sainte-Justine tient bien sûr aux finalités de l'œuvre consacrée à l'enfance, mais aussi à la publicité dont les fondatrices prennent soin d'entourer l'institution, ses activités et ses réalisations. Dès 1908, elles voient à la fondation du Comité de publicité, dont l'objectif est de diffuser des nouvelles de l'hôpital et des demandes de dons par la voie des journaux, puis du Comité de publication, qui se charge de faire parvenir les rapports annuels à tous ceux que l'œuvre pourrait intéresser : ministres et députés, échevins et curés de paroisse, médecins, gouverneurs à vie, dames patronnesses et amis de l'œuvre. Des opérations publicitaires d'envergure accompagnent également chacune des activités de collecte de fonds qu'entreprend l'hôpital, de manière à maximiser leurs retombées. Rédaction et envoi de communiqués aux journaux, production et distribution de dépliants et d'affiches, conception des panneaux installés dans les vitrines des grands magasins, envoi de milliers de lettres de sollicitation, organisation de visites de l'hôpital et de réceptions pour les dignitaires, tout ce travail de relations publiques sera graduellement confié à des publicistes professionnels, mais il n'en demeure pas moins que de très nombreuses bénévoles continuent d'apporter leur aide, ne serait-ce que pour les tâches les plus fastidieuses comme l'envoi massif de courrier.

L'ouverture de la Boutique du cadeau en 1958 représente un autre moyen d'aider à remplir les coffres de Sainte-Justine grâce aux qualités d'administratrice des bénévoles. Dès les premiers mois, cette nouvelle initiative rapporte entre 50 $ et 60 $ de profit chaque semaine, ce qui permet de verser près de 1 000 $ à l'hôpital après moins d'une année complète d'activité. Les sommes en jeu et l'ampleur des responsabilités rattachées à la gestion d'un commerce amènent la présidente à suggérer de confier la vente à une employée salariée, de manière à assurer une certaine permanence, mais l'embauche d'une telle personne aurait diminué les profits d'autant et cette suggestion n'est finalement pas retenue. Par contre, l'arrivée de l'assurance-hospitalisation oblige l'hôpital à clarifier ses liens avec la boutique, qui doit maintenant s'enregistrer, tenir une comptabilité séparée et payer un loyer pour ses locaux. Les sommes remises à l'hôpital, puis à la Fondation Justine-Lacoste-Beaubien, ne semblent pas avoir souffert de ces changements puisqu'elles augmentent constamment au cours des années 1960, passant de 2 600 $ en 1961 à 16 000 $ en 1970. La boutique, qui subit une cure de rajeunissement vers la fin des années 1980, disparaît cependant en 2005, détrônée par l'implantation d'une aire de services et l'arrivée d'une pharmacie Jean-Coutu[14].

Les comités de couture

Tout aussi important pour le bon fonctionnement de l'hôpital, mais agissant davantage dans l'ombre, le Comité de couture et les couturières œuvrant à l'extérieur, dans des cercles ou seules à leur domicile respectif, vont réussir pendant près de 20 ans à fournir pratiquement toute la lingerie nécessaire à l'hôpital, depuis les draps, les alaises, les couvre-lits, les serviettes, les nappes et linges de vaisselle en passant par les couches, les robes de nuit, les bavoirs et même les blouses et

Marcelle Trudeau, bénévole, sert deux enfants à la Boutique du cadeau en 1962 (AHSJ).

les bonnets des médecins, les champs opératoires et les uniformes pour le personnel et les infirmières. En 1910, le Comité de couture, qui se réunit une fois par semaine, rapporte la confection de 320 articles de lingerie et le raccommodage d'une centaine d'autres, en plus de 276 pièces cousues à domicile. Mieux encore, pour financer leurs travaux, les membres avaient organisé des activités-bénéfices qui avaient généré plus de 130 $. Outre les dons en argent, le comité reçoit également du tissu, coton et flanelle, ce qui lui permet de fonctionner sans bourse délier ou presque. Au début des années 1920, alors que l'hôpital a déjà procédé à un premier agrandissement de son immeuble de la rue Saint-Denis et qu'il peut désormais héberger plus de 160 patients, la demande pour la lingerie et la literie augmente de telle sorte que les bénévoles doublent leur production en deux ans, celle-ci passant de 2 500 à 5 700 morceaux entre 1921 et 1923. Pour y parvenir, le Comité de couture conclut une entente avec une entreprise qui accepte de tailler gratuitement certaines pièces, que les couturières n'ont plus qu'à assembler. Le Comité de lingerie, chargé de solliciter des articles déjà confectionnés, est également créé en 1923, mais son fonctionnement paraît laborieux et il disparaît après quelques années seulement. En 1930, ce comité, qui compte 12 membres, réussit tout de même à recueillir au delà de 1 300 articles, dont plus de 780 avaient été amassés par une seule bénévole, Jeanne de Guise, qui a fait une véritable carrière dans le bénévolat à Sainte-Justine. La même année, ce sont plus de 14 000 morceaux de lingerie et de literie que le Comité de couture remet à l'hôpital, 60 % de cette production ayant été réalisée à domicile[15].

Selon les rapports annuels, dans les années 1930, ce travail bénévole permet d'épargner de 2 500 $ à 3 600 $ par année, une somme peut-être minime en regard du budget total de l'hôpital qui se situe alors à plus de 400 000 $, mais un apport tout de même inestimable quand le moindre sou est compté. En reconnaissance de leurs services, un nouveau règlement adopté en 1933 stipule d'ailleurs que « [t]oute personne membre du comité de couture qui aura pris part à vingt-cinq séances de travail dans le cours de l'année, aura droit au titre de dame patronnesse[16]. » Enfin, mentionnons que le Comité de couture des enfants, appelé par la suite Ouvroir des enfants, et le Comité de couture des jeunes filles,

Articles de literie et de lingerie nécessaires pour habiller un lit (1913)

Liste des différents articles de lingerie à confectionner pour l'entretien d'un lit.

12 draps, 12 taies d'oreillers, 2 couvertures de laine, 2 couvre-pieds de couleur, 12 essuies-mains, 1 couvre-pied blanc, 12 piqués, 24 couches, 6 robes de nuit, 12 bavettes.

Mesures des différents articles de lingerie.

Draps : Longueur. . . . . 2¼ verges.
Largeur. . . . . 1¾ "
Ourlet. . . . . 1½ pouce et 1 pouce.
Matériel : coton jaune ou blanc.

Taies d'oreillers : Longueur. . . . . 34 pouces.
Largeur. . . . . 20½ "
Ourlet. . . . . 2¼ "
Matériel : coton jaune ou blanc.

Couverture de laine et couvre-pieds : Longueur. . 1¾ verge.
Largeur. . . 1½ "
Matériel lavable.

Piqués : Longueur. . . . . 1½ "
Largeur. . . . . 1 "

Couches : Matériel : flanellette blanche.

Robes de nuit : pour premier âge, trois et cinq ans :
Ourlet du bord. . . . . ¾ 1 pouce.
Gallons au cou.
Matériel : flanellette blanche.

Source : AHSJ, rapport annuel 1913, p. 20.

Le premier Comité de couture, en 1908 (AHSJ).

Les fillettes membres du Comité de couture des enfants, en 1908 (AHSJ).

créé en 1919, fournissent des quantités d'articles beaucoup plus modestes, quelques centaines par année, un millier tout au plus, mais leur fonction première n'est pas tant de remplir les armoires de l'hôpital que de préparer la relève en instillant de bonnes habitudes de bénévolat chez les jeunes.

Jeanne de Guise (1900-)

Jeanne de Guise commence à faire du bénévolat à Sainte-Justine en 1908, alors qu'elle se rend à l'hôpital après ses classes à l'Académie Cherrier pour coudre draps et couches pour les petits malades. Sa véritable « carrière » de bénévole débute cependant en 1920, alors qu'elle devient infirmière-bénévole, et durera plus de 60 ans. Tout au cours de ces années, elle travaille aux dispensaires et auprès des patients hospitalisés à la salle d'urgence ou à la maternité, elle offre ses services lors des épidémies de poliomyélite et elle contribue à l'amélioration de la formation des infirmières-bénévoles en organisant, avec la collaboration de la Croix-Rouge, des séries de cours sur les maladies infantiles, les soins à domicile, la pédiatrie et les premiers soins, qui deviennent nécessaires à leur certification.

En plus de consacrer son temps au comité des infirmières-bénévoles, dont elle est présidente active entre 1933 et 1973, Jeanne de Guise participe activement à la vie hospitalière. Membre adjointe au conseil d'administration de 1940 à 1963, elle collabore à la rédaction du *Guide des bénévoles* en 1959 lors de la création du Service bénévole et devient présidente du Comité central des bénévoles de 1968 à 1986. Elle est aussi l'instigatrice de la Messe du Saint-Esprit, messe couronnant la journée d'appréciation des bénévoles, et de la partie de cartes annuelle servant à recueillir des dons pour le dépouillement de l'arbre de Noël du dispensaire. Elle participe en outre aux collectes pour les nombreuses campagnes de souscription alors qu'en tant qu'infirmière-bénévole, elle doit faire la quête à la sortie des églises, vêtue de son uniforme. Jeanne de Guise est demeurée présente à l'hôpital jusqu'en 1986. Durant ses dernières années à Sainte-Justine, elle était très active à la Boutique du cadeau et collaborait aux collectes de fonds de la Fondation Justine-Lacoste-Beaubien. Elle ne s'est jamais mariée et à ceux qui lui demandaient combien elle avait d'enfants, elle répondait qu'elle en avait 300 !

La Seconde Guerre mondiale, qui mobilise des milliers de bénévoles féminines partout au pays, entraîne une réorientation des activités du Comité de couture, dont les membres sont embrigadées par la Croix-Rouge[17]. En 1941, le rapport annuel signale que l'ouvroir de la Croix-Rouge, qui fonctionne à l'intérieur des murs de l'hôpital, « a poursuivi la confection de compresses et bandages [...] jusqu'à ce que l'avis fût émis de cesser la production puisque les réserves étaient suffisantes. En trois mois, 10 328 articles ont été confectionnés[18] ». Après la guerre, la couture demeure l'une des activités bénévoles les plus populaires, mais si le nombre des cercles de couture (au moins 24 à la fin des années 1950) demeure impressionnant et les quantités d'articles confectionnés, plutôt imposantes, soit entre 15 000 et 18 000 dans la deuxième moitié des années 1950, les couturières n'arrivent plus à combler les besoins de l'hôpital. En 1953, en prévision du déménagement chemin de la Côte-Sainte-Catherine, l'administration leur demande de confectionner 3 000 draps, mais de plus en plus l'hôpital se tourne vers les produits manufacturés disponibles sur le marché ; en 1957, il est même question de commander des couches jetables, un moyen d'éviter la propagation d'entérites à colibacille chez les nourrissons, selon le directeur médical. Cet essai ne semble pas avoir été concluant puisque la production de couches se poursuit jusque dans les années 1960, mais il reste que, peu à peu, les activités de couture se réorientent vers la confection de robes de poupées, de marionnettes ou de tricots donnés aux enfants lors des fêtes de l'arbre de Noël[19].

Le Comité de couture en 1959. Une vingtaine de groupes de femmes, organisées en cercles se réunissant à l'extérieur de Sainte-Justine, travaillent aussi pour l'institution à cette époque (AHSJ).

Occuper et soigner les enfants

Enseigner, distraire et gâter les enfants

Aux bénévoles qui ont consacré de leur temps au fonctionnement de l'hôpital s'ajoutent toutes celles qui ont pris en charge le soutien émotif, l'encadrement et le soin des patients. Tout comme la couture, qui fait partie du travail domestique des femmes à cette époque, surveiller les enfants, les nourrir, les distraire, les instruire et en prendre soin représentent autant de responsabilités qui leur sont étroitement associées et pour lesquelles la société leur reconnaît des qualifications innées. Le rôle qu'elles jouent auprès des petits malades, et qui vise à adoucir leur séjour à l'hôpital, équivaut, selon Aline Charles, à une véritable entreprise de « maternisation des soins », à laquelle le mouvement « d'humanisation des soins » des années 1970 et 1980 viendra faire écho[20]. Mais derrière ces attentions toutes maternelles se cache une organisation souvent complexe, qui impose planification et formation et qui exige de nombreuses heures de travail.

Le Comité des arbres de Noël, créé dès les débuts de l'hôpital pour égayer les enfants hospitalisés durant la période des Fêtes, démontre par exemple que les bénévoles n'hésitent pas à déployer une énergie considérable pour offrir quelques instants de joie aux enfants. Si au début le nombre des patients est somme toute minime, ce qui facilite la tâche de décorer l'hôpital et d'offrir à chacun un cadeau, la croissance rapide de Sainte-Justine à compter des années 1920 entraîne un alourdissement important du travail de ce comité qui, chaque année, orne chacune des salles d'un sapin et s'assure que tous recevront un présent. Réunir tous ces cadeaux, soit plusieurs centaines par année, exige de nombreuses démarches auprès de philanthropes, d'entreprises privées et d'associations en tout genre, qui offrent de l'argent ou des dons en nature ou qui mettent à la tâche leurs propres bénévoles pour confectionner des vêtements ou des jouets. Plusieurs groupes de bénévoles dans l'hôpital contribuent également à la fête en confectionnant des cadeaux, notamment les couturières, ou en recueillant des fonds. En 1940, les infirmières-bénévoles organisent une partie de cartes en faveur de la fête de l'arbre de Noël du dispensaire, dont elles assument seules la responsabilité, et dont le prix d'entrée est un jouet : l'initiative, qui en rapporte 525, devient rapidement une tradition[21]. Avec les années, le dépouillement des sapins devient aussi l'occasion de rappeler l'hôpital à la mémoire du public. Comme c'est le cas pour d'autres œuvres de charité qui organisent des fêtes semblables, l'événement, auquel assistent de nombreux dignitaires et invités de marque, est couvert par les médias qui en profitent pour souligner l'apport de Sainte-Justine au bien-être de l'enfance et à la communauté canadienne-française : « Cette fête était préparée depuis longtemps, et tous ceux qui s'y intéressaient voulaient en faire un succès sans précédent », note *Le Canada* en 1925. « Le but visé a été sûrement atteint, puisque rarement il nous a été donné d'assister à une réunion qui a provoqué plus [*sic*] notre enthousiasme et qui nous a permis de réaliser une fois de plus toute l'importance et toute la grandeur de cette œuvre qui est devenue chez nous une organisation vraiment indispensable[22]. » Indirectement, ce comité contribue donc à soigner la bonne réputation de l'hôpital, en plus d'apporter un peu de réconfort aux enfants.

Le Comité de l'École des enfants infirmes, créé pour gérer l'école mise sur pied par Lucie Lamoureux-Bruneau en 1926, représente un autre champ d'activité investi par les bénévoles. Si l'école embauche du personnel salarié pour assurer une partie de l'enseignement, des bénévoles donnent aussi des cours, en particulier des cours de catéchisme, de solfège et d'hygiène. Elles organisent le transport des élèves depuis leur domicile, obtenant le don d'un autobus d'une valeur de 2 000 $ — une somme très importante pour l'époque —, visitent les familles pour évaluer leur situation économique et fournissent vêtements, brosses à dents, peignes, béquilles et lunettes aux plus pauvres. Pour financer leurs activités, elles sollicitent des dons, mais elles négocient également des subventions auprès de la commission scolaire et du gouvernement provincial[23].

Dès les années 1930, des institutrices payées par la CÉCM donnent des cours aux patients de Sainte-Justine afin de leur permettre de poursuivre leurs études malgré les longues hospitalisations. À cet enseignement plus formel se greffent cependant un ensemble d'activités de formation et de loisirs, dont on a pu apprécier l'ampleur au chapitre précédent et qui relèvent des bénévoles. Les membres du Comité d'enseignement et de distraction, actif dès 1934 et qui prend divers noms au fil des ans, de même que des membres de la Ligue de la jeunesse féminine et des troupes scoutes inculquent aux enfants des notions de dessin ou de musique, leur distribuent des livres ou leur font la lecture, supervisent la réalisation de travaux manuels, organisent des jeux et les accompagnent lors de sorties. Jusqu'à la fin des années 1940, la Ligue de la jeunesse féminine se charge aussi de distribuer aux patients de Sainte-Justine des paires de chaussures qu'elles achètent ou obtiennent grâce à l'organisation d'activités-bénéfices comme des concerts et des dîners dansants. D'autres membres de cette organisation mettent sur pied la première bibliothèque circulante de l'hôpital, pour laquelle elles se chargent de trouver des livres, alors que d'autres encore participent à la Journée du dollar ou à la fête de l'arbre de Noël ou deviennent infirmières-bénévoles. Pour sa part, le Comité de la visite des hôpitaux, qui fait appel à des membres de la Fédération nationale Saint-Jean-Baptiste (FNSJB), regroupement auquel Sainte-Justine est affilié, prépare les enfants à leur première communion et à leur confirmation en leur donnant des cours de catéchisme, un événement parfois célébré dans l'hôpital, tout comme le baptême[24]. Enfin, des bénévoles aident également aux repas des enfants, guident les parents dans l'hôpital et font mille et une petites tâches dans les départements et les services.

L'enseignement de la peinture dans les années 1950 (AHSJ).

Le sapin et les décorations de Noël de la salle de l'Enfant-Jésus vers 1920 (AHSJ).

Les bénévoles du Comité des arbres de Noël préparant des sacs de jouets en décembre 1958 (AHSJ).

Le service social et les infirmières-bénévoles

Comme on vient de le voir, les bénévoles qui travaillent auprès des enfants exercent des fonctions rappelant celles des mères de famille, mais qui ressemblent également à des métiers féminins, comme l'enseignement. À cet égard, deux catégories de bénévoles se démarquent plus spécialement, soit celles qui ont œuvré au Comité du service social et celles qui sont devenues infirmières-bénévoles. Dans leur cas, et plus spécialement pour ces dernières, qui sont restées en poste jusque dans les années 1960, la parenté avec des professions féminines n'a pas manqué, à la longue, de provoquer des tensions, les bénévoles étant de plus en plus perçues comme des concurrentes directes des professionnelles de la santé.

Dès la fondation de l'hôpital, Justine Lacoste-Beaubien songe à former un comité chargé de visiter les parents des enfants malades pour vérifier si les conditions d'admission sont remplies et, après la sortie, si le traitement peut être suivi à la maison[25]. Le projet fait périodiquement l'objet de nouvelles propositions soumises au conseil, mais c'est finalement en 1917 que le service social de l'hôpital est mis sur pied. À l'origine, il s'agit surtout d'enquêter sur la situation économique des familles qui réclament la gratuité des soins, afin de s'assurer de leur réelle indigence et les diriger vers des organismes de charité, si nécessaire. Très tôt cependant s'ajoutent également des visites d'enfants en attente d'un lit, pour éviter que leur état ne se dégrade, et des visites « de suivi » pour vérifier si les patients reçoivent les soins recommandés par le médecin à leur sortie[26]. Jusqu'en 1921, alors que le service subit une première réorganisation, les visiteuses sont essentiellement des bénévoles, souvent des membres de la FNSJB, mais après cette date il emploie de plus en plus d'infirmières qui se chargent des visites médicales les plus complexes. Comme l'explique Jeanne Baril, directrice du service, en 1931, « les visiteuses bénévoles [...] visitent surtout les enfants au-dessus de deux ans sortis de l'hôpital guéris ». Des bénévoles s'occupent aussi du secrétariat du service, où elles apportent une aide très appréciée, « car la préparation des fiches de chaque enfant visité, la copie des rapports de visite, la correspondance, tout ce travail de secrétariat est considérable[27] ».

La division entre les deux types de visites, médicales et économiques, devient encore plus tangible à compter de 1932, alors que le Dr Gaston Lapierre prend la direction du service social et crée deux sections distinctes pour chacune d'elles. On assiste alors à la multiplication des visites de nature médicale effectuées par des infirmières, pendant que les bénévoles perdent de plus en plus de terrain. Tandis qu'en 1921 elles réalisent 45 % des visites à domicile, elles n'en font plus que de 8 % à 15 % entre 1926 et 1945, selon les estimations d'Aline Charles. Le nombre de visiteuses bénévoles augmente néanmoins au début des années 1940 pour se situer à plus d'une centaine, contre à peine 38 en 1925[28]. Selon le rapport annuel de 1941, « [d]epuis longtemps, l'Administration de l'hôpital désirait recruter un plus grand nombre de visiteuses bénévoles, afin que le Service Social puisse faire face à son travail toujours croissant, sans toutefois augmenter ses dépenses[29] ». On ne pourrait être plus clair : pour l'hôpital, il s'agit essentiellement d'épargner. Les économies anticipées n'ont peut-être pas été aussi importantes que prévues cependant, car ces bénévoles n'effectuent que 1 006 visites en 1942, soit une dizaine chacune en moyenne durant l'année, sur un total de plus de 6 300. Au surplus, comme l'exprime le rapport, leur contribution vise essentiellement à faire du dépistage « pour permettre aux auxiliaires du service professionnel de travailler plus profondément les cas spéciaux[30]. « En fait, à cette époque, la présence de « novices » au service social est déjà sérieusement remise en question, les professionnelles fraîchement diplômées de l'École de service social de l'Université de Montréal, ouverte en 1939, estimant qu'on ne peut leur confier « les enquêtes demandant une connaissance de la loi des accidents du travail, des assurances, de l'Assistance publique en général ou les fiches préparées pour le Bureau des réclamations et pour les cas reconsidérés à l'Assistance publique[31] ». L'administration a beau proclamer que les bénévoles, dont plusieurs sont actives dans leur paroisse, sont « particulièrement bien placées pour [...] donner des renseignements justes et précis sur les conditions de vie de leurs co-paroissiens » et que la « connaissance de leur milieu leur permet de porter un jugement éclairé et juste sur la situation des familles tant au point de vue domestique qu'au point de vue économique[32] », elles doivent néanmoins retraiter devant l'arrivée des nouvelles spécialistes.

L'idée de recourir à des infirmières-bénévoles, une pratique unique à Sainte-Justine, remonte, elle aussi, au tout début de l'hôpital, alors que les Filles de la Sagesse n'ont pas encore pris en charge la régie interne et que les « infirmières [...] sont débordées d'ouvrage ». Peut-être inspirées par l'exemple de la France où, contrairement au Québec, les infirmières-bénévoles sont implantées dans plusieurs hôpitaux, des membres du conseil proposent, en novembre 1908, d'inciter un certain nombre de jeunes filles « à venir une avant-midi par semaine pour aider à soigner les malades[33] ». Dès les années 1910, on prend conscience de la nécessité de former ces bénévoles afin qu'elles secondent plus efficacement les médecins. En 1914, une partie de cette formation se fait sur le tas, alors que les candidates apprennent des notions d'hygiène et de soins aux malades — comme faire des pansements, prendre la température des malades et leur administrer des médicaments — en assistant aux consultations données par les médecins du dispensaire et aux petites chirurgies qu'ils y pratiquent. La durée totale des « stages » conduisant à l'obtention d'un certificat est alors établie à 144 jours, dont 36 passés en médecine, 48 en chirurgie, 36 en ORL et 24 en dermatologie. Pour compléter cette formation pratique, les infirmières-bénévoles sont également admises « aux conférences que donnent les médecins aux gardes-malades régulières. » Le premier règlement établi la même année stipule que les candidates doivent présenter un certificat de santé et de moralité, aider au dispensaire au moins une fois par semaine, suivre le cours de puériculture et subir l'examen avec succès. Celles qui ne veulent pas obtenir le certificat ne sont pas obligées d'effectuer tous les stages, mais elles doivent néanmoins s'engager à raison d'un avant-midi par semaine pour au moins six mois. D'autres articles exigent la ponctualité, le port d'un tablier servant d'uniforme et le respect des règlements de l'hôpital, comme si elles étaient des employées[34].

Dans les années 1920, la formation des infirmières-bénévoles comprend toujours une série de stages dans les différents départements du dispensaire, mais elles suivent désormais des cours séparés des infirmières, donnés par des médecins ou des infirmières diplômées. Cette distinction, qui vise manifestement à mieux démarquer les deux groupes, n'est peut-être pas sans lien avec le mouvement de professionnalisation des infirmières qui s'amorce après la Première Guerre mondiale. Cette décision n'empêche toutefois pas l'hôpital de continuer de leur décerner un « certificat d'infirmière » après trois ans de service représentant 300 heures de travail et la réussite d'examens, de la même manière que les infirmières obtiennent leur diplôme après trois ans de cours et de stages[35]. Approuvée par les médecins, cette mesure est considérée « comme une marque de reconnaissance de la part de l'Hôpital envers les bénévoles qui apportent sans doute au dispensaire beaucoup de dévouement tout en acquérant des connaissances lesquelles, plus tard, leur seront utiles, même dans leur foyer[36] ». Le contenu des cours, qui varie dans le temps, couvre la plupart des maladies qu'elles peuvent rencontrer dans l'exercice de leurs fonctions et les soins à donner dans chaque cas.

Certificat des infirmières-bénévoles (années 1920)

Hôpital Sainte-Justine

Ceci est pour certifier que *M........................ a fait le stage requis dans les différents services du dispensaire du* **l'Hôpital Sainte-Justine** *comme infirmière bénévole, et qu'elle a donné la plus entière satisfaction aux autorités de l'hôpital.*

Donné à Montréal, ce.................... 192....

Présidente de l'hôpital — Présidente du Comité des Infirmières bénévoles.

Supérieure de l'hôpital. — Surintendant du Bureau Médical.

Malgré les exigences qui lui sont associées, la fonction d'infirmière-bénévole attire de plus en plus de jeunes filles durant les années 1920, leur nombre passant de 14 en 1920 à 150 à la fin de la décennie. En fait, leurs effectifs doublent de 1928 à 1929, après l'ouverture de l'aile sud de l'immeuble de la rue Saint-Denis, qui porte la capacité de l'hôpital à 300 lits. Se disant incapable d'embaucher les infirmières qu'il aurait fallu pour dresser tous les lits disponibles, l'administration affirme sa volonté de « développer à son extrême limite » le système des infirmières-bénévoles, ce qu'elle est visiblement parvenue à faire sans trop de problèmes[37]. L'afflux de candidates, probablement encouragé par le chômage qui sévit dans les années 1930, lui permet même d'être plus sélective ; à compter de 1932, les aspirantes doivent présenter des lettres de recommandation provenant de deux personnes connues des membres du conseil, pour que leur candidature soit considérée, après quoi leur nom est soumis à l'approbation du Comité des infirmières-bénévoles. L'année suivante, alors que la crise économique amène de plus en plus de patients au dispensaire, les dirigeantes décident également de leur imposer une directrice salariée afin de mieux les encadrer et d'accroître leur efficacité. Leur choix s'arrête sur Églantine Clément, première garde-malade diplômée de Sainte-Justine, qui se voit confier le mandat de réorganiser l'enseignement afin de mieux former les bénévoles et d'assurer leur rotation dans les différents départements du dispensaire[38]. En 1936, l'administration demande au Comité des infirmières-bénévoles de rendre obligatoires les stages en massothérapie et en mécanothérapie pour obtenir le certificat, une règle édictée en raison de « leur indifférence face à ces services[39] ». Deux ans plus tard, poussant les exigences un peu plus loin, le conseil décide de former un comité mixte composé de représentantes des religieuses, de l'administration et du Comité des infirmières-bénévoles, pour « étudier l'acceptation des bénévoles ou les sanctions qui peuvent être nécessaires[40] ». Mentionnons également qu'à partir de 1937 de nouveaux règlements précisent que les aspirantes doivent s'astreindre à un stage de probation de trois mois dans les salles, « où elles vont distraire les petits malades », une manière de s'assurer qu'elles peuvent s'adapter à la clientèle enfantine de l'hôpital ; en 1940, par contre, sans doute en raison de la pénurie d'infirmières engendrée par la guerre, ce stage préliminaire est ramené à huit après-midi[41].

Il n'est sans doute pas étonnant que les infirmières-bénévoles reçoivent un apprentissage plus formel que les autres, qu'elles soient soumises à des règles strictes et qu'elles soient même sujettes à des sanctions, car les tâches qu'elles exercent comportent d'importantes responsabilités. Au départ, leurs attributions se limitent au dispensaire, où elles se rendent utiles de diverses manières : accueillir les mères, accompagner

Programme de cours des infirmières-bénévoles, 1931-1932

Le cours de l'École des Infirmières bénévoles comprend 200 jours de service et 35 leçons pratiques.

Les jours de service sont répartis comme suit :

40 jours de médecine

36 jours en oto-rhino-laryngologie

20 jours en neurologie

40 jours en chirurgie

24 jours en dermatologie

24 jours aux pansements

16 jours aux dortoirs des opérés

Les élèves de troisième année seulement pourront faire du service dans les départements d'obstétrique et de tuberculose.

Les leçons pratiques se donneront sous forme de conférences ; elles se répartissent comme suit :

1. Leçons sur les pansements, les soins à donner aux blessés, asphyxiés, noyés, brûlés, épileptiques, soins en cas d'urgence.
2. Leçons sur les soins à donner aux nouveaux-nés [*sic*], à la jeune mère, sur la manière de changer un bébé, de prendre la température d'un enfant, de le baigner, de changer le lit d'un grand malade, de prendre le pouls, etc. etc.
3. Leçons sur les soins à donner aux malades en cas de contagion ; précautions à prendre par la personne qui en a soin et par la famille. Comment constater les premiers signes de varicelle, de rougeole, de scarlatine, de croup, de diphtérie. Soins à prendre avec un typhique, un tuberculeux.
4. Leçons sur la manière de préparer un cataplasme, les enveloppements froids, les sacs à glace et à eau chaude.
5. Leçons sur la diététique.
6. Leçons sur l'hygiène.

les enfants jusque dans le bureau du médecin ou à la salle d'opération, déshabiller et habiller l'enfant, surveiller le réveil des patients, prendre la température et le poids et inscrire ces données au dossier, mettre des gouttes dans les yeux, etc. Les plus expérimentées font aussi des pansements et assistent le chirurgien lors des interventions pratiquées en ORL et en dermatologie. Selon une infirmière-bénévole qui a été active dans les années 1930, elles exercent également d'autres fonctions comme stériliser les instruments et préparer les amalgames pour le dentiste. La guerre va cependant favoriser un élargissement de leur champ d'action, alors qu'elles sont finalement admises à travailler dans les salles. Ainsi, durant l'année 1940, les infirmières-bénévoles effectuent plus de 300 heures de travail auprès des patients hospitalisés, contre plus de 11 700 au dispensaire. Deux ans plus tard, le rapport annuel indique qu'une quinzaine d'entre elles travaillent régulièrement dans les salles en après-midi après leur service au dispensaire le matin, ce qui permet de suppléer à la pénurie d'infirmières qui touche tous les hôpitaux en raison de la guerre. Le manque d'infirmières devient d'ailleurs tellement criant qu'en 1944 les infirmières-bénévoles font plus de 9 000 heures de travail dans les salles, contre 5 000 au dispensaire. Et la situation perdure dans l'après-guerre. Que ce soit au moment de l'épidémie de poliomyélite en 1946, alors que l'hôpital déborde de patients, ou dans les années 1950, alors que l'ensemble du système hospitalier se développe à un rythme accéléré et qu'il n'arrive pas à combler ses besoins en personnel infirmier, Sainte-Justine continue d'avoir recours à des bénévoles. À partir de 1940, pour mieux les préparer à remplir leur nouveau rôle « d'infirmières suppléantes », leur formation comprend d'ailleurs des stages non seulement au dispensaire, mais aussi dans les différents services. Pour obtenir leur certificat,

Des infirmières-bénévoles apportant leur aide au dispensaire en 1959 (AHSJ).

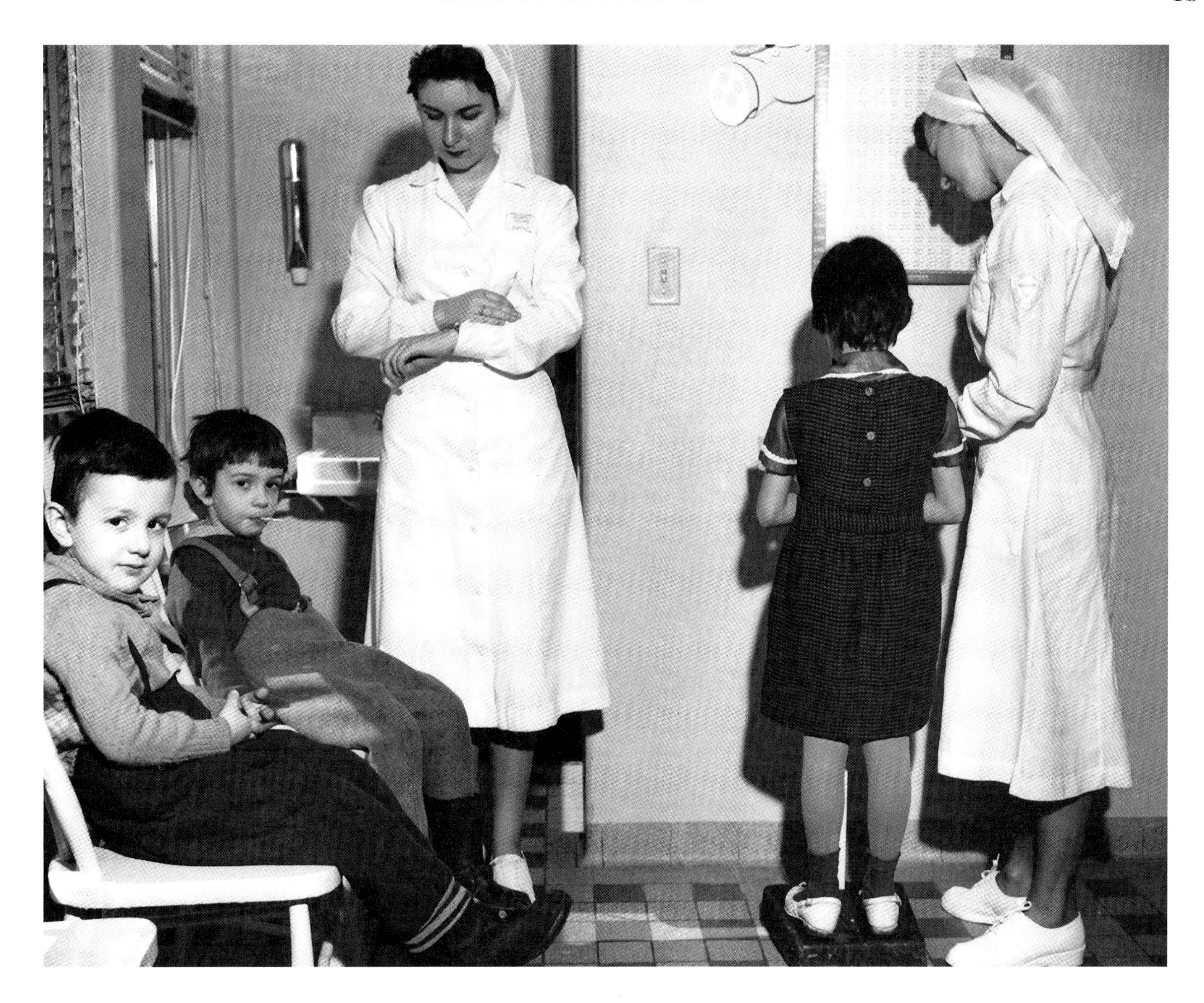

elles doivent maintenant effectuer 800 heures de travail, nombre abaissé à 600 en 1945, en plus des cours qui leur sont offerts une fois la semaine. Elles peuvent aussi suivre des leçons de soins à domicile et de « premiers secours aux blessés » donnant droit au certificat de l'Association ambulancière Saint-Jean[42].

Selon les données disponibles dans les rapports annuels, entre une dizaine et une quinzaine d'infirmières-bénévoles obtiennent leur certificat chaque année ; pour sa part, Aline Charles estime qu'entre 1925 et 1959 le quart de celles qui sont actives dans l'hôpital détiennent cette attestation, gage d'une formation plus étendue. Certifiées ou non, le nombre total des infirmières-bénévoles diminue grandement dans les années 1950 pour se fixer à moins d'une centaine, comparativement à 120, 130 ou même 170 dans les années 1930 et 1940. Si elles sont moins nombreuses, leur présence suscite cependant davantage de tensions avec les infirmières diplômées.

Il faut dire que, jusqu'à la guerre, la proportion des infirmières salariées demeure relativement faible et qu'elles sont donc moins en mesure de s'opposer à la présence des infirmières-bénévoles. En fait, jusqu'à la fin des années 1930, une partie importante des infirmières, religieuses et étudiantes, travaillent elles aussi bénévolement, ou presque ; quant aux infirmières salariées laïques, peu nombreuses, elles perçoivent leur travail comme une vocation qui n'est pas sans rappeler la mission charitable accolée au bénévolat. Dans ces conditions, la présence d'un corps d'infirmières-bénévoles paraît moins incongrue, même si certaines tensions se font sentir dès les années 1930[43]. Dans les années 1950, par contre, la proportion des salariées s'accroît, car l'hôpital a un besoin toujours croissant de personnel infirmier que les étudiantes et les religieuses, dont les rangs commencent à s'éclaircir, n'arrivent plus à combler. Les infirmières laïques sont également mieux organisées, puisqu'elles bénéficient d'un monopole d'exercice depuis 1946, et mieux formées que jamais : dans quelques hôpitaux, elles sont même syndiquées. Dans ces conditions, les bénévoles apparaissent de plus en plus comme des concurrentes directes qui, nanties d'une formation à rabais, occupent des postes qui reviennent de droit aux diplômées et qui maintiennent les salaires et les conditions de travail à un niveau inacceptable. Dès le début des années 1950, des accrochages surviennent. Ainsi, en 1953, la secrétaire des infirmières-bénévoles déplore qu'elles « rencontrent de l'opposition[44] » ; l'année suivante, les infirmières s'opposent « à ce que les infirmières-bénévoles portent le voile dans les salles », une manière de leur signifier que leurs faibles qualifications ne leur donnent pas le privilège d'endosser le même uniforme. Jusqu'aux années 1960, des bénévoles continuent de remplacer les professionnelles auprès des malades hospitalisés, mais, après la grève des infirmières en 1963, cette pratique cesse. S'il y a toujours 22 infirmières bénévoles en service en 1966, leurs tâches consistent désormais à apporter leur aide dans différentes cliniques comme réceptionniste, à agir comme substitut maternel, à donner les repas ou à organiser les loisirs des enfants ou encore à participer à la campagne annuelle de collecte de fonds[45]. En d'autres termes, leur titre d'infirmière-bénévole a pratiquement perdu toute signification.

Le Service bénévole, 1957-2007

Les années 1950 marquent certainement une transition importante en ce qui concerne le bénévolat à Sainte-Justine. Désormais, le travail en milieu hospitalier, marqué par le développement des technologies médicales et la bureaucratisation, nécessite un degré de formation auquel les bénévoles ne peuvent prétendre, ce qui vient remettre en question la place qu'elles occupent dans l'hôpital. Le mouvement de professionnalisation qui s'accentue, notamment chez les travailleuses sociales et les infirmières, le recours de plus en plus fréquent à des experts en gestion de même que la syndicalisation et le militantisme croissant des employés d'hôpitaux nourrissent également une certaine opposition à l'action bénévole telle qu'elle était conçue jusque-là, du moins à Sainte-Justine. À terme, ces transformations obligent le bénévolat à se redéfinir, mais sans qu'il disparaisse, car les besoins des patients peuvent difficilement être tous comblés par le personnel salarié, qui a des tâches précises à accomplir et un temps limité pour le faire. Cette réorientation passera par une réorganisation du bénévolat, sous l'égide d'un nouveau service, et par la réunification des comités de bénévoles, qui fonctionnaient jusque-là de manière tout à fait indépendante.

L'idée de restructurer le bénévolat sur de nouvelles bases émerge dès la première moitié des années 1950, alors que Justine Lacoste-Beaubien propose de nommer une directrice des bénévoles, poste qui est d'abord offert à Jeanne de Guise. Devant son refus et la démission rapide d'une deuxième candidate, le conseil se tourne finalement vers Fernande Robitaille. Parallèlement, pour calmer les appréhensions des bénévoles qui perdent leur autonomie organisationnelle pour dépendre d'une employée cadre, ce que certaines considèrent comme une aberration, un comité central des bénévoles est également formé. Composé des présidentes et vice-présidentes des divers comités préexistants, ce comité central, qui disparaîtra au début des années 1970, assure en

Fernande Lacoste-Robitaille (1914-1991)

Fernande Lacoste-Robitaille est reconnue comme la fondatrice du Service bénévole de l'Hôpital Sainte-Justine puisqu'elle en a été la première directrice en 1958, poste qu'elle a occupé jusqu'en 1979. Sa carrière à Sainte-Justine remonte cependant à 1931, alors qu'elle entreprenait la formation pour devenir infirmière-bénévole, une activité qu'elle a exercée jusqu'en 1939. De 1932 à 1939, elle a aussi été la secrétaire privée de Justine Lacoste-Beaubien. Tout au long de ses années à la direction du Service bénévole, elle a suivi une série de cours et de formations qui l'ont aidée à structurer le service, notamment le cours de direction des services bénévoles hospitaliers donné par le Montreal General Hospital et le Royal Victoria Hospital en 1959 et, en 1964, un cours intensif organisé par la School of Public Health and Administrative Medecine de la Faculté de l'Université Columbia, à New York. En 1970, elle obtient un certificat en gestion d'hôpital de l'Université de Montréal. En vue d'améliorer constamment les services bénévoles de Sainte-Justine, elle visite également de nombreux hôpitaux ailleurs au Canada, aux États-Unis et en Europe.

Fernande Lacoste-Robitaille a manifesté un intérêt marqué pour les loisirs offerts aux enfants. Pendant son mandat à la tête du service, elle obtient un certificat en animation de l'Université de Montréal et participe à la réorganisation du service des loisirs de Sainte-Justine. Elle encourage, entre autres, l'embauche de jardinières et de professeurs d'arts plastiques pour divertir les enfants hospitalisés.

Ses compétences à la direction du Service bénévole de Sainte-Justine, qui faisait figure de pionnier dans le domaine, étant reconnues dans tout le milieu hospitalier, Fernande Robitaille a maintes fois été sollicitée pour donner des conférences sur le sujet, en plus d'être consultante à l'hôpital Saint-Charles-Borromée, en 1971, et au Centre hospitalier de l'Université de Sherbrooke, en 1979, pour la mise sur pied de leurs propres services bénévoles.

En 1980, Fernande Lacoste-Robitaille a mis sur pied l'Association du personnel retraité de l'Hôpital Sainte-Justine, regroupement responsable de l'organisation d'activités de toutes sortes telles que des conférences, repas ou activités sportives, permettant de maintenir les liens qui se sont tissés pendant les années de travail.

quelque sorte la transition. L'une de ses principales réalisations est la rédaction d'un premier guide commun à toutes les bénévoles, détaillant leurs devoirs et leurs responsabilités. Il se charge également de la coordination des activités avec les associations extérieures qui visitent les patients de Sainte-Justine et il voit à l'organisation de la fête annuelle des bénévoles et à la remise des médailles aux plus assidues[46].

La centralisation des bénévoles à l'intérieur d'un même service signifie par ailleurs qu'il revient à la directrice de recruter, former, superviser et coordonner leur travail de manière à rentabiliser leur présence dans l'hôpital. Conçu comme un moyen d'« obtenir immédiatement l'aide dont l'hôpital a un urgent besoin[47] », le Service bénévole a pour tâche de répondre aux requêtes émanant des autres services et des départements, ce qui laisse moins de latitude aux volontaires dans le choix de leur engagement. Comme le mentionne le rapport annuel de 1965, « le "don de soi" est une richesse qu'il faut savoir canaliser au profit du malade[48] », ce qui suggère que les bénévoles doivent se plier à certaines contraintes. En fait, sur plusieurs plans, les bénévoles se retrouvent à la même enseigne que les employés salariés puisqu'elles doivent maintenant remplir une « fiche d'application », fournir un certificat médical et passer une entrevue avec la directrice, afin que cette dernière les renseigne « sur les exigences du bénévolat et les besoins de l'hôpital[49] » et qu'elle évalue leurs intérêts, mais aussi leurs capacités. Alors que par le passé les infirmières-bénévoles étaient pratiquement les seules à se soumettre à des procédures semblables, ces dernières sont maintenant étendues à toutes celles qui veulent joindre les rangs du personnel volontaire de l'hôpital.

Une fois acceptées, les bénévoles doivent également acquérir une formation pour apprendre à s'intégrer dans l'hôpital, s'inscrire à l'arrivée et au départ quand elles viennent y travailler, porter un uniforme et un insigne qui les identifient et respecter la définition des tâches qui leur sont attribuées, afin qu'elles n'empiètent pas sur celles des employés. Comme prend la peine de le préciser le rapport annuel de 1961, « le service bénévole a pour but d'apporter à l'Hôpital de l'aide supplémentaire dans divers domaines. [...]. Loin de remplacer le personnel régulier, [la bénévole] le seconde aux heures de pointe et leur collaboration doit être très étroite[50] ». Derrière cette mise au point se profile la nouvelle dynamique qui va désormais déterminer la place du bénévolat dans les décennies à venir. Tout en demeurant essentielles au fonctionnement de l'hôpital, « où les structures sont de plus en plus rigides et où l'automation crée un

L'Association canadienne nationale des auxiliaires d'hôpitaux

L'Association canadienne nationale des auxiliaires d'hôpitaux a été fondée en 1951 à l'initiative de la Women's Hospital Auxiliaries Association de la province d'Ontario. L'association pan-canadienne se voulant un regroupement des associations d'auxiliaires d'hôpitaux de toutes les provinces du Canada, une branche québécoise est créée en 1953 sous l'appellation de l'Association des auxiliaires d'hôpitaux de la province du Québec (AAHPQ). Dès sa fondation, l'Hôpital Sainte-Justine y est représenté par Justine Lacoste-Beaubien, nommée vice-présidente honoraire, et par d'autres membres du conseil d'administration, notamment Mmes René Gagnon et Marcelle Lacoste, qui occupent divers postes au sein de son comité directeur durant sa première décennie d'existence.

Ce mouvement de regroupement d'auxiliaires d'hôpitaux naît à une époque de professionnalisation grandissante du milieu hospitalier, alors qu'il devient primordial de bien établir le rôle des bénévoles et leur crédibilité. Ainsi, les associations provinciales et nationale d'auxiliaires ont pour mandat de faire la promotion des bénévoles au sein des hôpitaux et de coordonner les efforts des multiples regroupements en favorisant les échanges d'idées grâce à des brochures, journaux, bulletins d'information et congrès annuels. L'AAHPQ offre des conseils aux hôpitaux voulant créer un service de bénévoles et guide les auxiliaires dans la mise sur pied de bibliothèques pour les malades, de boutiques cadeau ou dans l'organisation des activités de financement.

besoin de plus en plus grand de relations humaines indispensables aux malades[51] », les bénévoles doivent apprendre à tenir le second rang.

Au moment de la création du service, il existe huit comités distincts de bénévoles affiliés au Comité central. Outre les Comités de couture et des infirmières-bénévoles, toujours actifs, et celui de la Boutique du cadeau, qui vient à peine d'ouvrir ses portes, au moins trois autres, soit les Comités des loisirs, de la bibliothèque des enfants et des arbres de Noël, s'occupent surtout de distraire et de gâter les patients. Le Comité de réception et le Comité des services généraux complètent la liste. Ce dernier regroupe les bénévoles qui font du travail de bureau, réception ou secrétariat, apportent leur aide aux patients pour les repas ou les visitent. Au total, durant les années 1960, de 400 à 500 personnes par année viennent faire du bénévolat à Sainte-Justine[52]. À l'exception de celles qui travaillent à la Boutique du cadeau, soit une trentaine, les membres de tous les autres comités peuvent être appelées à exercer des tâches touchant aux loisirs, à l'encadrement et au bien-être émotif des patients, même les couturières qui, de plus en plus, cousent ou tricotent des habits de poupée ou des vêtements remis aux enfants à Noël.

Beaucoup moins nombreux qu'autrefois, les comités de cette période se concentrent donc sur le soutien affectif donné aux enfants, une dimension dont les intervenants de la santé se préoccupent de plus en plus à partir des années 1960, comme on a pu le voir au chapitre précédent. Le rapport annuel de 1963 met d'ailleurs l'accent sur cette facette du bénévolat, à l'exclusion de toute autre :

> *L'attitude chaleureuse de la bénévole établit une relation réconfortante avec l'enfant malade ; son intérêt amical et sa présence l'aident à oublier sa maladie et atténuent le traumatisme de la séparation. La bénévole établit une relation humaine individualisée envers les isolés et devient, à l'occasion, le substitut maternel. Partout dans l'hôpital sa présence crée une ambiance de cordialité. Le don de soi est une valeur tellement précieuse dans le monde matérialiste d'aujourd'hui[53].*

En d'autres termes, la fonction des bénévoles est d'apporter un surplus d'humanité dans un univers qui valorise la spécialisation, la technologie et l'efficacité. Le *care,* une responsabilité qui a toujours fait partie de leur mandat, mais qu'elles partageaient avec les infirmières, leur revenait désormais presque entièrement. La formation qui leur est offerte à cette époque comporte d'ailleurs des conférences et des projections de films portant sur les besoins et la psychologie des enfants malades et l'importance de leur présence pour atténuer les effets néfastes de l'hospitalisation. L'idée d'instituer un service de substituts maternels, une équipe de bénévoles se relayant auprès de patients coupés de leurs attaches familiales afin de favoriser leur guérison, est une autre illustration de cette tendance. Comme l'explique Fernande Robitaille dans une entrevue au quotidien *La Presse,* par des visites régulières à un même enfant pour le bercer et lui raconter des histoires, les bénévoles lui redonnent le goût de vivre, tout en déchargeant les infirmières « qui ne peuvent être partout à la fois[54] ».

La prépondérance des loisirs

De manière encore plus marquante, cette nouvelle orientation va entraîner un important déplacement des bénévoles vers le secteur des loisirs, dont les effectifs font plus que doubler en dix ans, passant de 127 à 289 entre 1960 et 1970, pour finalement atteindre 451 en 1972[55]. En fait, au tournant des années 1970, 60 % des bénévoles sont rattachées à ce secteur. Le nouvel intérêt que les spécialistes de l'enfance accordent au jeu dans le développement de l'individu se traduit cepen-

Une bénévole aide des enfants à choisir des livres, vers 1960 (AHSJ).

Une séance de bricolage à la salle des loisirs du 8e étage, en 1960 (AHSJ).

Des étudiants en médecine et en psychologie jouent de la musique pour distraire les enfants en 1973 (AHSJ).

dant par une prise en charge croissante des loisirs par des salariées, enseignantes en arts plastiques, monitrices, éducatrices et jardinières, qui structurent et supervisent les activités afin de maximiser les effets bénéfiques que les enfants peuvent en retirer. En 1963, le rapport annuel constate que « les monitrices des loisirs s'intègrent graduellement dans l'équipe hospitalière » et dit souhaiter que leur nombre augmente, car « elles deviennent indispensables dans un hôpital d'enfants où leur travail aide à faire oublier l'ennui de l'hospitalisation[56] ». Quant aux bénévoles, leur rôle est de seconder ces nouvelles professionnelles qui assurent leur formation, comme le précise le rapport annuel de 1963 : « Mlle Harvey [...] est maintenant chargée d'organiser les loisirs dans les solariums : l'étude des activités, des jeux et des jouets qui peuvent s'adapter à nos malades, lui est confiée, ainsi que l'initiation des bénévoles. Cette formation pratique et théorique de la bénévole fait office d'enseignement des méthodes d'éducation par le jeu[57]. »

Des bénévoles préparent la distribution de livres aux enfants hospitalisés, en 1981 (AHSJ).

L'enthousiasme que suscitent les « loisirs organisés », comme on les appelle alors, amène la première directrice à vouloir établir « un service planifié de loisirs » relevant directement du directeur médical. Sa proposition, présentée à la suite d'une étude faite en comité, appelé Comité de thérapie par le jeu, où siègent trois médecins dont un psychiatre, précise que la nouvelle entité devrait être dirigée par une coordonnatrice « sensibilisée au problème de la séparation de la mère, ayant une connaissance de l'enfant, de la valeur des activités créatrices pour son développement et des causes des traumatismes hospitaliers », et qui serait épaulée par une secrétaire et une équipe de sept monitrices, dont l'une spécialement affectée à la formation des bénévoles œuvrant dans les 15 solariums de l'hôpital. Le projet prévoit également que les bénévoles seraient elles-mêmes appuyées par les étudiantes infirmières de Sainte-Justine et des stagiaires étudiant dans le domaine de la santé et des loisirs. De manière à consolider le travail de cette équipe, des rencontres régulières avec des pédiatres, des psychiatres, des infirmières, des ergothérapeutes et des travailleuses sociales devaient aussi avoir lieu[58].

Faute de documents, il est difficile de savoir dans quelle mesure ce plan d'ensemble est mis en œuvre, mais il est évident que l'intention est de professionnaliser le plus possible le secteur des loisirs, jusqu'à en faire l'une des composantes des soins donnés aux enfants. Chose certaine également, la cohabitation de professionnelles et de bénévoles au sein du Service du milieu thérapeutique, nom donné au secteur des loisirs organisés à compter de 1967, n'est pas toujours des plus harmonieuses, entre autres parce qu'il existe un roulement très important chez les bénévoles. Le résumé d'une rencontre tenue en 1974 pour discuter des problèmes que connaît le service souligne en effet que le personnel infirmier « est las d'initier presque quotidiennement de nouvelles recrues » et que « le nombre restreint d'employés du milieu thérapeutique ne permet plus l'investissement dans la formation de jeunes dont la présence est sporadique. » De leur côté, les bénévoles se plaignent « d'un sentiment de non-acceptation [*sic*] de la part de l'administration de l'hôpital, du personnel des soins infirmiers et du personnel du milieu thérapeutique[59] ». L'année suivante, ils demandent que le Service des soins infirmiers spécifie ses attentes à leur égard et qu'une collaboration plus étroite soit établie avec les éducateurs du milieu thérapeutique. Dans le but de mieux former les nouveaux bénévoles et de coordonner plus efficacement leurs tâches, ils réclament également la création de nouveaux postes au sein du milieu thérapeutique et la nomination d'une personne pour assister la directrice du Service bénévole dans son travail[60]. En 1978, alors que s'annonce l'Année internationale des enfants, les bénévoles réitèrent encore une fois leur demande au sujet de la création de postes d'animatrice « pour que [leur] travail soit mieux encadré et bénéfique pour l'enfant[61] ». C'est aussi à cette époque que naît le projet de création d'une joujouthèque « au service des bénévoles dans leurs activités auprès des enfants », mais dont la gestion serait assurée par une employée rémunérée afin de lui conférer une meilleure stabilité[62].

Pour mieux assumer leurs responsabilités, les bénévoles affectés aux loisirs en arrivent donc à réclamer l'embauche de personnes salariées, une demande que l'hôpital, déjà aux prises avec des contraintes budgétaires, n'arrive cependant pas à satisfaire. Cette recherche d'un meilleur encadrement est sans doute particulière à ce secteur, mais il reste qu'elle est symptomatique à la fois des nouveaux rapports entre employés et bénévoles et de la composition du personnel bénévole. Selon une enquête réalisée en 1971, en effet, près de 47 % des bénévoles sont âgés de 16 à 24 ans et 40 % sont des étudiants qui désirent surtout connaître le milieu hospitalier avant de s'engager dans une carrière médicale ou paramédicale. Dans l'ensemble, la majorité des bénévoles, soit 54 %, demeurent en poste moins d'un an, une proportion qui s'élève à plus de 76 % chez les étudiants, alors que les ménagères, qui constituent 27 % des bénévoles, poursuivent leur action durant plus d'un an dans 76 % des cas. Formant un groupe imposant, surtout dans le secteur des loisirs où ils sont très majoritaires, mais moins stables et moins expérimentés que les plus âgés, les jeunes qui font du bénévolat à Sainte-Justine et qui se perçoivent comme de futurs travailleurs de la santé recherchent sans doute avec plus de vigueur le soutien que peuvent leur offrir les professionnels. Mentionnons que l'enquête de 1971 révèle par ailleurs que 10 % des bénévoles sont maintenant des hommes, principalement des étudiants en médecine ou dans les secteurs paramédicaux[63].

Le bénévolat à l'ère de l'humanisation des soins et du virage ambulatoire

Si l'importance accordée aux loisirs caractérise le bénévolat des années 1960 et du début des années 1970, les bénévoles sont de plus en plus appelés, dans les années subséquentes, à participer au mouvement plus global d'humanisation des soins. Comme le signale le rapport annuel du Service bénévole en 1972, leur travail doit maintenant répondre « aussi bien aux besoins des patients et de leur famille qu'à ceux de l'Hôpital[64] », ce dernier ne détenant plus la priorité. Vers le milieu des années 1970, le guide du bénévole insiste d'ailleurs sur cette dimension : « Le but primordial [du bénévolat] est d'humaniser le séjour des malades à l'hôpital, afin que chacun d'eux se sente personnellement aidé, compris, aimé et non un patient anonyme presqu'un [*sic*] numéro dans la vaste structure d'un hôpital moderne[65]. » Vingt ans plus tard, cette

Séance d'arts plastiques au début des années 1980 (AHSJ).

mission est réitérée : « le service bénévole en est un de soutien et d'humanisation. Il participe à l'enrichissement du milieu de vie hospitalier de l'enfant en lui offrant des services complémentaires ». La première mission du Service bénévole, selon le nouveau guide, est de « combler les besoins affectifs et récréatifs des enfants » et « d'apporter un soutien moral à l'enfant et/ou à sa famille », un aspect qui va prendre une importance croissante avec les années, puisque les parents passent de plus en plus de temps à l'hôpital[66].

L'intégration de la présence des bénévoles à l'objectif d'humanisation des soins et les nouvelles préoccupations à l'égard des parents, qui font désormais partie de la vie hospitalière, se traduisent, dès les années 1980, par la mise en place de nouveaux services. Au début de cette décennie, pour mieux les préparer à l'hospitalisation de leur enfant, les bénévoles initient les parents au fonctionnement de l'hôpital en leur offrant une visite des lieux et une séance d'information sur les services et les horaires des visites, ainsi qu'en les présentant à l'équipe soignante. Un programme de visite de Sainte-Justine par les écoliers, afin de les « familiariser avec les services hospitaliers et le mode de vie d'un enfant admis à l'hôpital[67] », est également mis sur pied et attire plusieurs centaines d'élèves chaque année. Dès cette époque également, des bénévoles agissent comme messagers entre le personnel du bloc opératoire et les parents afin de les tenir au courant du déroulement de l'intervention que subit leur enfant, sans toutefois leur transmettre des informations de nature médicale, et ainsi de calmer leur angoisse ou leur impatience ; le samedi précédant leur opération, les enfants sont invités à visiter le bloc opératoire, où ils peuvent se déguiser en chirurgien, une façon de concrétiser et de dédramatiser l'événement. L'accueil des patients et de leurs parents à l'urgence, dans les cliniques externes ou dans les unités de soins, devient une autre priorité : à compter de 1983, les bénévoles « vont tous les jours sur les étages pour les rencontrer [les nouveaux arrivés] et les informer des services offerts, répondre à certaines questions et leur remettre la brochure d'accueil s'ils ne l'ont pas déjà reçue[68] ». Parmi les activités spéciales entreprises par les bénévoles au cours des années 1980 et 1990, mentionnons également la décoration des chambres d'isolement, l'organisation d'une halte-garderie pour les frères et sœurs des enfants hospitalisés ou nécessitant un suivi en clinique externe, ainsi que leur collaboration au soutien apporté aux parents endeuillés. En plus de ces nouveaux services, des bénévoles continuent de s'occuper des loisirs des enfants, de la distribution de livres et de jouets aux chambres et des services offerts dans la salle de bibliothèque où, depuis 1982, peuvent se rendre les patients capables de se déplacer. Ils organisent des activités spéciales lors des fêtes qui jalonnent l'année (Halloween, Noël, Pâques ou Saint-Valentin) et prêtent leur concours à la Boutique du cadeau. Durant toutes ces années, des bénévoles font aussi de la couture et du tricot pour les patients de l'hôpital et préparent des layettes pour des familles dans le besoin. En 2005-2006, « [l]es tricoteuses de Sainte-Justine », un cercle regroupant 16 personnes, ont ainsi confectionné plus de 6 000 bonnets pour nourrissons, poursuivant une tradition qui remonte

Bénévole à la salle d'opération, par Sylvie Demars

La salle d'opération est un endroit mystérieux et même inquiétant pour beaucoup de monde : qu'y a-t-il derrière la porte en verre dépoli du 3e bloc 9 ? des gaz prêts à vous anesthésier ? des bistouris prêts à vous découper ? Vous seriez très surpris — comme tous les patients et leurs parents qui franchissent cette porte — de constater qu'il y a derrière un poste avec des infirmières accueillantes, des corridors où circulent de curieux bonshommes verts (c'est l'Halloween tous les jours ici) et surtout une salle de jeux. Et oui ! nous sommes dans un hôpital pour enfants, on joue jusqu'à la dernière minute. Pendant qu'une opération s'achève dans une salle, le patient suivant, avec ses parents, sont là à attendre. Si l'on tient compte du fait qu'une dizaine de chirurgiens opèrent en même temps, chacun dans sa spécialité, on comprendra qu'il peut y avoir ici plusieurs personnes. Ma description de l'endroit serait incomplète si je ne mentionnais pas le salon des parents, qui jouxte la salle de jeux. Qu'y trouve-t-on ? des chaises, des parents et beaucoup d'inquiétude ; on attend le compte-rendu du chirurgien, la sortie de l'enfant de la salle de réveil, chaque fois que la porte s'ouvre, tous les yeux convergent vers celui qui l'a ouverte ! C'est l'endroit où les minutes ont définitivement plus de 60 secondes.

Une journée sans bénévole, l'armoire à jeux reste fermée et tout le monde garde ses questions, ses angoisses. Certes les médecins et les infirmières font le maximum pour informer, rassurer, mais ils ne peuvent pas être l'oreille qui écoute, l'humour qui change les idées.

Le rôle du bénévole à la salle d'opération est multiple : distraire les enfants les plus jeunes en jouant avec eux (ils ont une force extraordinaire, celle de prendre chaque minute comme elle vient et d'avoir une curiosité qui l'emporte sur leur inquiétude), expliquer à ceux qui sont en âge de comprendre comment ça va se passer, dans les mots qui les rassureront, changer les idées de ceux qui paniquent (programmes de télévision, résultats de hockey, musique en vogue : on apprend beaucoup sur les événements en ville quand on est bénévole à la salle d'op. !).

Contact avec les enfants, mais aussi soutien aux parents : répondre aux mille questions qu'ils se posent, leur faire sentir qu'on est là pour les écouter s'ils ressentent le besoin de parler mais respecter leur silence s'ils préfèrent se taire, leur donner des nouvelles quand leur enfant est en salle de réveil. En un mot faire le lien avec l'équipe soignante et essayer de faire régner un climat pas trop tendu.

Bien que le bloc opératoire fonctionne tous les jours le même nombre d'heures, avec le même nombre de salles, les programmes opératoires varient d'un jour à l'autre (opérations plus ou moins délicates, plus ou moins longues), nous ne savons jamais en arrivant ce qui nous attend pour la journée. Une chose est sûre, c'est que nous recevons toujours un accueil chaleureux de la part du personnel, et que rien n'est plus beau qu'un jeune qui oublie de pleurer parce qu'il pense à autre chose, un parent qui pousse un soupir de soulagement quand il apprend que son enfant va bien à la salle de réveil, ou un autre, se déchargeant du stress qui le hante, qui nous raconte mille choses qui l'aident à passer le temps. Car je sais mieux que personne, étant moi-même mère de famille, combien est précieux l'être que des parents remettent aux mains expertes certes, mais inquiétantes du chirurgien, et combien est grande la confiance qu'ils lui font, même s'ils savent que ce n'est qu'une affaire de routine, et que tout sera fait pour le bien de son rejeton.

Pour résumer notre rôle à la salle d'opération, je reprendrai cette phrase que m'a dite un jour un papa à qui j'expliquais que je n'étais là que pour boucher un trou : « Mais c'est par le trou que le bateau prend l'eau ! »

Source : AHSJ, Service des bénévoles, *Benevox*, s.d. (1997).

Un groupe de bénévoles amusent les enfants à la Saint-Valentin en 1987 (AHSJ).

au tout début de l'histoire de Sainte-Justine. Et c'est sans compter les 60 autres femmes appartenant à des Cercles de fermières de partout au Québec qui donnent de leur temps pour faire du tricot dans le cadre du projet Linus[69].

Par contre, et sauf exception, les bénévoles n'aident plus aux repas des enfants, une tâche jugée maintenant trop délicate en raison de la gravité de l'état de beaucoup de malades. Le virage ambulatoire, qui a profondément marqué l'évolution des soins hospitaliers depuis les années 1980, entraîne en effet un alourdissement de l'ensemble des cas hospitalisés, les patients moins gravement atteints bénéficiant d'une chirurgie d'un jour ou d'un court séjour, quand ce n'est pas d'un traitement en clinique externe. Sans compter que Sainte-Justine est devenu un centre de soins tertiaires, ce qui veut dire qu'il accueille une bonne proportion de patients souffrant d'une pathologie complexe. En plus de limiter les possibilités d'aide aux repas, la vulnérabilité des enfants hospitalisés et la présence de l'équipement médical auquel ils sont reliés restreignent leurs mouvements et leurs déplacements et ont pour effet que les loisirs de groupe dans les solariums, sans nécessairement disparaître, cèdent de plus en plus la place à des jeux individuels au chevet des malades. Les changements dans la clientèle de Sainte-Justine au cours des dernières décennies ont donc eu pour conséquence de circonscrire ou de modifier l'action des bénévoles, une tendance encouragée dans certains cas par les réticences des membres du personnel soignant, inquiets pour leur emploi dans le contexte des compressions budgétaires. Il reste que le virage ambulatoire a aussi entraîné un nouveau redéploiement du bénévolat : depuis les années 1990, les bénévoles sont en effet davantage présents dans les cliniques externes et même à l'urgence pour occuper et amuser les enfants qui attendent de voir un médecin. Ils reçoivent également de plus en plus de demandes pour remplacer un parent auprès d'un enfant afin de lui accorder un moment de répit. En 2006, le Service bénévole veut même instaurer un service de nuit afin que les parents d'enfants hospitalisés pour une longue période puissent prendre un véritable repos[70].

L'alourdissement de la clientèle s'est également traduit par un renforcement de la formation des bénévoles afin qu'ils soient mieux en mesure de s'y adapter. Alors qu'en 1975, le guide des bénévoles se contente d'énumérer les conditions à satisfaire pour devenir bénévole, leurs obligations et quelques consignes portant sur la sécurité et la prévention, le guide préparé sous la direction de Claire Nolet, chef du Service bénévole de 1988 à 1997, détaille également les tâches des bénévoles selon les unités de soins et offre un éventail de conseils pratiques pour mieux interagir avec les enfants de divers âges. Une autre brochure, rédigée en 1998, insiste pour sa part sur les comportements des enfants de chaque groupe d'âge, le matériel requis pour les distraire et le rôle que le bénévole doit exercer auprès d'eux. En 2005, les documents préparés pour accompagner la formation des bénévoles décrivent de manière exhaustive les principes éthiques qui doivent inspirer leur action et leurs interventions et ils insistent sur les pratiques hygiéniques et les précautions à prendre pour éviter la transmission de microorganismes. Le texte met également l'accent sur les aspects psychosociaux de la maladie chez l'enfant, sur les principes et les attitudes qui doivent guider la relation d'aide, sur l'importance du jeu et sur le développement de l'enfant de la naissance à l'adolescence. Un atelier destiné à préparer les bénévoles à affronter le deuil, une situation qui survient régulièrement, selon Louise L'Hérault, chef du Service bénévole à partir de 2003, fait également partie de cette formation. Chaque personne inscrite doit en outre analyser les motivations de son bénévolat, accepter que l'hôpital vérifie ses antécédents judiciaires et s'engager pour une période de six mois à raison de trois heures consécutives par semaine, plutôt que pour trois mois comme c'était le cas auparavant. Avant de travailler dans les unités de soins, les bénévoles doivent également effectuer 45 heures de travail dans les cliniques externes ou à l'urgence. L'attention portée à la déontologie, à l'hygiène et à la psychologie des malades, mais aussi des bénévoles, témoigne des nouvelles préoccupations à l'égard de la sécurité des enfants et des parents, mais également des qualités recherchées chez le personnel bénévole, qui doit œuvrer dans un milieu plus exigeant qu'autrefois[71].

Tout en cherchant à rehausser le niveau de compétence des bénévoles, le service a aussi tenté de favoriser leur regroupement afin qu'ils puissent se retrouver entre eux pour socialiser et mettre sur pied des projets. Depuis la disparition du Comité central des bénévoles dans les années 1970, le Service bénévole représentait en effet la seule instance à laquelle ils étaient rattachés, ce qui, selon Claire Nolet, avait eu pour effet de « privilégier les activités reliées aux soins », au détriment de toute autre. Dès son entrée en fonction comme chef de service, elle met donc sur pied un comité consultatif visant à favoriser un élargissement de leurs tâches. Formé d'une dizaine de membres élus parmi les bénévoles ayant cumulé un an de service ou 150 heures de travail, ce comité s'emploie à élaborer des activités contribuant à l'amélioration de la qualité de vie des patients, mais aussi des bénévoles. Durant les années 1990, où il a été le plus actif, il s'occupe principalement d'organiser des rencontres sociales, d'encourager la formation continue, d'améliorer les échanges entre bénévoles au moyen d'un journal intitulé *Bénévox,* et d'organiser des collectes de fonds afin d'acheter de l'équipement qui contribue au bien-être collectif des patients.

En 1995, lors d'une journée de réflexion organisée pour évaluer l'action du comité, les membres constatent un peu à regret que les campagnes de financement sont devenues le « centre d'intérêt principal du Comité des bénévoles », la formation continue et les rencontres sociales ne suscitant pas le recrutement d'un nombre significatif de personnes, trop occupées par leurs études ou leur travail. Les procès-verbaux qui nous sont parvenus montrent en effet que les parades de mode, parties de golf, bazars et autres fêtes organisées pour amasser des fonds mobilisent une bonne part de l'énergie des membres du comité et de son sous-comité des finances. Les sommes accumulées sont d'ailleurs assez rondelettes : ainsi, pour l'année financière 1993-1994, le comité dispose de plus

Michel Bergeron, le bénévole des bénévoles, 1991

En 1991, le comité des bénévoles décernait la mention « bénévole des bénévoles » à Michel Bergeron. De mai 1982 à juin 1991, Michel Bergeron a consacré plus de 8 460 heures au bénévolat à Sainte-Justine, à raison de six à huit heures par jour, quatre ou cinq jours par semaine. Durant cette période, il a participé à toutes les fêtes organisées à l'hôpital en s'assurant de leur préparation et en s'occupant de la décoration pour chacun des événements. Jusqu'en 1988, il portait le déguisement de la mascotte Cachou. De plus, il a offert son temps au Service des relations publiques en s'occupant de l'affichage sur les murs et en assistant le personnel dans la préparation des activités.

de 34 000 $. Avec cet argent, il tente de répondre à des demandes de matériel provenant de tout l'hôpital : chaises berçantes, chaises hautes, poussettes, mobiles et balançoires pour bébés, de même que des téléviseurs, des magnétoscopes ou des cassettes vidéo et de Nintendo se retrouvent parmi les biens les plus souvent offerts aux différents services et unités de l'hôpital[72].

Dans le contexte des compressions budgétaires qui affectent le système hospitalier durant les années 1990, les sommes amassées par le Comité des bénévoles vont cependant finir par susciter la convoitise des uns et des autres, et obliger le comité à s'interroger sur le mandat qu'il veut se donner. En 1994, la requête d'une coordonnatrice pour l'achat de filets permettant de déplacer des enfants lourdement handicapés suscite en effet une vive discussion parmi les membres, qui se demandent si ce genre de matériel ne fait pas partie de l'équipement que devrait fournir l'hôpital. Les fonds nécessaires sont finalement accordés, mais non sans que soit exprimée la crainte de voir affluer des requêtes semblables ou même de subir des pressions de la direction pour couvrir des dépenses que l'hôpital ne peut plus assumer. De fait, au cours des deux années suivantes, le comité reçoit d'autres demandes qui dépassent le cadre de ses attributions. En 1996, après avoir affirmé qu'il ne veut pas devenir « un bailleur de fonds », il prend finalement la décision de limiter à deux le nombre de ses campagnes annuelles et de distribuer l'argent recueilli uniquement dans le but de faciliter l'interaction entre les patients et les bénévoles ou de combler un besoin récréatif chez l'enfant. En d'autres termes, le comité n'a pas l'intention de palier les carences du financement public des établissements de santé, un principe qu'il est prêt à défendre même au prix d'une diminution de ses activités de financement[73].

À cela près, l'expérience du Comité des bénévoles dans le domaine de la collecte de fonds n'est pas sans rappeler les efforts consentis dans le passé par d'autres comités, comme celui des arbres de Noël, pour réunir les sommes nécessaires à leur fonctionnement. Son action n'est d'ailleurs pas unique : pendant qu'il organise des activités-bénéfices pour améliorer la qualité de vie des patients, d'autres bénévoles contribuent aux campagnes organisées par la Fondation de l'Hôpital Sainte-Justine, une tradition que l'on peut faire remonter aux années 1920 et qui s'est poursuivie presque sans interruption jusqu'à ce jour. Comme par le passé, ces événements font appel à un nombre considérable de personnes qui, pour la plupart, s'enrôlent pour une courte période. Ainsi, en 1989, plus de 750 personnes contribuent au bon déroulement de la campagne « Illuminez une vie » qui se tient dans cinq centres commerciaux de la région montréalaise durant la période de Noël ; en 1992, ce sont plus de 1 200 bénévoles qui participent au même événement, alors que le président de la Fondation, Michel Pauzé, rapporte que cette année-là « 59 groupes bénévoles ont, de leur propre chef, organisé des activités de cueillette de fonds au profit de Sainte-Justine[74] ». Ces bénévoles constituent cependant des groupes à part, dont les effectifs et les heures de travail ne sont pas comptabilisés par le Service bénévole, ce qui rend toujours aussi difficile l'évaluation du nombre total des volontaires qui se dévouent pour l'hôpital. En fait, pour mesurer toute l'ampleur du bénévolat effectué au profit de Sainte-Justine, il faudrait aussi tenir compte des personnes qui siègent bénévolement au conseil d'administration de l'hôpital et des nombreuses associations de parents (LEUCAN, Association pour la dystrophie musculaire, etc.), qui sont devenues de véritables partenaires de Sainte-Justine et qui comptent également sur le bénévolat de leurs membres pour assurer leur fonctionnement.

Selon les données disponibles, le personnel bénévole rattaché aux autres secteurs augmente tout au long des années 1970, passant de près de 700 en 1972 à 900 pour l'exercice 1981-1982, avant de connaître un déclin marqué. Au tournant des années 1990, le nombre s'établit à 300, tandis que pour l'exercice 2005-2006 les effectifs se situent à plus

Figure 4. – Nombre d'heures de bénévolat, de 1962 à 2005-2006

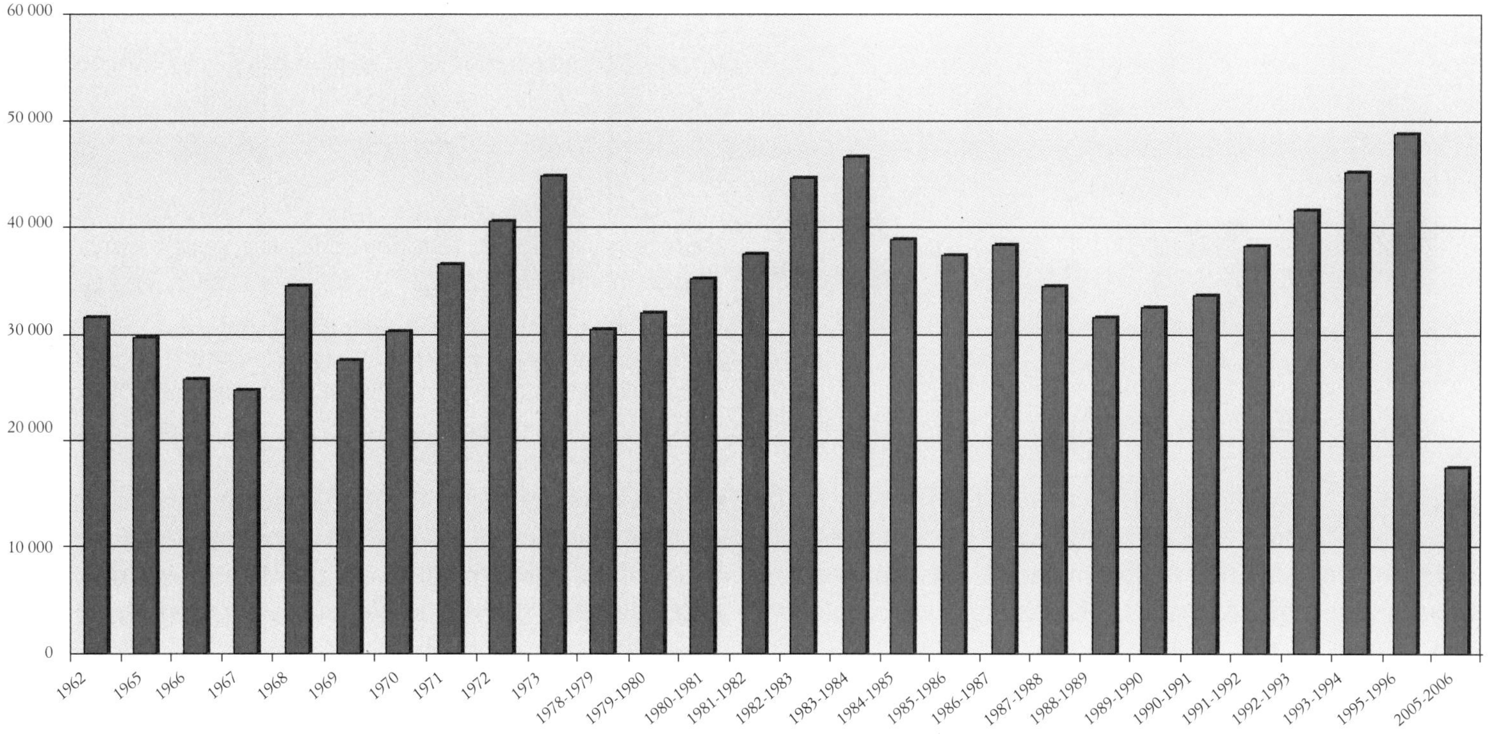

Sources : AHSJ, rapports annuels, 1970 à 1993-1994, *Bénévox,* n° 22, décembre 1995, et « Dossier Les bénévoles », *Interblocs,* vol. 29, n° 4, avril-mai 2006.

de 400. L'examen du nombre d'heures données par les bénévoles révèle pour sa part que le personnel volontaire a totalisé 37 000 heures de travail en 1981-1982, contre plus de 48 000 heures en 1995-1996 et 17 000 en 2005-2006 *(voir figure 4).* Ces données, qui semblent indiquer une baisse marquée au cours des dernières années, doivent toutefois être interprétées avec précaution, car il n'est pas certain que toutes les heures travaillées soient dûment enregistrées. Il faut aussi considérer que certains services qui accaparaient de nombreux bénévoles à temps plein, comme la Boutique du cadeau, ont disparu au début des années 2000. La dissolution du Comité des bénévoles vers la même époque a sans doute également contribué à la diminution du total des heures, tout comme la réduction du nombre et de l'ampleur des activités de financement du service. Si on établit la moyenne des heures travaillées par personne, on constate par ailleurs que les bénévoles ont consacré 41 heures à Sainte-Justine au cours de l'exercice financier 2005-2006, soit autant qu'en 1981-1982 ; au milieu des années 1990, par contre, alors que le Comité des bénévoles est toujours actif, cette moyenne a atteint 120 heures. À titre comparatif, mentionnons qu'au début des années 1960 les bénévoles, dont le nombre se

Figure 5. – Pourcentage des bénévoles par groupe d'âge, 1995 et 2005-2006

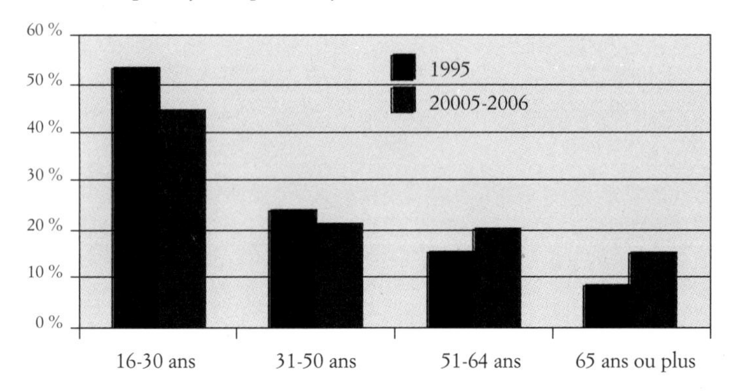

Source : *Benevox,* n° 22, décembre 1995, s.p. ; « Dossier Les Bénévoles », *Interblocs,* vol. 29, n° 4, avril-mai 2006, s.p.

situait aux environs de 500, fournissaient une soixantaine d'heures de travail chacun, pour un total de quelque 30 000 heures[75].

Comme le montre la figure 5, les données sur le profil des bénévoles révèlent pour leur part que le groupe des 16-30 ans forme toujours la plus grande proportion des bénévoles, quoique leur pourcentage ait diminué entre les années 1990 et les années 2000, passant de plus de 52 % en 1995 à 44 % dix ans plus tard. En contrepartie, la proportion des bénévoles âgés de plus de 65 ans, des retraités pour la plupart, a doublé et représente 15 % des effectifs en 2006, contre 8 % en 1995. Les tranches d'âge intermédiaires correspondant aux périodes de la vie où les gens sont les plus susceptibles d'occuper un emploi, soit les 30-50 ans et les 51-64 ans, fournissent respectivement 24 % et 15 % des candidats en 1995 et 21 % et 20 % en 2006[76].

Les dernières décennies auraient donc été le témoin d'un certain vieillissement des bénévoles, mais il reste que le groupe majoritaire, en 2007 comme en 1907, demeure les jeunes, en particulier les jeunes femmes, autrefois célibataires, maintenant étudiantes ou salariées. Une autre constante se dégage de ce siècle de bénévolat : l'engagement beaucoup plus marginal des hommes, même si leur proportion a progressé à partir des années 1970, pour se situer à 14 % au milieu des années 1990. Ce qui frappe également, c'est le caractère polymorphe du bénévolat pratiqué à Sainte-Justine et sa capacité d'adaptation aux transformations du milieu hospitalier. Si le rôle des bénévoles s'est profondément modifié, si leurs responsabilités ont été sans cesse réduites depuis les années 1950 et 1960 dans plusieurs domaines, le bénévolat n'a pas pour autant disparu ; il s'est plutôt redéployé pour tenter de répondre à de nouvelles demandes. Car la spécialisation des soins, qui a chassé les bénévoles de certains créneaux, réclame par ailleurs leur présence dans d'autres domaines pour contrer ses effets les plus préjudiciables.

CHAPITRE 5

Des pédiatres à l'œuvre

Quand Sainte-Justine ouvre ses portes en 1907, la pédiatrie ne constitue pas encore une spécialité médicale. En fait, le soin des enfants est alors étroitement associé aux domaines de la puériculture et de l'hygiène et il n'est pas rare que les médecins croient que les petits ne peuvent être soignés, incapables qu'ils sont d'expliquer leurs malaises ou de décrire ce qu'ils ressentent. La naissance d'un hôpital pour enfants témoigne cependant d'une rupture par rapport à ces conceptions ; au cours des décennies suivantes, l'accumulation des connaissances au sujet des pathologies infantiles permet la constitution d'une véritable médecine des enfants qui, tout comme la médecine des adultes, va bientôt se fractionner en multiples spécialités. Devenu très tôt un hôpital universitaire, c'est-à-dire un lieu où les étudiants en médecine viennent se former, Sainte-Justine prend une part très active au développement de la pédiatrie et de la spécialisation des pédiatres, tout comme il devient un lieu de pratique privilégié pour la médecine pédiatrique et, à plus long terme, pour la recherche clinique et fondamentale concernant les maladies infantiles.

Devenir pédiatre

Sainte-Justine et les débuts de la pédiatrie, 1907-1947

Au tout début du XXe siècle, la formation médicale, qui dure alors quatre ans, fait déjà appel à la clinique, c'est-à-dire à l'enseignement pratique auprès des patients des dispensaires ou au chevet des malades des salles publiques des hôpitaux. Tout autant que les cours théoriques, la clinique est vue comme essentielle pour que les futurs praticiens se familiarisent avec une variété de pathologies et qu'ils apprennent à reconnaître les symptômes d'une maladie, à poser un diagnostic sûr et à déterminer le meilleur traitement. Cet apprentissage nécessitant une large gamme et une grande quantité de cas, l'hôpital, avec ses services internes et externes, devient le lieu privilégié de l'enseignement de la médecine. Les chirurgiens n'échappent pas au phénomène, puisque leur formation comprend également des démonstrations pratiques dans des amphithéâtres chirurgicaux. Au moment de la fondation de Sainte-Justine, des cliniques médicales et chirurgicales se tiennent déjà à l'Hôtel-Dieu et à l'Hôpital Notre-Dame, ce dernier ayant été fondé en 1880 par un groupe de médecins canadiens-français désireux d'augmenter le nombre des malades accessibles aux étudiants[1].

C'est aussi à Notre-Dame qu'est fondé le premier dispensaire pour enfants en 1887, à l'initiative du Dr Séverin Lachapelle, professeur de pathologie générale à la Faculté de médecine, un domaine qui, à l'époque, comprend la pédiatrie. Lachapelle devient alors responsable de la clinique des maladies infantiles, le dispensaire de Notre-Dame lui servant de lieu de démonstrations pratiques. Comportant peu de leçons, soit une trentaine jusqu'en 1906 et une quarantaine par la suite dont la moitié en clinique, la formation

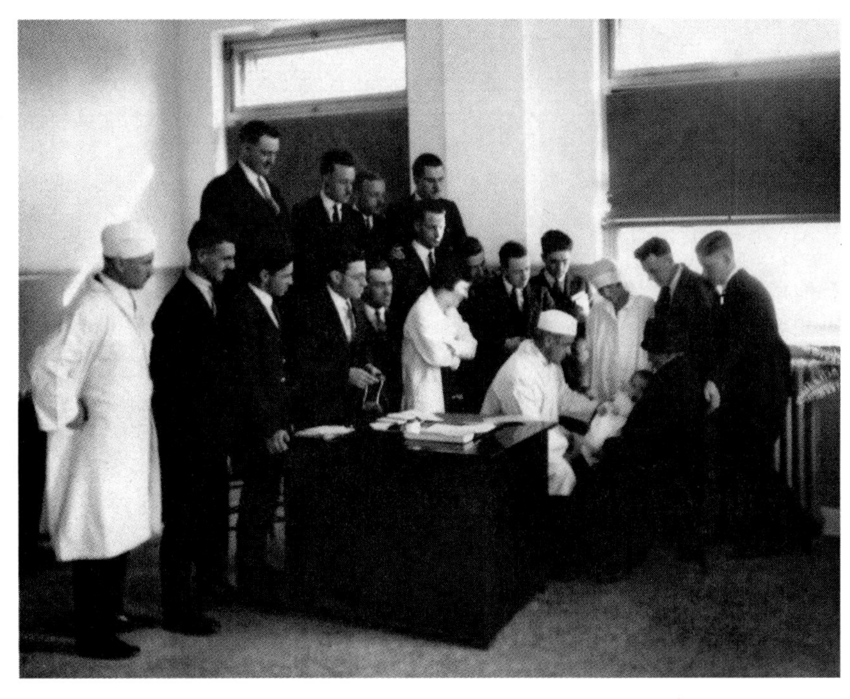

L'enseignement clinique au dispensaire en 1924. Une étudiante en médecine et une infirmière assistent à la leçon donnée par le Dr Raoul Masson (AHSJ).

en pédiatrie n'est cependant pas obligatoire, et peu d'étudiants, semble-t-il, choisissent de s'y inscrire.

Cette situation change avec l'adoption de la loi médicale de 1909, qui prolonge la formation d'un an et introduit de nouvelles matières obligatoires, dont la pédiatrie, tout en accordant une plus large place à la dimension pratique des études médicales. Comme c'était déjà le cas, l'enseignement clinique de la pédiatrie continue alors de se donner au dispensaire de l'Hôpital Notre-Dame, mais aussi à l'Hôpital Saint-Paul, qui accueille les enfants atteints de maladies contagieuses, et à Sainte-Justine qui obtient, en 1911, que les étudiants y reçoivent également des cours. À compter de 1914, Sainte-Justine, maintenant installé dans son nouvel immeuble de la rue Saint-Denis, dispose d'un nombre de lits suffisamment élevé pour assurer une formation large et diversifiée aux futurs médecins, ce qui lui vaut d'être affilié à l'Université de Montréal et de devenir le principal lieu d'enseignement clinique de la pédiatrie. Le Dr Raoul Masson, membre du premier bureau médical de l'hôpital et détenteur de la chaire d'enseignement de pédiatrie, en remplacement du Dr Lachapelle décédé en 1913, prend alors la direction des cours théoriques donnés à la Faculté de médecine. Contrairement à Lachapelle, qui n'avait pas de formation dans ce domaine, Masson avait étudié la pédiatrie en France durant trois ans, ce qui en faisait l'un des rares spécialistes de sa génération[2].

Le premier contrat d'affiliation universitaire stipule que Sainte-Justine « confie à la Faculté de médecine de l'Université Laval à Montréal le service médical et chirurgical de l'hôpital ». La faculté obtient ainsi le droit de nommer les médecins de l'hôpital, sous réserve de l'approbation de l'administration, mais, surtout, l'entente précise que les services internes et externes de l'hôpital « sont à la disposition de la Faculté pour y organiser des cliniques », ce qui témoigne bien de la transformation de l'hôpital en un lieu d'enseignement. À compter de 1917, les élèves de cinquième année de médecine suivent tous les avant-midi, durant un mois, l'enseignement clinique pédiatrique à Sainte-Justine. Dans les années 1920, une centaine d'étudiants par année, chacun payant des frais d'inscription de 2 $ à l'hôpital, assistent à ces cliniques, mais la plupart d'entre eux se destinent à la pratique générale de la médecine, et il semble que bien peu acceptent de devenir internes une fois diplômés[3].

Jusqu'en 1927, en effet, les internes ne sont pas des étudiants en médecine, mais des diplômés, licenciés par le Collège des médecins et chirurgiens de la province, nantis « d'un certificat de bonnes mœurs et de bonne conduite », qui acceptent de se consacrer durant un an, parfois plus, à la pratique en milieu hospitalier. Logés gratuitement à l'hôpital, ils se doivent d'être disponibles en tout temps et ne peuvent entretenir une clientèle en dehors de l'hôpital, ni percevoir des honoraires de la part des patients hospitalisés. Au terme de cette année de service durant laquelle ils touchent une faible rémunération, les candidats reçoivent un certificat d'internat qui leur ouvre la porte à d'autres nominations hospitalières ou à une pratique privée plus lucrative[4].

À compter de 1927 cependant, l'internat devient une partie intégrante des études de médecine. Comme l'explique l'historien Denis Goulet, l'ajout d'une année d'étude en 1920 — condition imposée par le Rockefeller Institute for Medical Research pour l'octroi d'une subvention à la Faculté de médecine — a pour résultat de décaler d'une année l'obtention du diplôme pour une cohorte d'étudiants, ce qui empêche les hôpitaux de recruter des internes alors qu'ils en ont un pressant besoin. C'est pour palier cette pénurie que la faculté instaure le système d'un internat rotatoire d'un an, obligatoire pour tous les étudiants de dernière année. Chaque étudiant doit alors effectuer trois stages de trois mois chacun en médecine, en chirurgie et en obstétrique, les trois derniers mois étant répartis entre différents services, dont la pédiatrie.

Tout en donnant une plus grande expérience clinique aux étudiants, le système de l'internat rotatoire les encourage à se spécialiser dans l'un ou l'autre domaine couvert par leur stage. En fait, selon l'historien Guy Grenier, l'internat obligatoire s'est avéré une étape importante pour la reconnaissance des spécialités médicales qui surviendra dans les années 1940. L'organisation de l'internat défavorise cependant Sainte-Justine, puisque la pédiatrie n'est qu'une des composantes possibles du dernier stage de trois mois, alors même que les finissants ne sont pas légion. Ainsi, en 1930, l'hôpital attire seulement 9 des 51 finissants à titre d'internes, l'Hôpital Notre-Dame et l'Hôtel-Dieu se taillant la part du lion avec un total de 32 candidats. Pour combler leurs besoins en personnel médical, les hôpitaux, dont Sainte-Justine, vont donc continuer à embaucher des médecins fraîchement licenciés, dits médecins internes ou internes « seniors », par opposition aux étudiants, appelés simplement internes ou internes « juniors ». « Vu le nombre toujours croissant de malades hospitalisés dans les salles, il est décidé d'engager [...] quatre médecins internes », rapporte par exemple un procès-verbal du conseil en 1932[5].

Comme d'autres hôpitaux à l'époque, Sainte-Justine s'intéresse de près au développement de l'enseignement de la médecine, car celui-ci a des retombées directes sur l'offre et l'organisation des soins hospitaliers et sur la carrière de son personnel médical engagé dans l'enseignement. Pour mieux répondre aux besoins de leur hôpital, souvent à l'instigation

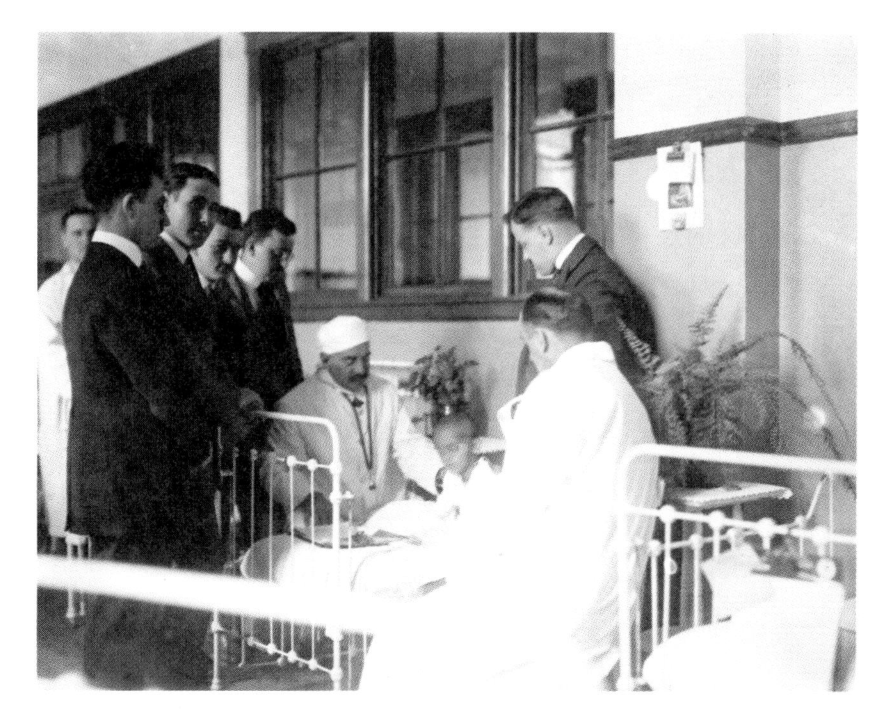

Le Dr Raoul Masson, assis près du lit du malade, donne une leçon clinique aux étudiants en médecine en 1919. De dos, vêtu de blanc, on aperçoit le Dr J. A. Lafleur (AHSJ).

du bureau médical, les administratrices n'hésitent donc pas à adresser des demandes à la faculté. Ainsi, en 1923, elles réclament la création d'une chaire de chirurgie infantile dont le titulaire serait l'un des médecins de Sainte-Justine. La requête est reçue favorablement et deux ans plus tard, soit en 1925, la faculté transforme la clinique de chirurgie infantile en chaire de chirurgie et orthopédie, ce qui confère une plus grande importance à l'enseignement de cette matière. Le Dr Ferron, chirurgien en chef à Sainte-Justine et orthopédiste renommé, en devient le titulaire[6]. En 1928, les dirigeantes demandent d'inclure un « médecin en pédiatrie » dans le conseil de la Faculté de médecine. Pour justifier leur demande, elles insistent sur la distinction croissante qui s'opère entre la médecine générale et la médecine infantile : « D'aucuns diront, peut-être, que la médecine infantile fait partie de la médecine générale, soit, mais depuis quelques années, il s'est fait, universellement, un tel effort pour perfectionner cette branche de la science médicale, qu'aujourd'hui, elle est reconnue d'importance capitale, elle tient sa large place au programme des études universitaires. » Elles font aussi valoir « la nécessité de plus en plus grande de former des médecins, spécialistes pour les enfants », de même que la contribution de Sainte-Justine à l'enseignement pratique depuis son ouverture et les « efforts constants qu'il a faits pour marcher de pair avec le progrès se mettant au niveau des hôpitaux modernes[7] ».

Rien n'indique si l'inclusion d'un spécialiste des soins aux enfants au sein du conseil de la Faculté de médecine a été immédiatement accordée, mais au tournant des années 1930, plusieurs des médecins de Sainte-Justine, en particulier les Drs Gaston Lapierre, Edmond Dubé, J. H. Rivard et Paul Letondal, sont nommés professeurs agrégés. À cette époque, l'obtention de ce titre couronne un long parcours qui s'amorce avec l'internat « senior », souvent précédé d'études à l'étranger. Une fois cette étape franchie, l'aspirant professeur doit ensuite exercer en milieu hospitalier comme médecin bénévole pendant deux ans, nombre porté à quatre à partir des années 1940, avant de pouvoir poser sa candidature comme médecin assistant, c'est-à-dire comme démonstrateur, puis, après deux ans, comme assistant professeur. Ce n'est qu'après dix années à cette dernière fonction qu'il peut

Dr Edmond Dubé (1894-1960)

Né le 12 mai 1894, Edmond Dubé est admis à la Faculté de médecine de l'Université Laval de Montréal en 1913. Après la Première Guerre mondiale, il complète sa formation dans le domaine de la chirurgie infantile et orthopédique à Paris. À son retour en 1920, il obtient un poste d'assistant-bénévole au Service de chirurgie-orthopédie de l'Hôpital Sainte-Justine, avant de devenir chef du Service de chirurgie en 1933.

De 1930 jusqu'à son décès en 1960, le Dr Dubé agit également comme directeur médical de l'établissement. À ce poste, il a grandement contribué au développement de l'hôpital en favorisant l'ouverture de nouveaux services et en encourageant la tenue de réunions scientifiques. Il est aussi le fondateur des *Annales médico-chirurgicales de l'Hôpital Sainte-Justine*, une revue scientifique dans laquelle il encourage ses confrères à publier les résultats de leurs recherches.

En plus de se consacrer au soin des enfants de Sainte-Justine, le Dr Dubé poursuit une carrière de professeur à l'Université de Montréal. Nommé assistant à l'enseignement de la chirurgie infantile et orthopédique dès 1924, il devient professeur agrégé en 1930, puis, en 1937, professeur titulaire de pathologie chirurgicale. À compter de 1942, il occupe la chaire de chirurgie infantile et orthopédique, tandis que de 1944 à 1950, il exerce la charge de doyen de la Faculté de médecine.

En plus d'avoir été président de la Société médicale de Montréal et de la Société de chirurgie de Montréal, le Dr Dubé a aussi été le premier médecin de langue française à occuper la présidence du Collège royal des médecins et chirurgiens du Canada de 1951 à 1953. Sa contribution à la médecine et à la chirurgie infantiles a été reconnue tout au long de sa carrière par plusieurs organismes, dont les prestigieux American Surgical Association et American College of Surgeons, qui lui ont décerné le titre de Fellow.

devenir professeur agrégé et enfin, trois ans plus tard, professeur titulaire. En 1937, le Dr Dubé est nommé à la chaire de pathologie chirurgicale, tandis que le Dr Lapierre, qui assure l'intérim à la chaire de pédiatrie après la mort du Dr Raoul Masson en 1928, en devient le titulaire officiel : la même année, il devient également le premier directeur du département de pédiatrie, créé à la suggestion de la Canadian Society for the Study of the Diseases of Children. Finalement, en 1938, le Dr Dubé est invité à siéger à l'exécutif de la Faculté de médecine. Au terme des années 1930, on peut donc dire que les études pédiatriques sont parvenues à se tailler une plus grande place au sein du programme d'études dispensé par la faculté, l'enseignement théorique de la pédiatrie comprenant alors 60 heures de cours, alors que les spécialistes des maladies infantiles sont davantage présents au sein de ses structures[8].

La fin des années 1930 est également marquée par un véritable mouvement en faveur de la spécialisation médicale, qui débouche, dans les années 1940, sur un processus de reconnaissance officielle. Le Collège royal des médecins et chirurgiens du Canada (CRMCC) commence alors à émettre des certificats de spécialité suivant des conditions fixées conjointement avec l'ensemble des facultés de médecine canadiennes. En outre, des certificats seront automatiquement accordés aux candidats détenteurs d'un diplôme en spécialité décerné par l'une de ces universités. Jusqu'en 1944, ceux qui pratiquent déjà une spécialité depuis au moins cinq ans sont aussi certifiés sans avoir à passer d'examens ; en 1945, 127 pédiatres ont ainsi reçu leur certification à travers le Canada.

À partir de 1948, une législation provinciale accorde au Collège des médecins et chirurgiens de la province (CMCPQ) le pouvoir de déterminer ses propres normes pour classifier les spécialités médicales, définir les qualifications pour les médecins spécialistes et leur octroyer des certificats de compétence. En consultation avec des représentants de l'Association des pédiatres de la province de Québec (APPQ), fondée à l'instigation du Dr Paul Letondal en 1949, et des trois facultés de médecine (McGill, Montréal et Laval), le collège québécois, tout en reconnaissant les certificats déjà

Dr Paul Letondal (1898-1985)

Issu d'une famille de musiciens réputés, Paul Letondal s'inscrit à la Faculté de médecine de l'Université Laval de Montréal avant de poursuivre ses études en France et d'obtenir un diplôme de l'École de puériculture de la Faculté de médecine de Paris au début des années 1920. De 1925 à 1934, il fait partie de l'équipe médicale de l'Hôpital Sainte-Justine et, en 1931, il est nommé professeur agrégé à la Faculté de médecine de l'Université de Montréal. De 1934 à 1951, il travaille à l'Hôpital général de Verdun et à la Crèche de la Miséricorde, avant de revenir à Sainte-Justine auquel il demeurera rattaché jusqu'au début des années 1980.

De par ses travaux et ses réalisations, le Dr Letondal a été une figure marquante dans le développement de la pédiatrie au Québec. À compter de 1937, grâce à l'appui du gouvernement provincial et du Collège des médecins et chirurgiens, il instaure un cours de perfectionnement pour les pédiatres qui attire de nombreux médecins. D'abord dispensé à la Crèche de la Miséricorde, à laquelle le Dr Letondal est alors rattaché, ce cours se transporte à Sainte-Justine en 1951 quand il renoue avec l'hôpital. En 1949, avec le soutien des médecins participant à ces séances, il fonde l'Association des pédiatres du Québec et en devient le premier président. Depuis 1989, l'Association remet d'ailleurs annuellement un prix en l'honneur du Dr Letondal à l'un de ses membres qui s'est particulièrement distingué.

En 1982, le Dr Letondal célébrait son 60e anniversaire de pratique médicale. Bien qu'il ait décidé d'exercer sa profession à Deux-Montagnes dès la fin des années 1950, il est demeuré médecin consultant à Sainte-Justine jusqu'à la fin de sa vie. Au cours de sa carrière, il s'est aussi intéressé à la recherche et a publié plus d'une centaine d'articles, principalement dans les domaines de la gastro-entérologie, de la nutrition et de la diététique, en plus de fonder la revue *L'Information médicale*.

accordés par le collège canadien, décide que les aspirants pédiatres devront satisfaire aux exigences suivantes : avoir complété leur année d'internat rotatoire, une année d'internat « senior » ou de résidence en médecine interne ou en médecine interne seule combinée à d'autres spécialités, plus trois années de résidence en pédiatrie, dont l'une consacrée à des études ou des recherches plus spécialisées. En 1950, le CMCPQ décerne 26 certificats de pédiatrie, dont plus d'une douzaine à des médecins de Sainte-Justine.

Dr Raymond Labrecque (1912-1971)

Embauché comme chef interne de l'hôpital en 1938, le Dr Raymond Labrecque a été l'un des premiers médecins à profiter du plan de résidence de quatre ans instauré par l'administration de l'Hôpital Sainte-Justine en 1939. Grâce à cette bourse de perfectionnement, il poursuit ses études en pédiatrie au Post Graduate Medical School de New York et au Children's Hospital de Boston, avant de rejoindre le Service de pédiatrie de Sainte-Justine en 1943. Il compte parmi les premiers pédiatres canadiens-français à détenir les certificats de spécialiste en pédiatrie du Collège des médecins et chirurgiens de la Province de Québec et du Collège royal des médecins et chirurgiens du Canada. Nommé chef du Service de médecine infantile en 1958, il occupe également le poste d'assistant-directeur médical de l'hôpital entre 1946 et 1960, puis de directeur médical en remplacement du Dr Dubé, fonction qu'il exerce jusqu'à son décès en 1971. En plus d'avoir été professeur agrégé de clinique pédiatrique à l'Université de Montréal à compter de 1950, le Dr Labrecque a fait partie de la commission universitaire des gardes-malades de l'Université de Montréal et a été secrétaire du Comité scientifique de la Fondation Justine-Lacoste-Beaubien.

Le Prix de pédiatrie Sainte-Justine

En 1929, pour stimuler l'étude de la pédiatrie, l'administration de l'hôpital décide de créer un prix d'une valeur de 50 $, appelé Prix de pédiatrie Sainte-Justine, remis à l'étudiant ayant obtenu les meilleurs résultats aux examens de pédiatrie de la Faculté de médecine de l'Université de Montréal. Dans les années 1940 cependant, les médecins s'aperçoivent que l'initiative n'atteint pas les objectifs visés, notamment d'encourager les récipiendaires à se spécialiser dans ce domaine de la médecine. Ils se formalisent également du fait que plusieurs d'entre eux poursuivent leur stage en pédiatrie dans d'autres hôpitaux. Frustrés de voir de bons candidats leur échapper, les médecins de l'hôpital exigent alors que l'obtention du prix soit conditionnelle à l'exécution du stage en pédiatrie à Sainte-Justine. Cette condition n'étant pas toujours respectée par la Faculté de médecine, qui désigne les gagnants, l'administration décide d'abolir l'octroi de ce prix en 1953.

En 1969, les dirigeants de l'hôpital décident de reprendre la tradition. Le Prix de pédiatrie de Sainte-Justine, dont la valeur passe de 100 $ en 1969 à 200 $ en 1977, puis à 500 $ en 2004, est toujours remis par l'hôpital et compte parmi ses lauréats, le ministre de la Santé et des Services sociaux, Philippe Couillard, qui a reçu cet honneur en 1979.

L'obtention d'un certificat de spécialité ne pose guère de problèmes aux médecins de Sainte-Justine, car en 1935 le Dr Dubé, alors directeur médical, avait suggéré la mise en place d'un « plan d'internes résidents » favorisant une plus grande spécialisation. Instauré en janvier 1939, le « plan de quatre ans », comme on prend l'habitude de l'appeler, exige que les candidats passent trois ou quatre années à Sainte-Justine dans les services de pédiatrie, de chirurgie infantile ou d'orthopédie, pour ensuite aller se former à l'étranger durant une ou deux années, pour un total de cinq ans. Les Drs Raymond Labrecque et P. P. Cousineau sont les premiers médecins à bénéficier de ce programme, dont se prévaudront également les Drs Albert Royer, Marc Del Vecchio, Paul Larivière, Léo Jarry, Gloria Jeliu, Pierre-Paul Collin, Luc Chicoine et bien d'autres. Entre 1938 et 1946, Sainte-Justine estime que son programme a permis de former neuf médecins, dont quatre sont demeurés à l'hôpital[9].

Les années 1940 se placent donc résolument sous le signe de la spécialisation, un mouvement de fond auquel les médecins de Sainte-Justine, appuyés par la direction, participent sans réserve. Pareil soutien suggère un rapprochement entre l'établissement hospitalier et la Faculté de médecine, mais les médecins de Sainte-Justine demeurent néanmoins très jaloux de leurs prérogatives, comme le montrent les péripéties entourant la signature d'un second contrat d'affiliation avec l'Université de Montréal en 1944. Une première version de ce contrat, soumise par le recteur, est carrément rejetée par le conseil médical de l'hôpital sous prétexte que l'université s'arroge trop de pouvoirs, y compris celui d'approuver la nomination des médecins bénévoles qui ne participent pourtant pas à l'enseignement, ce qui n'était pas le cas dans le contrat initial. Selon le Dr Dubé, directeur médical de Sainte-Justine, le nouveau contrat remet la direction scientifique de l'hôpital entièrement entre les mains des autorités universitaires et facultaires, sans que le conseil de la Faculté de médecine, instance où siègent les médecins des hôpitaux, soit même mentionné, ce qu'il juge inacceptable. À son avis, cela revient à imposer une « intervention extérieure » au milieu hospitalier et à « ouvrir la porte à des abus qui ne feraient que retarder ou entraver le rôle que les hôpitaux doivent jouer d'une façon générale[10] ». En somme, Dubé exprime le point de vue d'un corps médical qui craint l'ascendant de l'université sur les institutions hospitalières au nom de la formation des médecins, ce qui sera de plus en plus le cas à compter des années 1960. Dans l'immédiat, la nomination de Dubé comme doyen de la Faculté de médecine en juin 1944 résout le problème. Le contrat d'affiliation est modifié à sa satisfaction et signé en octobre 1945[11].

Un cours du Dr Albert Royer aux résidents dans l'amphithéâtre de l'hôpital en 1954 (AHSJ).

Existe-t-il une pédiatrie canadienne d'expression française ?

À cette question qu'il pose dans une édition de *L'Union médicale du Canada* (UMC) en 1950, le Dr Paul Letondal, président fondateur de l'APPQ, répond sans hésiter : oui. L'épigraphe de son texte, qui introduit une série d'articles consacrée aux maladies de l'enfance et à leur traitement, affirme pour sa part que « [l]e pédiatre est le plus hygiéniste des cliniciens et le plus clinicien des hygiénistes[12] », suggérant par là que si la pédiatrie a acquis le statut de spécialité médicale, elle est encore largement influencée par l'hygiénisme, contemporaine du XIXe siècle. Spécialiste d'un âge de la vie plutôt que d'un organe, le pédiatre est encore perçu comme un généraliste de l'enfance dont la formation doit s'appuyer sur des connaissances globales fondées sur la puériculture et la pathologie infantile. Cette conception holistique perdure durant une vingtaine d'années encore, mais dès l'après-guerre l'émergence des surspécialités pédiatriques annonce le morcellement de ce champ de la pratique médicale.

Dans les années 1940 et 1950, les futurs pédiatres reçoivent un nombre assez limité d'heures de cours théoriques, même si le total des leçons est porté de 10 à 30 en 1946, et, tout comme l'ensemble des étudiants de la Faculté de médecine, ils sont astreints à un enseignement clinique qui connaît de nombreux ratés : professeurs mal préparés, complètement débordés par la tâche ou qui négligent de donner toutes leurs heures de clinique ; formation trop dépendante des intérêts des professeurs et de la disponibilité des patients ; arrimage déficient entre l'enseignement théorique et clinique ; séances cliniques trop souvent transformées en cours magistraux où l'étudiant demeure passif ; impossibilité de faire des travaux pratiques dans les laboratoires monopolisés par les demandes d'analyses, etc. La situation est telle qu'au début des années 1950, des étudiants de troisième année en stage à Sainte-Justine portent plainte, ce qui incite la faculté à mettre en place un comité d'étude chargé de se pencher sur l'organisation des départements cliniques. Pour décharger quelque peu les professeurs et assurer un meilleur enseignement, ce comité suggère d'embaucher des « moniteurs cliniques », c'est-à-dire des résidents à qui on offre une bourse pour seconder les professeurs et même les remplacer au besoin. À Sainte-Justine, les Drs Gloria Jeliu, Roger Poirier et Luc Chicoine sont alors nommés moniteurs[13].

Invité à présider l'assemblée annuelle de l'hôpital en 1963, le nouveau doyen de la Faculté de médecine, le Dr Lucien L. Coutu, mentionne que Sainte-Justine est l'endroit où se donne le meilleur enseignement. Mais si le doyen se montre satisfait de l'organisation des cliniques à Sainte-Justine, le comité d'agrément de l'American Medical Association et celui de l'American Association of Medical Colleges estime pour sa part que la formation clinique donnée à la Faculté de médecine demeure encore largement déficiente. En 1964, pour préserver son accréditation de la part de ces deux importants organismes, la Faculté de médecine n'a d'autre choix que de procéder à une véritable refonte de son programme d'études. Entre autres changements, elle réduit la durée des études pour l'obtention du doctorat en médecine à quatre années, dont les deux dernières sont axées presque exclusivement sur la formation clinique. L'internat, qui demeure obligatoire, relève désormais du CMCPQ qui accorde le droit de pratique une fois cette étape complétée. Ces quatre années d'études sont divisées en bloc de cours et de stages ; deux mois sont consacrés, en troisième et en quatrième année, à l'étude de la pédiatrie, pour un total de quatre mois. En 1965, l'internat rotatoire, toujours en vigueur, comprend cinq stages dont deux autres mois en pédiatrie ; à partir de 1968, l'interne peut se spécialiser dans une seule discipline ou répartir son année en deux stages de six mois[14].

Pour mettre en place ce nouveau programme, la faculté embauche davantage de professeurs à temps plein et instaure le système des professeurs dits à « plein temps géographique » (PTG), qui travaillent exclusivement à l'hôpital où ils sont chargés de l'enseignement clinique. Neuf de ces PTG sont nommés à Sainte-Justine dans la seconde moitié des années 1960 ; à la fin des années 1970, ils sont plus de 40, dont 28 cliniciens et une quinzaine de chercheurs[15]. Comme elle le spécifie en 1966, la faculté doit en outre exercer un meilleur contrôle sur les établissements hospitaliers où elle dirige ses étudiants : « Il faut bien retenir que, même si l'étudiant est confié à l'hôpital, les directives académiques doivent uniquement venir de la direction des études[16]. » Cette position de principe traduit bien les nouvelles règles du jeu en

Les femmes médecins à Sainte-Justine

Si Sainte-Justine est fondé à l'instigation du Dr Irma LeVasseur, première femme médecin canadienne-française, le corps médical de l'hôpital demeure exclusivement masculin après son départ en 1908 et le restera jusqu'après la Seconde Guerre mondiale. Il faut dire que c'est seulement en 1924 que la Faculté de médecine de l'Université de Montréal admet les femmes, soit quatre ans après l'Université McGill, et en 1930 que la première candidate, Marthe Pelland, reçoit son diplôme. En 1942, la faculté compte à peine 16 femmes sur les 449 inscrits, soit moins de 4 % du total. Il faut attendre les années 1960 avant que le pourcentage de candidatures féminines dépasse les 10 % et les années 1970 avant que les femmes jouissent d'une représentation à peu près égale à celle des hommes. À partir de 1982 cependant, la faculté admet plus de femmes que d'hommes, une tendance qui se poursuit dans les années 1990 et 2000.

En 1949, puis de nouveau en 1953, Justine Lacoste-Beaubien fait remarquer que Sainte-Justine, dont l'administration est exclusivement féminine, devrait tenter de s'attacher davantage de femmes médecins. Ces remarques, enregistrées au procès-verbal du conseil, font état d'une certaine sensibilité de la présidente à l'égard de cette question, mais il reste que l'hôpital demeure tributaire du nombre de candidates qui terminent leurs études de médecine et qui entreprennent ensuite une carrière en pédiatrie. À compter des années 1940, les rapports annuels témoignent chaque année de la présence de quelques femmes parmi les internes, mais ils démontrent également que peu d'entre elles font effectivement carrière à Sainte-Justine. Durant les années 1940 à 1960, on en recense un peu plus d'une douzaine dont voici la liste :

- Ruth Legault : interne senior de 1944 à 1948 (plan de quatre ans) et assistante-bénévole au Service de médecine de 1948 à 1954.

- Wanda Schiffman : interne senior à partir de 1949 (plan de quatre ans) ; assistante-bénévole en neuropsychiatrie de 1954 à 1963 ; médecin régulier en neurologie à partir de 1964.

- Katherine Berdnikoff : interne senior de 1951 à 1957 (plan de quatre ans) ; assistante-bénévole au Service de médecine et de pédiatrie de 1958 à 1963 ; médecin régulier au Service de pédiatrie à partir de 1964.

- Gloria Jeliu : interne senior de 1952 à 1957 (plan de quatre ans) ; assistante-bénévole au Service de médecine et de pédiatrie de 1958 à 1963 ; médecin régulier au Service de pédiatrie à partir de 1964.

- Annie Courtois : chargée du Service d'électroencéphalographie de 1953 à 1967.

- Marcelle Dussault : assistante-bénévole en psychiatrie de 1954 à 1956.

- Claire Laberge-Nadeau : interne senior à partir de 1954 ; assistante libre en anesthésie en 1955-56 ; assistant-directeur médical de 1963 à 1971 ; directeur médical de 1971 à 1973.

- Thérèse Rousseau : assistante libre au Service du dispensaire de 1952 à 1955.

- Halina Hoffman : interne senior à partir de 1955 ; assistante libre au Service d'anesthésie de 1956 à 1961 ; assistante-bénévole au Service d'anesthésie de 1961 à 1963 ; médecin agréé en 1964.

- Marie-France Dupal : interne senior de 1956 à 1963 (plan de quatre ans) ; médecin agréé au Service de pédiatrie en 1964 et 1965.

- Léa Rubinyi : interne senior de 1957 à 1959 ; assistante libre au Service d'anesthésie en 1959 et 1960.

- Martine Favreau-Éthier : assistante-bénévole au Service d'électroradiologie de 1959 à 1961 ; médecin éligible en 1962 et 1963 ; médecin régulier à partir de 1964.

- Paule-Rita Daigle-Lock : interne senior de 1959 à 1964 ; médecin agréé au Service de pédiatrie à partir de 1964.

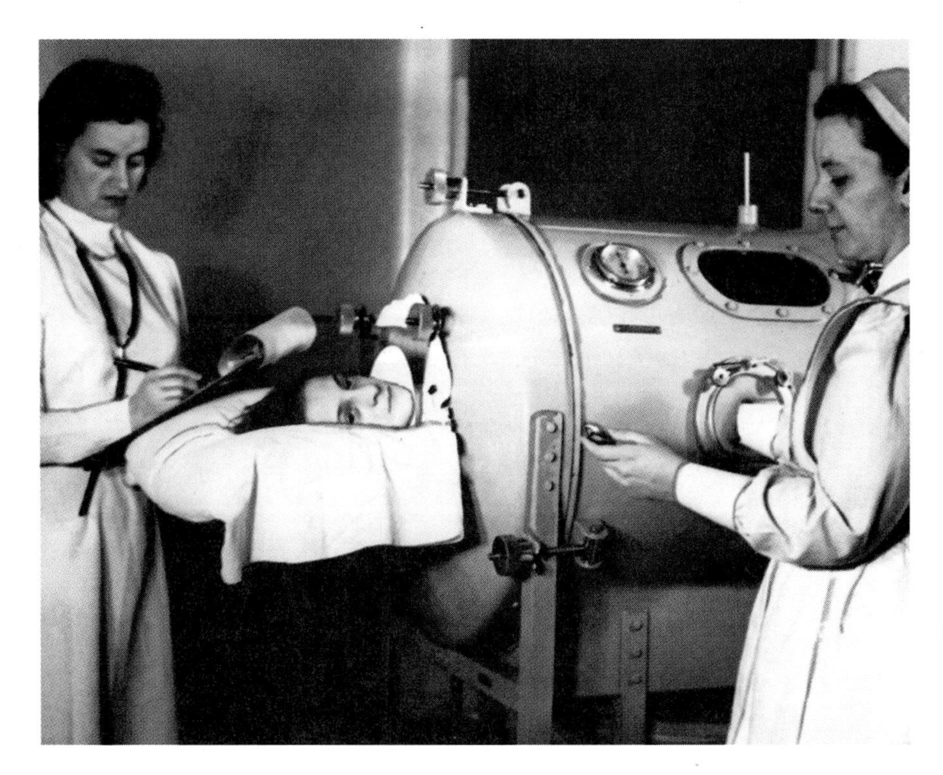

Le Dr Ruth Legault et garde M.-Anna Cabana examinant un enfant installé dans un pulmomètre lors de l'épidémie de poliomyélite de 1946 (AHSJ, photo Conrad Poirier).

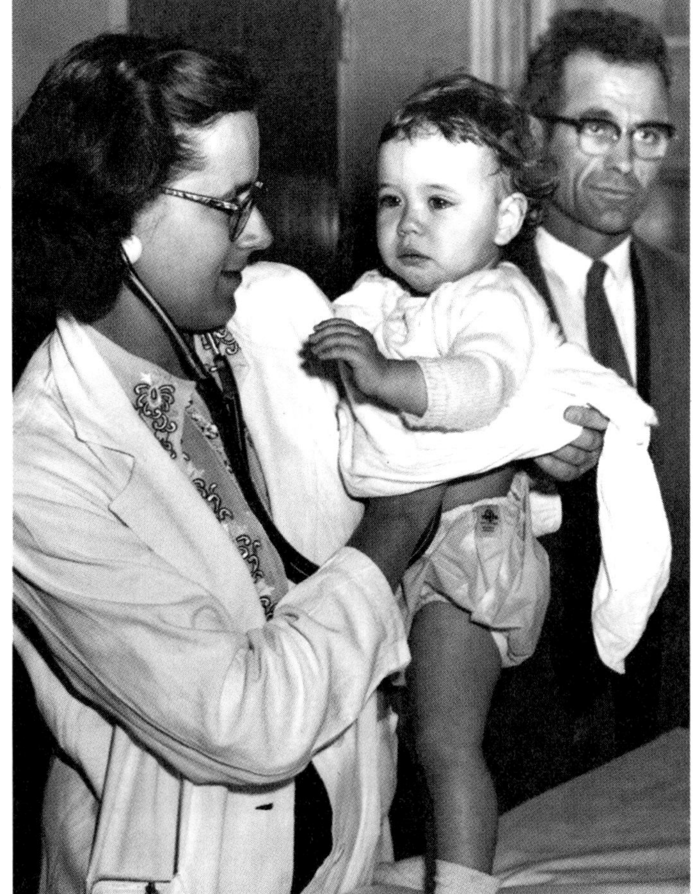

Le Dr Katherine Berdnikoff examinant un enfant après son transport dans le nouvel hôpital lors du déménagement de 1957 (AHSJ).

matière d'affiliation universitaire qui se mettent en place dans les années 1960. Ainsi, dès 1961, le contrat liant l'Université de Montréal et ses hôpitaux affiliés prévoit que les chefs de département ou de service des hôpitaux seront nommés par un comité paritaire. Il stipule également que les projets de recherche soumis par les professeurs œuvrant dans les hôpitaux devront être approuvés par la faculté. Même si l'université se réserve ainsi une plus grande latitude en ce qui a trait aux nominations et aux activités de recherche du personnel médical hospitalier, les changements proposés ne semblent pas avoir posé de problème aux autorités de Sainte-Justine, qui signent la nouvelle entente sans en négocier les termes. Tout au contraire, le rapport annuel se réjouit des modifications apportées au contrat, affirmant qu'elles n'ont « d'autres fins que d'inciter nos médecins à élever leurs standards scientifiques et de rehausser ainsi le prestige de l'hôpital[17] ».

Le contrat paraphé en 1966 reflète le désir de la faculté de resserrer davantage son contrôle sur les hôpitaux, afin de procéder aux nominations qui lui paraissent les plus avantageuses pour la formation des étudiants, et de mieux coordonner l'enseignement clinique entre tous les établissements affiliés[18]. Désormais, les hôpitaux affiliés doivent « soumettre toute candidature [hospitalière] à un comité de sélection, présidé par le doyen et formé par un nombre égal de représentants de la faculté et de l'hôpital », et « consulter par écrit le directeur du département universitaire concerné lors de la nomination ou promotion de tout autre membre du personnel médical ou scientifique[19] ». Il est également prévu que le recteur ou son représentant siège au conseil d'administration de chaque hôpital et que le doyen de la Faculté de médecine prenne part aux réunions du comité exécutif du bureau médical ; autrement dit, l'université revient à l'esprit, sinon à la lettre, du contrat d'affiliation proposé en 1944 qu'avait tant décrié le Dr Dubé. Mais cette fois, et contrairement à d'autres hôpitaux, Sainte-Justine ne fait pas de difficulté pour ratifier l'entente.

Au milieu des années 1960, la Faculté de médecine est donc en meilleure position que jamais par rapport à ses hôpitaux affiliés, du moins en ce qui concerne la formation de base des médecins. L'internat, ou l'équivalent de la cinquième année d'étude, relève cependant du Collège des médecins, tandis que la résidence conduisant à l'obtention d'un certificat de spécialité est encore sous la juridiction des hôpitaux. À Sainte-Justine, outre le plan de quatre ans mis en place à la fin des années 1930, l'hôpital instaure, en 1951, un second programme pour ses internes grâce à la constitution d'un fonds spécial de 10 000 $, qui lui permet d'octroyer quatre bourses d'une valeur de 2 500 $ par année pour une période de trois ans à des candidats particulièrement prometteurs. Établi en prévision des besoins en personnel médical du futur hôpital du chemin de la Côte-Sainte-Catherine, ce « plan d'internat », comme on l'appelle, prévoit que les boursiers devront aller se former à l'étranger durant les deux premières années, avant de revenir travailler à Sainte-Justine pour une période d'un an : la plupart y font d'ailleurs carrière. Ce programme est aboli en 1959, l'hôpital ne parvenant plus à mettre de côté l'argent nécessaire au paiement des bourses, mais le plan d'internat aura tout de même contribué à renforcer la formation d'une bonne vingtaine de pédiatres. Quant au plan de quatre ans, il subsiste jusqu'aux années 1960. En 1954, 22 médecins en ont profité, dont 15 pratiquant à Sainte-Justine[20].

Ces initiatives permettent à Sainte-Justine de se constituer un corps médical spécialisé dans un nombre croissant de domaines de la médecine infantile et de faire reconnaître son enseignement par les corporations professionnelles, responsables de la certification des spécialistes, dans plusieurs de ces spécialités. Au milieu des années 1960, il devient cependant évident que l'encadrement des résidents par les universités assurerait une meilleure formation et abaisserait le taux d'échec très élevé aux examens du CRMCC. Peu à peu, l'université prend donc en charge l'organisation des résidences, une opération encouragée par la décision du Collège royal de ne plus reconnaître les hôpitaux comme lieux de formation spécialisée à partir de 1969, à moins que l'enseignement donné ne fasse partie d'un programme universitaire. Cette position est d'ailleurs entérinée par l'État québécois qui, au même moment, confie aux facultés de médecine l'organisation administrative et pédagogique des programmes de spécialisation. En pédiatrie, c'est à compter de 1966 que le programme de résidence est progressivement pris en charge par la Faculté de médecine. D'une durée totale de quatre ans, celui-ci comprend une formation théorique répartie sur les deux premières années et une formation pratique s'étalant sur les quatre années et comportant une première année de résidence en médecine interne, deux années à Sainte-Justine à titre d'assistant-résident en pédiatrie et une dernière année passée, si possible, à l'étranger. Selon le rapport annuel de Sainte-Justine, en 1972, l'hôpital accueille 125 résidents en pédiatrie, en chirurgie et dans une quinzaine d'autres spécialités[21].

L'instauration des programmes universitaires de résidence et le transfert de l'organisation de l'internat du CMCPQ à la Faculté de médecine en 1970 conduisent à la négociation d'une nouvelle entente d'affiliation avec les établissements hospitaliers. Selon Denis Goulet, le contrat signé entre la faculté et ses hôpitaux affiliés en 1970, et renégocié en 1974, prévoit la formation de plusieurs comités paritaires et balise toujours plus précisément les responsabilités de chaque partie en matière d'enseignement, tout en donnant plus de pouvoir à la faculté à ce chapitre[22]. Divers mécanismes, comme la mise en place d'un comité d'enseignement à l'intérieur de l'hôpital et la nomination de coordonnateurs de l'enseignement responsables de l'application des programmes, montrent en effet que la faculté s'insère toujours plus dans le milieu hospitalier, afin qu'il réponde « aux besoins de l'université et de ses professeurs et étudiants[23] », tel que le recommandent les organismes d'agrément. Pour les hôpitaux, il s'agit bien évidemment de répondre également aux besoins des patients, mais cet objectif ultime passe de plus en plus, semble-t-il, par une formation et une spécialisation toujours plus poussées des médecins, encouragés dans cette voie par les corporations et les associations médicales, mais aussi par la somme des connaissances que génère la recherche, ce qui favorise le découpage du champ de la pratique médicale en domaines de plus en plus pointus.

Existe-t-il... une pédiatrie ?

Au milieu des années 1970, le Dr Luc Chicoine, qui vient de remplacer le Dr Jacques-Raymond Ducharme comme directeur du département de pédiatrie à la Faculté de médecine et à Sainte-Justine, s'interroge sur les conséquences de la spécialisation toujours plus grande des pédiatres : « Il faut éviter que la pédiatrie évolue comme la médecine interne », affirme-t-il, « c'est-à-dire vers la spécialisation et la disparition de la pédiatrie générale. Ceci est important pour la pratique pédiatrique et encore plus essentiel pour l'enseignement, surtout au pré-gradué [*sic*][24] ». Il est vrai que l'enseignement de la pédiatrie est en baisse : alors qu'en 1970 la durée des stages s'établit à 24 semaines, elle n'est plus que de 21 semaines en 1973, de 13 à 21 semaines en 1974-1975 et de 10 à 22 semaines au début des années 1980, selon le type d'internat. Par contre, le nombre des résidents formés à Sainte-Justine connaît une croissance rapide à compter des années 1980, et ce, en dépit des politiques de contingentement des postes d'internes et de résidents mises en place par le gouvernement du Québec dès 1977. Au moins deux éléments contribuent à faire augmenter leur nombre. D'une part, le contingentement des internes et des résidents s'accompagne d'une obligation de « parfaire leur formation postdoctorale uniquement dans les centres hospitaliers affiliés par

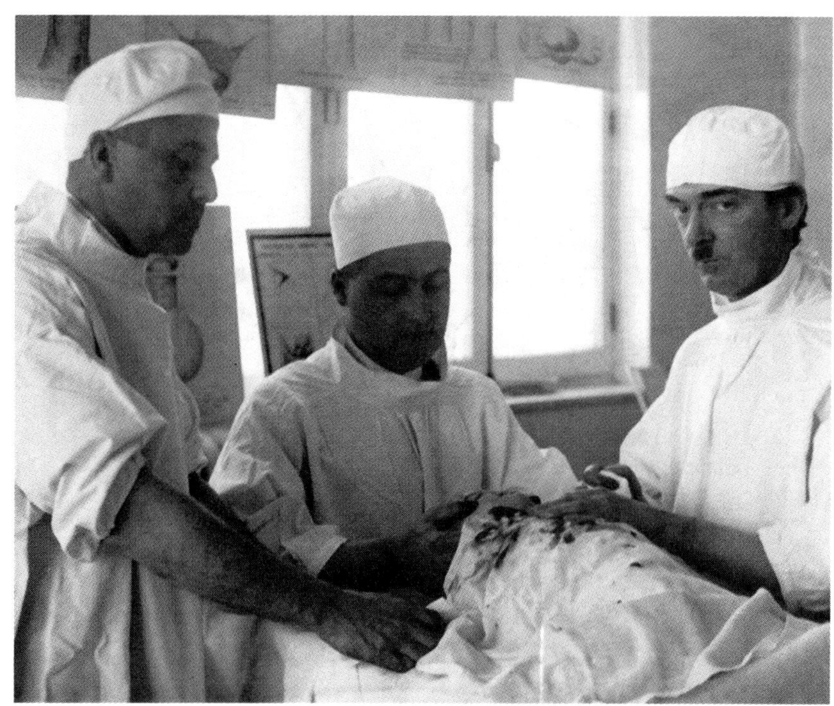

Les Drs Alexandre-Zéphirin Crépeault, premier interne de l'hôpital, Gaston Caisse et Alphonse Ferron pratiquant une chirurgie vers 1915 (photographe inconnu. Bibliothèque et Archives nationales du Québec, direction du centre de Montréal. Fonds Justine-Lacoste-Beaubien. P655, S4, SS3, D6, P1).

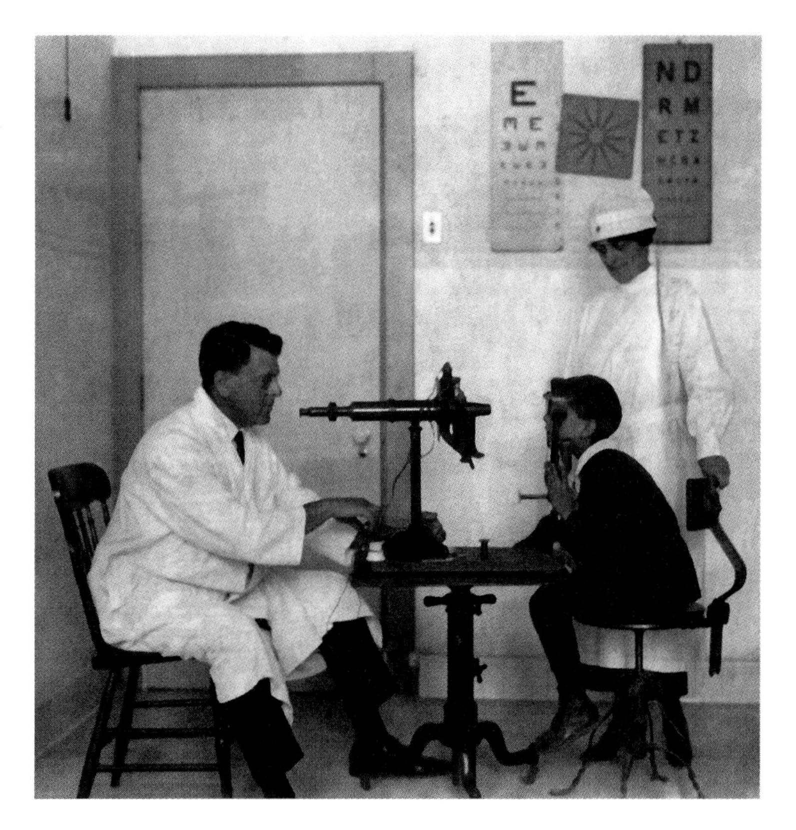

Le Dr P.-S. Bohémier, ophtalmologiste, examinant un enfant en présence de garde A. Valiquette, 1919 (AHSJ).

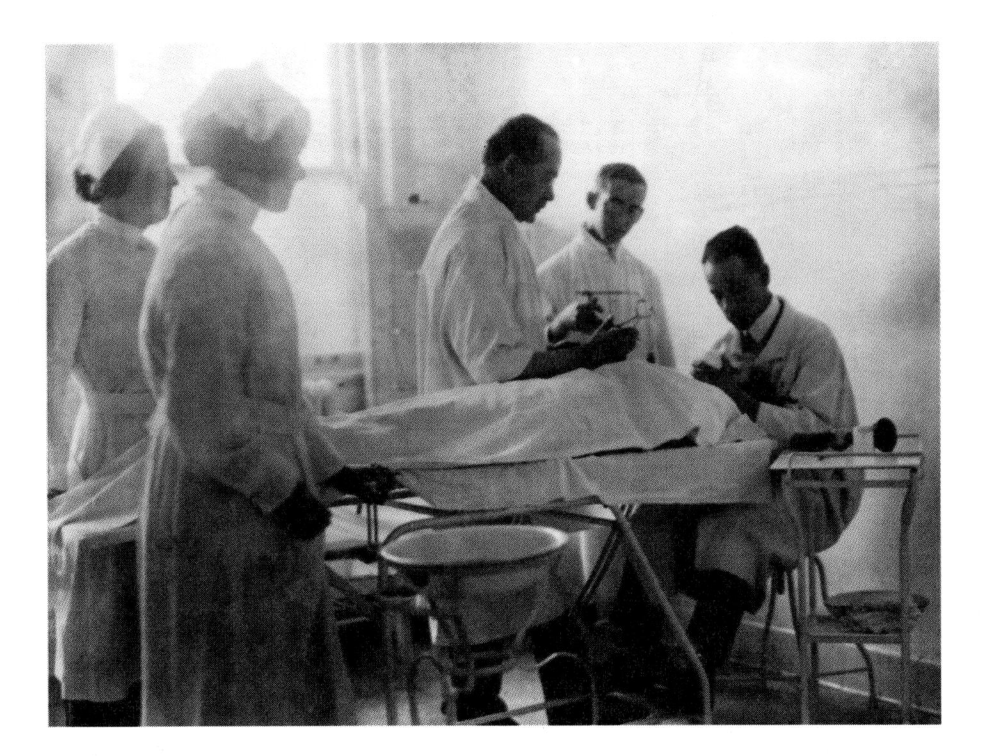

Trois médecins, dont peut-être le Dr J. A. Deslauriers, premier anesthésiste de Sainte-Justine, préparent un patient pour une chirurgie mineure vers 1920 (AHSJ).

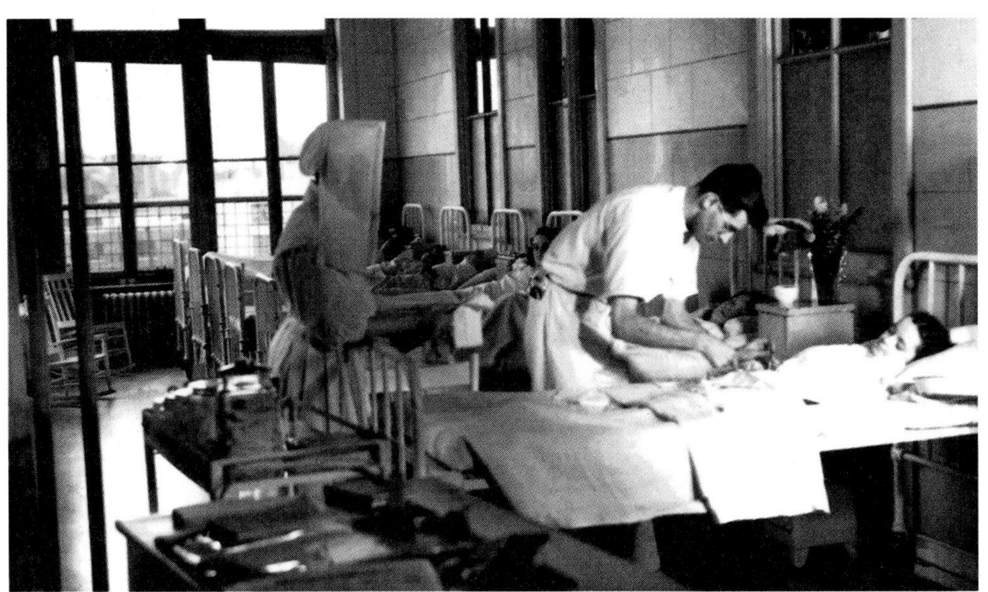

Un interne du Service des petites chirurgies donne ses soins à un patient en 1946 (AHSJ).

contrat à une université », ce qui favorise Sainte-Justine. D'autre part, au cours de cette période, l'hôpital développe sans discontinuer les surspécialités pédiatriques, ce qui lui attire toujours plus de candidats aux études postdoctorales. Ainsi, en 1975, Sainte-Justine accueille 60 résidents, nombre qui grimpe à 142 en 1980. En 1992-1993, le rapport de la direction de l'enseignement mentionne la présence, à temps plein ou partiel, de 402 résidents, puis de 498 en 2004-2005. Selon les données disponibles, en 1981-1982, les étudiants en médecine sont pris en charge par 56 professeurs de carrière et 90 professeurs cliniques, pour un total de 146 personnes, tandis qu'en 2004-2005 l'équipe professorale comprend 422 médecins, dont 316 sont des professeurs rattachés à l'un des départements de l'Université de Montréal[25].

À partir des années 1960, l'enseignement à Sainte-Justine va aussi comprendre la formation en pharmacie et en pédodontie, deux secteurs bien présents à l'hôpital depuis ses débuts, mais qui ne faisaient pas l'objet d'un enseignement hospitalier. D'abord fixée par des ententes séparées, l'affiliation de Sainte-Justine aux facultés de pharmacie et de médecine dentaire est finalement intégrée au contrat d'affiliation liant l'hôpital à l'université à compter de 1987 ; en fait, toutes les facultés dont une partie de l'enseignement se déroule en milieu hospitalier sont incluses dans ce nouveau contrat. Celui-ci établit également une distinction importante entre les centres hospitaliers universitaires multidisciplinaires, c'est-à-dire les centres engagés dans la plupart des programmes d'enseignement de la Faculté de médecine et des autres facultés, et les centres hospitaliers universitaires à vocation spécifique, soit ceux où ne se donnent qu'un ou quelques programmes d'enseignement ou de recherche spécifiques. Sainte-Justine se retrouve d'emblée parmi les centres multidisciplinaires, mais dans les débats qui ont cours durant les années 1990 et qui ont mené à la constitution du CHUM, il doit tout de même lutter pour préserver la place de ses programmes d'enseignement en obstétrique-gynécologie et surtout en périnatalogie, un domaine qui fait l'objet d'un véritable contentieux entre Sainte-Justine, les autres hôpitaux composant le CHUM et la Faculté de médecine, ce qui retarde la signature d'un nouveau contrat d'affiliation jusqu'au début de 1998[26]. Se définissant comme un « centre universitaire ultraspécialisé de niveau national et international », Sainte-Justine compte alors 27 surspécialités médicales, ce qui illustre bien les transformations vécues par la pédiatrie à partir des années 1970.

Le Dr Henri Baril dans le laboratoire de Sainte-Justine avec une infirmière en 1919 (photo *La Presse,* tirée des AHSJ).

Dr Pierre Masson (1880-1959)

Né à Dijon en 1880, Pierre Masson obtient son doctorat en médecine de l'Université de Paris en 1909. Après avoir travaillé à l'Institut Pasteur, où il met au point une technique histologique avant-gardiste permettant de décrire des structures jamais observées auparavant, le Dr Masson jouit d'une telle réputation en France qu'il est désigné, dès 1918, professeur à la chaire d'anatomie-pathologique de l'Université de Strasbourg, chaire dont il demeure titulaire jusqu'en 1946. Pendant cette période, ses recherches sur l'appendicite, les cellules nerveuses et les tumeurs, ses nombreuses publications, son enseignement original et sa contribution à la diffusion de la recherche par la création des *Annales d'anatomie pathologique* en font un chef de file dans son domaine au niveau international. En 1927, alors qu'il est toujours en poste à Strasbourg, l'Université de Montréal lui confie sa chaire d'anatomie pathologique. Il entreprend dès lors l'organisation des laboratoires de l'Hôpital Notre-Dame, de l'Hôtel-Dieu et de Sainte-Justine, en plus des laboratoires de l'université qui, ensemble, formeront, en 1937, l'Institut d'anatomie pathologique. De 1927 à 1958, le Dr Masson partage son temps entre tous ces établissements pour voir à l'organisation des installations, moderniser l'enseignement et y poursuivre des recherches. Sa contribution aux laboratoires de Sainte-Justine en fera un centre d'avant-garde dans l'étude du cancer chez les enfants. Jusqu'à sa retraite, le Dr Masson a formé la quasi-totalité des anatomo-pathologistes canadiens-français.

Tout au long de sa carrière, Pierre Masson a publié plus de cent trente articles et deux volumes, dont un traité sur les tumeurs en 1956. Il a reçu de nombreux honneurs, dont des doctorats honorifiques de l'Université de Montréal, de l'Université McGill, de l'Université Laval et de l'Université d'Ottawa. Il a été élu membre de la Société royale du Canada en 1931, membre correspondant de l'Académie de médecine de Paris en 1935, membre honoraire de la New York Pathology Society, de la Société de pathologie mexicaine et de la Pathological Society of Great Britain and Ireland, en plus de recevoir le titre d'officier de la Légion d'honneur.

Le travail médical

Les années pionnières (1907-1940)

Les médecins qui travaillent à Sainte-Justine au début du XXe siècle partagent généralement leur temps entre l'hôpital, leur cabinet privé et l'enseignement donné aux étudiants en médecine et aux élèves infirmières. Le plus souvent, leur engagement dans la pratique hospitalière constitue donc un complément à d'autres activités professionnelles leur permettant de gagner leur vie ; il faut dire que leur rattachement à un hôpital, même à titre bénévole, leur confère un certain prestige auprès de leur clientèle privée et un accès privilégié à des facilités diagnostiques et chirurgicales quand vient le temps de les hospitaliser. Cette organisation du temps et de la rémunération des médecins change graduellement à compter des années 1930, mais elle va néanmoins imprimer sa marque sur la structuration des services médicaux offerts à Sainte-Justine, comme c'était d'ailleurs le cas dans les autres hôpitaux.

Ainsi, chacun des services internes est dirigé par un médecin ou un chirurgien visiteur, ou encore par un médecin spécialiste (notamment en ORL et en dermatologie), secondé par un ou plusieurs assistants quand le nombre de patients le justifie. Comme le stipule le règlement adopté en 1916, les médecins visiteurs assument la direction médicale de leur service. Ils admettent les malades et leur donnent leur congé, font la tournée régulière des patients de leurs services, prescrivent les médicaments ou les traitements requis, de même que la diète, et voient à ce que leurs ordres soient respectés par les autres membres du personnel médical et infirmier. Ils sont en outre chargés d'assurer la propreté et la ventilation de leurs salles et « de maintenir le bon ordre et l'économie dans leurs services respectifs. » Les assistants-médecins visiteurs secondent les chefs de service dans ces tâches et les remplacent au besoin ; les mêmes règles s'appliquent aux médecins responsables des dispensaires et à leurs assistants[27].

Malgré une tâche en apparence très lourde, la plupart des médecins visiteurs et assistants visiteurs, c'est-à-dire les chefs de service et leurs assistants, ne passent que très peu de temps à l'hôpital chaque jour, ou même chaque semaine. Cette disponibilité assez limitée fait en sorte que l'hôpital doit compter sur la présence d'un médecin interne, dont nous avons déjà parlé, afin d'offrir un service médical continu. Affecté à tous les services comme au dispensaire, le médecin interne, et éventuellement ses assistants, doit visiter les malades des salles publiques et des départements privé et semi-privé deux fois par jour, dont une fois le matin avant l'arrivée des chefs de service, pour vérifier leur état et noter tout changement. Il doit accompagner les médecins visiteurs lors de leur tournée et les aider au dispensaire. Il voit à l'application des traitements et à l'administration des médicaments prescrits par ces médecins. Il peut lui-même admettre des patients et leur donner congé en l'absence des médecins chefs de service et de leurs assistants. Enfin, il prépare également les rapports statistiques hebdomadaires, mensuels et annuels des opérations médicales, en plus d'émettre les certificats de décès. Les assistants internes, placés sous la direction de l'interne en chef, exécutent à peu près les mêmes tâches, sauf qu'ils sont aussi responsables d'établir l'histoire de cas des nouveaux patients, de faire l'observation clinique de chaque malade, de procéder aux analyses demandées et d'en faire rapport à leur chef. Contrairement aux autres médecins, les internes et leurs assistants ne peuvent entretenir une clientèle privée à l'extérieur de l'hôpital ou percevoir des honoraires auprès des patients des départements privé et semi-privé. En somme, du chef de service jusqu'à l'assistant interne, il s'établit une hiérarchie relativement rigide qui permet à ceux qui occupent le sommet de se consacrer à l'enseignement clinique et à leur clientèle privée et de laisser aux plus jeunes la charge d'assurer le suivi des patients contre un salaire plutôt dérisoire : si l'interne embauché par Sainte-Justine en 1914 reçoit 10 $ par mois, en 1923, l'hôpital paie 35 $ à son premier chef interne[28]. Quant aux assistants-internes, au début des années 1920, ils ne reçoivent encore aucun salaire.

Faute de place pour le loger, le tout premier interne de Sainte-Justine, que les médecins réclament depuis 1909, est nommé seulement en 1911 et assure uniquement le service de jour. Ce n'est qu'en 1914, après le déménagement rue Saint-Denis, que l'administration nomme un médecin interne qui loge à l'hôpital. Le nombre de médecins internes passe à deux entre 1918 et 1921, pour augmenter subitement à six en 1922, soit un chef et cinq assistants, après l'agrandissement du nouvel hôpital qui permet de recevoir davantage de patients. Puis, à compter de 1927, l'internat devenant une étape obligatoire des études en médecine, les effectifs font un nouveau bond pour s'établir à 16. Tout au long des années 1930, ce nombre augmente constamment, pour atteindre la cinquantaine en 1940, mais il faut rappeler que

Figure 6. – Analyses de laboratoire et examens diagnostiques, 1920-1960

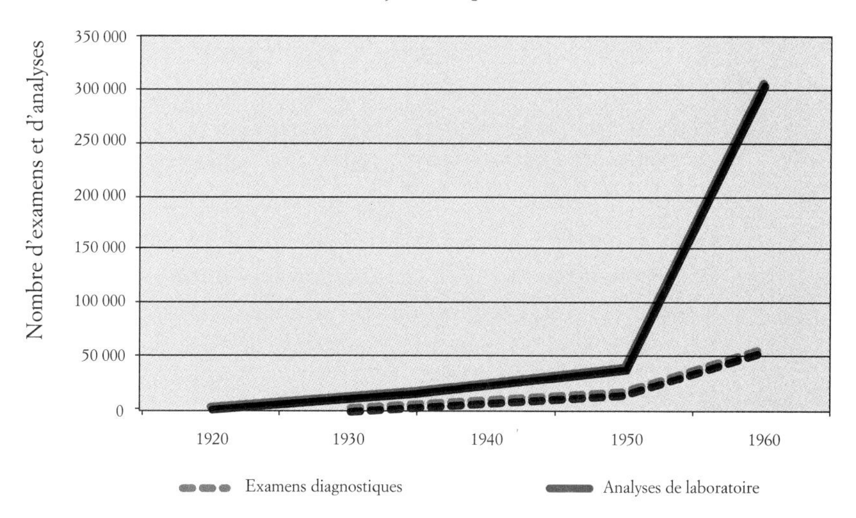

Sources : AHSJ rapports annuels, 1920-1960.

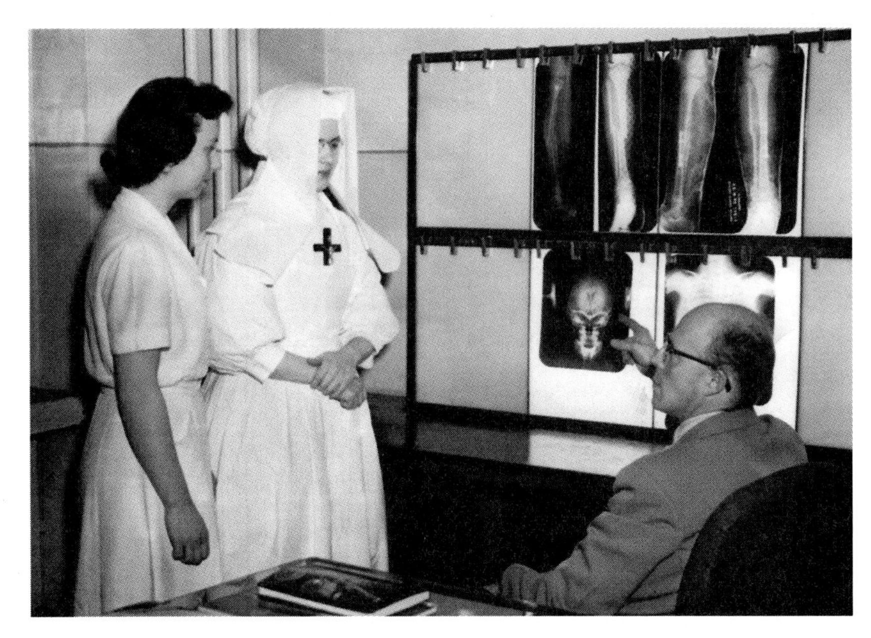

Le Dr Marc Del Vecchio, directeur du Service de radiologie, examine des radiographies avec une fille de la Sagesse et une étudiante vers 1950 (AHSJ).

ces étudiants ne font qu'un stage de quelques mois à l'hôpital. Les médecins internes « seniors » demeurent pour leur part assez peu nombreux, soit environ quatre ou cinq chaque année jusqu'à la Seconde Guerre mondiale[29].

Hormis les internes « seniors » et « juniors », l'hôpital compte au total cinq médecins et chirurgiens en 1908, 25 en 1925 et plus d'une cinquantaine en 1940, sans compter ceux qui œuvrent en électroradiologie, en anesthésie et au laboratoire[30]. L'organisation de ces derniers services, pourtant essentiels pour assurer des soins de qualité, n'a cependant pas toujours été sans mal. Ainsi, à compter de 1916, le bureau médical revient plusieurs fois à la charge pour demander la création d'un véritable service de radiologie ou, tout au moins, pour que l'hôpital fasse l'acquisition d'un appareil à rayons X portatif, mais ce n'est qu'en 1922 que le Dr Albert Comtois est nommé chef du service d'électroradiologie, et il n'entre en fonction qu'en 1923. En 1912, le bureau médical obtient la nomination du premier « chloroformisateur », c'est-à-dire le premier anesthésiste ; auparavant, les religieuses se chargeaient d'administrer le chloroforme lors des chirurgies, mineures pour la plupart. Cette pratique semble toutefois se perpétuer même après l'embauche d'un spécialiste, puisqu'en 1919 le bureau médical fait remarquer « que le mouvement en vue de confier l'anesthésie qu'à des spécialistes est généralisé dans tous les hôpitaux » et il recommande qu'à l'avenir l'hôpital n'emploie que l'anesthésiste, le Dr Deslauriers ou, en son absence, le médecin interne. Craignant un

Les internes et leurs grabuges

À partir de 1927, l'hôpital accueille des internes de la Faculté de médecine de l'Université de Montréal, qui doivent faire des stages de trois mois en rotation dans divers hôpitaux de la métropole afin d'obtenir leur diplôme. Pour souligner la fin de l'internat, il n'est pas rare que les étudiants festoient joyeusement dans l'hôpital où ils sont en fonction et causent des dommages aux résidences des établissements. Des années 1930 jusqu'au début des années 1960, Sainte-Justine est le théâtre de quelques-unes de ces soirées où s'entremêlent alcool et vandalisme, forçant les autorités à intervenir régulièrement auprès du doyen de la Faculté de médecine pour qu'il sévisse contre les fêtards. Étant donné la situation financière précaire de l'établissement, les administratrices réclament réparation auprès de l'université qui lui envoie les internes. L'incident le plus spectaculaire a lieu en 1954, lorsque les internes causent pour près de 2 000 $ de dommages à leur résidence. Une enquête policière est même instituée sans que les coupables ne soient identifiés. À partir de 1957, alors que ces étudiants commencent à recevoir un salaire de 40 $ par mois, le conseil d'administration trouve cependant une parade pour éviter que ce genre de dégât ne se reproduise : désormais, l'hôpital retiendra le salaire du dernier mois de stage pendant quinze jours, le temps de s'assurer qu'aucun dommage n'a été causé à la propriété de l'hôpital.

malencontreux accident, l'administration accepte finalement de se plier à cette requête[31]. Enfin, en 1918, l'hôpital nomme le Dr Georges-Hermyle Baril « organisateur et directeur temporaire du laboratoire ». Jusqu'en 1921, année où il est autorisé à faire l'acquisition d'un microscope lors d'un voyage en Europe, le laboratoire ne fait cependant que des analyses chimiques et bactériologiques. Il faut dire que G.-H. Baril, également en charge des laboratoires de la Faculté de médecine, ne consacre que quelques avant-midi par semaine à Sainte-Justine ; l'embauche d'un assistant, le Dr Henri Baril, son cousin, permet d'augmenter le nombre des analyses, mais c'est véritablement à compter de 1927, alors que le laboratoire est logé dans des locaux plus vastes, qu'il peut développer une section d'anatomie pathologique grâce à l'arrivée de Pierre Masson[32].

Malgré des débuts difficiles, la radiologie et les laboratoires gagnent sans cesse en importance, jusqu'à devenir des auxiliaires indispensables pour le soin des malades. Ainsi, en 1930, plus de 10 600 analyses, la moitié étant des analyses d'urine et de numération globulaire, ont été effectuées au laboratoire ; dix ans plus tard, ce nombre a doublé alors que, durant la même période, le nombre d'examens radiographiques a pratiquement quadruplé[33]. Comme le montre la figure 6 (p. 191), cette croissance ne fait que s'amplifier par la suite.

Ces données indiquent que l'organisation des soins se complexifie à compter de la fin des années 1920, alors qu'apparaissent de nouvelles spécialités médicales et que les médecins ont désormais à leur disposition des services diagnostiques plus raffinés. Peu à peu, ces transformations amènent des changements non seulement dans le travail médical, mais aussi dans la manière dont les médecins conçoivent l'hôpital et dans le rôle qu'ils doivent y jouer. Jusqu'aux années 1920 cependant, il est évident que pour les médecins l'hôpital représente surtout un lieu de formation qui remplit, au surplus, une mission d'assistance aux pauvres. S'ils acceptent d'y consacrer quelques heures par semaine, ils le voient surtout comme « une extension de leur cabinet privé[34] », où ils règnent en maître, et ils ont donc bien du mal à se plier aux directives qui viennent de l'administration. Les procès-verbaux regorgent d'ailleurs de plaintes et de complaintes au sujet de médecins qui ne respectent pas l'horaire des dispensaires ou omettent tout simplement de s'y présenter sans même prévenir, qui n'ont pas fait la tournée des salles depuis plusieurs jours ou qui se fient entièrement aux observations cliniques des internes, à qui ils confient trop de responsabilités, qui ne complètent pas correctement les dossiers des patients, qui ne donnent pas leurs cours aux élèves infirmières comme convenu, etc. Certains médecins font même l'objet de plaintes répétées qui conduisent à leur renvoi ou à des menaces de renvoi de la part de l'administration[35].

Si les médecins, individuellement, font souvent preuve d'insouciance par rapport à leurs engagements, le bureau

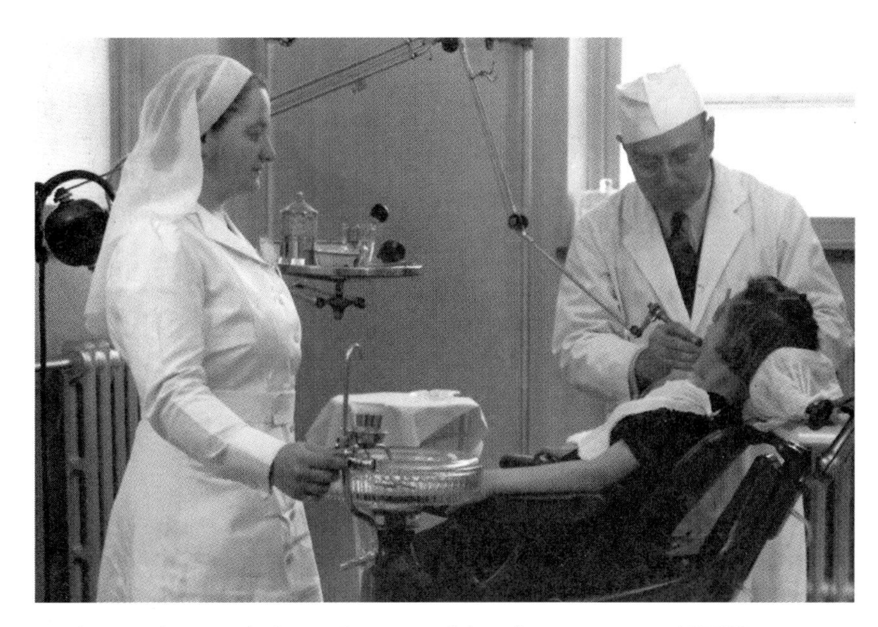

La clinique dentaire de Sainte-Justine au début des années 1940 (AHSJ).

médical fait aussi montre de laxisme quand vient le temps de remplir certains de ses devoirs, comme la nomination des internes ou de nouveaux assistants, à moins qu'il ne fasse ces nominations sans suivre les procédures fixées par l'entente qui lie l'hôpital à la Faculté de médecine[36]. Les administratrices déplorent également que le bureau ne leur fasse pas parvenir en temps requis la liste des médicaments ou qu'il fasse des achats d'équipement et de matériel avant d'en avoir reçu l'autorisation. En 1924, elles écrivent au bureau médical « pour demander aux médecins et internes d'observer le règlement [...] qui défend expressément de fumer dans l'hôpital, la chose s'étant vue encore tout récemment[37] ». Il n'est pas dit quand l'habitude de fumer à Sainte-Justine devient un fait accompli et accepté, mais ce n'est qu'en 1993 que l'hôpital redeviendra à nouveau un espace sans fumée[38].

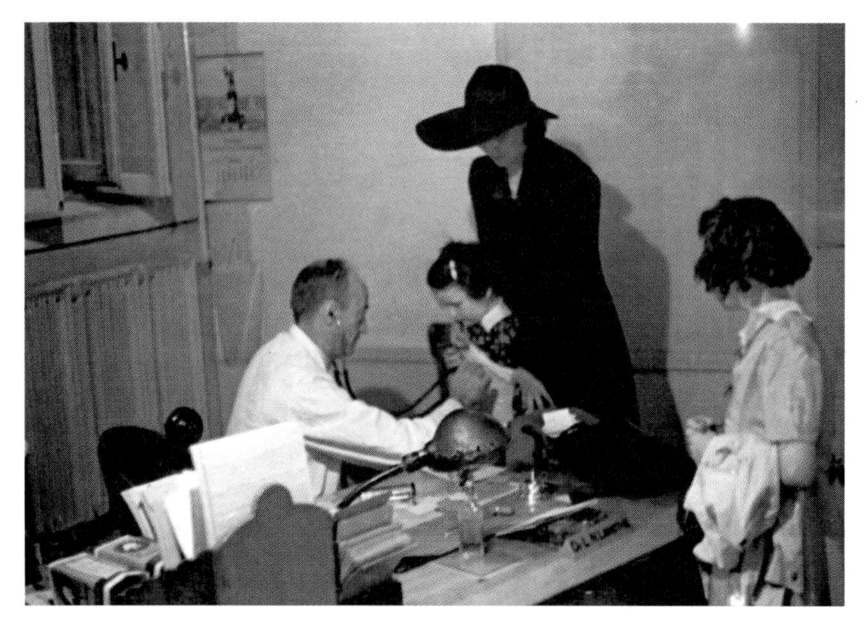

Le Dr L. N. Lamothe donnant une consultation au dispensaire dans les années 1940 (AHSJ).

L'exemple venant de haut, il n'est guère étonnant que les internes se montrent tout aussi indisciplinés. À plusieurs reprises, l'administration rappelle que ceux-ci doivent suivre les règlements, entre autres, celui de ne jamais quitter l'hôpital sans raison grave, mais ces plaintes ne semblent pas émouvoir beaucoup les membres du bureau médical. Ainsi, à propos d'un interne qui n'en est pas à sa première offense, l'administration déclare : « Nous avons déjà écrit à cet effet et [...] nous n'avons pas eu de réponse, ni vu de changement[39]. » En fait, les manquements des médecins et des internes aux différentes règles que l'hôpital tente d'implanter sont si nombreux qu'il n'est pas étonnant qu'au début des années 1920, les administratrices songent à revoir les attributions du surintendant et à créer un conseil médical de manière à obtenir une meilleure collaboration des médecins. Ainsi, en 1923, elles demandent au bureau médical de nommer un surintendant « qui aurait la surveillance et la direction de tous les services de l'hôpital [...] et qui veillerait à l'exécution des règlements et servirait d'intermédiaire entre l'administration, les religieuses et le bureau médical[40] ». Nommé en janvier 1924, le Dr J. C. Bernard s'engage, dès l'année suivante, à « donner tout son temps à l'hôpital, ne faire aucune pratique médicale privée, voir à l'exécution des règlements et des ordres du Conseil médical, avoir la direction des internes, faire la révision des dossiers, préparer les assemblées d'études du bureau médical, diriger les cours des gardes-malades, contrôler les différents services et suppléer, au besoin, aux absences des médecins en charge ou de leurs assistants, remplir les fonctions de secrétaire du Conseil médical, sans droit de vote, recevoir toute correspondance médicale et y répondre au besoin[41] ». D'une durée d'un an, son contrat prévoit le paiement d'un salaire hebdomadaire de 50 $.

La nomination du Dr Bernard va de pair avec la mise en place d'un conseil médical, une instance créée spécifiquement afin que « toute la responsabilité de répondre aux demandes ou plaintes de l'administration » ne retombe pas sur le surintendant. Les administratrices, qui s'inspirent de ce qui se fait à l'Hôpital Notre-Dame, proposent que le nouveau conseil soit composé d'un président, d'un représentant de la Faculté de médecine et de trois chefs de service, le surintendant agissant comme secrétaire, une suggestion retenue par le bureau médical[42]. Puis, en 1930, le bureau médical accepte, toujours à la suggestion des dames, de déléguer « tous ses pouvoirs et attributions au Conseil médical [et] que seules les questions scientifiques soient étudiées lors des assemblées de ce Bureau[43] ». Dès lors, le bureau médical entreprend de se réunir une fois par mois, sauf durant l'été, afin de réviser les dossiers de mortalité et de discuter les diagnostics et les traitements ; au cours de ces rencontres, des médecins se chargent également de faire la présentation de cas spéciaux ou d'études cliniques[44].

La formation du conseil médical et la nomination d'un surintendant médical à temps plein semblent avoir atteint au moins partiellement le but recherché, c'est-à-dire obtenir que les médecins respectent davantage la discipline de l'hôpital. Du moins, à partir de la seconde moitié des années 1920, les plaintes au sujet des écarts du personnel médical en ce qui concerne le respect des horaires, les absences et la tenue des dossiers des patients se font moins nombreuses, sans toutefois disparaître complètement. La rémunération, principale pomme de discorde entre les médecins et l'administration, demeure cependant une question litigieuse. Jusqu'au milieu des années 1930, en effet, les médecins ne perçoivent aucuns honoraires pour les patients admis dans les salles publiques ou acceptés au dispensaire comme indigents ; en fait, l'administration leur interdit formellement de réclamer quelque somme à ces patients. Jugeant cette politique nettement exagérée et persuadés que de « faux nécessiteux » exploitent la crédulité des autorités hospitalières, les médecins, de même que les internes, contournent régulièrement cette règle ou reçoivent leur clientèle privée durant les heures de dispensaires, ce qui leur est aussi interdit, s'attirant les foudres de ces dames quand elles l'apprennent[45].

En 1925, à l'invitation du bureau médical de l'Hôpital Notre-Dame, qui a mis en place un comité pour étudier les moyens « de combattre l'abus de la charité par les faux pauvres », les médecins de Sainte-Justine et de l'Hôtel-Dieu sont invités à participer à des rencontres « afin d'obtenir une action conjointe dans la lutte contre ces abus[46] ». Rien de concret ne semble avoir émergé de ces réunions, mais il est évident que les médecins ont continué à réclamer des honoraires aux patients des salles publiques. En fait, le nombre de médecins s'accroissant, il n'est sans doute pas étonnant que les années 1920 soient témoins d'une augmentation de ce genre d'infractions. Le problème semble tellement généralisé qu'à la fin de la décennie l'administration entreprend l'étude d'une « proposition à faire aux médecins de les rémunérer pour un nombre d'heures déterminé[47] ». Il faut dire que si tous les médecins n'obtiennent pas immédiatement une rémunération, certains d'entre eux, en particulier les anesthésistes, les radiologistes, les chefs de laboratoire et les dentistes, reçoivent des appointements en fonction du temps qu'ils consacrent à leurs fonctions à l'intérieur de l'hôpital. Ainsi, en 1930, le Dr Deslauriers, anesthésiste, se voit offrir 1 800 $ par année « pour le service public et privé des salles, du dispensaire et de l'obstétrique[48] ». En 1931, l'administration décide de payer un salaire à ses radiologistes : le Dr Albert Comtois, chef de service, recevra 4 500 $ par année pour une période de cinq ans. Auparavant, anesthésistes et radiologistes percevaient des honoraires directement des patients des départements privé et semi-privé et touchaient probablement une allocation, payée par l'hôpital, pour les patients des salles publiques, comme cela se faisait à l'Hôpital Notre-Dame[49].

Au tournant des années 1930, certains médecins, en particulier ceux qui peuvent difficilement pratiquer à l'extérieur de l'hôpital, commencent donc à être rémunérés sur une base annuelle. Mais, la crise économique aidant, les médecins et les internes se font plus revendicateurs : en 1935,

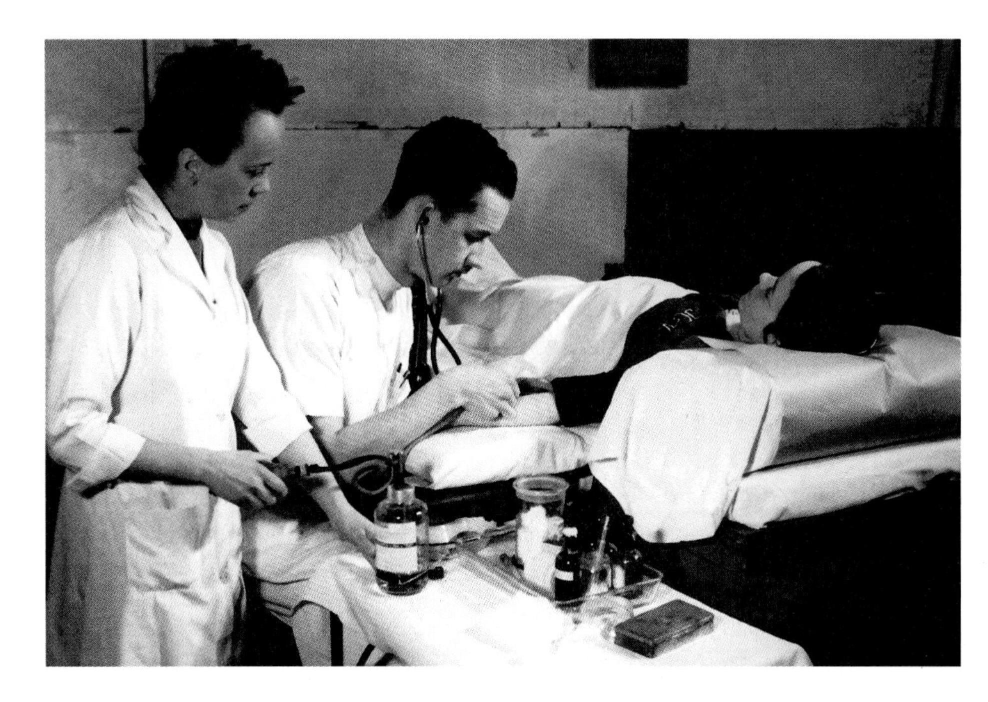

Prélèvement sanguin dans les années 1940 (AHSJ, photo Conrad Poirier).

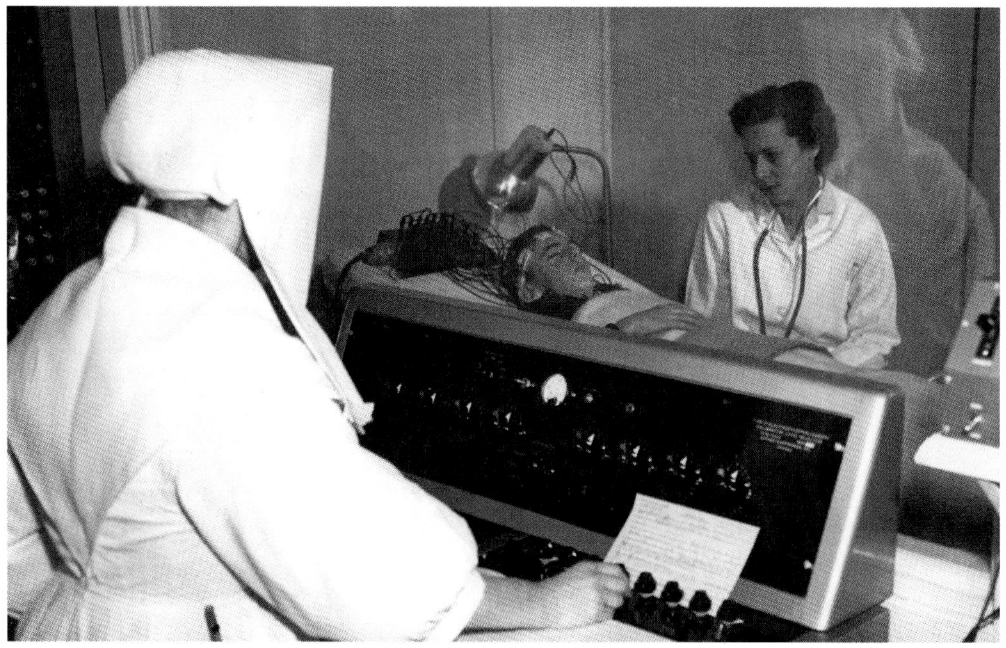

Le Dr Annie Courtois et sœur Pauline faisant passer un électroencéphalogramme à un jeune patient dans les années 1950 (AHSJ, photo studio Alain).

confrontés à une baisse de leur clientèle privée, les médecins de plusieurs hôpitaux montréalais réclament des indemnités pour les soins qu'ils donnent aux patients pauvres des dispensaires et des salles publiques. Le Dr Albert Lesage, président du conseil médical de l'Hôpital Notre-Dame et rédacteur en chef de l'*UMC,* explique qu'il « ne s'agit pas, bien entendu, de salaires », terme honni par les médecins qui tiennent à préserver leur statut de professionnel, « mais simplement d'indemnités en vue de couvrir au moins les frais de déplacement et la minime partie des heures de travail, comme cela se pratique depuis longtemps en Europe[50] ». Si elles surgissent dans un contexte économique difficile, ces revendications traduisent aussi les changements qui affectent la pratique en milieu hospitalier. Alors qu'autrefois la médecine hospitalière apportait un certain prestige et donnait accès à plusieurs avantages sans que les médecins soient obligés d'y consacrer de longues heures, désormais, l'hôpital est devenu un lieu beaucoup plus exigeant : ils doivent y passer beaucoup plus de temps et accepter de se soumettre à des règles bureaucratiques et à des mesures de contrôle plus sévères. En 1935, les médecins des hôpitaux généraux montréalais décident donc de fonder une association, l'Association générale des médecins d'hôpitaux (AGMH), afin de faire pression sur les établissements hospitaliers pour obtenir le versement d'une indemnité. Le 22 août, ils font la grève des dispensaires et menacent d'inclure les services internes lors d'un prochain débrayage. Finalement, à la demande des autorités hospitalières, ils mettent fin à ces moyens de pression sans obtenir tout de suite gain de cause.

À Notre-Dame, d'où le mouvement est parti, c'est en 1937 que les médecins obtiennent de l'administration que leur soit imparti un fonds d'indemnisation d'une valeur de 10 000 $. Sainte-Justine, pour sa part, devance quelque peu les moyens d'action des médecins puisque, dès novembre 1934, l'administration décide d'offrir « aux médecins chargés des services du dispensaire un cachet variant dans les conditions suivantes : soit 1 $ par heure de service pour les chefs et 0,75 $ par heure pour les assistants-réguliers », cachet qui exclut les médecins, en particulier les dentistes et chirurgiens dentistes, qui reçoivent déjà une rémunération[51]. Le printemps suivant, il est cependant décidé que les médecins entrés au service de l'hôpital après le 1er janvier 1935 « devront faire deux années de bénévolat avant d'avoir droit à cette gratification[52] ». En 1936, les sommes allouées, puisées à même les fonds amassés grâce à la campagne de souscription annuelle, sont attribuées selon les années de service ;

Dr André Davignon (1930-)

Après une spécialisation en pédiatrie à l'Hôpital Sainte-Justine et à Boston et des études en cardiologie infantile au centre Johns Hopkins et à la Clinique Mayo, le Dr Davignon est admis au Service de cardiologie de Sainte-Justine en 1960. Pendant plus de 35 ans, il est chef de la section de cardiologie du Service de cardiologie et maladies pulmonaires de l'hôpital, dont il dirige également le laboratoire de physiologie cardiovasculaire à partir de 1968. Ses recherches et l'utilisation qu'il fait de nouveaux procédés, comme l'échocardiographie, ont permis de développer des techniques chirurgicales non invasives qui ont facilité le traitement des nouveau-nés et des prématurés, ce qui a grandement contribué à faire de Sainte-Justine un centre de cardiologie infantile hautement spécialisé.

En plus d'avoir publié plus de 150 articles scientifiques, le Dr Davignon a aussi été professeur à la Faculté de médecine de l'Université de Montréal à partir de 1969 jusqu'à sa retraite en 1997. Il a aussi été président de l'Association canadienne de cardiologie pédiatrique, membre fondateur et président de l'Association des cardiologues pédiatres du Canada, membre de l'Association européenne des cardiologues pédiatres, de la Société canadienne d'investigation clinique, de la Société de cardiologie française et membre fondateur de la Fondation Justine-Lacoste-Beaubien. Nommé Personnalité de la semaine par le journal *La Presse* en 1997 pour sa participation à la fondation de En Cœur, l'Association québécoise pour les enfants atteints de pathologies cardiaques, il a aussi reçu des doctorats *honoris causa* de l'Université Claude-Bernard de Lyon et de l'Université d'Aix-Marseille.

Sainte-Justine est alors le premier hôpital à rémunérer son personnel médical, mais en ne lui accordant que la moitié du barème fixé par l'AGMH. Déçus, les médecins reviennent plusieurs fois à la charge auprès de l'administration afin d'obtenir le plein montant de la somme négociée par leur association, mais en vain ; en juillet 1937, ils demandent finalement à l'administration de leur verser au moins les quelque 4 000 $ supplémentaires rapportés par la Journée du dollar de 1936, comparativement à 1935, mais cette fois encore ils se font répondre que les difficultés financières de l'hôpital ne lui permettent pas de se rendre à cette demande[53].

Même s'ils ne sont pas encore organisés en association, les internes commencent aussi à revendiquer. En 1930, ceux en poste à Sainte-Justine adressent une lettre au Dr Télesphore Parizeau, directeur des études à la Faculté de médecine et représentant de la faculté au conseil médical de l'hôpital, pour se plaindre de la manière dont ils sont traités. Ils reprochent tout particulièrement aux religieuses de s'arroger des pouvoirs et des tâches qui leur reviennent, comme prescrire des médicaments et assister les chirurgiens. « Ici, le véritable interne du chef de service, c'est la religieuse qui, au lieu de suivre les indications et les prescriptions qu'on lui donne, prescrit et donne les traitements qui lui conviennent », affirment-ils. Ils dénoncent également la mauvaise qualité de la nourriture qu'on leur sert et la monotonie des menus qu'on leur propose. Estimant que leur démarche relève tout simplement « d'un mauvais esprit », l'administration décide de les faire comparaître un à un en présence des Drs Bernard et Lapierre, respectivement surintendant et président du conseil médical, de manière à briser toute velléité contestataire[54]. En 1934, les internes « juniors » et « seniors » décident cette fois de faire la grève pour appuyer leurs collègues de Notre-Dame. Ces derniers avaient déclenché un débrayage pour protester contre la décision de leur administration de nommer un interne de confession juive, M. Rabinovitch, décision maintenue tant par l'hôpital que par la Faculté de médecine, malgré leur opposition. La grève n'aura d'ailleurs pas raison de la fermeté des autorités médicales, qui menacent plutôt les internes d'expulsion, mais elle incite Rabinovitch à démissionner, ce qui met fin au conflit. À Sainte-Justine, où l'administration adopte une attitude attentiste durant le débrayage, les internes grévistes sont réadmis à la condition qu'une « telle situation ne se présente plus[55] ». Ce malheureux épisode montre bien que le milieu médical n'est pas à l'abri des élans antisémites qui gagnent tout l'Occident durant les années 1930 ; contrairement à ce qui se produit à l'Hôpital Notre-Dame, cependant, le bureau médical de Sainte-Justine ne semble pas avoir adopté de résolution stipulant que les juifs ne pourraient pas faire partie de cette instance.

Pratiquer dans un hôpital moderne (1940-1970)

Les décennies qui s'ouvrent avec la Seconde Guerre mondiale sont le témoin d'une multiplication et d'une accélération des découvertes scientifiques, qui transforment encore plus profondément la pratique médicale et chirurgicale et l'organisation des soins hospitaliers. Le développement des techniques d'investigation clinique, notamment la diversification des examens radiologiques et des analyses de laboratoire ou encore l'utilisation des électroencéphalogrammes et électrocardiogrammes, l'introduction de nouveaux médicaments — antibiotiques, mais aussi anticoagulants et anti-inflammatoires — et le perfectionnement de la chirurgie grâce, entre autres, aux progrès de l'anesthésie, à la constitution de banques de sang ou même d'organes (banque d'os et banque d'yeux) et à la mise au point de techniques comme la circulation extracorporelle, sont autant d'éléments qui incitent à une spécialisation de plus en plus poussée des médecins et à une constante réorganisation des services reflétant la tendance à la segmentation du domaine médical et chirurgical.

Ainsi, en 1945, il existe une vingtaine de services à Sainte-Justine, dont ceux de médecine et de chirurgie qui regroupent toujours le nombre de praticiens le plus élevé. Comparativement à l'année 1940, on note la création d'un service d'endocrinologie et d'électrocardiologie et le regroupement, sous une nouvelle rubrique appelée « personnel extramédical », des services auxiliaires existants, comme l'optométrie, la massothérapie et l'école d'orthophonie, auxquels viennent s'ajouter les techniciennes de laboratoire et de radiologie, qui ne sont encore que huit au total. Remarquons que l'après-guerre se caractérise par un fort développement des secteurs paramédicaux, sur lesquels nous aurons l'occasion de revenir. En 1955, outre la création des services de cardiologie, de chirurgie reconstructive, de neurochirurgie, de physiologie cardiopulmonaire, et la création d'un service d'électroencéphalographie, on observe la division du laboratoire en quatre sections (biochimie, bactériologie, hématologie et anatomie-pathologie), chacune dirigée par un chargé de service, spécialiste du domaine. Cette subdivision, survenue en 1954, fait suite à une crise qui a agité le laboratoire au début des années 1950 et provoqué la démission de son directeur, le Dr Nazeeb Bouziane. Déterminé à garder la main haute sur son laboratoire, Bouziane refusait de donner accès à ses locaux aux autres médecins pour qu'ils y conduisent des expériences de recherche clinique, même quand ces derniers bénéficiaient de subventions, comme c'était le cas du Dr Albert Royer. Pour que ce dernier puisse entreprendre ses travaux sur l'efficacité d'un nouvel antibiotique, la chloromycétine, il faut l'intervention du conseil médical, qui obtient l'organisation d'un laboratoire de recherche clinique mis à la disposition de tous les médecins. Ce laboratoire demeure sous la gouverne de Bouziane, qui fait même partie du comité chargé d'évaluer les projets des médecins, mais dès l'année suivante, soit en 1953, l'administration, à la recommandation du conseil médical, sépare le laboratoire général du laboratoire de recherche qui devenait un département, provoquant sa démission[56].

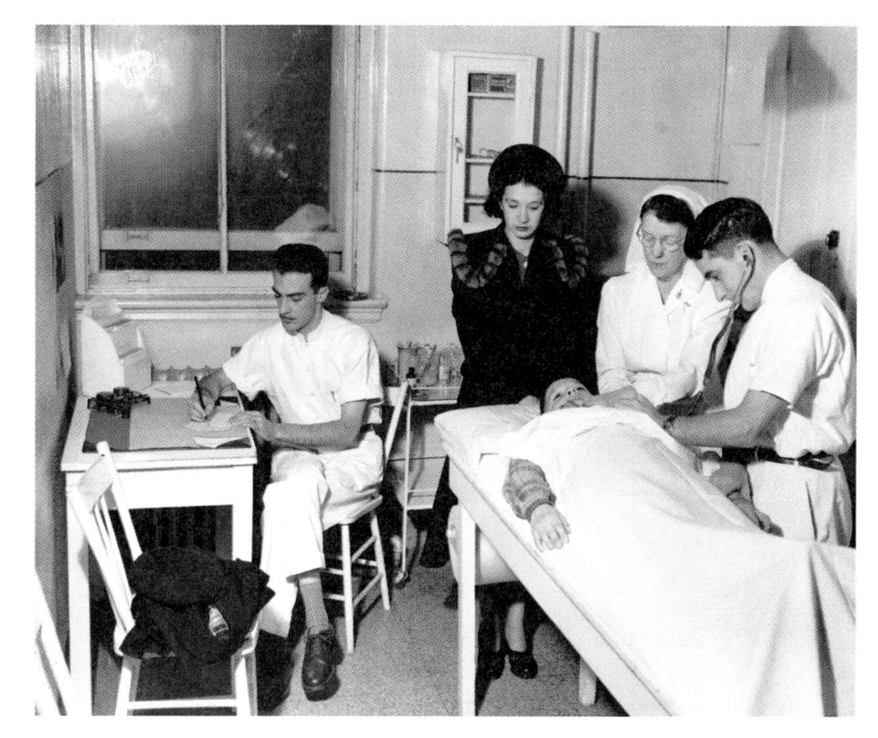

Garde Juliane Labelle et deux médecins s'occupent d'un enfant qui s'est présenté à l'urgence avec sa mère en 1951 (AHSJ, photo Associated Screen News).

Dans la seconde moitié des années 1950, la prolifération des services en raison du mouvement de spécialisation oblige également l'hôpital à revoir de fond en comble sa structuration. Dès 1956, plusieurs de ses services, devenus des sections, se retrouvent désormais affiliés aux services de médecine et de chirurgie. En 1965, la nouvelle structure comprend trois grands départements : la pédiatrie et la chirurgie, composés chacun de quinze services, ainsi que le département des laboratoires cliniques, qui en comprend douze. Cette

Dr Albert Royer (1918-2001)

Né à Outremont en 1918, Albert Royer est admis à la Faculté de médecine de l'Université de Montréal en 1938. Après l'obtention de son doctorat en 1943, il entreprend sa résidence à Sainte-Justine et, grâce au plan de quatre ans, il poursuit des recherches en hématologie au Boston Children's Hospital sous la direction d'éminents spécialistes. De retour à Sainte-Justine en 1948, il devient, dès l'année suivante, le premier pédiatre à réussir les examens de Fellow du Collège royal des médecins du Canada.

Le Dr Royer a été l'une des figures les plus marquantes de la pédiatrie au Québec, autant par ses réalisations à l'hôpital et à l'université que sur la scène internationale. Directeur du département de pédiatrie de Sainte-Justine de 1961 à 1968, il a dirigé le département de recherche clinique et a été le pionner du laboratoire d'hématologie et de la banque de sang. En tant que professeur de pédiatrie à la Faculté de médecine, il a orienté de nombreux étudiants vers une surspécialité, marquant une nouvelle ère dans le champ de la pratique pédiatrique. Sa contribution au développement de la pédiatrie a d'ailleurs été reconnue par l'Université de Montréal, qui lui a décerné le titre de professeur émérite en 1983.

À partir de 1966, le Dr Royer participe à un projet de l'Agence canadienne de développement international (ACDI), qui a pour but la mise en opération d'un hôpital pour enfants et le développement de la formation pédiatrique du personnel médical et paramédical à Tunis. En plus de favoriser une nette diminution de la morbidité et de la mortalité infantiles, l'ouverture de l'hôpital pour enfants de Tunis a permis la formation de centaines de pédiatres tunisiens, ce qui a valu au Dr Royer de recevoir la médaille tunisienne d'officier de l'Ordre de la santé. En 1982, le Dr Royer se consacre à un nouveau projet : la construction d'un hôpital pédiatrique à Dakar, au Sénégal, hôpital qui portera son nom. Tout en contribuant à l'amélioration de la santé des enfants en Afrique, le Dr Royer a aussi cherché à prodiguer des conseils et à soigner les enfants amérindiens et inuits du Québec en organisant des visites de pédiatres et de résidents de Sainte-Justine dans les réserves de la province, avec l'aide du gouvernement.

Tout au long de sa carrière, le Dr Royer a publié de nombreux articles et participé à des centaines de conférences en plus d'organiser une foule de congrès et de réunions pédiatriques. Ses travaux lui ont valu plusieurs prix, dont le plus prestigieux a certes été le prix Ross de la Société canadienne de pédiatrie, décerné pour la première fois, en 1981, à un Québécois francophone. Il a en outre fondé plusieurs regroupements professionnels, dont l'Association du diabète de la province de Québec, la Société canadienne d'hémophilie et la section de la paralysie cérébrale du Canadian Rehabilitation Council for the Disabled, en plus d'être membre et d'avoir présidé diverses associations, dont la Société canadienne de pédiatrie et la Société médicale de Montréal.

« départementalisation », calquée sur la structure de l'enseignement universitaire, se poursuit jusqu'en 1970, alors que la radiologie, détachée des laboratoires, et la psychiatrie, détachée de la pédiatrie, deviennent également des départements. Au cours des années 1960, on note aussi l'apparition de la rhumatologie et de la gastro-entérologie comme nouveaux domaines de spécialisation.

Autre phénomène marquant de cette période : à compter de la seconde moitié des années 1950, les comités de toute nature, permanents ou spéciaux, d'ordre administratif ou médical, se multiplient, attestant la bureaucratisation du milieu hospitalier et la complexification de son fonctionnement. En 1955, il existe, selon le rapport annuel, moins de dix comités, alors qu'en 1965 leur nombre a pratiquement doublé. Parmi ces derniers, on note un comité d'asepsie, chargé de s'assurer du strict respect des normes et de la formation du personnel à ce chapitre, et un comité des salles d'opération, qui doit gérer les horaires du bloc opératoire et l'attribution des salles, souvent âprement disputées par les chirurgiens. Mentionnons également les comités des règlements, de discipline, des recherches, de la bibliothèque et de « planification en cas de désastre ». Tout en montrant l'étendue des questions sur lesquelles doit se pencher l'hôpital dans l'après-guerre, leur existence révèle une autre dimension du travail des médecins, qui assument de plus en plus de tâches administratives en plus de leur travail proprement médical et, pour certains, de leur enseignement. En 1940, 20 médecins rattachés à Sainte-Justine font partie du personnel de la Faculté de médecine ; dix ans plus tard, ils seront 31 dans ce cas et plus d'une quarantaine en 1970[57].

Au total, le nombre de médecins s'accroît considérablement au cours de la même période, surtout à partir de la seconde moitié des années 1950. Ainsi, selon les rapports annuels, en 1955, 91 médecins occupent des fonctions dans les différents services de l'hôpital, contre 170 en 1970. Le nombre d'internes « seniors » et de résidents connaît une progression encore plus fulgurante : de 14 en 1950, leurs effectifs passent à 33 en 1955, puis à 66 en 1960 et finalement à 155 en 1965[58]. Mentionnons qu'à partir des années 1950 une proportion de plus en plus forte de ces internes provient de l'étranger, ce qui suscite de nombreux débats au conseil d'administration. Après avoir suggéré de les cantonner au rôle de stagiaire, puis d'établir des quotas, certaines membres, en particulier Mme Gérard Parizeau, s'opposent carrément à leur nomination quand ils ne peuvent faire la preuve qu'ils maîtrisent le français. À son avis, leur ignorance de la langue des malades constitue non seulement un grave inconvénient, mais aussi un réel danger pour les patients. La présidente hésite cependant à cautionner cette position : de toute façon, l'hôpital ne pouvant se passer de ces internes, leur nombre continue d'augmenter pour atteindre 47 en 1963, sur un total de 80[59]. En 1964, au terme d'une autre discussion, elle souligne « à quel point il est inhabile de refuser des internes étrangers, surtout à une époque où Sa Sainteté Paul VI lance tant d'appels pour le rapprochement des peuples, dans un temps également où il existe une si grande effervescence au Québec à propos du bilinguisme[60] ». Sainte-Justine continue donc d'accueillir des internes étrangers, mais non sans que Mme Parizeau et Mme de Ligny-Labbé enregistrent leur dissidence au procès-verbal. Au milieu des années 1960, l'administration adopte néanmoins une politique obligeant les internes à apprendre le français

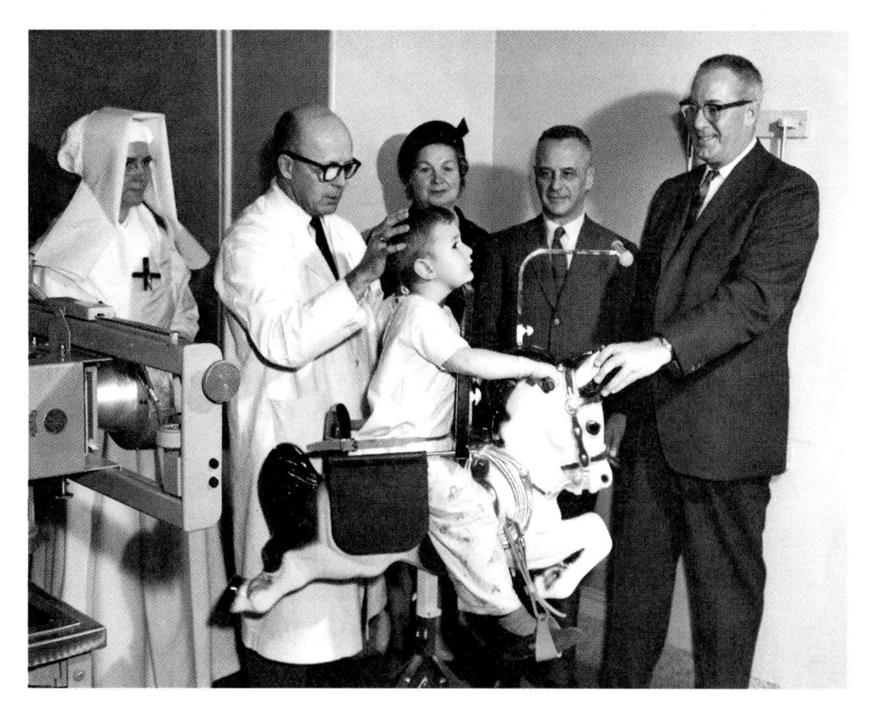

Sœur Judith-Marie, officière du Service de radiologie, le Dr Marc Del Vecchio, directeur du service, Marcelle Hémond-Lacoste, secrétaire du conseil d'administration et Gaspard Massue, directeur des Services administratifs, recevant de Ray Travis, président de Ren-Ray Electric Medical Ltd. de Toronto, un appareil de radiologie en forme de cheval facilitant la radiographie du crâne et de la poitrine chez les enfants en 1961 (AHSJ).

dans les trois mois suivant leur arrivée, une mesure plutôt exigeante dont il est impossible de dire si elle a eu du succès[61].

Tout autant que leur nombre, ce sont les exigences quant à la qualification des médecins qui augmentent au cours de cette période. En 1951, le conseil médical adopte en effet une résolution statuant que, à « compter du 1er janvier 1953, tout médecin qui sollicite une nomination comme membre régulier du personnel médical de Sainte-Justine devra être porteur d'un certificat dans sa spécialité[62] ». Dès cette époque, Sainte-Justine devient donc une institution ouverte uniquement aux spécialistes, une position qui sera réaffirmée au début des années 1960, alors que l'implantation de l'assurance-hospitalisation fait craindre que les généralistes ne puissent traiter leurs patients à l'hôpital. Le plan de quatre ans instauré en 1939 facilite d'ailleurs leur recrutement. L'arrivée de jeunes médecins qui ont acquis une formation poussée et effectué des séjours à l'étranger, l'acquisition d'appareils et d'instruments plus performants (par exemple : incubateurs de plus en plus sophistiqués, appareil de cinéradiographie et de radiothérapie de contact, stimulateur cardiaque portatif) et la modernisation des laboratoires et des salles d'opération, surtout après le déménagement chemin de la Côte-Sainte-Catherine, permettent à Sainte-Justine de développer une médecine de pointe et de faire quelques percées médicales[63]. Ainsi, en 1944, le Dr Jean-A. Lapointe est le premier médecin canadien à réussir une transplantation de la cornée, un succès rapporté par les journaux, tandis qu'en juillet 1959 le Dr Paul Stanley réalise sa première opération à cœur ouvert à l'hôpital.

L'arrivée d'un nombre de plus en plus élevé de spécialistes prépare également le terrain au développement des activités de recherche. S'il faut attendre les années 1970 pour que se constitue un véritable centre de recherche et que se développe la recherche fondamentale, quelques médecins s'intéressent tout de même à la recherche clinique dès les années 1930. Ainsi, en 1932, le Dr Henri Baril met au point une technique de production d'une poudre de pomme, produit déjà connu en Allemagne, afin de traiter les diarrhées infantiles ; en 1936, il obtient une subvention de 750 $ de la part du Conseil national des recherches du Canada pour comparer le rendement de deux procédés de fabrication et ainsi en produire des quantités suffisantes pour les besoins de l'hôpital. Au début des années 1930 également, le Dr Louis Paré, chargé des laboratoires, se consacre à la culture des larves de mouche afin de traiter les ostéomyélites. Au cours de la même période, les laboratoires de Sainte-Justine produisent aussi le sérum des convalescents pour les enfants atteints de poliomyélite et l'hôpital accepte de tester un sérum contre la pneumonie fabriqué par la maison Ayerst McKenna contre une rétribution de 2 000 $. Enfin, au début des années 1940, le Dr Alcide Martel amorce des recherches en endocrinologie grâce à une subvention du gouvernement provincial[64].

La recherche s'organise de manière plus structurée à compter des années 1950, alors que sont organisés un laboratoire puis un département de recherche clinique. Le Dr Royer est alors l'un des rares chercheurs à Sainte-Justine : après ses premières expériences sur l'utilisation d'un antibiotique, il se consacre à des travaux en hématologie chez les prématurés et les nouveau-nés, pour lesquels il obtient des subventions fédérales, avant de s'intéresser à la leucémie et à d'autres pathologies du sang. À la fin des années 1950, l'hôpital reçoit un legs de 100 000 $ de la famille Biermans pour entreprendre des recherches sur la poliomyélite, ce qui l'amène à créer un laboratoire de virologie placé sous la direction du Dr Bernard Martineau ; à la même époque, l'Association canadienne de dystrophie musculaire accorde une somme de 5 000 $ au Dr Jean-Léon Desrochers pour une durée d'un an, afin qu'il entreprenne des recherches sur les maladies dégénératives du système musculaire. Puis, en 1960, le Dr Jacques-Raymond Ducharme obtient une bourse d'une durée de cinq ans de la Fondation Markle pour des recherches en endocrinologie, une somme à laquelle s'ajoutent d'autres subventions permettant l'aménagement d'un laboratoire et le paiement du salaire d'une technicienne. Ducharme obtient en plus une bourse personnelle de 6 000 $ de la Canada Life Assurance, renouvelable annuellement[65].

Le laboratoire du Dr Ducharme prend une expansion considérable dans les années 1960 après l'octroi d'autres subventions et l'arrivée des Drs Gilles Lebœuf, en 1962, et Jacques Letarte à la fin de la décennie, mais l'endocrinologie n'est pas le seul domaine où la recherche connaît un essor important. En fait, les projets de recherche se multiplient durant les années 1960, touchant à plusieurs spécialités : pathologie, orthopédie, oncologie, cardiologie, néonatalogie, allergie, orthophonie, psychiatrie, néphrologie, transplantation d'organes. La création du Conseil de la recherche médicale par le gouvernement du Québec en 1964 contribue grandement à cette croissance, puisque les activités de recherche connaissent un véritable décollage après cette date : ainsi, en 1963, les chercheurs de Sainte-Justine reçoivent au total près de 50 000 $ pour cinq projets, alors qu'en 1969 ils obtiennent plus de 185 000 $ de subventions pour 32 projets. Au cours de la même période, le nombre des projets non subventionnés passe de 20 à 30. Une fois l'impulsion donnée, les médecins de Sainte-Justine envisagent la fondation d'un institut de recherche pédiatrique autonome et indépendant de l'hôpital, comme cela existe au Toronto Sick Children. Ce projet, qui fait l'objet de nombreuses discussions à partir de 1963, n'est cependant pas approuvé par l'administration, qui propose plutôt de créer un département de recherche « bien structuré avec un chef qualifié ». En contrepartie, l'hôpital s'engage à verser le produit des campagnes de souscription à l'organisation et au maintien de ce département[66]. Peu à peu se profile le projet de centre de recherche, qui devient réalité en 1973.

L'intérêt pour la recherche est soutenu par le bureau médical qui, depuis les années 1930, est devenu un lieu d'étude et d'échanges scientifiques. En 1960, il se dote de nouveaux statuts et règlements visant à « élever les standards professionnels et scientifiques de ses membres, [...] répondre plus adéquatement aux besoins de la population et [...] assurer aux jeunes médecins un enseignement à un niveau supérieur[67] ». Les 17 articles qui composent le document définissent en effet très précisément les conditions à

Dr Jacques-Raymond Ducharme (1928-2006)

Diplômé de l'Université de Montréal, Jacques-Raymond Ducharme entreprend sa résidence à Sainte-Justine en 1954 pour ensuite se spécialiser en endocrinologie pédiatrique à l'Université de Pennsylvanie. De retour à Sainte-Justine en 1960, il organise le premier laboratoire de recherche clinique et fondamentale de l'hôpital grâce aux bourses reçues de différents organismes, dont la Fondation Markle, le Conseil médical canadien, le Conseil national des recherches et la Canadian Life Insurance Officers, pour ses recherches en endocrinologie infantile. Le Dr Ducharme a ainsi joué un rôle actif dans le développement de la recherche à Sainte-Justine et a été l'un des promoteurs du Centre de recherche fondé en 1973, dont il a assumé la direction de 1975 à 1978.

En plus de contribuer au développement des connaissances en endocrinologie, le Dr Ducharme a été directeur du département de pédiatrie de l'hôpital et de la Faculté de médecine de l'Université de Montréal et titulaire de la chaire de pédiatrie de 1968 à 1975. Son expertise lui a valu d'être nommé secrétaire du Conseil de la recherche médicale du Québec en 1964 et membre du conseil d'évaluation de la recherche médicale pédiatrique pour le compte du Conseil de la recherche médicale du Canada en 1966. Il a aussi reçu, en 1984, le prix Michel-Sarrazin décerné annuellement au scientifique québécois qui s'est le plus distingué par ses qualités de chercheur, par son originalité, sa productivité remarquable et sa contribution à la formation de jeunes scientifiques. Il est également détenteur d'un doctorat *honoris causa* de l'Université Claude-Bernard de Lyon.

satisfaire pour devenir membre du bureau et insistent sur la production de travaux scientifiques par le candidat et sur l'obligation d'assister aux activités scientifiques de l'hôpital et de contribuer à l'enseignement. En 1965, dans le but de démocratiser la gestion des affaires médicales, le conseil médical et l'exécutif du bureau médical sont fondus en un seul organisme, le comité médical aviseur[68].

Le statut du personnel médical change aussi de façon importante au cours de ces décennies. Ainsi, à partir de la fin des années 1940, à la suite d'une visite du Dr Sydney Farber, pathologiste de Boston, qui en fait la suggestion, l'administration exprime son désir de retenir les services d'un plus grand nombre de médecins à temps plein. Les difficultés financières l'empêchent de procéder à toutes les embauches souhaitées, mais il n'en demeure pas moins que de plus en plus de médecins pratiquent uniquement à Sainte-Justine, où ils reçoivent leur clientèle privée quelques après-midi par semaine, le reste de leur temps étant consacré à la médecine hospitalière et à l'enseignement. Les appointements que leur verse l'hôpital sont ainsi augmentés des honoraires qu'ils reçoivent de leurs patients du département privé et des émoluments payés par l'université[69]. S'il ne semble pas exister de règles uniformes quant aux salaires et aux conditions d'embauche, il reste que pour ces médecins l'hôpital devient leur seul lieu de travail. La négociation de congés de maladie payés à compter des années 1930 et 1940, puis d'un régime de retraite et de vacances annuelles payées dans les années 1940 et 1950, atteste le renforcement du lien contractuel entre l'hôpital et ses médecins[70]. L'administration cherche d'ailleurs à profiter de sa position d'employeur pour tenter d'exercer un plus grand contrôle sur le personnel médical : ainsi, en 1945, en vue de forcer les médecins à respecter les horaires des dispensaires, les dames du conseil informent le bureau médical « [q]ue l'Administration de l'Hôpital Sainte-Justine, qui est bien consentante à rémunérer les services des médecins au dispensaire [..] ne pourra le faire, à l'avenir, que pour les services rendus de 8.45 hrs à 11 hrs A. M. et de 8.30 hrs à 12 hrs A. M. pour les opérations[71] ».

La rémunération des médecins subit des changements importants avec l'entrée en vigueur de la Loi de l'assurance-hospitalisation en 1961, qui couvre, au moins partiellement,

Les Annales médico-chirurgicales de l'Hôpital Sainte-Justine

Pour stimuler l'intérêt de ses collègues pour la recherche effectuée à Sainte-Justine, le Dr Edmond Dubé fonde, en 1930, les *Annales médico-chirurgicales de l'Hôpital Sainte-Justine (AMCHSJ),* une revue scientifique qui sera publiée jusqu'en 1961. De nature plutôt descriptive selon l'historienne Rita Desjardins, les textes présentés dans la revue et signés par des médecins de Sainte-Justine offrent des bilans bibliographiques ou historiques autour d'une question médicale, décrivent de nouvelles méthodes diagnostiques ou thérapeutiques, tant en médecine qu'en chirurgie, et font état d'observations cliniques ou de travaux de médecine expérimentale. En soi, ils participent tout de même à la propagation des connaissances dans le domaine de la pédiatrie tout en constituant un outil de valorisation de la recherche. Seule revue de pédiatrie canadienne-française, les AMCHSJ sont distribuées gratuitement à plus de 1 000 médecins québécois dès les années 1930 ; dans les années 1950, elles se retrouvent même dans les bibliothèques d'Amérique latine et d'Europe.

Bien que les *Annales médico-chirurgicales* aient été publiées avec la collaboration de l'administration de l'hôpital, les coûts liés à son impression ont donné lieu à un véritable bras de fer entre les médecins et les dirigeantes pendant plusieurs années. Ainsi, en 1936, les médecins demandent l'aide financière du conseil qui exige en retour une diminution du nombre de photos et de planches dans les articles afin de réduire le coût d'impression. L'augmentation graduelle de ces frais oppose les deux parties au sujet du choix de l'imprimeur, mais aussi du contenu de la revue, les administratrices demandant l'inclusion de publicités, ce à quoi les médecins s'objectent fermement. Une entente survient finalement dans les années 1950, alors que l'administration convient de verser une allocation fixe, à charge pour les médecins d'assumer tout dépassement de coût. Soutenues principalement par le Dr Dubé, les *Annales médico-chirurgicales* ne survivront malheureusement qu'un an après le décès de leur plus ardent défenseur.

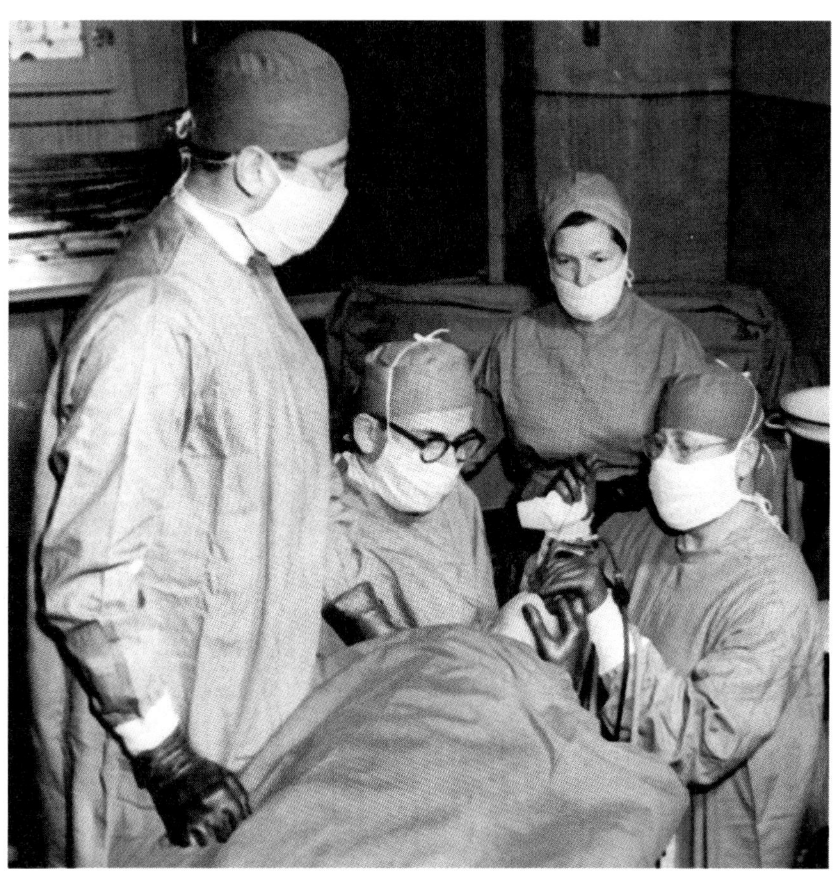

Le Dr Maurice Bonnier faisant une démonstration d'endoscopie sur un mannequin en 1951 (AHSJ, photo Associated Screen News).

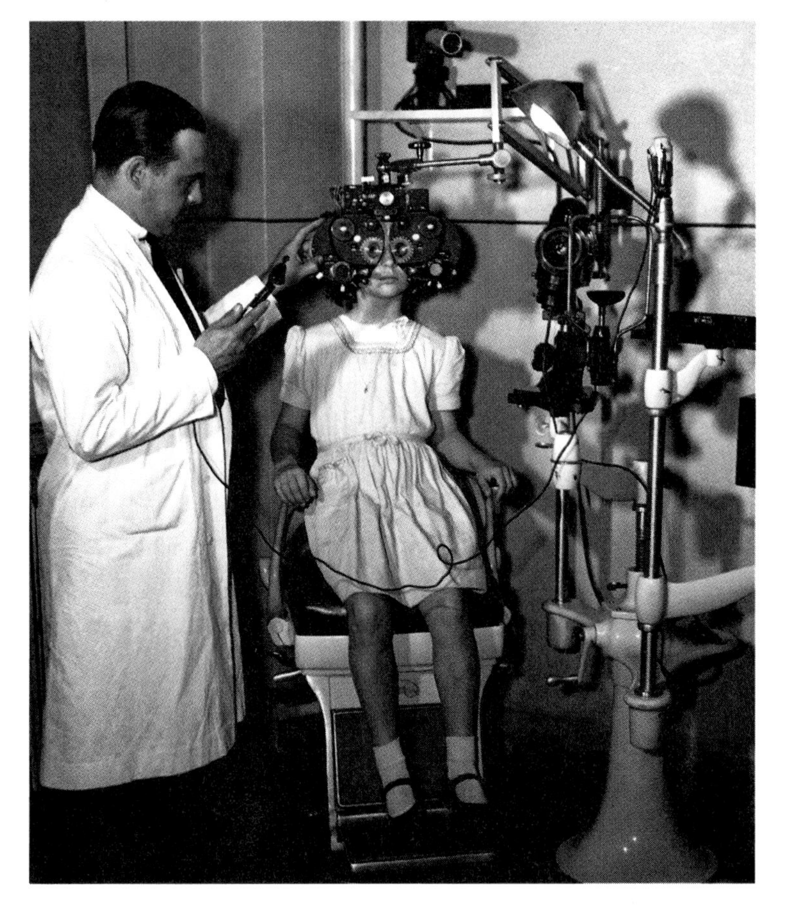

Paul-E. Talbot, optométriste, examinant une fillette au tournant des années 1950 (AHSJ).

Le Dr Pacifique Gauthier lors d'une consultation prénatale dans les années 1950 (AHSJ, photo Associated Screen News).

plusieurs catégories de dépenses, y compris les honoraires médicaux et les salaires des internes. Les sommes consenties, tant pour les actes médicaux que pour les charges administratives, sont cependant déterminées par Québec, ce qui oblige parfois l'hôpital à débourser un supplément ; quant aux internes, leur nombre est également fixé par le Service d'assurance-hospitalisation, tout comme leur salaire. Très rapidement, certains groupes de médecins, notamment les pathologistes et les radiologistes, choisissent de négocier directement avec l'État, plutôt qu'avec l'hôpital où ils travaillent, et exigent le paiement « à l'acte », sans plafond salarial. Ce mode de rémunération, qui va bientôt s'appliquer à l'ensemble du monde médical, est gagné au prix de négociations souvent ardues : en 1967, les radiologistes déclenchent même une grève de trois mois pour obtenir que tous les examens fassent l'objet d'un même tarif et que le gouvernement paie pour les examens radiologiques pratiqués dans les cliniques privées, des revendications qui ne sont qu'à moitié satisfaites[72]. Les ententes signées avec le gouvernement signifient que Sainte-Justine, comme les autres hôpitaux, est en voie de perdre l'une de ses prérogatives concernant son personnel médical. Il en va d'ailleurs de même pour les internes et les résidents. Au milieu des années 1950, les internes « juniors » des hôpitaux francophones de Montréal commencent à revendiquer un salaire pour les services rendus durant leurs stages, une idée endossée par certaines administrations hospitalières et la Faculté de médecine, mais rejetée par Sainte-Justine, la présidente estimant que les internes devraient être payés par l'université puisque c'est elle qui les envoie. En 1957, les internes obtiennent qu'une contribution de 40 $ par mois leur soit versée, décision à laquelle Sainte-Justine doit se plier. Malgré des augmentations de salaire subséquentes, les internes et les résidents considèrent de plus en plus que leur situation financière est carrément inacceptable et, au début de l'année 1967, ils déclenchent quelques journées d'étude avant d'obtenir gain de cause pour plusieurs de leurs revendications[73].

Pratiquer dans un hôpital ultraspécialisé (1970-2007)

Au risque de se répéter, force est de constater que, du point de vue médical, les décennies 1970 à 2000 connaissent elles aussi des développements assez spectaculaires. La mise au point de nouveaux appareils ou de tests diagnostiques, de nouveaux traitements, de nouvelles instrumentations et techniques chirurgicales et de nouveaux médicaments permet en effet à la médecine d'élargir de plus en plus son champ d'intervention et de pousser encore plus avant le phénomène de la spécialisation des soins. Les greffes d'organes, la microchirurgie et les chirurgies par laparoscopie moins invasives se retrouvent sans doute parmi les avancées les plus notables de cette période, mais c'est aussi à cette époque que les traitements d'hémodialyse et d'inhalothérapie deviennent disponibles à Sainte-Justine, leur nombre étant en forte augmentation à partir des années 1980, pendant que la radiologie connaît un nouvel essor tant du point de vue diagnostique (échographie, tomographie, tomodensitométrie, résonance magnétique) que thérapeutique (développement des chimiothérapies et des greffes de sang, de cordon et de moelle). L'importance que prennent ces examens et ces traitements signifie par ailleurs que la médecine repose de plus en plus sur le secteur paramédical et que les médecins doivent apprendre à travailler au sein d'équipes multidisciplinaires, de concert avec une foule d'autres intervenants de la santé, tout comme avec des spécialistes du génie biomédical, dont le travail permet la mise au point d'appareils et d'instruments essentiels à certaines interventions (orthèses, prothèses, bistouris au laser, appareils de monitorage fœtal).

Témoin et acteur de ces transformations, Sainte-Justine devient, durant cette période, une institution de soins ultraspécialisés où l'enseignement et la recherche occupent une place fondamentale, ce qui modifie également la manière de concevoir le travail médical. Outre l'enseignement et la clinique, les médecins sont en effet de plus en plus appelés à s'adonner à des activités de recherche et à endosser des responsabilités administratives que l'État leur délègue. Le Conseil des médecins et dentistes (CMD), qui remplace le bureau médical à la suite de l'adoption de la Loi sur les services de santé et les services sociaux, contribue d'ailleurs à redéfinir le rôle que jouent les médecins dans l'hôpital. Ainsi, en 1974, le CMD demande et obtient qu'à l'avenir le conseil d'administration tienne compte « de la vocation pédiatrique et universitaire de l'Hôpital Sainte-Justine dans le recrutement du personnel médical [et que celui-ci] soit limité à la pratique de la pédiatrie ou de la chirurgie pédiatrique et n'ait aucun privilège de traitement d'adultes [...] à l'exception des cas d'urgence ou des consultations dans le département d'obstétrique-gynécologie[74] ». Vers la fin des années 1990, le conseil, qui comprend désormais les pharmaciens (CMDP), participe avec les chefs de département et le directeur des services professionnels, un poste créé en 1973 qui englobe les responsabilités du directeur médical, à l'élaboration d'une politique de « profils de carrière individuels » devant s'appliquer à tous les médecins œuvrant à Sainte-Justine. Ces profils, au nombre de six, visent à assurer un équilibre au sein de chaque département entre les trois missions de l'hôpital, soit les soins, l'enseignement et la recherche, tout en tenant compte de la participation du corps médical aux fonctions administratives. Établis en fonction du pourcentage de temps consacré à chacune de ces quatre composantes (clinique, recherche, enseignement, administration), les profils individuels font désormais « partie intégrante de l'octroi de privilèges par le conseil d'administration » et deviennent « un élément majeur des obligations du médecin tel que prévu par la Loi des services de santé et des services sociaux[75] ». Sainte-Justine est d'ailleurs le premier hôpital au Québec à implanter cette politique de gestion de la carrière de son personnel médical.

Au moment de l'implantation de l'assurance-maladie à l'automne 1970, les médecins obtiennent, tout comme les radiologistes et les anesthésistes avant eux, un mode de rémunération à l'acte qui leur semble le plus à même de protéger leurs intérêts. On se souviendra que la mise en place du nouveau régime déclenche une grève de quelques semaines chez les spécialistes parce que ces médecins y voient une entrave à leur liberté professionnelle, mais aussi parce qu'ils exigent des honoraires sensiblement plus élevés que ceux proposés par l'État. Forcés de reprendre leurs activités par une loi spéciale, ils sont finalement obligés de composer avec les offres gouvernementales. La négociation des honoraires médicaux entre l'État et les fédérations de médecins (omnipraticiens et spécialistes) entraîne d'ailleurs le recours à divers moyens de pression tout au long de la période. À compter des années 1990, cependant, c'est le principe même de la rémunération à l'acte qui semble battu en brèche. Ainsi, l'intégration plus poussée de médecins, comme les chefs de département, à l'organisation hospitalière, comme le recommande la loi 27 adoptée en 1982, démontre que ce mode de rémunération ne convient pas à la nouvelle pratique hospitalière combinant plusieurs types d'activités. À Sainte-Justine, depuis 1985, quelques-unes de ces fonctions administratives font l'objet d'une rétribution séparée provenant en partie des avoirs propres de l'hôpital, car les hôpitaux ne sont toujours pas parvenus à obtenir du ministère la totalité des sommes consenties à ces médecins pour leur travail administratif[76].

Par ailleurs, à la fin des années 1980, en raison de la complexité des situations cliniques, l'Association des pédiatres du Québec permet la tarification horaire pour une certaine proportion de la clientèle, abandonnant ainsi la sacro-sainte tarification à l'acte. Au milieu des années 1990, les neurochirurgiens de Sainte-Justine contestent eux aussi la rémunération à l'acte, qui, selon eux, ne convient pas à la pratique pédiatrique, moins rentable, et ils obtiennent d'être payés pour une tâche globale établie suivant la moyenne des revenus gagnés par les spécialistes de leur domaine. Finalement, en 1999, ce sont les anesthésistes qui menacent de faire la grève, à moins d'obtenir des revenus similaires à ceux de leurs confrères œuvrant dans des hôpitaux pour adultes. En fait, selon le rapport annuel, à la fin des années 1990, c'est l'ensemble des médecins de l'hôpital qui désire voir modifier le mode de rémunération à l'acte, considéré comme désuet pour des spécialistes qui participent à des activités de recherche et d'enseignement et qui occupent des fonctions médico-administratives[77]. Au tournant des années 2000, un nouveau mode de rémunération mixte, combinant le paiement à l'acte et à forfait (c'est-à-dire suivant une tarification journalière) et tenant donc mieux compte des multiples responsabilités des médecins, est d'ailleurs graduellement mis en application. En 2002-2003 et à nouveau en 2006, les médecins spécialistes ont néanmoins recours à des moyens de pression pour obtenir une meilleure rémunération, une revendication qu'ils arrivent difficilement à faire valoir dans un contexte de restrictions budgétaires[78].

L'orientation que prend Sainte-Justine à partir des années 1970 signifie que plusieurs domaines médicaux de pointe, comme la biologie cellulaire, la génétique, l'oncologie, la néonatalogie, la microchirurgie, les transplantations, la pharmacologie et la réadaptation, prennent une expansion considérable. De fait, comme le montre le tableau 5, les effectifs médicaux explosent littéralement durant cette période.

Comme on peut le voir, en 1975, le nombre des médecins s'établit à plus de 300, alors que cinq ans plus tôt ils étaient 170. Au début des années 1990, 539 médecins, dont 25 % de femmes, œuvrent à Sainte-Justine, tandis qu'en octobre 2005 ils sont environ 430. Cette baisse des effectifs ne reflète toutefois pas un recul du nombre des médecins actifs dans l'hôpital ; elle s'explique plutôt par une épuration des listes des praticiens affiliés à Sainte-Justine, qui ne comprennent désormais que ceux et celles qui y travaillent à temps plein[79]. Davantage que leur nombre, ce sont cependant le travail et la réputation de ces médecins qu'il faut souligner. À partir des années 1970, en effet, plusieurs d'entre eux sont devenus des leaders dans leur domaine, ont fait des découvertes médicales d'importance ou ont effectué des chirurgies très complexes. Ces réalisations ont parfois même attiré l'attention des médias et du grand public et leur ont valu des distinctions et des prix décernés autant par des associations

Cathétérisme cardiaque d'un nouveau-né, fin des années 1970 (AHSJ).

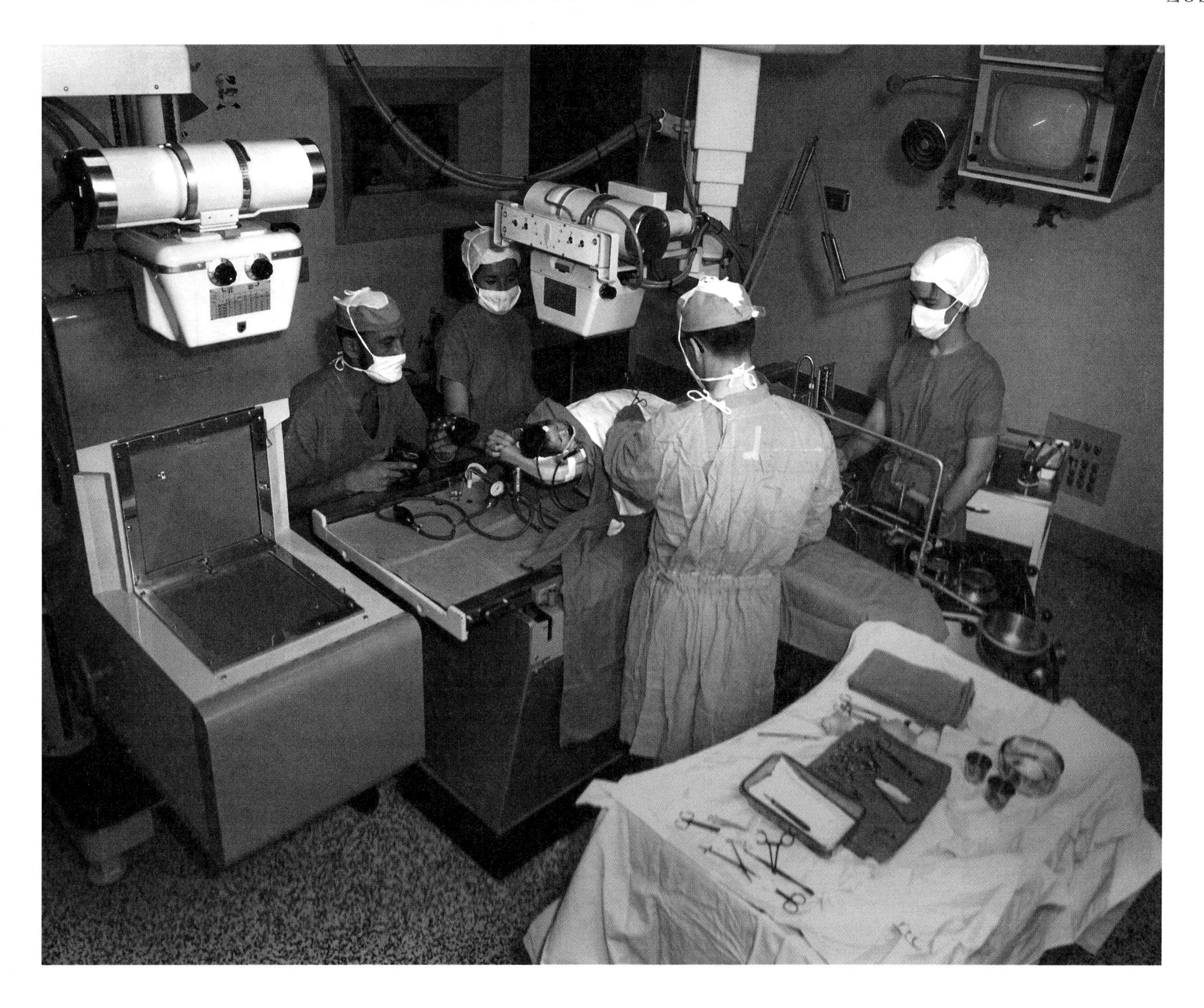

scientifiques et médicales que par des organismes communautaires et par la presse. Au début de l'année 2004, c'est cependant le décès d'une chirurgienne infectée au VIH par l'un de ses patients qui fait la manchette. L'enquête du Collège des médecins du Québec qui a suivi et le programme de relance mis en place par l'administration de Sainte-Justine démontrent que toutes les précautions avaient été prises par le médecin pour éviter la transmission à ses patients, mais l'événement soulève néanmoins de nombreuses interrogations au plan de la déontologie médicale et amène le CMCQ à élaborer des lignes directrices plus claires en cette matière[80].

En raison de budgets restreints ou de problèmes organisationnels, il faut également souligner que l'hôpital a eu parfois du mal à répondre à la demande pour certains services médicaux. On a déjà évoqué les problèmes rencontrés en

Dr Jean-Claude Fouron (1933-)

Diplômé de la Faculté de médecine de l'Université d'État d'Haïti, le Dr Fouron a poursuivi sa formation en pédiatrie à l'Université de Montréal, puis en cardiologie pédiatrique au CHU Sainte-Justine (1963-1965), avant d'entreprendre une formation en recherche en cardiologie pédiatrique à New York puis à San Francisco, grâce à une bourse de deux ans de la Fondation canadienne des maladies du cœur. En 1988, le Dr Fouron bénéficie d'un congé sabbatique qui lui permet de faire des stages de perfectionnement en cardiologie fœtale dans quatre grands centres internationaux (Yale University, San Diego Medical Center, Lund (Suède) et Guy's Hospital à Londres). De retour à Montréal en 1989, il fonde l'Unité de cardiologie fœtale de Sainte-Justine, dont il est toujours le directeur en 2007.

Professeur titulaire au département de pédiatrie de l'Université de Montréal, le Dr Fouron a mené de nombreuses recherches sur les cardiopathies fœtales, domaine où il est devenu un spécialiste reconnu. À partir de 2002, ses travaux ont plus particulièrement porté sur le dépistage et le traitement de l'arythmie fœtale, l'hémodynamique et le diagnostic précoce du syndrome transfuseur-transfusé, de même que sur le rôle de l'isthme aortique en physiologie et pathophysiologie circulatoire fœtale. Auteur de plus de 190 articles parus dans des revues scientifiques, il a aussi contribué à une douzaine d'ouvrages, en plus de publier de nombreux travaux de vulgarisation. Conférencier très sollicité sur la scène internationale, le Dr Fouron a été récipiendaire de plusieurs prix et distinctions. En 2000, l'Association européenne de cardiologie pédiatrique le choisissait comme le conférencier Manheimer, pour ouvrir son premier congrès annuel du 3e millénaire. En 2005, la Société canadienne de cardiologie lui décernait le Prix du professeur émérite. La même année, il recevait le prix le plus prestigieux de la Société internationale d'ultrasonographie obstétricale, le Ian Donald Gold Medal Award « pour sa contribution scientifique exceptionnelle dans ce domaine », tandis que le département de pédiatrie lui décernait la médaille au mérite pour l'ensemble de sa carrière.

Tableau 5. – Nombre de médecins, 1908-2005

Années	Nombre de médecins
1908	5*
1925	25*
1940	57*
1950	66*
1955	91*
1960	110*
1970	170*
1975	314*
1988-1989	514
1992-1993	539
2005	430

* Chiffres établis à partir des listes publiées dans les rapports annuels.
Sources : AHSJ, rapports annuels, 1908-2005.

néonatalogie depuis les années 1990 ; au milieu de cette décennie, ce sont les listes d'attente qui s'allongent en chirurgie en raison notamment du manque d'anesthésistes et de la pénurie de chirurgiens dans certains domaines. Au début des années 2000, l'attente pour les chirurgies majeures est aussi reliée à la situation qui prévaut aux soins intensifs où ces opérés doivent être transférés. La pénurie d'infirmières et le manque d'équipements conformes aux normes hospitalières reconnues qui affectent ce service provoquent en partie le gonflement des listes en chirurgie, mais le nombre élevé de patients nécessitant une chirurgie majeure est aussi en cause. En d'autres termes, l'offre de services médicaux et chirurgicaux de même que la réputation de Sainte-Justine, de ses médecins et chirurgiens, stimulent la demande pour des soins spécialisés qu'ils ont peine à combler. Toujours dans les années 1990, la situation à l'urgence devient également inquiétante. L'afflux de patients combiné à un manque d'effectifs médicaux, les médecins étant peu enclins à se disputer les tours de garde, entraînent en effet une augmentation considérable du temps d'attente. Afin de le faire diminuer, l'hôpital envisage diverses solutions, dont le recrutement de pédiatres urgentistes et l'instauration d'une procédure de triage par les infirmières. En octobre 1995, en raison « d'un contrôle plus serré des présences médicales », la situation semble s'améliorer, mais le problème n'est pas résolu pour autant. Dès l'année suivante, d'autres mesures, comme la mise en place d'un système d'appel lorsque l'attente dépasse les deux heures, et le suivi de la liste de garde par l'exécutif du CMDP, finissent cependant par porter fruits[81].

L'un des phénomènes les plus marquants des années 1970 à 2000 demeure sans contredit le développement de la recherche. Créé en 1973 au terme d'une dizaine d'années de discussions et grâce à des subventions versées par le ministère des Affaires sociales (MAS) à la Fondation Sainte-Justine, spécialement formée à cette fin, le Centre de recherches pédiatriques se donne pour mandat de « concrétiser davantage l'interaction en milieu hospitalier entre la médecine clinique et l'enseignement pré et postdoctoral d'une part et la recherche et l'enseignement supérieur et gradué d'autre part[82] ». Au départ, l'argent versé par le MAS couvre les coûts d'exploitation, comme le salaire du personnel administratif, les dépenses de bureau et certains frais touchant au fonctionnement des appareils ou à l'animalerie, en plus de rembourser l'hôpital pour des coûts indirects occasionnés par la présence du centre. La recherche elle-même, et toutes les dépenses qui en découlent, est financée par des subventions obtenues par les chercheurs de la part d'organismes publics ou privés, y compris la Fondation Justine-Lacoste-Beaubien, qui se dote d'un comité scientifique afin d'évaluer les projets[83].

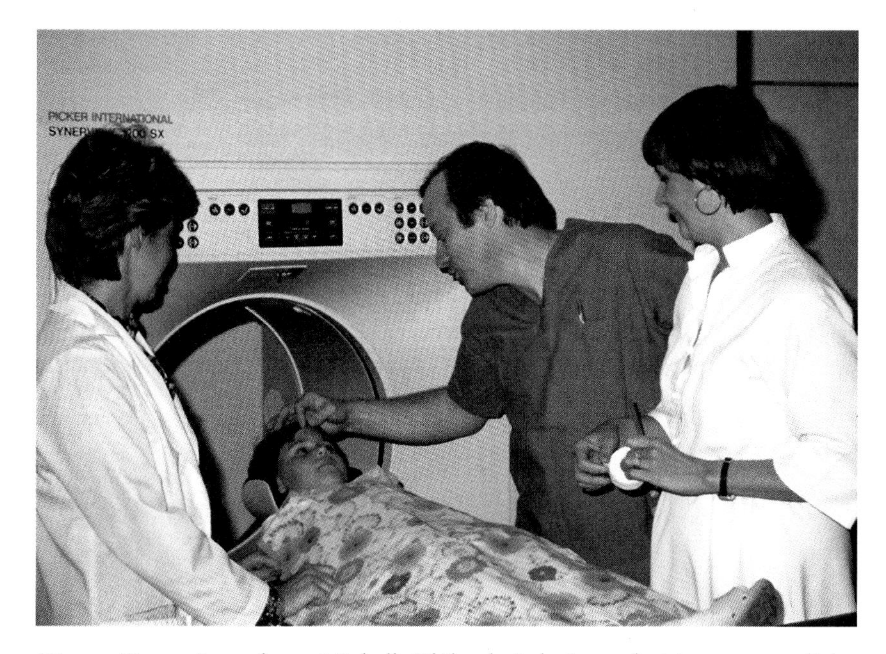

Ginette Bisson, à gauche, et Michelle Thibault, à droite, techniciennes en radiologie médicale, avec le Dr Jacques Duthé, faisant passer un examen de tomodensitométrie à un jeune patient, 1982 (AHSJ).

Principaux distinctions et prix décernés aux médecins de Sainte-Justine depuis les années 1980

Le prix Ross, remis par la Société canadienne de pédiatrie pour souligner une carrière exceptionnelle dans les domaines de la recherche, de l'enseignement, des soins et de la défense des intérêts en pédiatrie :

1981 : Dr Albert Royer

1995 : Dr Claude C. Roy

Le prix Letondal, remis par l'Association des pédiatres de la province de Québec à l'un de ses membres qui s'est particulièrement distingué au cours de sa carrière :

1991 : Dr Gloria Jeliu

1999 : Dr Luc Chicoine

2005 : Dr Michel L. Weber

La médaille au mérite, remise par l'Association des médecins de langue française du Canada à un médecin francophone qui a su mener une carrière brillante au service de la cause médicale :

1991 : Dr Jocelyn Demers

Le prix Sainte-Justine, décerné depuis 2003 à une personne ayant contribué de façon exceptionnelle au rayonnement et au développement du CHU Sainte-Justine :

2003 : Dr Gloria Jeliu

2004 : Dr Claude C. Roy

2005 : Dr Luc Chicoine

Les Personnalités de la semaine de *La Presse*

28 décembre 1986 : Dr Louise Caouette-Laberge, chirurgienne en chirurgie plastique, qui a remis en place le bras d'un patient.

27 octobre 1991 : Dr Jocelyn Demers, hématologue-oncologue, pour avoir été récipiendaire de la médaille du mérite de l'Association des médecins de langue française du Canada et d'une bourse Banque Nationale de l'excellence, d'une valeur de 5 000 $.

14 janvier 1996 : Dr Jean-Marie Leclerc, oncologue, pour avoir reçu le titre de Scientifique de l'année de la Société Radio-Canada.

23 février 1997 : Dr André Davignon, cardiologue, pour son implication dans la Fondation En cœur.

22 avril 2001 : Dr Hubert Labelle, orthopédiste, pour sa nomination au poste de titulaire de la chaire de recherche en sciences du mouvement à l'Université de Montréal.

23 juin 2002 : Dr Guy Rouleau, médecin et chercheur en génétique des maladies du cerveau, pour avoir dirigé une équipe ayant identifié le gène responsable d'une forme courante d'épilepsie.

8 juin 2003 : Dr Louis Péloquin, chirurgien oto-rhino-laryngologiste, pour la réussite d'une première mondiale, soit le retrait d'un abcès cervical par les voies nasales.

4 avril 2004 : Dr Gloria Jeliu, pédiatre, récipiendaire du prix Sainte-Justine.

1er août 2004 : Dr Suzanne Vobecky, chirurgienne cardiaque pédiatrique, et Dr Anne Fournier, cardiologue et pédiatre, pour la réalisation d'une première canadienne en chirurgie cardiaque, soit l'implantation de stimulateurs cardiaques défibrillateurs à deux enfants.

24 octobre 2004 : Dr Gilles Julien, pédiatre, pour son aide aux enfants démunis. Il a fondé l'organisme Assistance d'enfants en difficulté.

25 juin 2006 : Dr Alain Moreau, orthopédiste, pour la mise au point d'un premier test diagnostique pour le dépistage de la scoliose.

26 novembre 2006 : Dr Joachim Mirò, cardiologue pédiatre, pour une mission au Maroc durant laquelle une équipe médicale de Sainte-Justine a procédé à plus d'une quarantaine de chirurgies cardiaques, en collaboration avec des chirurgiens marocains de la clinique Les Bonnes Œuvres du cœur de Casablanca.

Administré par un directeur assisté d'un conseil, le centre est régi par des statuts et règlements élaborés par un comité de liaison entre l'hôpital et l'Université de Montréal et ratifiés par le conseil d'administration de Sainte-Justine en février 1977. En vertu de ces règles, le centre se voit confier la responsabilité de « coordonner toute la recherche biomédicale conduite à l'Hôpital Sainte-Justine[84] ». Pour renforcer ce rôle et mieux assurer son développement, le comité de liaison recommande également la mise en place d'un comité de la recherche pour promouvoir cette activité dans l'hôpital, dégager des priorités de recherche, étudier les problèmes soumis par les chercheurs ou les administrateurs de Sainte-Justine et recommander les candidatures de chercheurs[85].

En 1978, le centre réunit 35 équipes qui totalisent plus de 220 projets, dans les domaines de la recherche tant clinique que fondamentale, épidémiologique et opérationnelle, au point où Sainte-Justine doit déjà songer à l'aménagement de nouveaux laboratoires. Les questions d'espace constituent d'ailleurs une préoccupation constante tout au long de la période : moins de dix ans après les premiers travaux d'agrandissement, qui débutent en janvier 1979, le directeur du centre juge que le manque de locaux est devenu critique pour les 40 chercheurs qui y travaillent, surtout qu'il vient d'en recruter près d'une dizaine. Au cours des années 1990, grâce à des subventions gouvernementales, à la contribution de la fondation de l'hôpital et à des fonds privés, le centre connaît donc des réaménagements majeurs lui permettant d'accommoder des équipes plus nombreuses et des appareillages toujours plus sophistiqués[86].

Comme le montre le tableau 6, le nombre de chercheurs et les fonds qu'ils obtiennent connaissent pour leur part une forte progression tout au long de la période. Composé de 21 chercheurs au moment de son ouverture en 1973, le centre en réunit plus de 160 en 2004-2005, sans compter les 320 étudiants des cycles supérieurs et les chercheurs postdoctoraux. Les fonds de recherche enregistrent également une

Dr Claude C. Roy (1929-)

Né à Québec, Claude C. Roy a fait ses études de médecine à l'Université Laval. Il complète ensuite sa résidence en pédiatrie à l'hôpital de Montréal pour enfants et au Children's Hospital de Boston avant d'entreprendre, en 1964, un fellowship au Health Science Center de l'Université du Colorado, où il devient professeur assistant puis associé. À son retour à Montréal en 1970, il est recruté comme professeur titulaire de pédiatrie à la Faculté de médecine de l'Université de Montréal et il amorce sa carrière à Sainte-Justine, où il a occupé divers postes d'importance, dont celui de chef du Service de pédiatrie, chef du Service de gastro-entérologie, directeur du centre de recherche et chef du département de pédiatrie. Ses nombreuses recherches, autant cliniques que fondamentales, ont fait avancer les connaissances au sujet des maladies gastro-intestinales et hépatologiques chez l'enfant ainsi que sur la fibrose kystique du pancréas.

Le Dr Roy est l'auteur de plus de 300 publications et livres et de plus de 200 communications de congrès. Il est, entre autres, coauteur du premier manuel de gastro-entérologie pédiatrique, qui est devenu un outil de référence dans le domaine médical et qui en est, en 2006, à sa quatrième édition. Son apport au développement de la médecine a été reconnu au Québec et au niveau international, contribuant ainsi au rayonnement de Sainte-Justine. Tout au long de sa carrière, il a été lauréat de 23 prix et distinctions, dont le prix Swachman de la Société nord-américaine de gastro-entérologie pédiatrique en 1987, le prix Alan-Ross remis par la Société canadienne de pédiatrie en 1995, le Prix pour services distingués de la Société canadienne de recherche clinique en 1996, le Lifetime Achievement Award remis conjointement par la Société européenne et la Société nord-américaine de gastro-entérologie pédiatrique en 1998, le Prix d'excellence en éducation de l'Association canadienne de gastro-entérologie en 2002 et le prix Sainte-Justine en 2004. Il a aussi reçu, en 1990, la plus haute distinction décernée au Canada, soit le titre d'officier de l'Ordre du Canada, remis par le gouverneur général. Le Dr Roy a pris sa retraite de l'Université de Montréal en 1996, tout en poursuivant ses activités cliniques. En 2006, il fait toujours partie du comité de direction du centre de recherche de l'hôpital, en plus de siéger au conseil d'administration de plusieurs fondations et comités nationaux.

Tableau 6. – Nombre de chercheurs, d'étudiants et total des subvention du centre de recherche, 1973-2005

Années	Nombre de chercheurs	Nombre d'étudiants	Total des subventions
1973	21	nil	500 000 $
1980-1981	52	6	2 200 000 $
1984-1985	36	7	3 600 000 $
1990-1991	56	14	8 000 000 $
1995-1996	121	n.d.	12 000 000 $
1999-2000	135	227	17 100 000 $
2004-2005	162	319	23 700 000 $

Sources : AHSJ, rapports annuels et rapports du centre de recheche, 1973-2005.

augmentation exponentielle. Alors qu'en 1973-1974 les subventions reçues atteignent à peine un demi-million de dollars, elles s'établissent à plus de 23 millions en 2004-2005. Si les montants obtenus sont en croissance presque continue, leur provenance varie cependant au fil des années. Ainsi, au début des années 1980, le Dr Claude Roy, alors directeur du centre, signale que les fonds privés fournissent désormais une part plus grande du financement que les fonds publics ; au début des années 1990, les sociétés de recherche et développement (R-D) apportent même près de la moitié du total des fonds. Ces sociétés, créées par des chercheurs en partenariat avec d'autres groupes — entreprises privées, fondations ou même individus —, permettent de réunir des sommes qui assurent le recrutement du personnel de recherche et l'achat d'équipements. La commercialisation des produits ou des technologies issus des projets financés par des sociétés en R-D génère des redevances également réinvesties en recherche, sans compter les contrats de recherche signés avec des entreprises privées. Ces phénomènes prennent une telle ampleur que, à la fin des années 1990, l'hôpital signe un accord de principe avec l'Université de Montréal, où sont rattachés la très grande majorité des chercheurs, prévoyant le partage des revenus générés par la commercialisation des résultats de recherche. Suivant cet accord, l'université et l'hôpital perçoivent chacun le quart des sommes, l'autre moitié étant versée aux chercheurs dans leur ensemble. En 2001, Sainte-Justine signe une entente avec Gestion Univalor, un nouvel organisme créé par l'Université de Montréal, afin de valoriser les résultats de la recherche. En vertu de cette entente, Gestion Univalor se charge d'évaluer le potentiel commercial des découvertes scientifiques et médicales et d'entreprendre les démarches menant à l'octroi de brevets et à la création d'entreprises dérivées. Notons que, de 1997 à 2002, 29 technologies développées par des chercheurs de Sainte-Justine ont fait l'objet de demandes de brevet, dont 17 transférées à l'industrie, alors que trois entreprises dérivées ont été créées[87].

À partir des années 1990, la recherche prend donc un virage nettement plus commercial. Les travaux des chercheurs, qui font de plus en plus appel à des tissus humains et à des essais cliniques avec des êtres humains, comportent aussi une dimension éthique qui ne peut plus être ignorée. En 1988, pour assurer le consentement libre et éclairé des personnes qui participent à ces recherches et pour protéger la confidentialité des données, le centre met sur pied un comité d'éthique qui aura fort à faire au cours des années suivantes : en raison de l'augmentation du nombre des projets qui doivent lui être soumis, l'hôpital songe même, en 2001, à embaucher un éthicien contractuel à temps partiel[88].

Dès la fin des années 1970, le centre voit aussi à regrouper les chercheurs autour de thématiques définies suivant la mission de l'hôpital et l'enseignement universitaire. Constatant que certains domaines d'importance pour Sainte-Justine ne font l'objet d'aucune recherche, une étude réalisée en 1978 en arrive en effet à la conclusion que « le Comité de la recherche devra maintenant identifier les secteurs où la recherche devra être davantage encouragée et d'autres où elle devra être réorientée ou même initiée[89] ». Dès lors, le centre précise les principaux axes autour desquels il souhaite voir les chercheurs se regrouper. En 1987, le Fonds de la recherche en santé du Québec demande pour sa part de « privilégier la recherche clinique », une position entérinée par le conseil d'administration de l'hôpital[90]. Influencée par ces impératifs, l'organisation de la recherche s'appuie également de plus en plus sur la constitution d'équipes multidisciplinaires, un mode d'organisation qui « encourage les échanges et les collaborations, stimule la productivité, favorise les découvertes, facilite les études multicentriques et le réseautage, accélère le transfert des connaissances et aide à positionner favorablement notre Centre sur l'échiquier international[91] », souligne le rapport du centre pour les années 1995-2000. Plus récemment, le centre a aussi entrepris d'intégrer des chercheurs issus des sciences non biologiques (sciences humaines et sociales, physique, chimie, génie et informatique, etc.) à ses axes de recherche, de manière à inclure l'étude de « l'in-

Dr Georges-Étienne Rivard (1942-)

Diplômé de médecine de l'Université de Montréal en 1968, le Dr Rivard complète d'abord une résidence en pédiatrie et en hématologie à Montréal avant d'entreprendre des fellowships en hématologie-oncologie et en biochimie-hémostasie au Children's Hospital de Los Angeles et à l'Université de Californie du Sud. De retour à Montréal en 1975, il se joint au Service d'hématologie-oncologie de Sainte-Justine et est nommé directeur du laboratoire d'hémostasie. Au cours de sa carrière, il occupe les postes de directeur du Centre de traitement de l'hémophilie (1977), directeur du laboratoire d'hématologie (1992) et directeur provincial du Centre de référence de la maladie de Gaucher (2000). Le Dr Rivard a aussi collaboré à l'élaboration d'un programme national menant à la désignation de Sainte-Justine comme centre de référence québécois pour les sujets avec inhibiteurs de la coagulation en 2000.

À partir de 1975, le Dr Rivard est professeur de clinique au département de pédiatrie de la Faculté de médecine de l'Université de Montréal en même temps qu'il consacre une grande partie de son travail à la recherche en hématologie. Il compte d'ailleurs à son actif plus de 150 publications et plus de 300 présentations et conférences. En plus de son travail à Sainte-Justine, le Dr Rivard est membre de diverses associations et fait partie de nombreux comités, dont le Comité aviseur de la Croix-Rouge. Il est aussi vice-président de l'Association des directeurs de cliniques d'hémophilie du Canada et, à compter de 1997, président du Groupe des directeurs de centres d'hémophilie du Québec. En 2006, il a été président du Congrès mondial d'hémophilie qui s'est tenu à Vancouver. Sa grande contribution au développement des connaissances dans les domaines de l'hématologie et de l'oncologie lui ont valu un prix d'excellence remis par le Conseil des médecins, dentistes et pharmaciens de Sainte-Justine en 1998.

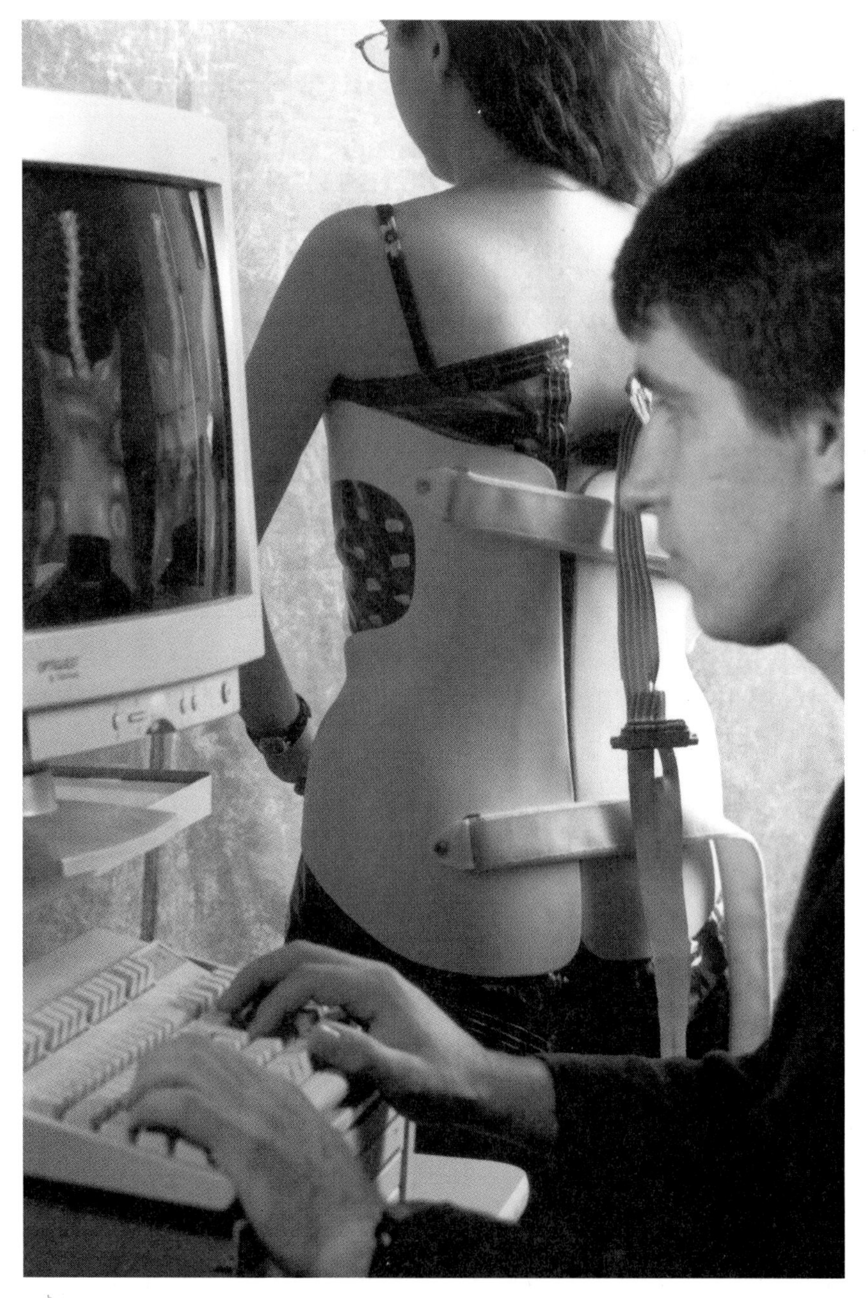

Examen d'une patiente portant un corset pour corriger une scoliose, 2006 (AHSJ).

fluence de la société, de la culture et de l'environnement sur la santé physique et mentale des populations[92] ».

Les projets de recherche menés à Sainte-Justine entre 1973 et 2007 sont tellement nombreux, plusieurs centaines par année, et touchent à une telle variété de domaines et de spécialités médicales qu'il est évidemment impossible d'en donner ne serait-ce qu'un aperçu. Il serait même illusoire de prétendre rendre justice à l'évolution des axes de recherche, maintes fois redéfinis en fonction des besoins de l'hôpital ou des exigences des organismes subventionnaires. Comme le mentionne le rapport pour la période 1984-1986, « [l]es équipes de recherche concentrent leurs efforts sur l'étude des causes, la prévention et le traitement des maladies de l'enfant, de la conception jusqu'à la fin de l'adolescence », ce qui constitue un vaste programme, c'est le moins qu'on puisse dire. Tout au plus peut-on énumérer certaines des réalisations majeures des chercheurs de Sainte-Justine au cours de la dernière décennie, comme la mise au point d'une thérapie préventive pour éviter la transmission du VIH de la mère à l'enfant, la prévention des complications associées à la prématurité comme la rétinopathie, l'anémie et la dysplasie pulmonaire, ou encore la mise au point, en collaboration avec des ingénieurs de l'École polytechnique, d'un nouveau corset pour corriger les déformations scoliotiques et, plus récemment, d'un test de dépistage et d'approches pharmacologiques visant à prévenir, stopper ou réduire ces déformations[93]. En 2005, le Centre de recherche, fier de ces réalisations, de la réputation internationale de nombre de ses chercheurs, de leur productivité et de leurs découvertes, demande que de nouvelles infrastructures soient mises à sa disposition afin de continuer à « attirer les cerveaux les plus brillants[94] ». La campagne « Grandir en santé », qui se termine en 2004, permettra effectivement la construction d'un nouveau centre qui offrira aux chercheurs des installations à la fine pointe de la technologie.

CHAPITRE 6

Au chevet des malades

L'arrivée des Filles de la Sagesse en 1910 annonce un tournant important dans l'histoire de Sainte-Justine, car ce sont elles qui, durant plus de soixante ans, vont assurer la direction des soins infirmiers et aussi de l'École des gardes-malades, renommée École des infirmières en 1946. La place prépondérante qu'occupent les religieuses dans les postes de responsabilité jusqu'aux années 1960 ne doit cependant pas faire oublier que les soins sont majoritairement dispensés par des laïques, élèves et infirmières salariées embauchées par l'hôpital en nombre toujours croissant à compter des années 1930. Si les religieuses de Sainte-Justine participent au mouvement de professionnalisation des infirmières, ce sont d'ailleurs les laïques qui mènent la lutte pour l'amélioration des conditions de travail. La grève de 1963, qui a profondément marqué l'histoire de l'hôpital, mais aussi de toute la profession, témoigne du rejet définitif de l'idée de vocation longtemps associée à ce métier presque exclusivement féminin, au profit d'une conception professionnelle du nursing, une rupture qui s'est accompagnée de changements importants au plan de la formation et de l'organisation du travail dans les années subséquentes.

Les infirmières de Sainte-Justine

Des débuts difficiles (1907-1920)

Peu après la fondation de l'hôpital, les administratrices s'emploient, à la suggestion des médecins, à mettre en place une école d'infirmières comme il en existe déjà dans plusieurs hôpitaux. Conçu par Florence Nightingale, une infirmière britannique qui avait accompagné les troupes impériales lors de la guerre de Crimée en 1854, le système des écoles de nursing affiliées aux hôpitaux, où résident les élèves pour la durée de leur cours, se répand au Canada anglais dès les années 1870, avant de rejoindre le Québec francophone à la toute fin du XIXe siècle. En fait, ces écoles marquent les véritables débuts de la profession, puisque auparavant ceux et celles qui prennent soin des patients en milieu hospitalier sont plutôt des aides domestiques sans qualification placées sous la direction de matrones ou encore, en ce qui concerne le Québec, de religieuses. L'apparition de ces écoles correspond également à la transformation des hôpitaux qui deviennent de véritables lieux de soins plutôt que de simples établissements d'hébergement, grâce à la révolution pasteurienne et au développement de l'antisepsie et de nouvelles techniques d'anesthésie permettant des chirurgies plus élaborées. Au tournant du XXe siècle, tout hôpital qui se respecte doit voir à l'établissement d'une école d'infirmières. Les élèves, formées suivant les nouveaux canons de la médecine scientifique au moyen de cours théoriques et de stages dans les différents départements, représentent en effet une main-d'œuvre bon marché qui est essentielle à son fonctionnement ; en fait, à cette époque, ce sont les élèves qui forment la quasi-totalité du personnel soignant. Contrairement à ce que l'on pourrait croire, en effet, les hôpitaux font très peu de place à leurs diplômées, qui, une fois leur cours terminé, rejoignent massivement les rangs des infirmières faisant du service privé à domicile. Seules quelques-unes sont embauchées par l'hôpital qui leur a décerné leur diplôme, généralement dans des postes de commande, puisqu'une nouvelle cohorte d'élèves vient chaque année remplacer celle qui a terminé ses études. L'absence de débouchés dans les hôpitaux se fait d'ailleurs encore plus cruellement sentir là où il y a des religieuses, puisque les sœurs, propriétaires de l'hôpital ou gestionnaires des soins comme à l'Hôpital Notre-Dame et à Sainte-Justine, se réservent les fonctions de direction[1].

Conscientes de la nécessité d'établir leur propre école pour assurer l'avenir de leur institution, les fondatrices de Sainte-Justine se heurtent cependant à de nombreuses difficultés. Il faut dire que les écoles de l'Hôtel-Dieu et surtout de Notre-Dame, toutes deux fondées en 1897, se sont déjà taillées une solide réputation et lui font une sérieuse concurrence. Comme le signale Rita Desjardins, il était certainement prématuré de songer à former des infirmières alors que Sainte-Justine n'était encore qu'un établissement de quelques lits. Jusqu'à l'arrivée des Filles de la Sagesse, la charge de l'hôpital, y compris l'organisation du cours, est confiée à des laïques qui ne sont pas toujours des infirmières et qui ne semblent pas avoir toujours été à la hauteur de la tâche[2]. Ainsi, en février 1909, les médecins se plaignent que « la nouvelle surintendante, malgré tout son dévouement, son zèle et sa bonne volonté, n'est pas la personne d'initiative et d'énergie qu'il faut[3] ».

Très rapidement, les médecins déplorent également le manque d'infirmières et d'élèves. Craignant « le préjudice que cet état de choses peut causer aux malades et à la bonne réputation de l'hôpital », ils proposent d'accepter les « gardes-malades ayant fait un certain stage dans un hôpital et désirant terminer leurs études à [...] Sainte-Justine et y prendre leur diplôme[4] ». Pour être acceptées en vertu de cette entente, les candidates doivent présenter un dossier comprenant des certificats de moralité et de santé et des attestations concernant les stages déjà réalisés, en plus de subir un

Églantine Clément (-1960)

Après avoir amorcé ses études de garde-malade à l'Hôpital Notre-Dame, Églantine Clément subit les examens du bureau médical de l'Hôpital Sainte-Justine qui lui confère son diplôme en novembre 1908. Elle est donc la première garde-malade diplômée de l'histoire de l'hôpital, où elle poursuit sa carrière pendant près de quarante ans. En 1933, elle devient directrice du Service des infirmières-bénévoles, dont elle assure la formation en ce qui a trait aux soins aux malades. La pénurie d'infirmières qui sévit durant la guerre la force cependant à quitter ce poste en 1943 pour retourner à la pratique dans les salles. Âgée et malade, elle prend sa retraite en 1945. Son cas étant jugé « exceptionnel », les administratrices conviennent de lui verser une pension de 50 $ par mois jusqu'à son décès, qui survient en 1960.

Liste des directrices de l'École de nursing

1919-1924 : Sœur Alexandrine de Saint-Pierre, fdls

1924-1956 : Sœur Valérie de la Sagesse, fdls

1956-1962 : Sœur Laurette de la Sainte-Face, fdls

1962-1967 : Sœur Marie-Bernard du Divin-Cœur, fdls

1967-1970 : Mlle Gisèle Gagnon

examen qui déterminera la durée des études à compléter. Églantine Clément est l'une des rares infirmières à se prévaloir de cet arrangement, sinon la seule. Encore peu connu et comportant un nombre de lits trop restreint, Sainte-Justine a bien du mal à recruter, un problème qui perdure plusieurs années. Si l'on se fie aux données présentées dans une liste établie à la fermeture de l'école en 1970, à peine une ou deux infirmières reçoivent leur diplôme chaque année entre 1911 et 1916. Ce nombre augmente par la suite, mais ne dépasse pas la dizaine avant les années 1920[5].

La prise en charge de la régie interne par les Filles de la Sagesse n'a donc pas pour effet immédiat d'attirer plus d'élèves, ni même de fournir à l'hôpital un plus grand nombre de diplômées. En fait, jusqu'au déménagement dans le nouvel immeuble de la rue Saint-Denis en 1914, Sainte-Justine n'a pas l'espace nécessaire pour héberger un grand nombre de candidates et, parmi les six premières religieuses envoyées de France, deux seulement détiennent un diplôme que les médecins acceptent de reconnaître[6]. Dans la maison de l'avenue De Lorimier, l'espace est tellement rationné qu'en mai 1913, pour satisfaire les religieuses qui se plaignent d'avoir à partager leur dortoir avec des laïques, les administratrices leur proposent « de réduire temporairement le nombre de gardes pourvu que les trois supprimées soient remplacées par des Sœurs, lesquelles s'engageront à suivre le cours d'infirmière[7] ». Cette année-là, seulement trois religieuses et cinq laïques, des élèves selon toute vraisemblance, dirigées par une infirmière en chef, également religieuse, dispensent leurs soins aux patients. L'entente finalement conclue entre Sainte-Justine et la communauté en 1916 prévoit pour sa part que la supérieure générale s'engage à fournir 22 religieuses, « dont 11 sœurs infirmières diplômées ou aptes à l'être », mais au début des années 1920, à peine six d'entre elles ont obtenu leur diplôme de Sainte-Justine, et les administratrices doivent revenir plusieurs fois à la charge afin que la supérieure générale leur en envoie davantage[8].

Une fille de la Sagesse avec quatre patients dans l'hôpital de l'avenue De Lorimier en 1911 (AHSJ).

Garde Églantine Clément nourrissant un jeune patient en 1908 (AHSJ).

Les infirmières, élèves et diplômées, religieuses comme laïques, ne sont cependant pas les seules à œuvrer auprès des patients. Dès 1908, les administratrices commencent à recruter des infirmières-bénévoles pour seconder les médecins au dispensaire, et des aides maternelles pour travailler dans les salles. Ces différentes catégories de soignantes se distinguent à la fois par la formation qu'elles reçoivent et par leurs origines sociales. Alors que les dames cherchent à mobiliser les filles de la bourgeoisie et des classes moyennes pour remplir les rangs des infirmières-bénévoles, elles font appel aux curés de campagne pour recruter des aides maternelles, assimilées à des aides domestiques. Pour sa part, le métier d'infirmière s'adresse à celles qui viennent de familles honorables, mais qui sont néanmoins obligées de gagner leur vie. Dans tous les cas cependant, le travail auprès des enfants malades et les cours offerts sont considérés comme une excellente préparation au rôle de mère de famille. Ainsi, à propos des aides maternelles, les premiers rapports annuels soulignent que la formation constitue « un complément d'éducation que l'on voudrait procurer à toutes les femmes. Elles acquerraient ainsi suffisamment de connaissance et d'expérience pour être en état d'élever leurs enfants d'une manière pratique et efficace et, au besoin, ceux des autres, se créant en plus une position assurée pour l'avenir, toujours si incertain[9] ».

Jusqu'à la mise en place de l'Association des gardes-malades enregistrées de la province de Québec (AGMEPQ) en 1920, l'école des infirmières, qui doit aussi pourvoir à la formation des aides maternelles, s'organise assez difficilement. En ce qui concerne ces dernières, les conditions d'admission, définies par les médecins, stipulent que les candidates doivent simplement savoir lire et écrire et présenter des certificats de santé et de moralité. Logées et nourries par l'hôpital, elles reçoivent en plus une indemnité de 3 $ par mois après un mois de probation. Le cours, d'une durée d'un an, est toutefois suspendu en 1910 et ne sera pas repris par la suite. Mentionnons qu'à la fin des années 1920 la crèche d'Youville, tenue par les Sœurs grises, offre un cours de 18 mois pour former des aides maternelles, mais les candidates, peu nombreuses, font surtout du service privé à domicile. Quand la crèche interrompt cette formation vers la fin des années 1940, Sainte-Justine, qui a commencé à former des aides gardes-malades, refuse de prendre le relais[10].

Les conditions d'admission pour les élèves infirmières

sont un peu plus précises, mais les exigences en matière scolaire demeurent minimales et plutôt vagues. Ainsi, selon le texte qui apparaît dans le rapport annuel de 1914, les jeunes filles doivent être âgées de 18 à 35 ans, « posséder une bonne instruction, avoir des notions élémentaires d'arithmétique et savoir lire et écrire correctement le français[11] ». À cette époque, il n'est donc pas nécessaire d'avoir complété un premier diplôme pour entreprendre des études d'infirmière à Sainte-Justine. Outre les habituels certificats de moralité et de santé, y compris un certificat de vaccination contre la variole, la candidate doit fournir une photographie et toutes les attestations de cours qu'elle aurait suivis dans d'autres hôpitaux. Le texte précise par ailleurs que les aspirantes doivent avoir les dents saines et les faire traiter au besoin avant d'entreprendre le cours, ce qui laisse supposer qu'une mauvaise dentition était chose courante. Pour éviter la contamination, le bureau médical recommande également de ne pas accepter les personnes qui ont « l'habitude de porter fréquemment la main à leur bouche pour mordre leurs ongles[12] ».

Une fois acceptée, la « postulante », comme on l'appelle, doit s'engager à demeurer à l'hôpital pendant toute la durée de son cours et à se conformer aux règlements de l'école, sous peine de renvoi. Son admission définitive ne survient cependant qu'après une période de probation de trois mois, durant laquelle elle reçoit le gîte et le couvert, mais aucune indemnité. C'est seulement à la fin de cette période qu'elle devient une élève de l'hôpital, dont elle endosse alors l'uniforme. Elle reçoit désormais 5 $ par mois et a droit à deux semaines de vacances payées par année, à la date fixée par la supérieure, en plus de bénéficier de soins médicaux et hospitaliers gratuits si elle devient malade. Tout arrêt de travail entraîne cependant la suppression de son indemnité et elle doit reprendre le temps perdu à la fin de ses années d'études. Outre les cours qu'elle doit suivre, l'élève infirmière effectue des quarts de travail de douze heures, de 7 h à 19 h, entrecoupés d'une heure de repos chaque jour et d'une demi-journée de congé par semaine, après 14 h. Les élèves ne peuvent pas s'absenter de l'école sans la permission de la supérieure : leurs sorties sont réglementées et elles sont astreintes à un couvre-feu très strict. En 1910, le règlement précise, par exemple, que les élèves ont droit à trois soirs de sortie par semaine jusqu'à 21 h 30, chaque cinq minutes de retard retranchant une heure sur leur prochain congé d'après-midi. Elles ne peuvent pas davantage prolonger leurs vacances sans raison grave, comme la maladie de leurs parents, sous peine de renvoi. L'élève doit également faire du service de nuit, de 19 h à 7 h, durant une période cumulative de six mois, lorsque la supérieure l'exige[13].

Les élèves infirmières en 1913. Au premier rang, de gauche à droite, Mlles Lajoie, Legris et Langlois. Deuxième rang : Mlles Mallette et Baron (AHSJ).

Ces premiers règlements élaborés par les médecins ne sont guère différents de ceux en vigueur à l'Hôpital Notre-Dame, à l'Hôtel-Dieu ou au Montreal General Hospital, étudiés par le sociologue André Petitat. Comme il le fait remarquer, la « clôture » à laquelle doivent s'astreindre les apprenties infirmières, c'est-à-dire l'obligation de loger sur place, qui reste en vigueur durant la plus grande partie du XXe siècle, vise à les maintenir dans une « serre chaude » afin de leur inculquer non seulement les connaissances techniques et scientifiques nécessaires à la pratique du métier, mais aussi la culture institutionnelle et un ensemble de principes moraux et de valeurs propres à la profession. Cette « formation intégrale », fondée sur le développement d'un fort sentiment d'appartenance et obtenue au prix d'une étroite surveillance, s'enracine également dans la nécessité de compter sur une très grande disponibilité des élèves, astreintes à des heures de travail et d'étude quasi interminables. Comme le note Petitat, c'est d'ailleurs au moment où diminuent les heures de service que la clôture commence à se desserrer, avant de disparaître dans les années 1960, lors du transfert de la formation de base dans les cégeps[14].

Si, durant les premières décennies du XXe siècle, les heures de travail sont effectivement très longues, les heures de cours sont, pour leur part, plutôt restreintes. En mars 1909, les administratrices, à la suggestion de la présidente, adoptent une résolution pour réduire à deux ans la durée totale de la formation, mais après discussion avec les médecins, il est finalement décidé de maintenir un programme de trois ans « afin de ne pas le [cours] mettre sur un pied d'infériorité avec celui des autres institutions[15] ». Dans une lettre adressée à la direction en novembre 1909, le Dr Masson précise cependant que les cours seront donnés trois fois par semaine, en fin d'après-midi, pour être complétés en un an et demi et répétés deux fois durant les trois années d'études, ce qui témoigne bien de la faiblesse de sa composante théorique. Selon leurs intitulés, ces cours couvrent les domaines de la pathologie interne et externe, de la thérapeutique, de l'hygiène, de la gynécologie, de l'obstétrique, de l'anatomie, de la physiologie et de la déontologie, en plus de la chimie, mais les sources ne donnent pas de précision sur les contenus. Outre les stages qu'elles effectuent dans les services de Sainte-Justine, les candidates doivent passer trois mois à l'Hôpital de la Miséricorde pour y suivre les cliniques et assister à une vingtaine d'accouchements ; à partir de 1912, pour renforcer leur formation auprès de la clientèle adulte, ce stage est étendu à l'ensemble de la troisième

L'uniforme des infirmières

Jusqu'aux années 1960, chaque hôpital crée son propre uniforme d'infirmière, qui se veut un signe distinctif et emblématique de l'institution. À Sainte-Justine, c'est dans les années 1910 que la direction fixe son choix sur un modèle précis, dont les principaux éléments sont vendus sur place. Comme dans tous les hôpitaux, le port de l'uniforme par les élèves infirmières est obligatoire dès la fin de la période de probation, une façon de bien marquer l'admission définitive de la nouvelle recrue, qui devra le porter autant en classe que dans les salles et lors de réunions. Composé d'un voile, d'une robe rose et d'un tablier blanc, l'uniforme des élèves infirmières de Sainte-Justine demeure sensiblement le même tout au long de l'existence de l'école, à l'exception de la jupe, qui raccourcit au fil des années. En plus d'être associé à une école, l'uniforme sert aussi à marquer une hiérarchie parmi les élèves et entre ces dernières et les infirmières diplômées. En effet, le voile subit de légères modifications au fur et à mesure que les années de scolarité s'accumulent, pour ainsi différencier les élèves de chacun des grades. Pour sa part, l'uniforme de l'infirmière se différencie de celui de l'élève par son voile plus court, mais aussi par la robe blanche.

En plus de donner une image professionnelle de l'infirmière, l'uniforme marque la volonté de l'administration d'assurer une stricte asepsie dans l'hôpital. Ainsi, les manches ont longtemps été longues, de manière à bien couvrir tout le bras, et il était interdit de sortir de l'hôpital avec son uniforme pour éviter la contamination. L'hôpital assure d'ailleurs le blanchiment des uniformes des élèves et des infirmières qui résident alors sur place.

Hôpital Sainte-Justine

AFFILIÉ A L'UNIVERSITÉ DE MONTRÉAL

Diplôme de Garde-Malade

Nous, soussignés, certifions que Mademoiselle ______________________ a, trois ans durant, pratiqué l'art d'assister les malades. Elle a suivi le cours théorique et pratique exigé par l'Université de Montréal et par l'Association des Gardes-Malades de la Province de Québec.

Après des examens subis avec ______________________ elle est déclarée digne de l'obtention du présent certificat.

En foi de quoi nous avons apposé le sceau de l'Hôpital et nos signatures.

Montréal, ce ______________ jour de ______________ 19__

______________________ Président du Bure

______________________ Présidente

____

______________________ Supérieure

année. En 1913-1914, le programme, qui couvre 11 matières, comprend 70 heures de cours théoriques (80 l'année suivante), mais, comme on l'a déjà vu, les dirigeantes se plaignent que plusieurs d'entre eux ne sont pas donnés, ce qui aurait même provoqué le départ de bonnes candidates pour d'autres hôpitaux. Finalement, en 1919, le programme comporte une centaine d'heures de leçons magistrales couvrant 14 matières réparties sur deux ans et demi (matières primaires et finales) et incluant la dermatologie, l'oto-rhino-laryngologie et la bactériologie ; à cette époque, les élèves complètent ensuite leurs études par un stage de six mois à l'Hôpital de la Miséricorde[16].

L'enrichissement très graduel du cours des infirmières au cours des années 1910 découle en partie de la difficulté de recruter des candidates nanties d'une bonne instruction de base. À ce chapitre, il faut rappeler qu'au début du siècle la fréquentation scolaire n'est toujours pas obligatoire au Québec, si bien que, dans la population canadienne-française plus particulièrement, une proportion considérable d'enfants délaissent les études après le cours primaire. En élevant ses exigences d'admission, Sainte-Justine risque de voir chuter le nombre de ses élèves, qui ne sont déjà pas légion, une solution que les administratrices, aux prises avec un manque chronique de personnel, refusent de considérer. L'organisation de la profession d'infirmière dans les années 1920 va cependant forcer l'hôpital à relever le niveau de la formation de ses infirmières, et ce, pour son plus grand bénéfice.

Sainte-Justine et la professionnalisation des infirmières (1920-1945)

Le mouvement de professionnalisation des infirmières qui s'amorce avec l'ouverture des premières écoles au XIXe siècle se poursuit, à l'échelle du Canada, par la création d'associations provinciales qui réclament l'adoption de lois réservant l'usage du titre d'infirmière « enregistrée » aux seules diplômées des écoles accréditées par ces regroupements et ayant subi leurs examens. En d'autres termes, ces associations cherchent à relever le statut des infirmières en exerçant un contrôle sur la formation et l'accès à la pratique. La multiplication des écoles d'infirmières à partir du dernier tiers du XIXe siècle entraîne en effet de nombreuses disparités, tant du point de vue des conditions d'admission que de la durée et de la qualité des études. Pour contrer cette tendance qui entache la valeur de leur diplôme, les infirmières luttent pour obtenir une standardisation des programmes d'études, comprenant une formation scientifique plus poussée et sanctionnée par leurs regroupements, seul moyen, allèguent-elles, de protéger le public.

En somme, par l'obtention de lois d'enregistrement dont elles définiraient les modalités, les infirmières réclament, à l'égal des médecins, une pleine autonomie professionnelle et le monopole de la pratique du nursing, ce qu'elles n'acquerront pas immédiatement. Malgré tout, entre 1910 et 1922, leurs associations font adopter des lois garantissant l'usage du titre réservé (infirmière enregistrée ou *registered nurse*) dans toutes les provinces canadiennes. Au Québec, c'est en 1920 que les infirmières obtiennent une première loi. Réclamée par un groupe d'infirmières majoritairement anglophones, celle-ci accorde le titre d'infirmière enregistrée aux seules membres de l'AGMEPQ, constituée en corporation. Pour en faire partie, l'infirmière doit suivre un cours de trois ans dans un hôpital général d'au moins 50 lits, être âgée d'au moins 23 ans et avoir réussi les examens provinciaux préparés par l'association. L'enregistrement auprès de l'AGMEPQ n'est cependant pas obligatoire. Celles qui n'en sont pas membres peuvent donc continuer à exercer ; elles ne pourront cependant se prévaloir du titre, ni obtenir un emploi ou un poste qui l'exige, que ce soit au Québec ou dans d'autres provinces.

L'établissement de l'AGMEPQ et de son registre va très vite susciter l'opposition des petits hôpitaux (moins de 50 lits), propriété de médecins ou de communautés religieuses, particulièrement en province, et des écoles d'infirmières qui, comme à l'Hôpital de la Miséricorde, offrent un cours de deux ans. La question nationale vient aussi colorer le débat qui s'ensuit, car l'AGMEPQ a été constituée à l'initiative des infirmières anglophones de Montréal, ce qui réveille l'opposition de certaines élites francophones. Une faction de l'Église catholique condamne la « neutralité » religieuse de la nouvelle association, qui réunit catholiques et protestantes, tandis que des hôpitaux et des médecins redoutent le pouvoir que celle-ci pourrait exercer sur les infirmières et les hôpitaux par le truchement de ses examens[17].

Dès le départ, Sainte-Justine se montre plutôt réticent envers l'AGMEPQ, car, même si son cours dure trois ans, l'association refuse de le reconnaître sous prétexte qu'il se déroule dans un hôpital spécialisé, ce qui en réduirait la valeur. Ce n'est pas l'opinion des administratrices, qui viennent d'obtenir que leur établissement soit considéré comme un hôpital général aux fins du partage du sou du pauvre, comme on l'a vu précédemment, ni celle des médecins, qui considèrent que les infirmières de Sainte-Justine sont « aptes plus que d'autres à mener à bien le traitement de malades adultes toujours sages et raisonnables », car les enfants qu'elles apprennent à soigner « demandent une minutie d'observation, un doigté, une patience telle que le caractère s'y forme à la calme mansuétude si nécessaire au rôle de la pratique extérieure[18] ». Vexées, les dirigeantes réclament une entrevue avec une représentante de l'association qui, selon Mme Bruneau, « est enchantée de l'esprit et de l'éducation des gardes-malades de Sainte-Justine », mais sans que cela débouche sur une reconnaissance officielle. Durant l'été 1920, il est question de soumettre le dossier aux avocats de l'hôpital afin de faire valoir les droits de Sainte-Justine à titre d'hôpital général, mais cette stratégie, si elle a effectivement été utilisée, est restée sans effet. En décembre, devant l'intransigeance de l'AGMEPQ, la présidente demande au président du bureau médical s'il vaut vraiment la peine que les infirmières s'enregistrent. Devant la réponse affirmative du Dr E. P. Benoît et à sa suggestion, l'administration envisage d'entreprendre des négociations avec l'Hôtel-Dieu ou l'Hôpital Notre-Dame pour y envoyer ses élèves durant trois mois afin qu'elles puissent compléter leur formation et s'inscrire au registre. Pour ne pas allonger les études, le stage à l'Hôpital de la Miséricorde serait lui-même réduit de six à trois mois[19].

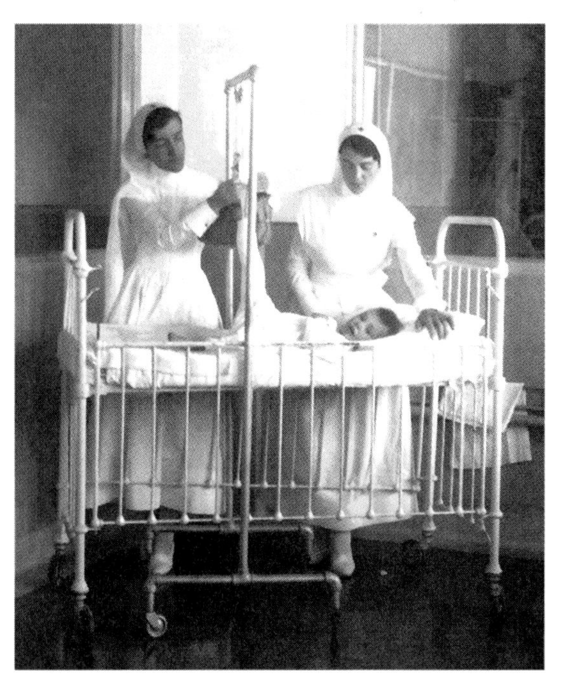
Deux infirmières s'occupant d'un patient en orthopédie dans les années 1920 (AHSJ).

Désireuses comme elles l'étaient de moderniser leur hôpital, il aurait été étonnant que les administratrices ne tentent pas, même à contrecœur, de se conformer aux demandes

Un groupe d'élèves infirmières dans leur salle de cours en 1924 (AHSJ).

de l'AGMEPQ. Présentées comme une garantie de qualité des soins et une marque de progrès, l'amélioration de la formation des infirmières et l'élévation de leur statut professionnel par l'enregistrement représentent des objectifs que les dirigeantes peuvent difficilement rejeter du revers de la main. Leur appui à la nouvelle association, qui, de leur point de vue, ne semble pas comprendre la situation particulière de Sainte-Justine, demeure cependant plutôt mitigé. Quand des médecins de l'Université de Montréal, dont le Dr Dubé, convoquent une assemblée réunissant des représentantes de l'AGMEPQ et des hôpitaux catholiques francophones de Montréal dans le but de proposer un amendement à la loi d'enregistrement au début de 1922, Sainte-Justine appuie donc leur projet sans réserve. Par cet amendement — qui réduit également à deux ans la durée des études exigées et à 25 le nombre de lits que doivent compter les hôpitaux où se déroule le cours —, la Faculté de médecine obtient en effet d'approuver les programmes et de décerner des diplômes donnant automatiquement accès à l'enregistrement, sans passer par l'AGMEPQ[20]. Cette procédure, qui constitue un net recul pour l'association, convient parfaitement à Sainte-Justine, qui est déjà affilié à l'Université de Montréal depuis 1914 et à qui il a déjà conféré le droit d'organiser les cours pour ses infirmières[21].

Dans une lettre qu'il fait parvenir à l'administration en 1923, le Dr Benoît souligne que les règlements adoptés par la Faculté de médecine établissent des conditions minimales identiques à celles de l'AGMEPQ, mais tout en laissant « à chaque école le soin de son organisation ». À ses yeux, le grand avantage du diplôme universitaire est « qu'il assure la reconnaissance de ses élèves par l'Association Provinciale [mais] les soustrait à l'examen d'admission que cette Association veut établir ». En d'autres termes, ce ne sont pas tant les exigences formulées par l'AGMEPQ au sujet de la formation qui dérangent, mais plutôt le pouvoir qu'elle s'arroge en devenant le seul organisme apte à sanctionner les études d'infirmières. Pour conclure, le Dr Benoît dit espérer que Sainte-Justine « comprendra toute l'importance de ce diplôme [universitaire] au point de vue national et catholique » et qu'il « en fera bénéficier les élèves qui sortiront de [son] école de gardes-malades[22] ». Tout en montrant bien que les examens universitaires ne sont pas obligatoires, ces propos laissent voir de manière éloquente que la lutte contre l'AGMEPQ menée par les médecins, avec l'appui de certaines autorités hospitalières comme Sainte-Justine, vise également à maintenir le caractère particulier des institutions canadiennes-françaises.

L'AGMEPQ poursuit cependant la lutte et, en 1925, elle obtient un second amendement à la loi, qui prévoit, entre autres choses, la mise en place d'un bureau d'examinateurs composé de médecins et de représentantes de l'association. Cette dernière regagne donc un certain contrôle sur l'accès à la profession, puisque les examens et l'enregistrement sont désormais administrés conjointement par les deux groupes. Sainte-Justine, dont le cours est approuvé par la Faculté de médecine en 1923, offre maintenant un programme de 401 heures de cours théoriques, sans compter les stages dans les divers départements répartis sur les trois années d'études. En comparaison, signalons que les normes fixées par l'AGMEPQ en 1922 établissent à 294 le nombre minimal des heures de cours et à 34 mois la durée totale des stages. André Petitat constate pour sa part que, en moyenne, les trois hôpitaux qu'il a étudiés allouent 480 heures à la théorie dès l'année 1920. C'est donc dire que, si la formation offerte à Sainte-Justine dépasse largement les normes prescrites par l'association provinciale, elle n'atteint pas encore le niveau des grands hôpitaux généraux montréalais[23].

De fait, malgré les améliorations apportées à son programme d'études au début des années 1920, l'école de Sainte-Justine connaît encore certaines difficultés d'organisation. Ainsi, les administratrices se plaignent toujours que certains médecins ne donnent pas tous leurs cours. De plus, faute d'un département pour adultes, l'hôpital doit compter sur la bonne volonté d'autres établissements hospitaliers pour certains stages. Cette formule, qui fonctionne pour les infirmières laïques, ne convient pas aux religieuses qui peuvent plus difficilement quitter leur communauté pour aller vivre dans un autre hôpital, comme l'exige l'échange de stagiaires entre hôpitaux. En 1924, l'administration exerce des pressions sur la Faculté de médecine pour que celle-ci accepte d'exempter les Filles de la Sagesse des cours d'obstétrique et de gynécologie, mais les autorités médicales demeurent intraitables ; les sœurs devront suivre ces cours si elles veulent obtenir le diplôme universitaire et, par le fait même, devenir membres de l'AGMEPQ. C'est à la suite de cette réponse sans appel que l'hôpital envisage d'amender la charte afin de créer un département d'obstétrique, qui ouvre ses portes en 1928. Entre-temps, soit en 1926, son programme de cours est finalement reconnu par l'AGMEPQ. En 1929, les élèves font des stages dans tous les services de l'hôpital, y compris les dispensaires, les salles d'opération, le laboratoire, les rayons X, la pharmacie et le service social. Elles ne font plus de stages à l'Hôpital de la Miséricorde, mais elles passent deux mois à l'Hôtel-Dieu pour compléter leur formation en gynécologie et chez les hommes. En plus des cours théoriques, donnés par les médecins de Sainte-Justine, elles doivent assister aux conférences du Dr E. Legrand sur les maladies nerveuses et mentales, aux cours d'hygiène sociale donnés par le Dr J.-A. Baudouin à l'Université de Montréal et au cours de morale dispensé par l'abbé O. Deschênes[24].

Contrairement à ce que craignaient les dirigeantes, l'amélioration du programme scolaire et l'élévation de la scolarité minimale à l'entrée (diplôme du cours modèle, soit environ une 9e année) attirent davantage de candidates. Il faut dire que l'hôpital connaît plusieurs agrandissements au cours de cette décennie et que sa réputation s'accroît en proportion, ce qui favorise le recrutement. Ainsi, en 1925, les 35 religieuses ont sous leur direction 56 infirmières, toutes en apprentissage pour autant que l'on puisse en juger[25]. Trois ans plus tard, l'école accueille 104 élèves, soit presque le double. Le rapport annuel convient qu'il s'agit là d'un chiffre plutôt élevé, compte tenu du nombre des patients hospitalisés, qui est alors de 300, tout en estimant qu'il s'agit là d'une nécessité : « Il ne faut pas oublier qu'un fait bien accrédité veut que, dans un hôpital d'adultes, une garde-malade peut répondre aux soins de 10 patients, tandis que dans un hôpital d'enfants, la même garde-malade ne saurait prendre la charge que de cinq enfants, et encore… À Sainte-Justine, une bonne partie de nos hospitalisés sont des nourrissons, ou des enfants en bas âge, ne pouvant rien par eux-mêmes, et requérant presque constamment les services d'une personne dévouée[26]. » En 1932, à la suite d'un second agrandissement qui porte le nombre de lits à 460, le nombre d'élèves admises passe à 126. Leur nouvelle résidence peut cependant en accueillir 156, car il faut prévoir l'hébergement des stagiaires qui viennent compléter leur formation en pédiatrie à Sainte-Justine, mais aussi celui des quelques infirmières diplômées laïques embauchées par l'hôpital et qui « partagent la tâche des religieuses dans la surveillance des services[27] ». En 1937, les effectifs étudiants ne sont cependant plus que de 78, une baisse importante que les dirigeantes attribuent au fait que la crise économique oblige nombre de jeunes filles à se trouver un emploi pour aider leur famille, mais qui vient peut-être également d'une hausse des exigences d'admission. Effectivement, cette année-là, le rapport annuel nous apprend, sans autres précisions, que « les conditions d'admission sont devenues de plus en plus difficiles[28] ».

La décision prise par Sainte-Justine de relever ses exigences et, à la même époque, de réorganiser les heures de service de ses élèves, afin de leur dispenser plus d'heures de cours théoriques et de leur laisser plus de temps pour l'étude, vise probablement à répondre aux recommandations contenues dans le rapport Weir, publié cinq ans auparavant. Rappelons que ce rapport, issu d'une enquête nationale conduite par le professeur George M. Weir, directeur du département de l'éducation de l'Université de la Colombie-Britannique, à la demande de l'Association canadienne des infirmières, avait mis en évidence plusieurs carences au plan de la formation et dénoncé la pratique, alors généralisée dans tous les hôpitaux, de faire passer les besoins en main-d'œuvre avant l'enseignement[29]. À lui seul, le rapport Weir n'aurait peut-être pas ébranlé les autorités hospitalières, mais la mise au point de nouvelles techniques diagnostiques et de nouvelles thérapeutiques, la spécialisation croissante des soins et l'obligation pour les hôpitaux d'embaucher un nombre accru de leurs diplômées militaient en faveur d'une meilleure formation, ce que souligne le rapport annuel de 1938 : « Les rapports des différents milieux hospitaliers nous disent qu'un nombre toujours plus considérable d'infirmières graduées travaillent dans les hôpitaux, et que chaque jour les administrateurs réclament un personnel infirmier plus nombreux et mieux préparé à prendre des responsabilités, les exigences des techniques nouvelles et de l'enseignement nécessitant un personnel compétent maintenu en permanence[30]. »

L'augmentation du nombre des infirmières laïques sala-

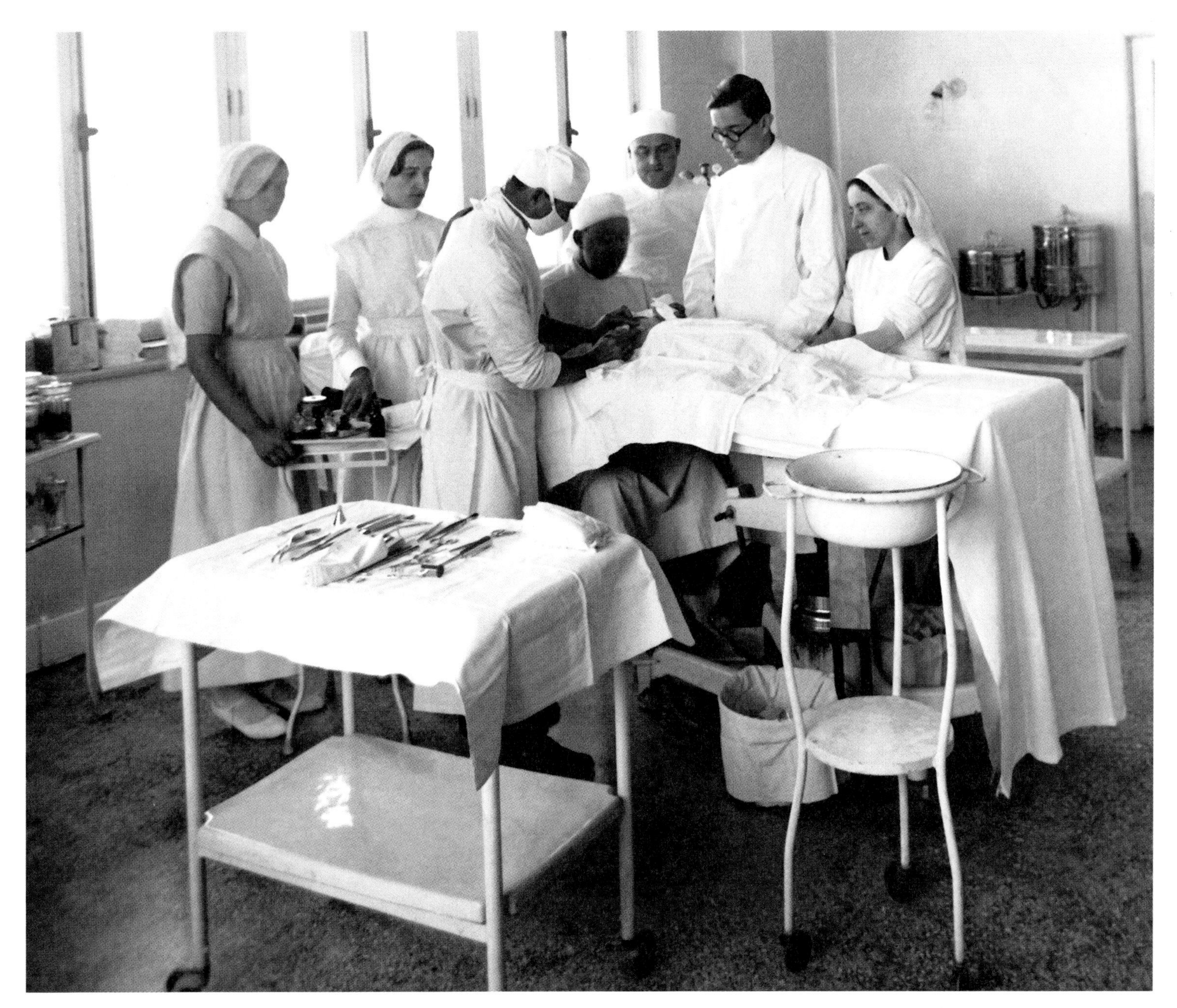

Infirmières et médecins dans une salle d'opération, en 1932 (AHSJ, photo Léon Marchand).

riées au cours des années 1930 témoigne bien de cette tendance. Ainsi, en 1934, sur un total de 166 infirmières, Sainte-Justine compte une quarantaine de diplômées seulement, un nombre qui, selon toute vraisemblance, comprend les religieuses, alors qu'en 1938 il embauche plus d'une centaine d'infirmières laïques[31]. Affectées à des services particuliers (radiologie, laboratoire, service social, urgence, dispensaire, salles d'opération, obstétrique, pouponnière, endoscopie, massothérapie, etc.), une part croissante d'entre elles occupent également des fonctions de direction, comme l'illustre cette décision datant de 1936 : « On reconnaît l'opportunité de placer une garde-malade graduée au service de chirurgie, au département privé, et chez les nourrissons, cette garde-malade devant partager la responsabilité du service avec la religieuse en charge[32]. » En 1938, il est finalement décidé « d'engager une garde-malade graduée pour chaque salle, comme assistante à la religieuse en charge du service, cette garde-malade devant remplacer la religieuse quand cette dernière est obligée de s'absenter de son service[33] ».

L'organisation de l'école sur de meilleures bases exige par ailleurs la constitution d'une solide équipe d'administratrices et d'enseignantes, autant de responsabilités qui reviennent de droit aux Filles de la Sagesse. Dès 1919, afin « de préparer une religieuse compétente à l'éducation des gardes-malades », la présidente suggère à la supérieure provinciale qu'une des sœurs s'inscrive à des cours par correspondance, dispensés par la Chalangua School of Nursing, un moyen de contrer la difficulté « de faire instruire cette religieuse au dehors[34] ». Quelques années plus tard, au moins deux autres religieuses suivent les cours d'été donnés à la maison mère des Sœurs grises pour former des enseignantes et des administratrices. Comme le mentionne Petitat, l'inauguration de ce type de formation spécialisée en 1923 annonce la création de l'Institut Marguerite-d'Youville (IMY) par cette même communauté en 1934. Affilié à l'Université de Montréal, l'IMY offre un programme de baccalauréat et des certificats qui contribuent à former la plupart des cadres francophones du nursing avant la création de la Faculté de nursing en 1962. Jusqu'aux années 1950, la clientèle étudiante de cet institut se compose essentiellement de religieuses, car chez les francophones ce sont elles qui, en majorité, dirigent les soins infirmiers et les écoles d'infirmières[35]. Dès les années 1930, « pour répondre aux exigences d'un curriculum, qui veut, de plus en plus, des personnes qualifiées en tout point pour la direction des écoles de gardes-malades[36] », Sainte-Justine envoie plusieurs filles de la Sagesse y suivre des cours de perfectionnement. Durant l'année 1941 seulement,

Les résidences des élèves infirmières

Jusqu'à la fin des années 1960, alors que la formation est transférée dans les cégeps, Sainte-Justine, à l'instar des autres hôpitaux, loge les élèves infirmières pendant toute la durée de leur cours. L'organisation de leur résidence n'a pas toujours été des plus simples cependant, car, jusqu'au déménagement sur le chemin de la Côte-Sainte-Catherine, l'hôpital est toujours à la recherche de nouveaux locaux pour accueillir ses patients, ce qui l'incite à reloger ses élèves à plusieurs reprises. Ainsi, c'est seulement en 1927, à la suite d'un nouvel agrandissement de l'immeuble de la rue Saint-Denis, que les jeunes filles sont finalement installées dans des locaux adaptés à leurs besoins. Située au quatrième étage de l'aile sud, loin du bruit et des patients, cette nouvelle résidence comprend un solarium, une large salle de récréation pour la lecture ou l'écoute de la musique et une bibliothèque qui compte, en 1932, 555 volumes et 825 numéros de revues. Dès l'année suivante cependant, en raison du manque d'espace dans l'hôpital, la résidence des élèves infirmières est déménagée dans un édifice de la rue Saint-Valier, dont la construction vient d'être complétée et où quatre étages leur sont réservés. À la fin de la Seconde Guerre mondiale, l'administration ajoute quatre étages à cet édifice qui était devenu vraiment trop exigu, ce qui lui permet d'accueillir plus d'élèves et d'y installer les salles de cours. Enfin, en 1956, soit un an avant le déménagement officiel sur le chemin de la Côte-Sainte-Catherine, la résidence des infirmières du nouvel hôpital ouvre ses portes. Celle-ci compte 254 chambres privées, une bibliothèque, des salons, un gymnase, une piscine et bien d'autres éléments qui en font une résidence de premier ordre.

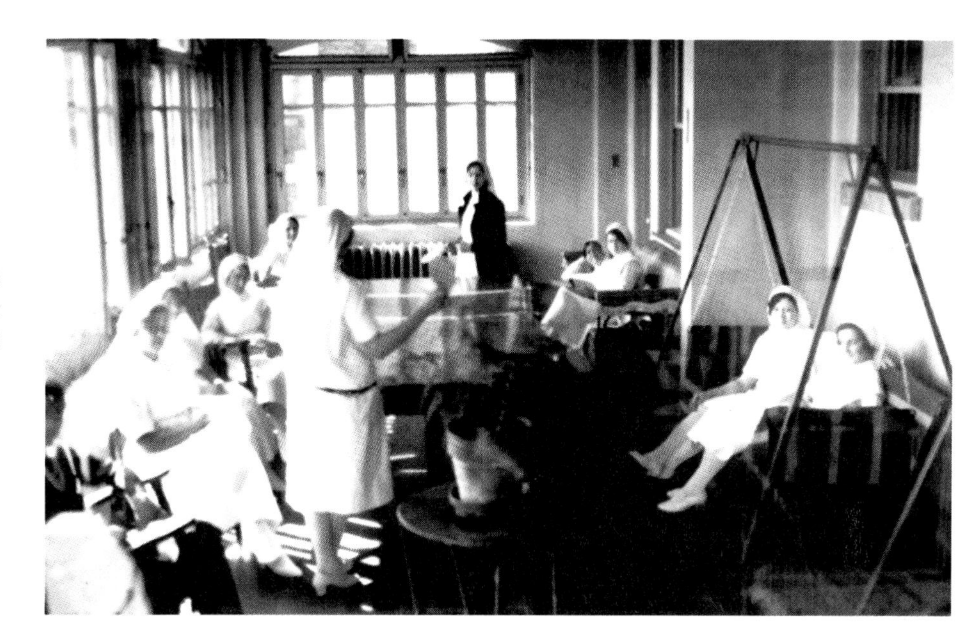

Des élèves infirmières s'adonnant à diverses activités de loisir dans leur résidence au cours des années 1940 (AHSJ).

Une chambre de la résidence des élèves infirmières sur la rue Saint-Denis, années 1940 (AHSJ, photo André G. de Tonnancour).

12 d'entre elles sont inscrites à ses divers programmes; notons que deux ans plus tôt Juliane Labelle, diplômée de Sainte-Justine, devient la première infirmière laïque à recevoir un baccalauréat en sciences hospitalières de cet établissement[37].

Selon les rapports annuels, dès son ouverture en 1925, plusieurs autres infirmières, religieuses et laïques, s'inscrivent également au cours d'hygiène de l'École d'hygiène sociale appliquée de l'Université de Montréal (ÉHSA) ou au cours de diététique, également offert à l'université. Durant les années 1930, l'administration octroie même des bourses d'une valeur de 50 $ puis de 100 $ à ses meilleures diplômées pour les encourager à poursuivre leur formation soit à l'ÉHSA, soit à l'IMY. À compter de 1941, alors que la pénurie d'infirmières commence à devenir inquiétante, l'hôpital exige de ses boursières qu'elles s'engagent à y travailler durant au moins un an après l'obtention de leur diplôme, « au salaire des gardes-malades ordinaires », même si leur spécialisation leur vaudrait davantage.

Jamais à court d'idées quand vient le temps de se procurer de la main-d'œuvre à bon compte, Sainte-Justine inaugure également, en 1933, un cours « postscolaire » offert en priorité à ses diplômées. Limitée à une vingtaine de candidates choisies parmi les meilleures, cette formation de douze mois, dont le contenu théorique insiste sur l'hygiène maternelle et infantile sur les questions sociales, vise à les préparer à occuper des positions dans les services de santé publique, tout en les familiarisant avec de nouvelles techniques par un enseignement pratique dans les différents services. En d'autres termes, cette formation complémentaire, qui fait en quelque sorte double emploi avec celle de l'ÉHSA, est tout à l'avantage de l'hôpital puisque, durant l'année de cours, les infirmières qui sont inscrites continuent d'y travailler pour un salaire mensuel de 20 $, nourries et logées. À titre comparatif, les élèves du cours de base touchent alors 5 $ par mois, tandis que les diplômées embauchées par l'hôpital à des postes de spécialistes ou de cadres gagnent de 60 $ à 80 $ mensuellement, plusieurs d'entre elles étant également logées et nourries. Dans le contexte des années 1930, le cours postscolaire de Sainte-Justine peut néanmoins offrir une avenue intéressante à celles qui sont acceptées, car il retarde le moment où elles devront quitter l'hôpital pour rejoindre les rangs déjà encombrés des infirmières hygiénistes et des infirmières privées, dont plusieurs n'arrivent plus à se trouver du travail à cause de la crise. Notons qu'en 1933, selon les données de l'AGMEPQ, 845 infirmières pratiquent leur métier dans les hôpitaux à l'échelle de la province, dont 308 religieuses, tandis que 526 sont embauchées par diverses organisations de santé publique et que 1 341 font du service privé à domicile. Si on exclut les religieuses, cela signifie que près de 56 % des

Le Prix de pédiatrie Sainte-Justine

Afin de récompenser les succès scolaires des élèves infirmières et de les encourager à se perfectionner, l'administration de Sainte-Justine crée, dans les années 1930, deux catégories de prix. D'abord remis deux fois par année pour souligner la bonne conduite des élèves, le premier de ces deux prix, d'une valeur de 25 $, est finalement attribué à l'élève ayant obtenu les meilleurs résultats aux examens universitaires en pédiatrie menant à l'obtention de la licence d'infirmière, indépendamment de son institution d'appartenance. Ce prix est accordé jusqu'en 1952.

En 1939, l'hôpital instaure également une bourse d'études pour encourager le perfectionnement de ses diplômées. Cette bourse permet à la récipiendaire de s'inscrire gratuitement à l'École d'hygiène sociale appliquée de l'Université de Montréal ou à l'Institut Marguerite-d'Youville, à son choix, en plus de couvrir le logement et la pension à l'hôpital pendant cette année d'études postscolaires. D'une valeur de 100 $ à l'origine, la bourse sera bonifiée au cours des années pour atteindre la somme de 350 $ ou 400 $, selon que l'étudiante choisit ou non de loger à l'hôpital.

infirmières gagnent leur vie en travaillant « sur appel », une réalité qui les encourage certainement à rester dans le giron de l'hôpital, même comme diplômées payées à rabais[38].

Si certaines infirmières peuvent tirer parti du programme postscolaire de Sainte-Justine, un fait demeure : les améliorations apportées à la formation dans l'entre-deux-guerres, de même que le mouvement de spécialisation qui s'amorce à cette même époque, ne se sont pas traduites par une augmentation correspondante des salaires ni par une amélioration notable des conditions de travail. D'ailleurs, l'accent mis sur les aspects techniques et même scientifiques des études et de la profession n'empêche pas la persistance d'un discours célébrant la dimension morale de la formation d'infirmière, qui justifie sa dévalorisation financière. Ainsi, en 1939, une série de cours de religion s'ajoute au programme des élèves de Sainte-Justine, car « plus haut que l'idéal professionnel se place l'idéal religieux… », affirme le rapport de l'École des gardes-malades publié dans le rapport annuel. La profession elle-même ne cesse d'être représentée sous les traits d'une vocation à laquelle les femmes sont tout naturellement destinées. En 1936, un autre rapport de l'école affirme : « S'inspirant de la pensée souvent exprimée "qu'au cœur de toute femme dort une vocation de mère et d'infirmière", notre École s'efforce de promouvoir chez les jeunes filles ce réveil d'un apostolat latent, de lui fournir son champ d'action et les moyens de s'y livrer en réalisant au plus haut point leur personnalité ». Pour faire bonne mesure, le cardinal Villeneuve rappelle, à la même époque, que les infirmières « n'ont pas le droit, en conscience, de faire passer des avantages matériels immédiats avant des obligations morales et spirituelles contre lesquelles rien ne prévaut[39] ».

Cette conception quasi religieuse des soins infirmiers, le recours à des cohortes successives d'élèves pour accomplir le gros du travail et le mouvement de professionnalisation qui marque cette période et qui tend à rejeter toute idée de confrontation avec l'employeur constituent autant de phéno-

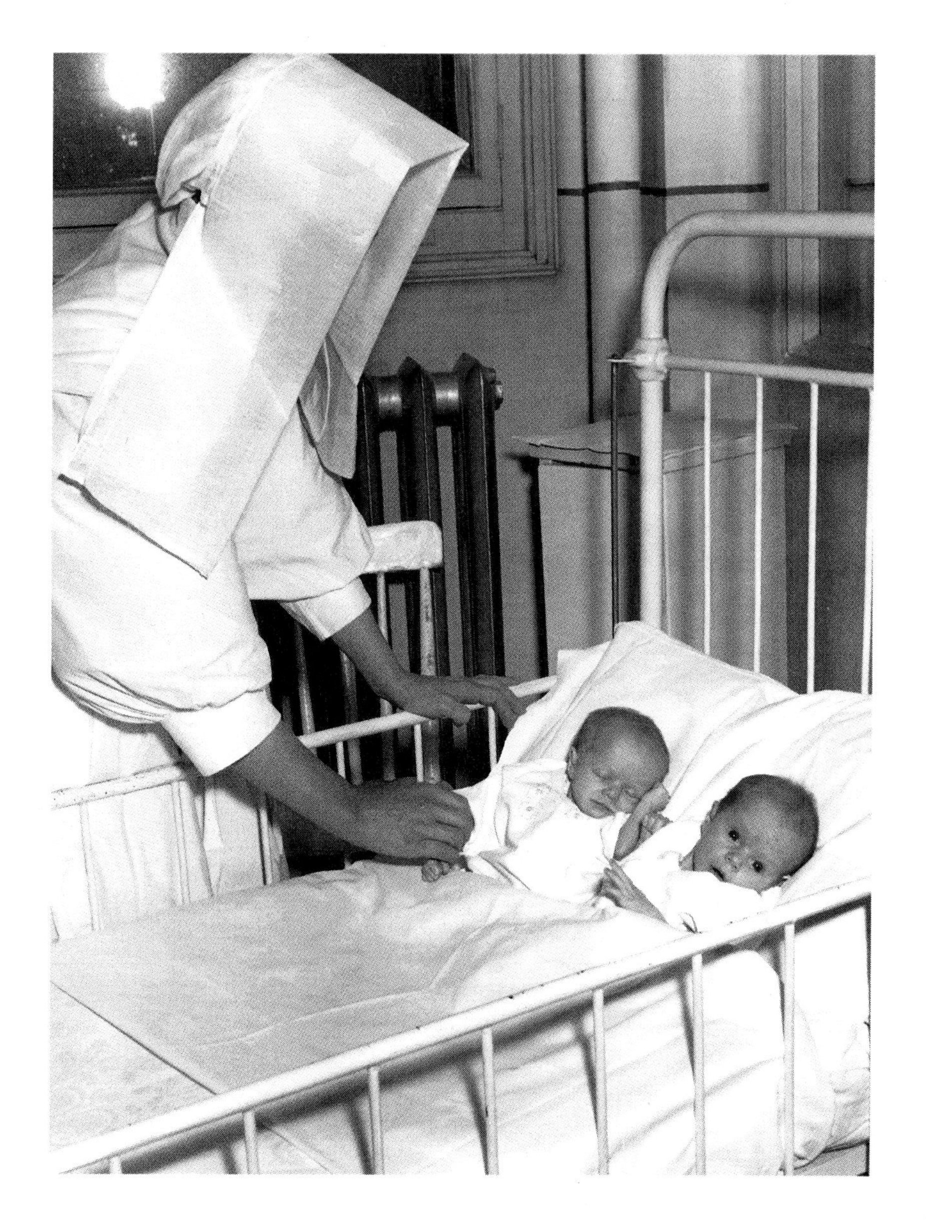

Sœur Alfred de l'Enfant-Jésus, fdls, gardant sous observation deux petites jumelles, 1941 (AHSJ).

Suzette Panet-Raymond

Diplômée de l'École des gardes-malades de Sainte-Justine en 1917, Suzette Panet-Raymond commence dès lors à donner des cours de puériculture aux infirmières-bénévoles. Après un stage de trois mois à l'hôpital Saint-Jean-de-Dieu, elle obtient un certificat et est embauchée au Service de neuropsychiatrie de Sainte-Justine, où elle travaille de 1931 à 1934. Au sein de ce service, elle seconde les médecins en jouant le rôle de médiatrice entre les familles et l'équipe médicale, en prodiguant des conseils aux mères pour favoriser le traitement des enfants et en faisant des visites au domicile des patients.

Présidente de l'Association des gardes-malades graduées de l'Hôpital Sainte-Justine de 1925 à 1929, garde Panet-Raymond occupe diverses autres fonctions au cours de sa carrière. En 1947, elle est promue au rang d'officier provincial féminin de la brigade ambulancière Saint-Jean et elle fait partie du comité des relations extérieures de l'hôpital en 1948. Elle prend sa retraite en 1964 après 47 ans de vie professionnelle.

mènes qui n'encouragent guère les infirmières à s'organiser pour revendiquer de meilleures conditions de travail et des salaires plus élevés. À partir de 1925, les infirmières de Sainte-Justine sont regroupées à l'intérieur de l'Association des gardes-malades graduées de Sainte-Justine, mais celle-ci, fondée à l'instigation des dirigeantes de l'hôpital, réunit toutes les diplômées, religieuses et laïques, salariées ou sans emploi, hospitalières et simples infirmières, et elle poursuit surtout des buts d'étude, d'entraide mutuelle et de sociabilité. Des rencontres périodiques pour entendre des conférences données par des médecins sur des sujets d'ordre professionnel, la tenue d'un registre permettant à l'hôpital de suivre leur carrière et de les recommander auprès d'employeurs éventuels et la possibilité d'être hospitalisées à Sainte-Justine pour seulement 2 $ par jour en cas de maladie sont au nombre des avantages que les anciennes peuvent en retirer.

En 1930, 174 infirmières sont membres de cette association, dont 65 qui font de la pratique privée et 14 qui travaillent à Sainte-Justine. Au cours de cette décennie, l'association s'intéresse cependant de plus en plus aux questions relatives à la profession, qu'elle cherche à promouvoir. Ainsi en 1933, elle met en place un comité chargé d'étudier les conclusions du rapport Weir, et dès l'année suivante elle entame les procédures nécessaires à son incorporation, qu'elle obtient en 1935. Durant la seconde moitié des années 1930, elle délègue des représentantes à des congrès d'infirmières nationaux et même internationaux et en 1936, elle fait élire Juliane Labelle au comité exécutif de l'AGMEPQ. Cette même année, la présidente, garde Yvonne Talbot, infirmière en chef au Service d'obstétrique, participe à la réunion biennale des infirmières canadiennes à Vancouver, où est discutée une proposition de nouveau programme d'études pour les écoles d'infirmières. Le rapport qu'elle en fait à son retour a très probablement influencé la réforme de l'enseignement instaurée l'année suivante, dont il a déjà été question. En 1938, l'association prend parti en faveur de l'obtention du diplôme universitaire, qui donne automatiquement accès au titre d'infirmière enregistrée, même si cette obligation n'est pas inscrite dans la loi. Notons que cette prise de position vise principalement les religieuses, dont un certain nombre se contentent, chaque année, de passer les examens de l'école de Sainte-Justine, assurées qu'elles sont de ne pas avoir à se trouver du travail en dehors de l'hôpital[40]. Cette défense des intérêts professionnels ne l'empêche pas, par ailleurs, de réaffirmer les objectifs de secours mutuels qui ont présidé à sa création. En fait, plus les questions professionnelles prennent de l'importance, plus l'association tente de faire valoir les motifs mutualistes qui la guident, comme en témoigne cet extrait du rapport annuel de 1939 : « Est-il opportun de rappeler que l'entr'aide

Visite à domicile d'une infirmière du service médico-social, années 1940 (AHSJ, photo Associated Screen News).

et la collaboration doivent s'affirmer de plus en plus à mesure que les intérêts professionnels et sociaux deviennent toujours plus exigeants et compliqués, et c'est ainsi que l'association sera vraiment utile à ses membres qui, le cas échéant, sentiront l'appui d'une force organisée[41]. » En 1941, l'association fonde également une revue baptisée *Blanc et Rose,* couleurs de l'uniforme des élèves, qui diffuse une vision édifiante des infirmières et de leur « mission » : « Vous serez un encouragement à la vie laborieuse de nos élèves et un nouveau guide dans la vie professionnelle de nos gardes-malades. Vous serez un nouveau lien qui contribuera davantage à resserrer nos rangs[42] », affirme par exemple Justine Lacoste-Beaubien dans le premier numéro.

Le temps des changements (1940-1970)

En 1946, les infirmières québécoises obtiennent une seconde loi qui oblige toutes les infirmières à s'enregistrer auprès de leur association, rebaptisée Association des infirmières de la province de Québec (AIPQ), ce qui leur confère un droit de pratique exclusif, une première au Canada. Cette fois, Sainte-Justine est à l'avant-garde du mouvement puisque sœur Valérie de la Sagesse, directrice de l'école et vice-présidente du comité de régie de l'AGMEPQ, se trouve à la tête de la délégation qui se rend à Québec pour demander son adoption.

L'existence de cette nouvelle association a des répercussions certaines sur l'enseignement, comme en témoignent les changements apportés au programme d'études à Sainte-Justine au cours des années subséquentes. Ainsi, au début des années 1950, le cours comprend plus de 740 heures, y compris un stage de deux mois à l'hôpital Saint-Jean-de-Dieu ; en comparaison, Petitat estime que dès 1940 les trois plus grands hôpitaux montréalais offrent 850 heures de cours. Si le nombre d'heures est moindre, Sainte-Justine se conforme néanmoins aux exigences formulées par l'AIPQ. En outre, une plus grande proportion des cours est maintenant donnée par des infirmières, religieuses et laïques, comme c'était déjà le cas dans les hôpitaux anglophones depuis les années 1920, ce qui ne manque pas de soulever l'opposition du conseil médical. En fait, une liste de professeurs et de leur charge d'enseignement datant de la fin des années 1950 révèle que la moitié du corps professoral est toujours constitué de médecins, mais que ceux-ci dispensent moins du tiers des

Sœur Valérie de la Sagesse (Élisa Sauvé), fdls (1898-1966)

Entrée au noviciat des Filles de la Sagesse en 1916, Élisa Sauvé, qui prend le nom de sœur Valérie de la Sagesse, commence son cours d'infirmière à l'Hôpital Sainte-Justine la même année et obtient son diplôme en 1919. Dès 1924, elle est nommée directrice de l'École des infirmières, poste qu'elle occupe jusqu'en 1956, alors que des problèmes de santé l'obligent à se retirer.

En plus de jouer un rôle prépondérant dans la gestion interne de l'hôpital, sœur Valérie a travaillé activement à l'échelle provinciale pour l'obtention du statut professionnel des infirmières. Engagée dès 1922 dans l'Association des gardes-malades enregistrées de la province de Québec (AGMEPQ), elle en est la vice-présidente au moment de l'adoption de la Loi des infirmières de 1946, qui leur confère un monopole d'exercice. En 1947, elle devient la première présidente de langue française de l'Association des infirmières de la province de Québec, organisme qui remplace l'AGMEPQ, un poste qu'elle occupera jusqu'en 1950. Tout au long de sa carrière, elle a aussi représenté les infirmières de l'hôpital lors de nombreux congrès, autant en Amérique qu'en Europe, d'où elle a rapporté de nombreuses idées innovatrices pour l'école.

heures de cours. Cette diminution est due en partie à l'ajout de leçons à caractère non médical (comme la psychologie, la sociologie, la déontologie, l'histoire de la profession, la religion et la morale médicale), données par des spécialistes de ces domaines, mais elle est aussi attribuable à la place plus importante que prennent la formation paramédicale, comme la diététique, la nutrition et l'hygiène, de même que l'enseignement des techniques de nursing proprement dites qui, à lui seul, occupe 100 heures. Dans la deuxième moitié des années 1950, selon la recommandation de l'AIPQ, Sainte-Justine ajoute aussi des stages à l'Hôpital Notre-Dame, qui accepte maintenant de recevoir les candidates de Sainte-Justine, et à l'hôpital Pasteur, où se retrouvent les cas de maladies contagieuses, en plus de leur stage à l'Hôtel-Dieu. De huit semaines au début, leur durée augmente à 12 semaines au tournant des années 1960 ; le nombre des élèves étant alors en hausse, Sainte-Justine conclut une nouvelle entente avec l'Hôpital Maisonneuve pour y envoyer une partie de ses stagiaires. À la même époque, les médecins suggèrent l'organisation d'un cours spécial de technique aseptique pour les infirmières, une proposition acceptée. C'est donc dire qu'ils jouent encore un rôle dans l'orientation de l'enseignement ; en 1957, le Dr Raymond Labrecque est d'ailleurs nommé responsable de l'enseignement médical aux élèves infirmières. L'AIPQ demeure néanmoins le point de référence : en 1959, pour répondre aux nouvelles exigences de l'association, Sainte-Justine hausse à 1 050 le nombre des heures d'enseignement[43].

Cours d'anatomie donné aux élèves infirmières, 1942 (AHSJ).

L'augmentation constante des heures de cours et la diminution généralisée de la semaine de travail dans l'après-guerre entraînent pour leur part une réduction des prestations de service par les étudiantes. En 1954, la visiteuse de l'AIPQ, garde Suzanne Giroux, constate que les élèves infirmières de Sainte-Justine effectuent huit heures de service le jour, *y compris* les heures de cours, et neuf heures la nuit. Le service de nuit, toujours fixé à six mois répartis sur les trois années, s'amorce après le sixième mois de la formation et les élèves ont maintenant droit à quatre semaines de vacances plutôt que deux. Ces conditions se rapprochent de celles qui sont en vigueur dans les autres hôpitaux, mais les élèves de Sainte-Justine demeurent certainement les plus mal payées. En 1956, une discussion au conseil d'administration à ce sujet révèle que, dans certains hôpitaux montréalais, celles-ci reçoivent 25 $ par mois, alors qu'à Sainte-Justine elles touchent toujours 5 $, soit la même somme qu'en 1908. La disproportion entre ce salaire et le coût de la vie est telle que des élèves ont du mal à payer les livres, uniformes et autres fournitures vendus par l'hôpital. Le conseil se prononce donc en faveur d'une augmentation qui demeure cependant bien modeste : à compter de septembre 1956, les élèves de première année recevront 10 $, celles de deuxième année, 12 $, et 15 $ en troisième année, ce qui est loin de constituer une amélioration notable[44].

Des cours de diction et d'anglais pour les infirmières

Tout autant que l'uniforme, le maintien, l'attitude générale et le langage de l'infirmière doivent refléter la dignité et incarner le respect dû à la profession. C'est ainsi que l'infirmière doit non seulement porter correctement son uniforme, mais lui faire honneur en s'abstenant d'arborer maquillage, bijoux, parfums ou même coiffure extravagante. Plus encore, elle est aussi tenue de se comporter d'une façon toujours pondérée, d'éviter toute familiarité avec les patients ou le personnel et de bien s'exprimer. Il ne faut donc pas se surprendre que l'hôpital décide, dans les années 1950, d'offrir des cours de diction à ses infirmières. Pour mieux répondre aux besoins de la clientèle, l'administration décide également d'organiser des cours d'anglais. Ces cours seront définitivement mis en place en 1956 avec l'embauche de deux professeurs pour assurer chacune des deux formations. Cette année-là, 13 infirmières diplômées s'y inscrivent, alors qu'à la fin de la décennie, près d'une soixantaine d'élèves avaient choisi de suivre le cours d'anglais à raison d'une heure par semaine.

Vers la fin des années 1950, Sainte-Justine suit le mouvement amorcé par les autres hôpitaux montréalais en réorganisant l'emploi du temps de ses élèves de manière à faciliter les apprentissages théoriques. Une nouvelle structuration du programme par « blocs » prévoit que, durant la période de probation, qui dure toujours quatre mois, les élèves se concentrent uniquement sur leurs études ; par la suite, elles sont divisées en quatre groupes qui étudient ou font du service de jour, de nuit et de soir, alternativement. Selon sœur Laurette de la Sainte-Face, qui vient de remplacer sœur Valérie de la Sagesse à la direction de l'école, ce système a pour avantage d'améliorer le service donné aux malades, mais aussi de contribuer aux succès scolaires des élèves, « qui sont actuellement moins que satisfaisants », prend-elle soin de préciser[45].

Compte tenu des changements apportés à la formation et de l'augmentation des heures de cours théoriques et de stages, le personnel enseignant devient également de plus en plus nombreux et hiérarchisé. À celles qui donnent des cours en classe s'ajoute une responsable de la rotation des élèves dans les divers services et de l'intégration des stagiaires provenant d'autres hôpitaux, mais aussi des surveillantes, des institutrices et des monitrices cliniques qui dispensent l'enseignement dans les services et s'assurent de la progression des élèves. Autre caractéristique des années d'après-guerre : en raison d'une diminution des vocations religieuses et des besoins accrus de l'hôpital, de plus en plus de laïques suivent des cours de perfectionnement et obtiennent des postes de cadre, tant à l'école que dans les services[46].

La tendance à la spécialisation clinique, déjà présente dans l'entre-deux-guerres, s'affirme également avec plus de force durant cette période, parallèlement à la spécialisation médicale. Ce sont d'ailleurs souvent les médecins qui demandent d'être secondés par des infirmières spécialisées dans leur domaine d'expertise : ainsi, en 1946, le conseil médical suggère à l'administration de former des infirmières pour les services d'endoscopie, de diabète, de goitre et d'allergie. Au cours des années 1950, ce mouvement s'amplifie : plusieurs infirmières, très souvent des laïques, suivent des cours et des stages allant de quelques semaines à plusieurs mois, payés le plus souvent par l'hôpital, en technique de salle d'opération, en physiothérapie, en ophtalmologie, en obstétrique, en neurochirurgie, en technique d'électrocardiologie, en chirurgie plastique, etc., dans des endroits aussi divers que Montréal, Toronto, New York, Boston, Buffalo, Londres et Paris[47]. Pour sa part, le nombre des inscrites à l'IMY ne cesse d'augmenter : en 1964, 43 infirmières diplômées y suivent des cours à temps partiel et quatre à temps plein. « Le monde hospitalier est devenu une entreprise de grande envergure, constate le rapport annuel. Bon nombre de nos licenciées, à ce tournant de leur carrière, pressentent les exigences et les complexités d'un futur proche[48]. » L'effort supplémentaire consenti par les infirmières pour se perfectionner à l'IMY est d'ailleurs d'autant plus admirable que, dans leur cas, l'hôpital refuse de payer leur salaire durant les journées où elles s'absentent pour suivre leurs cours[49].

Si Sainte-Justine compte sur l'expertise d'autres établissements pour former son personnel infirmier dans certains domaines spécialisés, à compter des années 1950, il devient à son tour un lieu de formation réputé dans certains créneaux. Ainsi, l'hôpital reçoit de plus en plus de stagiaires en provenance d'hôpitaux montréalais, soit environ 140 en 1951 et plus de 200 dix ans plus tard, en même temps qu'il s'affirme comme une institution incontournable en matière d'enseignement de la pédiatrie et de soins aux prématurés. Son expertise se traduit également par la production d'un manuel de pédiatrie préparé par un comité composé de médecins et d'infirmières et dirigé par le Dr Paul Letondal. En 1956, l'hôpital organise des cours postscolaires ouverts à ses propres infirmières, mais aussi au personnel d'autres hôpitaux, sur les soins aux prématurés. Subventionné par le gouvernement provincial, ce programme accueille six stagiaires pour une période de huit semaines, quatre fois par année. Une autre formation postscolaire de huit mois en pédiatrie et obsté-

Cours suivi conjointement, mais séparément, par les internes et les élèves infirmières, 1953 (AHSJ, photo studio Marcel Deschamps).

trique, donnant droit à un certificat universitaire, est également offerte à compter de 1957 ; près d'une quinzaine d'infirmières diplômées provenant d'autres hôpitaux s'y inscrivent en 1957 et en 1958. Dans les années 1960, le nombre et la provenance des stagiaires de même que les formations qu'elles viennent suivre à Sainte-Justine se multiplient : l'IMY, certaines universités (McGill et Ottawa notamment), l'École d'hygiène de l'Université de Montréal et plusieurs hôpitaux envoient des candidates qui viennent suivre des formations en pédiatrie, en obstétrique, en technique aseptique et en soins aux prématurés. L'hôpital reçoit aussi des infirmières diplômées d'autres pays qui veulent s'établir au Québec et qui doivent compléter leur formation pour satisfaire aux exigences de l'AIPQ. À partir de 1965, Sainte-Justine, maintenant affilié à la Faculté de nursing, devient un lieu de stage pour les étudiantes du baccalauréat en sciences infirmières et pour les candidates inscrites à des certificats en nursing, option pédiatrie et psychiatrie infantile[50].

Bref, l'hôpital accorde une attention particulière au perfectionnement de son personnel en cours d'emploi à compter des années 1950 : « Pour répondre aux normes exigées tant par les autorités gouvernementales que par l'Association des infirmières de la Province de Québec, les médecins réclament un personnel d'infirmières de plus en plus compétentes[51] », souligne le rapport annuel de 1963. Au tournant des années 1960, le directeur médical demande par exemple que la formation en soins aux prématurés devienne obligatoire pour toutes les infirmières chargées des pouponnières. Le personnel soignant est aussi invité à assister à des conférences, à des projections de films, à des démonstrations de nouvelles techniques et à des cours spécialisés sur divers sujets ; en 1966, en prévision de l'ouverture de l'unité des soins intensifs, les médecins donnent, en collaboration avec le Service de nursing, créé en 1959, une série de 13 cours de perfectionnement en chirurgie et en soins chirurgicaux[52].

Outre ces cours spécialisés, le Service de nursing, en collaboration avec le bureau du personnel, sent aussi le besoin de mettre en place un programme d'orientation destiné aux infirmières et au personnel auxiliaire afin de faire connaître l'hôpital et les principales techniques de soins en vigueur à Sainte-Justine. Dès le milieu des années 1960, l'hôpital offre également un programme éducatif qui dispense pas moins de 120 séances, comprenant des conférences, des films, des démonstrations et des visites d'observation, aux infirmières, aux aides-infirmières et aux infirmières auxiliaires, afin « de favoriser l'intégration de chaque membre du personnel à l'équipe soignante et ainsi améliorer la qualité des soins[53] ». Ce genre de formation, qui vise à mieux intégrer le nouveau personnel, devient une nécessité à partir du moment où l'hôpital embauche des soignantes qu'il n'a pas formées, une situation qui devient de plus en plus courante dans les années 1960 en raison du manque d'infirmières. En fait, Sainte-Justine, comme bien d'autres hôpitaux, est aux prises avec une pénurie d'infirmières quasi constante à partir de la Seconde Guerre mondiale. Dès cette époque, l'administration se plaint du fait que les diplômées sont attirées dans les forces armées ou même dans les industries de guerre, qui offrent de meilleurs salaires et des conditions de travail plus avantageuses. Dans l'après-guerre, d'autres facteurs, comme l'augmentation du nombre de lits et la diminution de la semaine de travail du personnel de même que des heures de service fournies par les élèves, se combinent pour entretenir cette pénurie.

Au début des années 1940, pour combler ses besoins en personnel, Sainte-Justine envisage, comme d'autres hôpitaux l'ont déjà fait, de former des « aides-gardes-malades ». Après de nombreuses discussions, la directrice de l'école, l'assis-

Groupes d'élèves infirmières dans la salle de démonstration de l'étage B en 1958 (AHSJ).

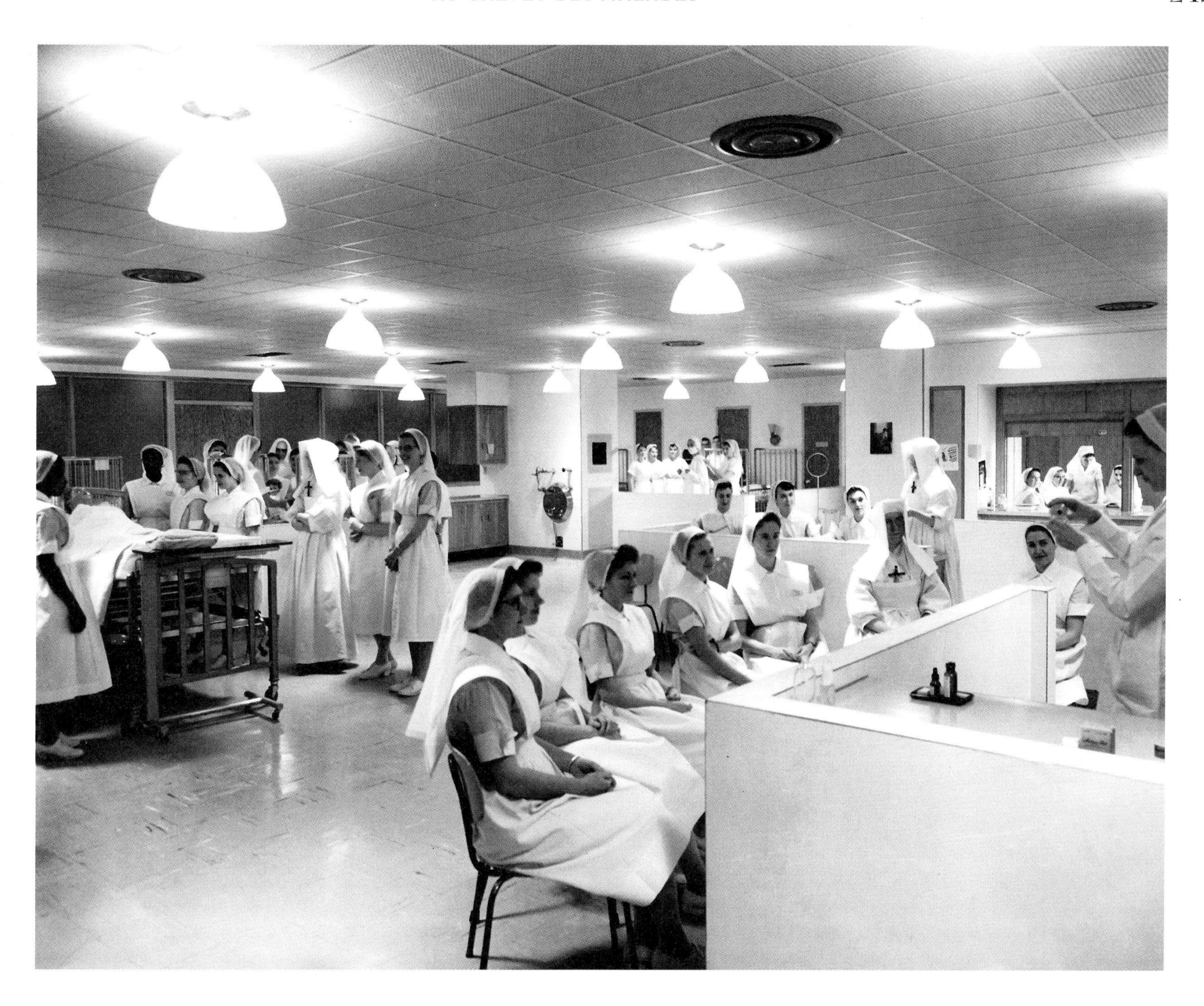

tante directrice, garde Juliette Trudel, et la supérieure en arrivent cependant à la conclusion que, dans les circonstances, il est préférable d'organiser un cours préscolaire permettant à des candidates qui n'ont pas la scolarité requise pour se faire admettre comme élève infirmière de compléter leurs études secondaires à l'hôpital avant d'entreprendre leur formation en nursing. Ce programme spécial, qui parvient à attirer une douzaine d'élèves dès la première année, ne règle toutefois pas le problème de la pénurie car, pour favoriser la réussite de ces élèves, la direction décide de leur exiger « seulement » sept ou six heures de travail par jour, selon le trimestre, alors qu'à cette époque les élèves infirmières sont toujours astreintes au régime de neuf heures. En 1952, faute d'espace pour les loger, l'hôpital doit de toute façon abandonner cette formation, qui n'aura duré que sept ans et donné des résultats plutôt décevants. Entre-temps, à la suite d'un amendement à la charte obtenu en 1947, l'école inaugure un programme d'aide-garde-malade auquel s'inscrivent 34 candidates. En 1953, plus d'une centaine sont à l'emploi de l'hôpital[54].

La présence des aides-gardes-malades, et plus tard des auxiliaires, contribue un temps à colmater certaines brèches, mais elle ne suffit pas à garantir la qualité des soins, car ces soignantes ne reçoivent qu'une formation limitée. En fait, le manque d'infirmières devient de plus en plus criant à mesure que les années passent et il devient même alarmant après le déménagement dans le nouvel immeuble du chemin de la Côte-Sainte-Catherine, qui compte plus de 800 lits. En 1958, la supérieure de Sainte-Justine et directrice de la régie interne, sœur Noémi de Montfort, fait remarquer qu'il faudrait au moins 400 infirmières de chevet, dont 90 assurant le service de nuit, pour dispenser adéquatement les soins, alors que l'année précédente leur nombre s'établissait à 125, chiffre porté à 154 en 1959[55]. Ces effectifs représentent une nette amélioration par rapport à la fin des années 1940, alors que l'hôpital embauche à peine 77 diplômées, mais il s'en fallait de beaucoup pour que tous les postes soient comblés.

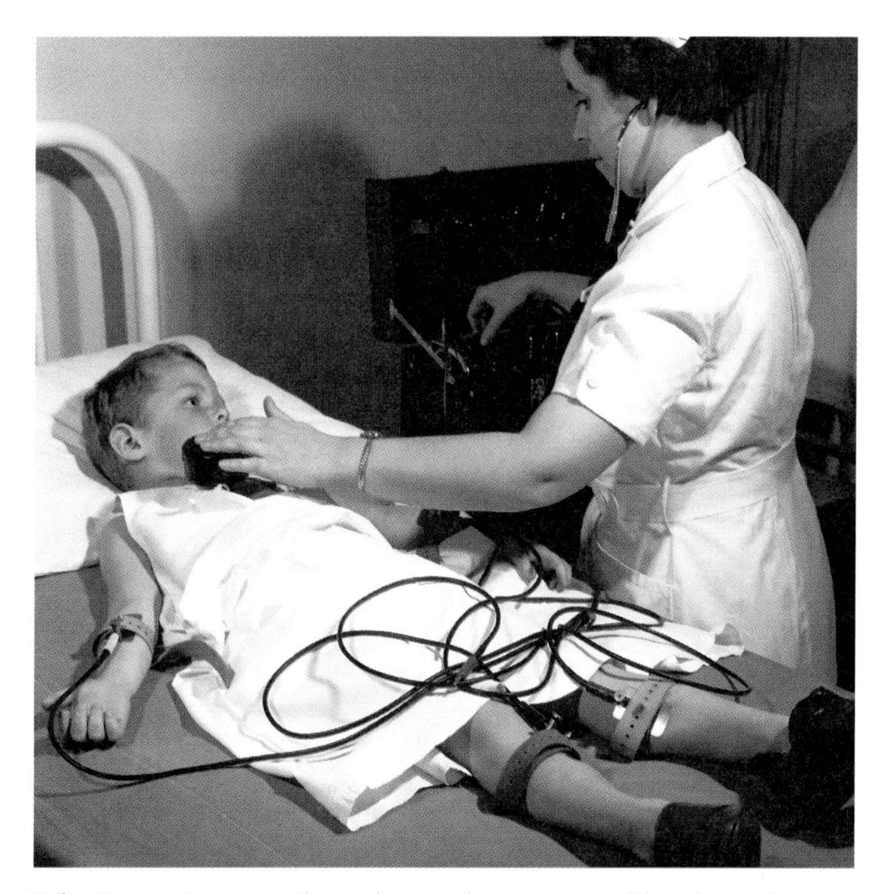

Infirmière pratiquant un électrophonocardiogramme, au début des années 1960 (AHSJ).

Photo de finissantes des élèves infirmières, 1956. Deux religieuses font partie des diplômées. Au premier rang, de gauche à droite, on aperçoit sœur Laurette de la Sainte-Face, fdls, sœur Valérie de la Sagesse, fdls, sœur Anastasie, fdls, le père Clément Lamarche, s.j., aumônier, Mme Justine Lacoste-Beaubien et le Dr Alcide Martel (AHSJ).

On l'a dit : tous les hôpitaux manquent de personnel infirmier à cette époque, mais à Sainte-Justine le problème semble atteindre des proportions inégalées. Tout au long des années 1950, l'administration tente d'attirer plus d'élèves en faisant de la publicité pour son école ou de retenir les diplômées qu'elle forme en leur offrant « des positions avantageuses et plus intéressantes » et en définissant plus précisément « les pouvoirs et attributions de l'infirmière diplômée et de l'infirmière étudiante ». En désespoir de cause, garde Trudel en arrive à suggérer d'augmenter le nombre des élèves affiliées, c'est-à-dire de stagiaires provenant d'autres hôpitaux, ce qui permettrait de se procurer une force de travail supplémentaire à bon compte, mais tous ces efforts demeurent infructueux. Au début des années 1960, l'administration constate que, au lieu de s'améliorer, la situation s'est aggravée à la suite du départ de plusieurs infirmières expérimentées, au point où des salles d'opération doivent être fermées. En mai 1963, les médecins proposent de recruter à l'extérieur en offrant un salaire qui tienne compte des années d'expérience, mais l'administration refuse, prétextant que cela équivaudrait à offrir des conditions supérieures à celles qui prévalent dans l'hôpital ; dans les cas exceptionnels seulement, elle consentirait à accorder le traitement équivalant au deuxième échelon salarial, comme c'est, de toute façon, déjà la pratique[56].

Juliette Trudel (-1967)

Diplômée de l'École des gardes-malades de l'hôpital en 1923, garde Juliette Trudel obtient un poste au Service social en 1929, où elle s'était particulièrement distinguée pendant son stage. Membre adjointe au sein du conseil d'administration pendant près de 20 ans, garde Trudel a aussi joué un rôle actif à l'École des infirmières. Après l'obtention d'un certificat d'institutrice en sciences du nursing de l'Institut Marguerite-d'Youville en 1942, elle enseigne aux infirmières pendant 27 ans, en plus de devenir l'assistante de la directrice de l'école.

Garde Trudel a participé à la mise sur pied de l'Association des gardes-malades graduées de l'Hôpital Sainte-Justine, fondée en 1925. Elle a représenté l'hôpital lors de nombreux congrès et a agi à maintes reprises comme déléguée de l'Association des infirmières de la province à des rassemblements internationaux. En 1944, elle est nommée membre du comité des organisations d'après-guerre de l'Association canadienne des gardes-malades. Elle quitte l'hôpital en 1963, après 34 ans de service.

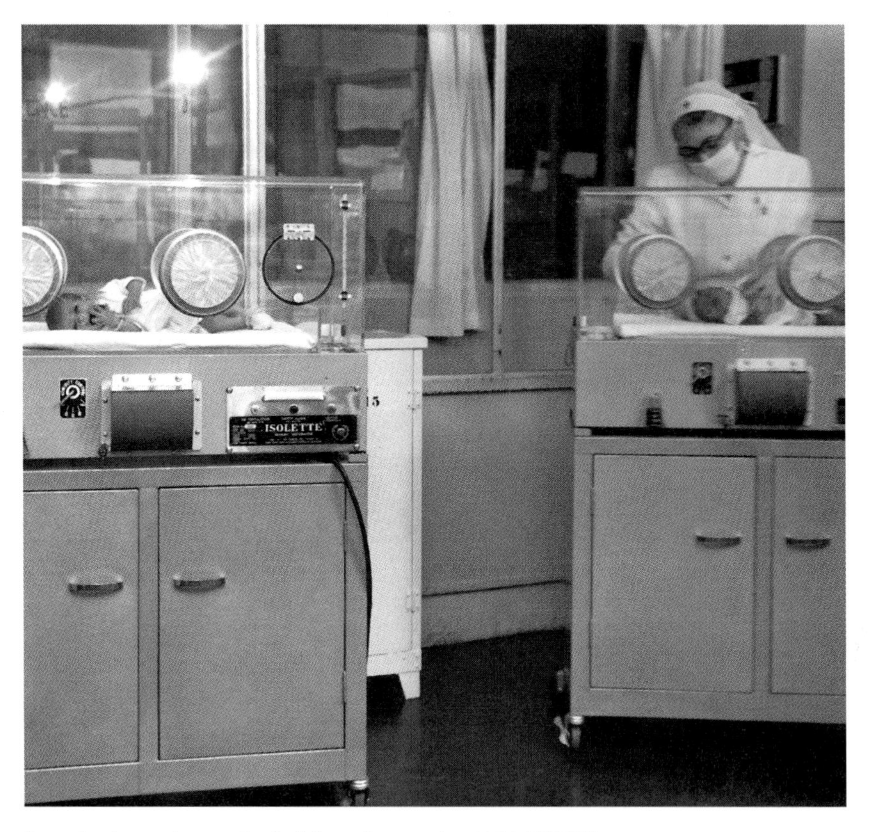

Le soin des prématurés au début des années 1950 (AHSJ).

Deux infirmières suivant un cours dans un des laboratoires de l'hôpital en 1960 (AHSJ).

Une chambre dans la nouvelle résidence des élèves infirmières vers la fin des années 1950 (AHSJ).

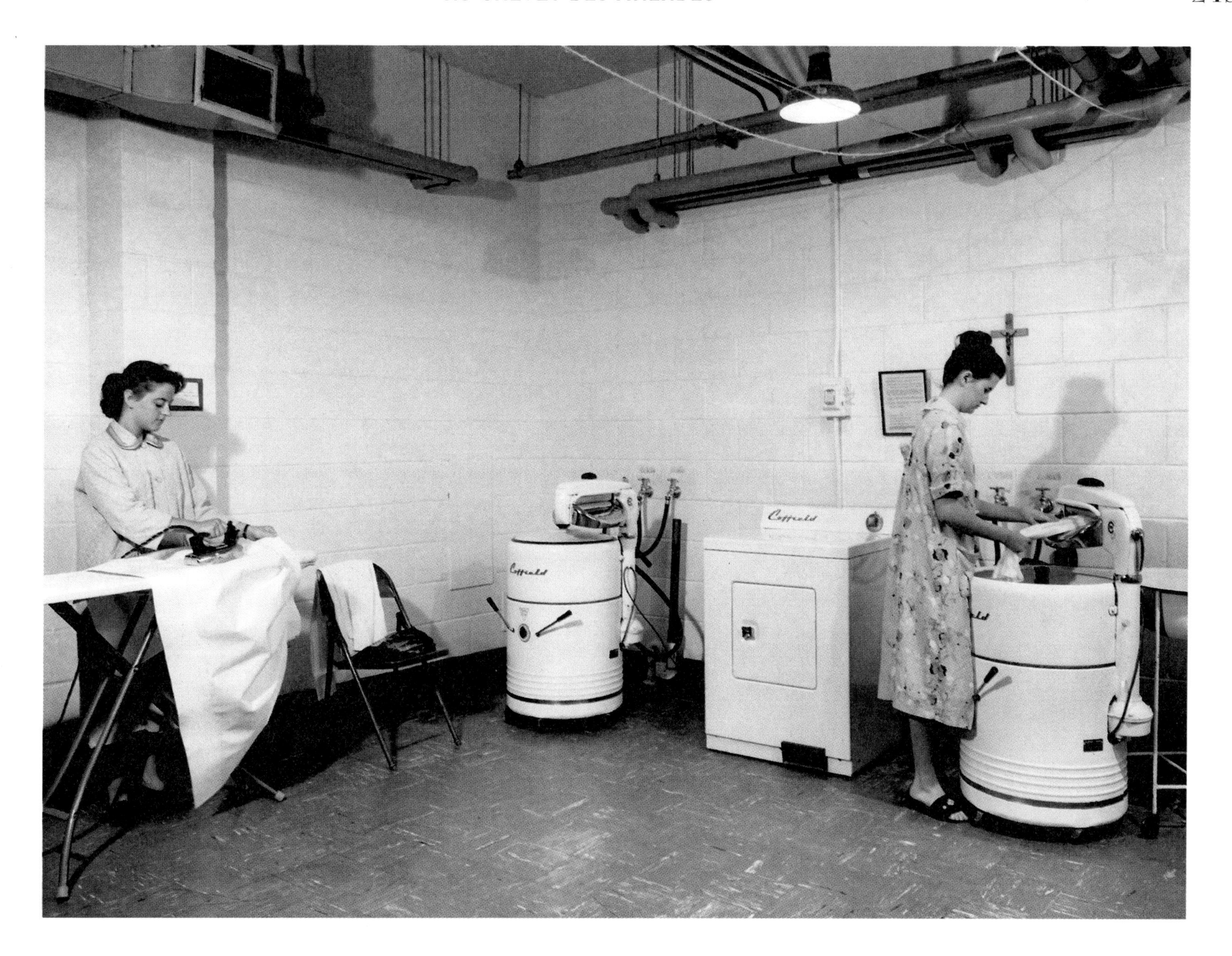

Deux élèves infirmières font leur lessive dans la buanderie de la nouvelle résidence du chemin de la Côte-Sainte-Catherine (AHSJ).

Les infirmiers

Jusqu'en 1969, la profession d'infirmière est réservée aux femmes. Les hôpitaux comptent tout de même des infirmiers à leur service, mais il s'agit plutôt de préposés sans qualification, dont le travail consiste à assurer le transport des patients, à accomplir des tâches nécessitant une certaine force physique dans les salles ou au bloc opératoire et à accompagner l'ambulance lors de ses sorties. Dans les années 1940, les médecins de Sainte-Justine réclament à plusieurs reprises la création de cours spécifiques pour les infirmiers menant à l'obtention d'un certificat de compétence, mais les sources consultées ne permettent pas de déterminer si la mesure a été mise en place. En 1950 cependant, l'Association des aides-malades (aujourd'hui appelé Ordre des infirmières et infirmiers auxiliaires de la province de Québec), un regroupement provincial fondé la même année par Charlotte Tassé, met sur pied un cours spécifique auquel les infirmiers de Sainte-Justine ont la possibilité de s'inscrire. C'est finalement en 1969 que les hommes sont autorisés à devenir membre de l'Association des infirmières de la Province de Québec (AIPQ) et donc à suivre le cours menant à la pratique du nursing.

La grève de 1963 et ses suites

Au moment où la présidente rejette la proposition des médecins, les infirmières de Sainte-Justine ont déjà massivement adhéré à l'Alliance des infirmières de Montréal (AIM) et s'acheminent vers un premier conflit de travail. Les salaires ont certainement joué un rôle dans ce débrayage, mais la question de la tâche, considérablement alourdie par la pénurie d'infirmières, a été encore plus importante, comme en témoigne le mémoire préparé par l'AIM à l'intention du premier ministre et du ministre de la Santé. Il faut dire que, même s'ils demeurent très bas, les salaires augmentent sensiblement durant les années 1940 et 1950. Ainsi, en 1940, les infirmières de Sainte-Justine reçoivent 45 $ par mois quand elles ne logent pas à l'hôpital, environ 10 $ de moins pour celles qui y résident. L'hôpital étant désormais incapable de loger tout son personnel infirmier, il n'a d'autre choix que d'augmenter substantiellement les salaires au cours des années suivantes, surtout que la crise du logement qui sévit à Montréal en raison de la guerre entraîne des hausses importantes des loyers. Vers 1945, le salaire de base passe donc à 90 $ par mois, somme qui est à nouveau augmentée en 1946 pour s'établir à 105 $, plus des primes de soir et de nuit de 15 $ et 10 $ respectivement. En comparaison, l'Alliance des infirmières obtient un salaire de 135 $ par mois en 1947 pour les infirmières de l'hôpital de Verdun et de l'hôpital Pasteur qu'elle représente. Dans les années 1950, alors que la lutte syndicale semble déjà s'essouffler, le Conseil des hôpitaux de Montréal (CHM), un regroupement des administrations hospitalières, cherche à établir des barèmes uniformes pour éviter la concurrence entre les établissements. Périodiquement, il recommande donc des augmentations salariales pour les infirmières et d'autres catégories de personnel, ce qui force Sainte-Justine à suivre le mouvement. En 1955 et à nouveau en 1957, l'hôpital annonce qu'il va se conformer aux échelles salariales proposées par le CHM, soit 190 $ et 215 $ par mois, mais cela n'exclut pas que certaines infirmières reçoivent moins que ce que prévoient les barèmes, ni que l'administration accorde des augmentations discrétionnaires à certaines infirmières « en considération de leurs nombreuses années de travail et de dévouement », preuve qu'un mode de gestion paternaliste est toujours bien présent[57].

En 1959, de nouvelles augmentations, portant le salaire hebdomadaire entre 60 $ et 70 $, et une diminution de la semaine de travail à 37 heures et demie, sans compter le temps des repas, sont adoptées à la demande expresse de la présidente, de manière à « équilibrer les salaires et les heures de travail [...] avec les conditions établies généralement pour les infirmières[58] ». Au cours des années suivantes cependant, l'hôpital refuse d'accorder les salaires prévus par le Service de l'assurance-hospitalisation (SAH) qui, depuis l'entrée en vigueur du régime, détermine les échelles salariales des employés d'hôpitaux, et d'appliquer la politique salariale fixée par la sentence arbitrale qu'a obtenue l'Alliance en faveur des infirmières des Hôpitaux Saint-Luc et Pasteur en 1962. Au début de l'année 1963, par contre, l'administration s'apprête à porter le salaire hebdomadaire de base des infirmières à 71 $; il est même question d'ajouter 4,50 $ à ce montant, comme le permet le SAH.

Selon Madeleine Morgan, présidente du syndicat des infirmières de Sainte-Justine, la décision d'accorder ces augmentations n'est pas communiquée aux infirmières. Mais même si elles avaient été mises au courant, cela n'aurait sans doute pas suffi à éviter un conflit qui s'enracinait dans des conditions de travail devenues intolérables. Comme en témoigne le mémoire évoqué plus haut, le manque de personnel infirmier, alors même que l'hôpital a quasiment doublé sa capacité depuis le déménagement chemin de la Côte-Sainte-Catherine et que l'assurance-hospitalisation entraîne un afflux de patients, provoque en effet des situations que les infirmières jugent carrément insupportables : augmentation excessive de la charge de travail, dévalorisation des infirmières souvent remplacées par des auxiliaires, des étudiantes ou des puéricultrices et, conséquemment, baisse sensible de la qualité des soins. Le mémoire fait également mention de cas où des infirmières, agissant comme hospitalières, ne reçoivent pas le salaire rattaché à ce poste et où des institutrices cliniques sont incapables de donner leur enseignement parce qu'elles doivent assurer le service général. Il signale en outre que les infirmières doivent souvent exécuter des travaux ménagers ou du travail de secrétariat. Tout en soulignant les nombreux départs survenus depuis le début de l'année 1963, le mémoire insiste enfin sur le nombre astronomique d'heures supplémentaires qui sont exigées dans certains départements, sur l'absence d'une politique salariale clairement définie (des fonctions de responsabilités n'étant pas reconnues par l'administration) et sur le paiement de primes de formation postscolaire inférieures à celles accordées dans d'autres hôpitaux[59].

Madeleine Morgan (1930-)

Née en 1930 à Verdun, Madeleine Morgan (née Soucisse) a fait ses études à l'École d'infirmières de l'Hôpital Sainte-Justine. Diplômée en 1954, elle fait partie des premières infirmières à travailler au département de neurochirurgie qui vient d'être constitué. La création de ce département, de même que des départements de chirurgie plastique et de chirurgie cardiaque, pousse les médecins à réclamer l'assistance d'infirmières spécialisées dans ces domaines de pointe, ce qui convainc Madeleine Morgan de poursuivre des études postscolaires d'abord à l'Hôtel-Dieu, puis à l'Institut neurologique de Montréal. De 1958 à 1960, grâce à l'octroi d'une bourse par le gouvernement provincial, elle complète également un cours en neurochirurgie au National Hospital for Nervous Diseases de Queen Square, à Londres, puis un stage à l'Hôpital Sainte-Anne de Paris. De retour à Sainte-Justine en 1960, elle occupe un poste d'infirmière spécialisée, poursuit la rédaction d'un manuel sur les soins et traitements en neurochirurgie destiné aux infirmières francophones et enseigne dans ce domaine aux élèves infirmières de l'hôpital. En 1968, ayant quitté l'Hôpital Sainte-Justine, elle participe à l'organisation de l'unité de neurochirurgie de l'Hôpital Juif de Montréal.

En plus d'avoir connu une brillante carrière d'infirmière, Madeleine Morgan a été très active dans le mouvement syndical. En janvier 1963, elle est élue présidente de la section de l'Alliance des infirmières de Montréal (AIM) à Sainte-Justine, avant de devenir présidente de l'AIM en septembre. Elle jouera donc un rôle déterminant dans la grève des infirmières qui aura lieu en octobre de cette même année. Elle termine sa carrière d'infirmière à titre de syndic adjointe à l'Ordre des infirmières et infirmiers de la province de Québec, poste qu'elle occupe de 1978 à 1992. Après sa retraite, elle se consacre à la rédaction de textes concernant l'histoire des soins de santé et les négociations syndicales des infirmières dans les années 1960. En 2003, elle a notamment publié *La Colère des douces,* qui relate les événements entourant la grève de 1963.

Après avoir manifesté devant l'hôpital durant plusieurs jours au début de la grève, les infirmières organisent une marche au flambeau le soir du 24 octobre 1963 (AHSJ et photo *La Presse* tirée des AHSJ).

En septembre 1963, dans une lettre qu'elles adressent à sœur Noémi de Montfort, un groupe de neuf infirmières relatent que depuis plusieurs mois une seule d'entre elles assure le service de nuit, une situation qui menace la qualité des soins et même la sécurité des 56 patients dont elles ont la charge. Obligées de faire des heures supplémentaires sur une base régulière, les signataires suggèrent carrément de fermer des lits et, à défaut, se dégagent de toutes responsabilités « pour tous les accidents pouvant survenir ainsi que les soins ou traitements négligés par manque de personnel[60] ». Leur suggestion n'est cependant pas retenue : en fait, à ce stade, l'arrêt de travail se profile à l'horizon, les négociations entre le syndicat et l'administration étant pratiquement rompues. Les demandes syndicales présentées à la partie patronale durant l'été et reprenant les termes d'un projet de convention collective soumis à tous les hôpitaux où les infirmières sont membres de l'Alliance, soit une douzaine dans la région de Montréal, ont été rejetées par la partie patronale, de même qu'une contre-proposition syndicale. Dans cette seconde proposition, les infirmières de Sainte-Justine acceptent d'être liées par la sentence arbitrale qui sera rendue pour l'ensemble des hôpitaux représentés par l'Alliance, avec paiement d'une rétroactivité en date de février 1963, mais à deux conditions : qu'elles maintiennent les avantages sociaux déjà acquis, notamment le régime de retraite, et surtout que des négociations s'engagent sur la classification des postes et la charge de travail. Les infirmières veulent plus particulièrement avoir accès aux postes de direction, jusque-là réservés aux religieuses, et réclament la mise sur pied d'un comité de nursing pour discuter des plaintes et des problèmes liés à la charge de travail[61].

Selon l'historienne Johanne Daigle, les infirmières de Sainte-Justine sont les premières à réclamer un tel droit de regard sur l'exercice de la profession, une demande qui fait bondir l'administration. Gaspard Massue, membre de l'équipe de négociation patronale, affirme par exemple qu'il s'agit là, ni plus ni moins, d'une « tentative de cogestion » que l'hôpital ne peut admettre[62]. Cette attitude intransigeante de la direction, qui depuis juillet refuse, à toutes fins utiles, de négocier, attise le mécontentement des infirmières, qui, le 1er octobre, se prononcent à 97 % en faveur de la convocation de « journées d'étude » au moment jugé opportun. Rappelons que les employés d'hôpitaux n'ont toujours pas le droit de faire la grève à cette époque, ce qui explique l'utilisation d'un tel euphémisme.

Déclenché le 16 octobre, le débrayage, immédiatement déclaré illégal, dure un mois et provoque une onde de choc à Sainte-Justine, mais aussi dans toute la société québécoise. Que des infirmières, des femmes « naturellement » dévouées, abandonnent des malades, de surcroît des enfants, à leur sort retient certainement l'attention. Mais si les grévistes sont blâmées par une partie de l'opinion, le geste paraît tellement grave, tellement contre nature, que dans l'esprit de plusieurs il est évident qu'elles ont nécessairement de sérieuses raisons d'agir ainsi. Claude Ryan, alors éditorialiste au *Devoir,* dira par exemple : « La décision des infirmières [de faire la grève] a mis à [*sic*] jour des conditions de travail qui soulèvent de graves interrogations concernant la tenue professionnelle du Service de nursing à Sainte-Justine. Elle a surtout fait voir que l'instauration d'un dialogue adulte entre les infirmières et la direction de l'hôpital est demeurée trop longtemps un pieux souhait[63] ». Cette analyse est cependant réfutée par les médecins. Lors d'une rencontre tenue avec les infirmières au Centre Maria-Goretti, qui fait office de quartier général, leur porte-parole, le Dr Favreau, déplore que Ryan ne se soit pas prononcé sur la moralité de la grève et reproche aux infirmières de noircir à dessein la situation des patients et de l'hôpital : « Les enfants malades de la Province de Québec n'ont jamais été maltraités à Sainte-Justine. Vous le savez mieux que quiconque et c'est pour vous un devoir de stricte morale de dire que c'est faux ! » Favreau reconnaît néanmoins que le maintien de bons traitements « a très souvent coûté à nos

La conclusion de l'entente mettant fin à la grève de 1963. De gauche à droite, on aperçoit Madeleine Morgan, présidente de l'Alliance des infirmières, Lucie Dagenais, agente d'affaires, Gaspard Massue, directeur général de l'Hôpital Sainte-Justine et Justine Lacoste-Beaubien. À l'arrière-plan se trouve Claire Ranger, membre de l'exécutif de l'Alliance (collection privée, Madeleine Morgan).

infirmières, laïques et religieuses, de longues heures de fatigue, un excès de travail exténuant, trop de responsabilités. » Il conclut en affirmant que, même si les médecins « ne peuvent pas prendre parti officiellement », ils ont discrètement entrepris des démarches pour accélérer le règlement du conflit[64].

C'est finalement grâce à une intervention de Marcel Pépin que la grève prend fin un mois après son déclenchement. Une séance de négociation secrète, à laquelle participe le ministre du Travail malgré le caractère illégal du conflit, conduit à la conclusion d'un accord entériné par les deux parties. Les infirmières obtiennent la parité des salaires avec les autres hôpitaux, une fois rendue la sentence arbitrale, la rétroactivité à compter du moment de leur syndicalisation en février, le maintien des droits acquis, une procédure de grief, des clauses concernant les promotions, la définition et la classification des postes ainsi que l'établissement d'un comité paritaire pour déterminer le nombre d'infirmières nécessaires pour assurer la qualité des soins, ce qui revient à définir des normes concernant l'exercice de la profession. C'est donc une victoire quasi totale. Seule ombre au tableau, même si l'entente est paraphée avant leur retour au travail, pour sauver la face du ministre qui a enfreint sa propre loi en acceptant de négocier avec des grévistes « illégales », elles doivent faire mine d'accepter de rentrer sans contrat, mais avec la promesse que les négociations reprendront tout de suite après leur retour au travail[65].

Justine Lacoste-Beaubien a été passablement ébranlée par la grève menée « par ses petites filles ». Dans son allocution présidentielle pour l'année 1963, elle récuse tout d'abord les accusations d'incompétence qui ont fusé contre son administration au moment du conflit. Se défendant bien d'être rétrograde, elle mentionne la place grandissante des femmes dans la société québécoise contemporaine, mais aussi leur vocation maternelle, pour justifier la poursuite de son action. Tout en reconnaissant les problèmes vécus par le nursing en raison de la pénurie d'infirmières, ce qui a « peut-être » conduit l'hôpital à devenir trop exigeant, convient-elle, elle demande ensuite que ces dernières continuent de se dévouer à la cause des enfants :

> *Nous ne voulons créer d'injustice envers personne. Nous voulons que nos infirmières soient heureuses d'être au service de Sainte-Justine, qu'elles continuent de se dévouer comme elles l'ont fait dans le passé et qu'elles n'aient pas le sentiment que nous voulons les moins bien traiter qu'elles ne le seraient ailleurs. L'enfant, sa guérison, je le répète, sont notre premier souci. Ils continueront de l'être quelles que soient les circonstances. [...] Nous croyons que le dévouement, l'abnégation peuvent aller de pair avec une bonne administration, qu'ils lui sont d'un grand secours et, je dirais même, qu'ils lui sont essentiels quand il s'agit d'un hôpital*[66].

De toute évidence, la présidente éprouve certaines réticences à reconnaître l'ampleur des problèmes qui ont provoqué la grève et elle demeure attachée à l'image de l'infirmière cultivant l'abnégation. Cette grève marque néanmoins la fin d'une époque à Sainte-Justine, car elle oblige l'administration à partager ses droits de gérance, autrefois absolus, avec les infirmières, qui deviennent de réelles partenaires dans l'organisation des soins ; l'occupation des lits devient même tributaire du nombre des infirmières disponibles, ce qui force les médecins à diminuer le rythme des admissions. Plus largement, le comité local de nursing mis en place à Sainte-Justine constitue un précédent qui va donner naissance à un comité supérieur chargé de définir des normes provinciales concernant les fonctions des membres de l'équipe de soin et le personnel requis. La victoire des infirmières, en dépit du caractère illégal de la grève, a peut-être également contribué à achever de discréditer le système d'arbitrage en vigueur pour les employés de la fonction publique et des hôpitaux depuis les années 1940 et à leur accorder le droit de grève lors de l'adoption du nouveau Code du travail en 1964[67].

Si la grève de 1963 a des répercussions multiples pour Sainte-Justine et même pour l'ensemble des hôpitaux, la fermeture des écoles d'infirmières à la fin de la décennie et le

Tableau 7. – Nombre d'élèves et de diplômées de l'École des infirmières, 1910-1970

Années	Élèves	Diplômées
1910	n.d.	1
1915	15	4
1920	25	8
1925	n.d.	16
1930	102	25
1935	125	39
1940	93	17
1945	114	30
1950	109	23
1955	120	31
1960	191	44
1965	227	77
1970	nil	42

Sources : AHSJ, rapports annuels 1910-1970 et dossier 19-9. École des infirmières. Infirmières graduées, 1910-1970.

La dernière promotion des élèves infirmières de Sainte-Justine, juin 1970 (AHSJ).

transfert de la formation de base dans les cégeps constituent un autre événement majeur qui aura pour effet de bouleverser le paysage hospitalier. L'époque où les élèves infirmières faisaient partie intégrante de l'établissement dès leur première année de cours, vivant et travaillant sur les lieux mêmes de leur formation et apprenant du même coup à s'identifier à leur institution, est désormais révolue. À compter de septembre 1968, pendant que la dernière cohorte de 124 élèves inscrites en deuxième et en troisième année poursuit ses études à l'hôpital, Sainte-Justine se prépare à recevoir ses premières stagiaires en provenance des collèges[68]. Celles-ci ne feront plus de service de soir et de nuit et effectueront environ 900 heures de stage dans les hôpitaux, soit quatre fois moins que les élèves des écoles hospitalières : « L'avenir seul dira si cette nouvelle formation produira des infirmières aussi bien qualifiées dans le soin des enfants malades[69] », commente Marcelle Lacoste, nouvelle présidente du conseil d'administration. Au total, l'École des infirmières de Sainte-Justine aura formé plus de 1 700 infirmières durant ses 60 années d'existence.

Finalement, les années 1960 constituent également une décennie déterminante pour les Filles de la Sagesse, dont le nombre ne cesse de décroître. Alors qu'en 1955 on compte 66 religieuses, dont 42 infirmières diplômées et 7 élèves, un sommet selon les données disponibles, cinq ans plus tard, il n'y a plus que 61 religieuses, dont 22 seulement au Service du nursing. Tout au long de la décennie, mais plus particulièrement après 1965, les départs se multiplient, ce qui signale là aussi un changement de la garde : en 1969, soit au moment où elles établissent leur résidence à l'extérieur de l'hôpital, il en reste moins d'une quarantaine au total[70]. Le déclin des vocations, un phénomène qui s'accélère dans les années 1960, l'intervention de l'État dans le système hospitalier, qui impose de nouvelles règles de fonctionnement, et le mouvement de syndicalisation de l'ensemble des employés d'hôpitaux contribuent à leur marginalisation. Alors qu'autrefois elles étaient d'office destinées à occuper les postes de direction, que ce soit aux soins infirmiers ou à la buanderie, les conventions collectives veillent en effet à ce que ces postes soient attribués en fonction de critères plus démocratiques, ce qui ne favorise plus automatiquement les religieuses. Sœur Claude de la Sagesse (Mariette Labrosse) et sœur Sainte-Françoise de Saint-Sacrement (Françoise Fogarty), qui agissent successivement comme directrice des soins infirmiers jusqu'en 1978, sont parmi les dernières à quitter l'hôpital.

Sœur Noémi de Montfort (Alice Bachand), fdls (1905-2001)

Dès les débuts de sa vie religieuse, sœur Noémi de Montfort entame une carrière d'enseignante au pensionnat de Dorval, où elle travaille pendant six ans et fait découvrir ses talents d'organisatrice et d'administratrice. Arrivée à Sainte-Justine en 1936, elle s'inscrit au cours de garde-malade, puis au cours de perfectionnement à l'Institut Marguerite-d'Youville, ce qui lui permet de parfaire ses connaissances du fonctionnement d'un hôpital. Elle se joint ensuite au conseil d'administration, où elle devient une fidèle collaboratrice de Justine Lacoste-Beaubien. Au cours des années où elle siège au conseil, sœur Noémi représente l'hôpital à de nombreux congrès et poursuit sa formation dans le domaine de l'administration hospitalière. En 1947, elle obtient le titre de *nominee* de l'American College of Hospital Administrators et, en 1956, celui de Fellow de l'American College of Hospital Administrators. Elle est d'ailleurs la première canadienne-française à recevoir cet honneur. Son expertise lui vaut de se voir confier la responsabilité des travaux de construction du nouvel édifice de l'hôpital du chemin de la Côte-Sainte-Catherine. Devenue supérieure de l'hôpital en 1960, un poste qu'elle occupe jusqu'en 1965, elle est ensuite nommée supérieure de la province d'Ontario de la communauté des Filles de la Sagesse.

Des infirmières à Sainte-Justine

Les infirmières qui entreprennent leur carrière à Sainte-Justine après 1970 connaissent probablement l'hôpital pour y avoir effectué leur stage en pédiatrie au cours de leurs études collégiales, mais sans plus. Elles appartiennent à une nouvelle génération n'ayant pas connu la « clôture » expérimentée par les plus âgées, qui, pour cette raison, développaient un fort sentiment d'appartenance à leur institution. Alors que ces « anciennes » s'initiaient aux pratiques propres à chaque établissement dès l'époque de leurs études, au moment de leur embauche, les infirmières formées dans les cégeps ont encore beaucoup à apprendre sur leur nouveau milieu de travail, ce qui nécessite une période d'adaptation. Pour mieux les familiariser avec leur environnement et compléter leurs connaissances en matière de soins pédiatriques spécialisés, Sainte-Justine, comme d'autres hôpitaux, organise des cours et des sessions spéciales à leur intention. Comme on l'a vu, cette préoccupation pour l'accueil et la formation du nouveau personnel apparaît dès la seconde moitié des années 1960, alors que l'hôpital recrute de plus en plus à l'extérieur. Cours spéciaux, programmes de mise à niveau des connaissances et formations diverses en cours d'emploi sont toujours offerts dans les années 1970 et jusqu'à ce jour. S'il a perdu la formation de base au profit des cégeps, l'hôpital continue donc de jouer un rôle important en matière d'enseignement, non seulement parce qu'il reçoit des stagiaires des collèges et de la Faculté de nursing, devenue la Faculté des sciences infirmières en 1977, mais aussi parce qu'il voit au perfectionnement de ses effectifs infirmiers et du personnel d'autres hôpitaux.

Par contre, le départ des élèves infirmières représente une perte de main-d'œuvre importante pour l'hôpital, qui doit réorganiser tout le secteur du nursing. Longtemps, les élèves effectuent la plus grande partie des tâches sous la supervision directe d'une religieuse hospitalière en charge de l'unité, parfois secondée par une laïque. Puis, à compter des années 1940, la pénurie d'infirmières encourage l'embauche d'aides, d'auxiliaires et de puéricultrices qui, en plus des élèves et de quelques infirmières diplômées, se partagent le travail, souvent au détriment de la qualité de soins. À la suite de la grève de 1963, le nombre des infirmières licenciées détermine la quantité de lits que l'hôpital peut ouvrir, ce que déplore l'administration, qui voudrait bien hausser le taux

Pierrette Proulx (1939-2004)

Après ses études à l'école d'infirmières de l'Hôpital Sainte-Justine de 1958 à 1961, Pierrette Proulx commence une longue carrière à l'hôpital, d'abord à l'urgence, puis, à partir de 1965, comme institutrice clinique en néonatalogie. En 1967, elle complète un baccalauréat en sciences infirmières à l'Université de Montréal et devient adjointe en éducation à la direction des soins infirmiers, où elle met sur pied le secteur promotion et développement des soins en 1980. Détentrice d'une maîtrise en andragogie, elle a grandement contribué à améliorer la qualité des soins aux patients en créant les postes de monitrice et d'infirmière clinicienne et en encourageant ses collègues infirmières à poursuivre leur formation.

Pierrette Proulx a aussi agi à titre d'experte dans divers comités du réseau hospitalier et de l'Ordre des infirmières et infirmiers du Québec (OIIQ), notamment sur les questions bioéthiques, autre domaine dans lequel elle avait poursuivi sa formation et décroché un certificat d'études supérieures. En plus d'avoir joué un rôle important dans le développement de la profession d'infirmière au Québec, elle a collaboré à divers projets sur la scène internationale à titre de formatrice ou de consultante. Elle a, entre autres, participé au projet d'hôpital pour enfants à Tunis, à un projet de l'ACDI en Algérie et à diverses missions en Côte-d'Ivoire, au Tchad et au Mali.

Pour encourager la formation des infirmières, Pierrette Proulx a laissé un legs à la Faculté des sciences infirmières de l'Université de Montréal afin de créer un fonds destiné à octroyer des bourses à des étudiantes désireuses de poursuivre des études de deuxième cycle.

Formation donnée à des infirmières à Sainte-Justine, 1977 (AHSJ).

d'occupation de l'hôpital. C'est pour contourner ce problème qu'en 1965 la direction du nursing met en place un système de travail en équipe déjà implanté dans certains hôpitaux montréalais depuis la fin des années 1950. Suivant ce système, quelques puéricultrices s'occupent de donner les soins de base à un groupe de patients dans une unité, sous la supervision d'une infirmière licenciée, nommée chef de section, qui peut ainsi se concentrer sur les soins plus complexes. Pour leur part, les chefs de section relèvent de l'hospitalière dirigeant l'unité, cette dernière devant se rapporter à la surveillante, nouvel échelon hiérarchique qui apparaît dans les années 1950 et dont l'un des rôles est de répartir le travail du personnel soignant auprès des patients à l'intérieur des unités composant un même service[71].

Mis en place au milieu des années 1960, le travail en équipe se répand au tournant des années 1970, en même temps que le Service du nursing procède à un nouveau partage des responsabilités entre les surveillantes et les hospitalières, maintenant appelées infirmières en chef. Une partie du travail de bureau de ces dernières est transférée à des réceptionnistes spécialement formées à cette fin, tandis que les surveillantes deviennent des coordonnatrices[72]. En d'autres termes, la hiérarchie s'allège quelque peu, certaines responsabilités étant confiées aux échelons inférieurs. Finalement, en prévision de la fermeture de l'école, le nursing entreprend de réévaluer les besoins quantitatifs en soins infirmiers en tenant compte de la condition des malades hospitalisés, qui, de plus en plus, « requièrent la présence quasi constante d'infirmières compétentes, habilitées à donner des soins complexes[73] ». Le départ des élèves entraînant une diminution des ressources disponibles, il faut repenser la répartition du personnel dans les unités et trouver un mécanisme pour mieux évaluer les besoins des patients. Deux projets de recherche menés à Sainte-Justine à compter de 1969, grâce à des subventions du Programme national de recherche en santé de Santé et Bien-être Canada, permettent d'élaborer un instrument de prévision du personnel requis en fonction des soins que nécessite chaque patient. Baptisée PRN (pour projet de recherche en nursing), cette méthode mise en pratique dans les unités de soins de 1975 à 1978 est aussi utilisée dans d'autres hôpitaux. Selon Petitat, elle génère cependant beaucoup d'opposition, car elle est implantée au moment même où les budgets des établissements se resserrent. Interprétée comme une mesure de rentabilisation du personnel infirmier, elle est dénoncée par les syndicats d'infirmières, qui n'y voient qu'un outil de standardisation et de contrôle[74].

Une telle critique paraît d'autant plus fondée que l'application de la nouvelle méthode souffre également de la pénurie de personnel infirmier, qui ne permet pas toujours d'attribuer le nombre d'infirmières requis suivant les besoins des patients. En 1972, par exemple, 104 infirmières quittent Sainte-Justine, qui en recrute seulement une soixantaine ; deux ans plus tard, le rapport annuel souligne que, « si certains services ont connu un essor marqué, d'autres, par contre, ont fonctionné au ralenti dû à un manque d'effectif[75] ». Cette décennie, durant laquelle l'hôpital s'affirme comme un centre mère-enfant hautement spécialisé, voit tout même se multiplier les postes d'infirmières spécialistes. L'ajout d'unités de soins intensifs, pour les prématurés notamment, la création d'un service d'hémodialyse, le développement de la néonatalogie et de l'obstétrique-gynécologie avec l'intégration du personnel de l'Hôpital de la Miséricorde, la mise en place d'un programme de greffes d'organes ou encore l'ouverture d'un département de santé communautaire exigent en effet l'embauche d'un personnel infirmier de plus en plus qualifié. À côté des infirmières généralistes, issues des collèges, et des infirmières auxiliaires, qui suivent maintenant un cours secondaire professionnel de deux ans, se constitue un corps d'infirmières toujours plus nombreuses qui assument de plus grandes responsabilités grâce à une formation complémentaire de niveau universitaire[76].

À cet égard, il faut dire que dès les années 1960 l'Université McGill et l'Université de Montréal commencent à offrir un baccalauréat « de base » menant à la pratique générale comme le diplôme collégial, tout en instaurant des programmes de spécialisation aux cycles supérieurs. À compter des années 1970, celles qui détiennent une maîtrise en nursing peuvent accéder à des postes d'infirmières cliniciennes spécialisées, c'est-à-dire des infirmières œuvrant dans les unités de soins où elles deviennent des personnes-ressources pour les soignantes et les familles en assumant un rôle de « leader clinique, consultante, enseignante et chercheure[77] ». À Sainte-Justine, une infirmière clinicienne en pédopsychiatrie est déjà en poste dès 1973, mais c'est dans les années 1980 que leur nombre augmente ; en 1991, elles sont quatre à se partager huit unités. Notons qu'à la suite de l'adoption de la Loi concernant les conditions de travail dans le secteur public par le gouvernement du Québec en décembre 2005, l'infirmière clinicienne est désormais assimilée à une infirmière détenant un baccalauréat, ou infirmière bachelière, une formation que l'Ordre des infirmières et infirmiers du Québec (OIIQ), qui remplace l'AIPQ en 1973, souhaiterait rendre obligatoire. Au début des années 2000, outre le baccalauréat en sciences infirmières qui existe déjà, les étudiantes se voient offrir une autre option, soit de combiner un diplôme d'études collégiales de trois ans en technique infirmière à un cours universitaire de deux ans en sciences infirmières. Selon les données disponibles, environ 30 % des infirmières de Sainte-

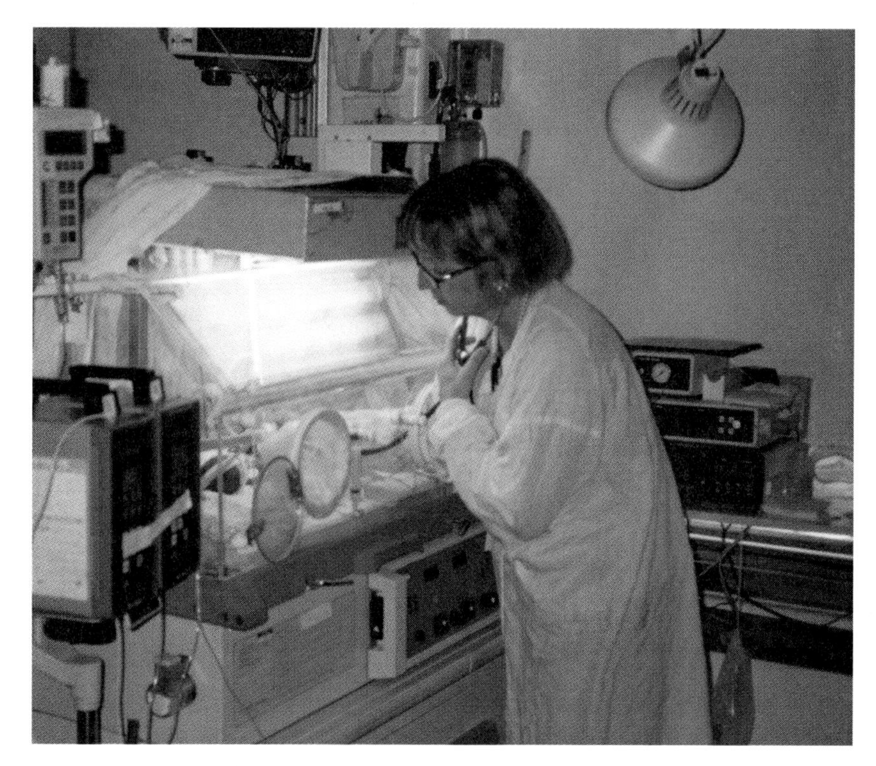

Les soins intensifs en néonatalogie (AHSJ).

Christiane Pilon (1949-)

Christiane Pilon a fait partie de la dernière promotion de l'École des infirmières de Sainte-Justine, qui termine ses études en 1970. Embauchée à titre d'infirmière soignante en néonatalogie, elle se consacre, au cours de sa carrière, à la fois aux soins cliniques et à la gestion des soins infirmiers en périnatalité. De 1974 à 1990, elle est infirmière-chef dans les secteurs des soins intensifs et intermédiaires de l'unité de néonatalogie et à la clinique néonatale, pour être ensuite nommée responsable du secteur périnatalogie, poste qu'elle occupe de 1991 à 1997, et finalement gestionnaire clinico-administrative au Programme mère-enfant jusqu'à sa retraite en 2004.

Véritable pionnière dans le développement de la périnatalogie, Christiane Pilon a largement contribué à la formation des infirmières et à l'organisation des soins dans ce domaine, en plus de collaborer à divers projets de recherche et d'organiser et de prendre part à des colloques et conférences sur la périnatalogie. Travaillant avec le Dr Harry Bard, elle a participé à la mise en place des divers programmes de ce secteur et a, entre autres, initié un plan de visites à domicile pour les patientes enceintes nécessitant un suivi spécialisé. Elle a également inauguré un programme d'accompagnement des parents confrontés à un deuil périnatal, une première dans le milieu hospitalier, et elle a participé à l'élaboration de nombreux projets visant à améliorer les soins aux mères et aux nouveau-nés. Pendant près de trente ans, Christiane Pilon n'a cessé de parfaire ses connaissances, notamment en gestion ; en plus de faire un baccalauréat en sciences combinant des certificats en gestion et en milieu clinique en 1988, elle a obtenu une maîtrise en sciences infirmières en 1998 de l'Université de Montréal. L'apport de Christiane Pilon aux soins à la mère et à l'enfant a été reconnu en 2001-2002 alors que le conseil des infirmières et infirmiers de l'hôpital lui remettait un prix dans le cadre du programme de reconnaissance de Sainte-Justine. Depuis 2004, elle demeure attachée à Sainte-Justine par son travail au sein de l'équipe de *coaching* de gestion de l'hôpital et en faisant partie du conseil d'administration de l'Association des retraités.

Justine, dont les effectifs se situent à 1 300 en 2005, détiennent déjà un baccalauréat en sciences infirmières. Mentionnons enfin qu'au début des années 2000 apparaît une autre figure au Service de néonatalogie : l'infirmière en pratique avancée, soit une infirmière qui participe aux activités médicales inhérentes aux soins des prématurés en présence des néonatalogistes, qui assurent une surveillance constante et immédiate des actes qu'elles posent[78]. Cette infirmière praticienne spécialisée a été officiellement reconnue dans la Loi des infirmières et infirmiers du Québec en novembre 2006.

Parallèlement à cette spécialisation d'une partie du personnel infirmier, les années 1980 à 2000 ont été le témoin de changements importants dans l'organisation des soins. Ainsi, au début des années 1980, Sainte-Justine s'oriente vers l'implantation d'un nouveau modèle conceptuel, le modèle Virginia Henderson, qui préconise une meilleure définition des responsabilités des infirmières généralistes par rapport aux autres catégories de soignantes. Cette approche, qui « permet de faire ressortir la fonction autonome de l'infirmière[79] », cherche manifestement à souligner la spécificité de cette professionnelle, au risque cependant d'occasionner des frictions avec les infirmières auxiliaires qu'elles côtoient sur une base quotidienne.

Il faut dire qu'historiquement les relations entre les deux groupes ont toujours été assez difficiles, chacun considérant l'autre comme une menace à son développement, sinon à sa survie, et chacun cherchant à préserver ses prérogatives ou à étendre son champ de pratique pour mieux consolider sa position. À partir des années 1960, en même temps que les infirmières se voient déléguer un certain nombre d'actes médicaux autrefois réservés aux médecins et aux internes (comme les injections intraveineuses et les prélèvements de sang), le comité supérieur du nursing, mis sur pied à la suite de la grève de 1963, accouche d'une première délimitation des territoires professionnels des intervenants de la santé qui précise quelque peu le champ de pratique des deux groupes, mais qui n'a cependant pas force de loi. Ce processus reprend sur des bases plus formelles dans les années 1970 à la suite de l'adoption du Code des professions. S'engage alors un jeu de délégation d'actes médicaux et infirmiers entre les médecins, les infirmières et les infirmières auxiliaires, qui aboutit finalement à l'élaboration du Règlement des actes délégués, promulgué en juin 1980. Selon ce règlement, les établissements pourront moduler la délégation d'actes en fonction de leur situation particulière et des besoins de la clientèle, ce qui, selon Petitat, s'est souvent traduit par une réduction du territoire des auxiliaires et même des pertes d'emplois consécutives à la restructuration de postes[80].

Le modèle Henderson que les infirmières de Sainte-Justine veulent implanter au début des années 1980 et qui entend revaloriser leur rôle contribue également à circonscrire celui des auxiliaires. C'est du moins ce que l'on peut déduire de la requête formulée par les infirmières auxiliaires et les puéricultrices au conseil d'administration en 1989 et demandant de « rétablir l'autorisation aux infirmières auxiliaires et aux puéricultrices de pratiquer tous les actes délégués qui leur sont autorisés par la Loi et également, ceux de la zone grise[81] », c'est-à-dire les actes « limites », revendiqués par plus d'une catégorie de soignantes. Les requérantes obtiennent gain de cause, mais seulement en partie, car la décision finalement arrêtée prévoit que « l'infirmière peut en tout temps poser les actes infirmiers autorisés », c'est-à-dire délégués, et qu'elle « demeure responsable de planifier et contrôler l'acte autorisé, d'assurer la surveillance et les autres vérifications précisées dans les conditions prescrites ou requises par les conditions locales et peut décider d'intervenir à la place des personnes habiletées [*sic*], au besoin[82] ». Bref, les infirmières auxiliaires, tout comme les puéricultrices, demeurent sous la tutelle des infirmières, qui réaffirment leur droit d'exercice exclusif sur l'ensemble du champ de la pratique infirmière.

Vers la fin des années 1980, la profession d'infirmière auxiliaire, qui n'était jamais parvenue à obtenir son autonomie, semble donc en voie de disparition. Un programme visant à faciliter le « recyclage » de celles qui veulent devenir infirmières est d'ailleurs mis en place en 1987. Un tel programme était apparu dans les années 1970, mais cette fois, grâce au régime de traitement différé, les infirmières auxiliaires peuvent étudier à temps plein durant les 18 mois que dure la formation, tout en touchant une partie de leur salaire ; dès la première année, cette entente en incite une trentaine à entreprendre le cours[83]. Une dizaine d'années plus tard cependant, de nouvelles conditions encouragent le retour des auxiliaires. Toujours aux prises avec une pénurie de personnel infirmier, Sainte-Justine instaure un système de travail en « dyade », soit la formation d'équipes composées d'une infirmière et d'une infirmière auxiliaire travaillant sur une base plus égalitaire : ainsi, pendant que l'infirmière « dispense en propre les soins infirmiers ne pouvant être exécutés par d'autres et demandant ses connaissances et son expertise », l'infirmière auxiliaire « effectue et est responsable des activités de soins réservées et permises selon son champ d'exercice et cela, auprès de l'ensemble des patients assignés à la dyade[84] ». Ce mode de fonctionnement est facilité par la révision du Code des professions qui, en 2002, élargit les champs de pratique des infirmières et des infirmières auxiliaires. En même temps, une nouvelle philosophie des soins, appelée « soins globaux », est également mise en pratique. Celle-ci encourage encore davantage l'autonomie de l'infirmière généraliste en plaçant sous sa responsabilité l'ensemble des besoins du patient et de sa famille, de son entrée à l'hôpital jusqu'à sa sortie, sans « l'intervention systématique de l'assistante infirmière-chef ».

Considérée comme « une étape incontournable de la modernisation du rôle de l'infirmière », cette réorganisation des soins, qui amène une décentralisation des responsabilités, peut aussi s'avérer un moyen de revaloriser une profession durement malmenée. Entre les années 1970 et 2000, en effet, les infirmières ont dû supporter des conditions de travail de plus en plus difficiles, une détérioration en grande partie attribuable aux compressions budgétaires qui ont affecté tout le réseau de la santé et qui ont, notamment, entraîné des réductions de personnel. Accroissement et alourdissement de la charge de travail, obligation de faire des heures supplémentaires, de coupler des quarts de travail et de sacrifier des congés : les conséquences des abolitions de postes sont multiples et amplifient le manque quasi chronique d'effectifs en faisant augmenter le taux d'absentéisme et les congés prolongés pour cause de maladie ou d'épuisement professionnel. En novembre 2001, par exemple, près de 20 % du personnel infirmier de Sainte-Justine est absent, ce qui a pour conséquences « de ne pas combler les demandes de remplacement à long terme ; de ne pouvoir ouvrir deux unités d'appoint ; de procéder à la fermeture de 11 lits additionnels pour la période des fêtes ; d'affecter du personnel en temps supplémentaire [et] de ne pas combler les demandes ponctuelles[85] ».

Les départs massifs à la retraite, encouragés par les mesures incitatives mises en place par le gouvernement de Lucien Bouchard pour atteindre le « déficit zéro » en 1997, ont encore accru la pénurie d'infirmières, qui atteint alors des niveaux sans précédent. Plusieurs d'entre elles quittent d'ailleurs sans trop de regret un milieu de travail qui leur en exige toujours plus sans nécessairement reconnaître leur valeur, y compris au plan salarial. À partir des années 1980, en effet, les infirmières, comme les autres employés d'hôpitaux, enregistrent de sérieux reculs à ce chapitre et doivent se soumettre à de nombreuses lois spéciales qui limitent radicalement leur droit de grève. Par ailleurs, les conventions collectives, grâce auxquelles les infirmières ont obtenu des congés parentaux et des congés de maladie, ont joué un rôle inattendu dans les transformations des conditions d'emploi en contribuant à la multiplication des postes temporaires, à temps partiel, occasionnels ou sur appel pour remplacer les absences. Mentionnons qu'en 1979 il y avait 389 postes d'infirmière à temps plein et 211 à temps partiel à Sainte-Justine, pour un total de 600 infirmières. Près de dix ans plus tard, sur les 955 infirmières que compte l'hôpital, 320 occupent un poste à temps plein, 398, un poste à temps partiel, et 237 figurent sur une liste de rappel. Autre effet indésirable : en privilégiant l'ancienneté pour l'attribution des postes, des quarts de travail et des vacances, la syndicalisation fait en sorte que les plus jeunes se retrouvent souvent pendant de nombreuses années dans les positions les moins intéressantes, ce qui ne constitue sans doute pas un encouragement à entrer dans la profession ou à y rester[86]. Notons qu'à l'été 2002 le manque de personnel infirmier est tel que le ministère a autorisé le recours à des primes et à d'autres mesures monétaires pour encourager les infirmières en place à ne pas s'absenter, à travailler deux fins de semaine consécutives ou à cumuler les quarts de travail. Ironie du sort, ces mesures comprennent également la mise en place d'un « programme de retour au travail du personnel infirmier retraité pour fournir l'encadrement auprès des jeunes infirmières sur les quarts de nuit, de soir et la fin de semaine[87] ». Une telle situation n'est pas sans rappeler l'appel lancé aux infirmières mariées dans la période d'après-guerre pour qu'elles reprennent du service afin de combler les postes vacants. En fait, gérer la pénurie semble avoir représenté l'un des grands défis de Sainte-Justine, qui a tenté d'y répondre de diverses manières au fil des ans. Le manque d'effectifs s'est aussi retrouvé au cœur des préoccupations des infirmières qui, au moment de la grève de 1963, en ont même fait leur principal objet de lutte. Depuis, elles ont aussi milité pour une meilleure formation et une plus grande autonomie professionnelle, ce qui, avec le nombre, leur apparaît comme la meilleure garantie de la qualité des soins.

CHAPITRE 7

Sur la scène et derrière le décor

Le médecin, l'infirmière et la bénévole représentent les trois grandes figures qui entourent l'enfant hospitalisé. Pourtant, dès les années 1920, d'autres spécialistes de la santé, les techniciennes en radiologie et les massothérapeutes notamment, interviennent également auprès des patients. D'abord peu nombreuses, ces professionnelles s'imposent de plus en plus après la Seconde Guerre mondiale, car les développements de la technologie médicale, la mise au point de nouveaux appareils diagnostiques et de nouveaux traitements, tout comme l'élargissement de la conception des soins pour englober la dimension psychologique, rendent leur présence indispensable. L'utilisation d'un appareillage sophistiqué ou le recours à des procédés et à des techniques thérapeutiques complexes nécessitent en effet l'emploi de personnes qualifiées qui peu à peu prennent leur place aux côtés de l'infirmière.

L'hôpital n'est cependant pas qu'un lieu où l'on dispense des soins : c'est aussi une petite communauté qui, pour marcher rondement, doit recourir à des gens s'occupant de tous les aspects du quotidien, depuis la cuisine et la buanderie jusqu'à l'entretien et aux réparations, en passant par les tâches administratives et même l'édition. Derrière le décor œuvre une petite armée d'employés exerçant des métiers très divers que les patients ne voient jamais ou avec lesquels ils n'entrent en contact que très brièvement, mais qui contribuent également à leur bien-être.

Le secteur paramédical

Les pionnières (1920-1940)

C'est dans l'entre-deux-guerres que Sainte-Justine commence à faire appel à des spécialistes, aujourd'hui associées au vaste domaine du paramédical. À cette époque, les nouvelles professions ne s'appuient cependant pas sur des savoirs très élaborés ou des formations spécifiques dispensées dans des lieux d'enseignement reconnus, si bien que le plus souvent l'apprentissage se fait sur le tas. L'hôpital a d'ailleurs recours à des infirmières ou même à des bénévoles pour occuper les quelques postes créés, preuve s'il en est une que ces domaines d'expertise ne sont pas encore parvenus à se différencier de l'univers infirmier et à acquérir une certaine autonomie professionnelle.

Ainsi, à sa fondation en 1917, le service social de Sainte-Justine emploie des bénévoles pour visiter les familles et enquêter sur leurs moyens financiers, avant de leur adjoindre des infirmières pour assurer le suivi médical des patients en traitement ou en attente d'un lit : malgré son nom, le Service social n'embauche donc aucune travailleuse sociale diplômée. Au début des années 1920, Marie Gérin-Lajoie, nièce de Justine Lacoste et précurseure dans ce domaine chez les Canadiens français, s'occupe de réorganiser le Service social de l'hôpital, mais sans que cela se traduise immédiatement

par l'engagement de professionnelles, car il n'existe encore aucune école pour les former. En même temps qu'elle assume cette responsabilité, Marie Gérin-Lajoie, qui a fait des stages d'études auprès de travailleuses sociales américaines, est mobilisée par la fondation d'une communauté religieuse qui naît finalement en 1923 sous le nom d'Institut de Notre-Dame-du-Bon-Conseil. Créé dans le but « d'établir des œuvres de service social », l'institut met également sur pied, en 1931, une école pour former des travailleuses sociales, mais il ne semble pas que Sainte-Justine ait embauché ses finissantes, du moins au début. Notons que Jeanne Baril, qui prend la direction du Service social de Sainte-Justine en 1923, avait contribué aux œuvres sociales mises sur pied par Marie Gérin-Lajoie avant la fondation de l'institut[1].

Ce sont également des infirmières qui s'occupent de la diète des patients. En 1922, l'hôpital se charge de leur faire donner « des cours de cuisine pour les malades » par des enseignantes de l'École ménagère provinciale ; par la suite, infirmières laïques et religieuses suivront des formations intensives offertes à l'Université de Montréal. En 1923, la cuisine des diètes est placée sous la direction de deux religieuses, sœur Mathilde du Saint-Sacrement et sœur Marguerite du Carmel. Quatre ans plus tard, les élèves infirmières doivent y faire un stage de trois mois afin de recevoir « un enseignement spécial sur la propriété nutritive des aliments et sur la manière de les apprêter », mais jusqu'à la Seconde Guerre mondiale on ne peut guère affirmer que l'hôpital possède un service de diététique digne de ce nom[2].

Avant la gratuité des soins hospitaliers, les familles doivent se soumettre à une enquête du Service social économique, qui évalue leur capacité de payer. On voit ici une mère qui répond aux questions de l'enquêteuse avant l'admission de son enfant en 1932 (AHSJ, Rapid Grip & Batten Limited).

Une fille de la Sagesse dans la cuisine de l'hôpital de la rue Saint-Denis en 1915 (AHSJ).

Aux laboratoires et au Service de radiologie, c'est par apprentissage que les premières techniciennes s'initient à leur nouveau métier. Ainsi, en 1929, l'hôpital décide « de prendre une personne en formation comme technicienne pour le laboratoire de chimie » et, en 1930, de recourir à « une ancienne garde-malade pour la former au laboratoire de pathologie ». Cette même année, le conseil d'administration accepte que « Mlle Hone aille quelques heures chaque jour à l'Université pour se perfectionner comme technicienne », sans doute sous la gouverne du Dr George-H. Baril qui, en plus de diriger le laboratoire de Sainte-Justine, est directeur des laboratoires et professeur de chimie à l'Université de

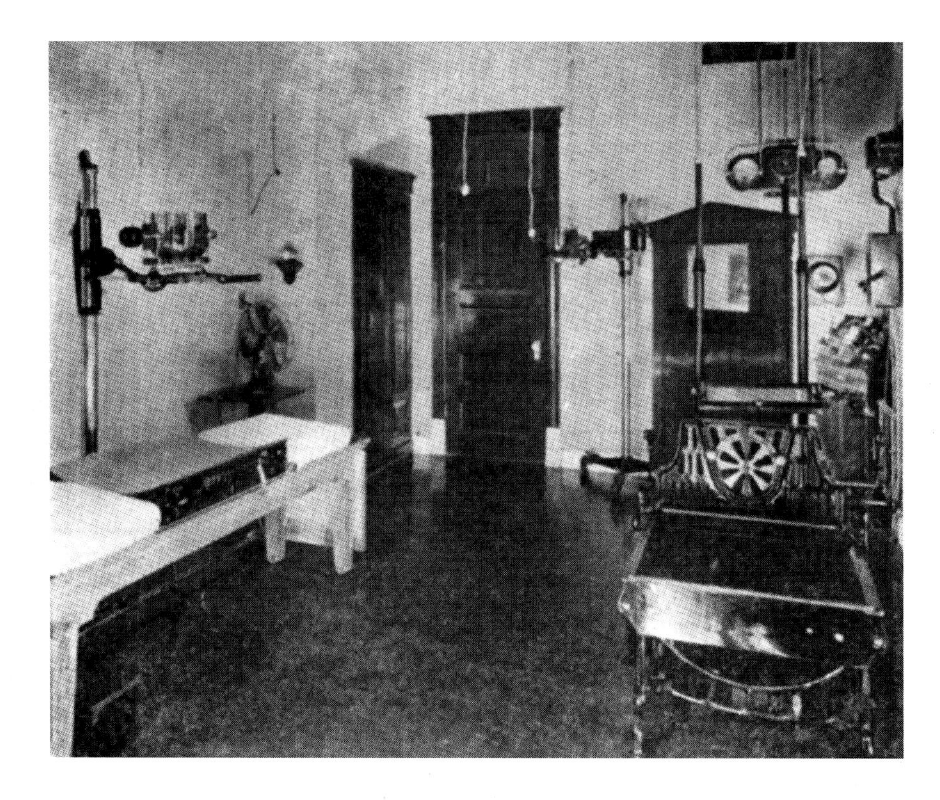

Salle de radiologie et d'électrothérapie en 1927 (AHSJ).

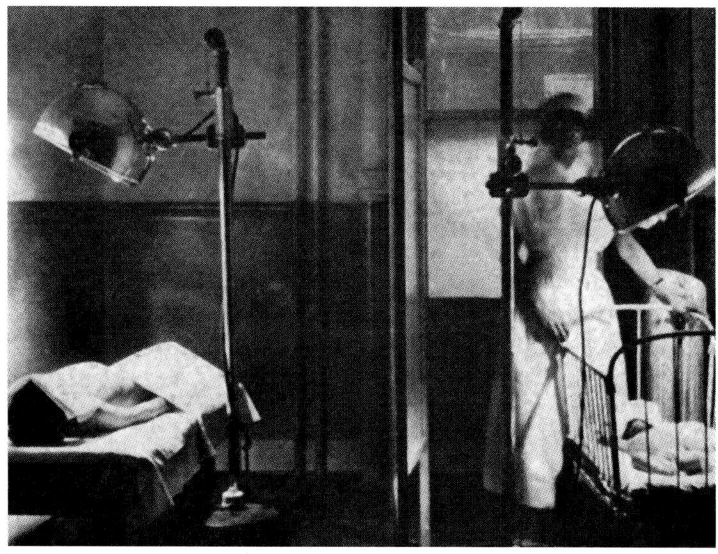

Des patients subissent des traitements sous des lampes chauffantes en 1928 (AHSJ).

Montréal. En 1931, on note l'embauche d'un premier technicien, Alphonse Chevalier, au salaire de 20 $ par semaine, « jusqu'à ce qu'il se soit qualifié pour l'anatomie pathologique comme aide ». En radiologie, une seule religieuse, sœur Marguerite, semble avoir secondé le Dr Comtois jusqu'en 1929, alors que l'hôpital accepte de lui payer une « aide » en la personne de Jeanne Pigeon, une ancienne bénévole qui devient ainsi une employée salariée. Au tournant des années 1930, l'hôpital retient également les services d'infirmières laïques diplômées qui reçoivent leur formation en cours d'emploi. Mentionnons que, vers la fin de la décennie, l'hôpital commence à prendre conscience des risques pour la santé qu'encourt le personnel de la radiologie, puisqu'il lui accorde un mois de vacances après seulement une année de service[3].

Outre le Service des dossiers qui s'organise de manière plus structurée à compter des années 1920 pour se conformer aux normes exigées par l'American College of Surgeons, la période de l'entre-deux-guerres voit aussi arriver les pionnières de la physiothérapie, alors nommée massothérapie, et de l'orthophonie. Dès 1925, Mary Hepworth, l'une des premières massothérapeutes canadiennes, offre à Sainte-Justine de travailler bénévolement, un avant-midi par semaine, auprès des enfants atteints de poliomyélite. Cette générosité s'explique par le sort réservé à ces praticiennes après la Première Guerre mondiale. Formées pour la plupart en Angleterre et œuvrant principalement à Montréal et à Toronto, les massothérapeutes étaient parvenues à s'imposer auprès des soldats blessés durant le conflit, mais, une fois la paix revenue et les hôpitaux militaires fermés, elles se sont retrouvées sans travail. Œuvrer bénévolement en milieu hospitalier permet de démontrer l'utilité de leurs services et éventuellement de se gagner une place parmi le personnel soignant[4].

Pour Hepworth, la stratégie porte fruit puisque, dès novembre 1928, elle est embauchée au salaire de 60 $ par mois pour donner, trois fois par semaine, ses massages aux patients du Service d'orthopédie, aux élèves de l'École des enfants infirmes et aux enfants atteints de paralysie infantile. Dès l'année suivante, à la demande des orthopédistes, l'hôpital retient également ses services pour enseigner la culture physique trois fois par semaine afin d'aider les patients à rééduquer leurs membres. En 1931, une infirmière, garde Françoise Trottier, est nommée assistante de Mary Hepworth, ce qui permet, avec l'acquisition de divers appareils de mécanothérapie, d'étendre la gamme des exercices et le temps qui peut leur être accordé. Au milieu des années 1930, Hepworth consacre tout son temps au dispensaire de massothérapie, pendant que les infirmières-bénévoles sont instamment priées de faire un stage dans ce service, sous peine

Sœur Marie-Cyprien (Marie-Alice Barnabé), fdls (1912-2005)

Dès l'arrivée des Filles de la Sagesse à l'hôpital en 1910, ces dernières dirigent le Service de pharmacie. Cette responsabilité est d'abord confiée à des religieuses possédant un diplôme d'infirmière, mais à partir de 1938, elle revient à sœur Marie-Cyprien, première femme à obtenir une licence en pharmacie au Québec. Arrivée à l'Hôpital Sainte-Justine en 1931, sœur Marie-Cyprien sera directrice de ce service de 1938 jusqu'à son départ de Sainte-Justine en 1968. Au cours de sa carrière, elle collabore à la rédaction d'un manuel de pharmacologie destiné aux élèves de l'École des infirmières. Après son départ de l'hôpital, elle participe à la mise en place de pharmacies de base dans des milieux défavorisés et prodigue des soins infirmiers aux sœurs de sa congrégation.

MONTAGE COMPLET

de ne pas recevoir leur certification, ce qui montre bien toute l'importance que l'hôpital lui accorde. Signalons également qu'en 1937, afin de ne pas devoir compter sur une seule personne qualifiée, l'hôpital envoie l'une de ses infirmières diplômées, garde Claire Handfield, suivre un cours de massothérapie à Paris[5].

Dès le milieu des années 1930, il semble que Sainte-Justine aurait souhaité voir l'Université de Montréal prendre en charge cette formation, mais, aux prises avec de graves problèmes financiers et embourbé dans son projet d'hôpital universitaire, celle-ci ne semble pas prête à inaugurer un tel enseignement. Après l'instauration d'un programme de physiothérapie à l'Université McGill en 1943, qui venait faire pendant à celui qui existait déjà à l'Université de Toronto depuis les années 1920, l'administration se fait pourtant plus insistante[6]. En 1948, tout en faisant valoir les besoins de ses patients, surtout depuis l'épidémie de poliomyélite survenue deux ans plus tôt, elle allègue que « l'Université McGill a institué un cours de ce genre et [qu']il serait désirable que notre université canadienne-française réponde à ce besoin[7] ». Ce n'est toutefois qu'en 1954 que l'Université de Montréal se dotera d'une école qui verra à la formation des divers spécialistes associés au domaine de la réadaptation : physiothérapeutes, ergothérapeutes, orthophonistes et audiologistes. Entre-temps, l'hôpital envoie son personnel se former à l'étranger, notamment à Columbia, et embauche des massothérapeutes formées à McGill, dont Claire Fraiken et Olive Anich, qui font carrière à Sainte-Justine. Au début des années 1940, il offre également une formation dispensée par Mary Hepworth, devenue technicienne en chef. D'une durée de six mois, ce cours, ouvert en priorité aux infirmières diplômées de Sainte-Justine, accueille néanmoins des candidates de l'Hôpital Notre-Dame, de l'école Victor-Doré et même de l'Université de Toronto.

Sœur Marie-Cyprien et des employées de la pharmacie en 1946 (photo *La Presse,* tirée des AHSJ).

En 1939, à la demande du Dr Dubé, Sainte-Justine inaugure également une école de phonétique, rebaptisée l'année suivante École d'orthophonie, afin de faciliter la réadaptation des enfants opérés pour une fissure labiopalatine. Confiée à Aline Delorme, une autodidacte qui s'était formée auprès des enseignants de l'Institut des sourds de Montréal, et de Mary Cordozo, une psychologue d'origine américaine embauchée par le Children's Memorial pour s'occuper de cas semblables, l'école accueille, dès sa première année d'existence, une vingtaine de patients âgés de 4 à 20 ans. Jusqu'à l'ouverture de l'École de réhabilitation de l'Université de Montréal, la formation des orthophonistes demeure cependant sous la gouverne de l'hôpital.

La formation maison des techniciennes et professionnelles du secteur paramédical constitue d'ailleurs la principale caractéristique de cette période. En l'absence de programmes d'enseignement structurés et cautionnés par des établissements reconnus (universités ou écoles techniques), l'hôpital se doit d'innover et d'expérimenter plusieurs formules. S'appuyant sur l'expertise de quelques pionnières, diplômées à l'étranger ou autodidactes, Sainte-Justine met au point ses propres cours et offre à des infirmières, parfois même à des bénévoles, l'occasion de devenir à leur tour des spécialistes dans les divers domaines de ce nouveau champ de la santé. Jusqu'en 1940, leur nombre demeure cependant restreint ; selon les noms mentionnés dans le rapport annuel de 1945, l'hôpital emploie au total une douzaine de techniciennes et de professionnelles en radiologie, en massothérapie, aux laboratoires et en orthophonie. Même si cette nomenclature ne recouvre pas l'ensemble des services qui composent le secteur paramédical, elle laisse bien voir qu'il en est encore à ses balbutiements[8].

Un champ en pleine structuration (1940-1970)

Des années 1940 jusqu'au début des années 1970, les professions paramédicales plus anciennes connaissent une importante croissance, alors que d'autres, comme les audiologistes, les psychologues et les inhalothérapeutes, font leur apparition. Cette seconde période est aussi témoin de la mise en place de programmes universitaires pour plusieurs de ces groupes et d'une quête de reconnaissance professionnelle ; dans certains cas, la formation se donne encore à l'hôpital, mais elle devient plus structurée et donne lieu à la fondation de véritables écoles hospitalières.

C'est le cas notamment de l'École de techniciens en radiologie, qui est fondée à Sainte-Justine en 1944 et qui, rapidement, se construit une réputation des plus enviables, attirant même des élèves d'autres hôpitaux. Dirigée par le Dr Marc Del Vecchio et sœur Judith-Marie, l'école de Sainte-Justine est d'ailleurs le seul établissement privé qui, au début des années 1960, est reconnu par les associations canadiennes et québécoises de médecins, de radiologistes et de techniciens. Tout comme les élèves infirmières, les apprenties techniciennes (car, malgré le masculin, aucun homme ne fréquente alors cette école) reçoivent un salaire en retour du travail qu'elles fournissent au cours de leur formation pratique. En 1955, elles touchent 85 $ par mois durant la première année et 100 $ par mois durant la deuxième année, soit beaucoup plus que les élèves infirmières, mais il faut dire qu'elles ne logent pas à l'hôpital. La rareté des candidates ou encore les risques que représentent les rayons X pour la santé, et dont on est de plus en plus conscient, expliquent-ils également cet écart ? En 1949, l'hôpital songe à acquérir des détecteurs « enregistrant les rayons absorbés par chacune des personnes assurant ce service et leur permettant de prendre à temps les mesures utiles à la protection de leur santé », mais les documents consultés n'indiquent pas à partir de quel moment de tels appareils sont effectivement achetés[9].

De 1944 à 1964, l'école de Sainte-Justine forme 65 techniciennes, la plupart d'entre elles ayant probablement suivi le cours durant la seconde moitié des années 1950, alors que la radiologie connaît un essor considérable. C'est du moins ce qu'on peut conclure en consultant la liste des techniciennes publiée dans les rapports annuels : alors qu'elles ne sont que deux entre 1946 et 1955, leur nombre passe à 15 en 1960, puis à une trentaine en 1966 et finalement à une quarantaine en 1969, dernière année où ces données sont publiées. Autre indice que cette profession est en forte croissance au tournant

Sœur Judith-Marie (Marie-Thérèse Gauthier), fdls (1918-1998)

Arrivée à Sainte-Justine en 1941, sœur Judith-Marie complète une formation de technicienne en radiologie avant d'œuvrer dans ce service, où elle occupe le poste d'assistante. Trois ans plus tard, en collaboration avec le Dr Marc Del Vecchio, elle participe à la mise sur pied de l'École de technologie médicale de Sainte-Justine. Tout en codirigeant cette école, elle suit une série de cours à l'Université d'Alberta qui lui permet d'obtenir un fellowship en technique radiologique. Très active au sein de la Société canadienne des techniciens en radiologie, elle est aussi à l'avant-garde de la lutte pour l'obtention de la reconnaissance professionnelle. En 1964, la Société lui remet d'ailleurs un prix pour souligner l'importance des services qu'elle a rendus à la profession, faisant d'elle la première Canadienne française à recevoir cet honneur.

Dans les années 1960, l'expertise de sœur Judith-Marie dans le domaine de la formation des techniciens en radiologie est sollicitée par le ministère de l'Éducation de la province qui lui confie, à titre de conseillère technique de l'enseignement spécialisé, l'organisation de la section radiologie dans les hôpitaux et la mise sur pied de techniques paramédicales dans les cégeps. Bien qu'au départ sœur Judith-Marie ait fait l'objet d'un prêt de service par l'hôpital, elle quitte définitivement Sainte-Justine en 1968 pour poursuivre ses activités au ministère de l'Éducation.

des années 1960 : c'est en 1961 que la Société des techniciens en radiologie médicale du Québec se forme en corporation. Sœur Judith-Marie, qui a été à l'avant-garde de l'enseignement professionnel depuis la guerre, fait partie de la délégation qui se rend à Québec pour la présentation du projet de loi ; une fois adoptée, la loi oblige les techniciens à faire partie de la corporation pour exercer dans la province de Québec et fixe à deux ans la durée du cours[10].

En ce qui concerne le personnel des laboratoires, Sainte-Justine, à l'instar d'autres hôpitaux, continue d'assurer sa formation, du moins jusqu'au début des années 1950, alors que l'Université de Montréal prend la direction de l'école de technologie médicale fondée en 1943 par les sœurs de la Providence. Il est possible que l'école de ces religieuses ait formé certaines des techniciennes de Sainte-Justine, mais à partir de 1947 l'hôpital, à la suggestion du Dr George-H. Baril, met en place un cours de technologie des laboratoires. Dès l'année suivante, une véritable école de technologie des laboratoires, où enseignent entre autres le Dr Bouziane et sœur Judith-Marie, ouvre ses portes. En 1949, afin de « conserver son droit d'école », l'hôpital accepte d'admettre des élèves venant de l'hôpital Saint-Jean-de-Dieu, ce qui laisse supposer que Sainte-Justine est déjà reconnu comme lieu d'enseignement par l'Association canadienne des techniciens de laboratoire (ACTL), une association fondée en 1937 qui accorde des certificats de compétence aux diplômées des écoles qui subissent un examen sous sa supervision[11].

Au début des années 1950, l'école de Sainte-Justine, qui a une capacité de 12 places, éprouve cependant des difficultés de recrutement, mises au compte « des qualifications exigées pour l'admission[12] ». On peut toutefois se demander si l'ouverture d'un programme universitaire équivalent n'aurait pas eu une incidence sur le nombre des inscriptions en milieu hospitalier. Chose certaine, le manque de candidates ne fait pas l'affaire de la direction de Sainte-Justine : faute de pouvoir compter sur l'apport des élèves qui travaillent au laboratoire durant leur formation, l'hôpital doit embaucher de plus en plus de techniciennes diplômées, car les besoins se font toujours plus pressants. Les chefs des différents laboratoires demandent en effet du personnel supplémentaire pour faire face aux demandes d'analyses en tout genre qui se multiplient et, ce qui semble nouveau, pour assurer les services d'urgence le soir, la nuit et les fins de semaine. En 1955, sans doute parce qu'il manque cruellement de personnel, le Dr Gloria Jeliu est embauchée au laboratoire de biochimie pour couvrir la période allant de minuit à 8 h, six jours par semaine ; deux ans plus tard, à la suggestion du Dr Royer, l'hôpital fait l'acquisition d'un appareil de comptage automatique des globules, un achat approuvé surtout parce qu'il permet de « suppléer au manque de techniciennes[13] ». Notons que, dans la seconde moitié des années 1950, les laboratoires de Sainte-Justine doivent commencer à effectuer les épreuves

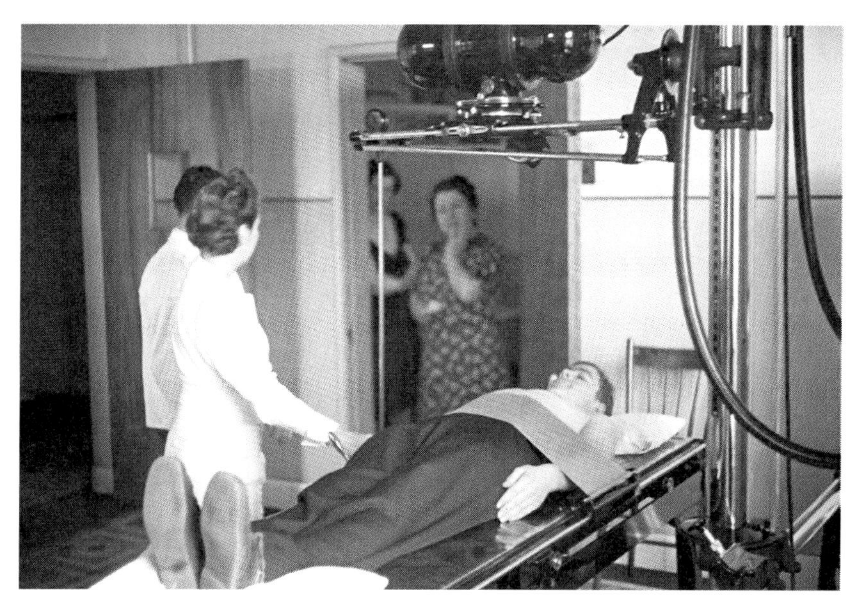

Une technicienne s'apprête à radiographier un enfant sous le regard inquiet de sa mère vers 1950 (AHSJ).

TECHNOLOGIE MÉDICALE
PLAN de la LAME QUADRILLÉE de
L'HÉMOCYTOMETRE NEUBAUER
NUMÉRATION des GLOBULES ROUGES
Liquide de Hayem
1
2
3
4

Le laboratoire d'anatomie pathologique en 1951 (AHSJ, photo Associated Screen News).

de compatibilité pour les échantillons de sang fournis par la Croix-Rouge qui assumait jusque-là cette responsabilité. Cette opération nécessite l'embauche de deux techniciennes supplémentaires, qui organisent la banque de sang de Sainte-Justine sous la direction du Dr Royer[14].

Vers la fin des années 1940, le laboratoire de Sainte-Justine emploie à peine une dizaine de techniciennes, alors qu'en 1960 elles sont 35 réparties entre plusieurs sections instaurées au cours des années précédentes : bactériologie, virologie, sérologie, biochimie, endocrinologie, hématologie et banque de sang. Notons qu'Alphonse Chevalier, toujours à Sainte-Justine, est rejoint en 1958 par un deuxième technicien, Enrique Marquina. En 1966, leur nombre atteint la cinquantaine, pour finalement s'établir à plus du double, soit 119, trois ans plus tard.

L'accroissement du personnel de radiologie et des laboratoires dans les années 1960 témoigne bien de l'importance que prend ce type de services dans l'organisation des soins. Leur présence est d'ailleurs devenue tellement indispensable qu'au début de la décennie les chefs de laboratoire, tout comme les radiologistes, se plaignent des nombreux départs de leurs techniciennes, à cause des conditions salariales déplorables en vigueur à Sainte-Justine, et tentent de défendre leur cause auprès de l'administration. Ainsi, à l'automne 1961, lors d'une réunion du conseil, le Dr Royer souligne que les demandes des techniciennes de laboratoire « ne sont pas exagérées et prie l'administration d'apporter une solution à ce problème » ; au début de l'année suivante, le Dr Del Vecchio transmet à la direction les lettres de deux techniciennes en radiologie qui menacent de démissionner, tout en la pressant « d'accorder les augmentations demandées ». Mais ce n'est finalement que durant la grève des infirmières que l'administration consent à leur accorder les échelles salariales établies par le Service d'assurance-hospitalisation (SAH). Dans la seconde moitié de la décennie 1960, ces catégories de personnel, désormais syndiquées, rejoignent les rangs de l'Alliance professionnelle des paramédicaux de Montréal, un regroupement qui prendra part aux grèves des employés d'hôpitaux à compter de 1966[15].

Le service social, la diététique de même que les professions liées à la réadaptation connaissent également un développement notable dans l'après-guerre. Stimulées par la spécialisation des soins et l'ouverture de programmes universitaires, ces nouvelles possibilités de carrière attirent très majoritairement des jeunes filles qui n'ont pas d'abord reçu une formation d'infirmière. En fait, on peut dire qu'à cette

Un cours de technologie médicale vers 1950 (AHSJ).

époque on assiste à une délimitation de plus en plus nette entre ces diverses intervenantes de la santé, qui cherchent à défendre leurs champs de pratique, et les infirmières, leurs « ancêtres communes ».

Toutes ces professions ne suivent cependant pas le même parcours et s'imposent plus ou moins rapidement, tant dans l'univers médical qu'à Sainte-Justine. Les travailleuses sociales ont ainsi eu bien du mal à faire valoir leur expertise dans l'hôpital, car au fil des ans la section médicale du service social avait clairement pris le pas sur la section socioéconomique, si bien que le service employait majoritairement des infirmières. En 1945, par exemple, ces dernières avaient rendu plus de 14 000 visites aux patients, alors que les visiteuses, professionnelles ou bénévoles, qui enquêtaient sur les moyens financiers des familles en avaient effectué environ 3 600. Au début des années 1950, Gertrude Notebaert, diplômée en travail social et directrice du Service social économique, propose de fusionner les deux composantes du service (médico-social et socioéconomique) et d'en faire un véritable Service social en lui enlevant la responsabilité des enquêtes. Sa démission, qui survient six mois après son intervention auprès de l'administration, laisse supposer que cette dernière n'appuyait pas entièrement ce projet[16].

En fait, la fusion des deux sections du service social au cours de l'année 1953 montre que cette partie de la proposition de Notebaert a su faire son chemin. Contrairement à ce qu'elle aurait sans doute souhaité cependant, le nouveau service est placé non pas sous la direction d'une professionnelle, mais sous la gouverne du Dr Lapierre, ce qui marque une importante défaite pour le travail social à Sainte-Justine dans l'après-guerre. Jusqu'aux années 1960, en effet, le service continue d'employer essentiellement des infirmières, auxquelles s'adjoignent quelques travailleuses sociales de même que des assistantes sociales formées à l'Institut Notre-Dame-du-Bon-Conseil. Depuis l'ouverture de l'École de service social de l'Université de Montréal en 1939, la formation offerte à l'institut est de plus en plus déconsidérée, mais elle paraît suffisante pour les dirigeantes, sans doute parce que ses diplômées exigent des salaires moins élevés. De leur côté, les médecins sont peu enclins à encourager l'embauche de travailleuses sociales qui sortent de l'université. De leur point de vue, le service a surtout besoin d'infirmières et il leur revient donc de le diriger. C'est ainsi qu'en 1958, au décès du Dr Lapierre, alors que le conseil s'interroge sur la pertinence de nommer un autre médecin à la tête du service et que certains membres font « observer que ce poste devrait plutôt être confié à une travailleuse sociale », les médecins obtiennent néanmoins la nomination du Dr Paul Larivière comme nouveau directeur[17]. Au début des années 1960, le directeur du personnel remarque pour sa part que les infirmières du service pourraient être avantageusement remplacées par des assistantes sociales, ce qui permettrait d'atténuer la pénurie de soignantes, mais cette suggestion déplaît au directeur médical, qui soutient « qu'il y a beaucoup de questions médicales dans ce service [qui] fonctionne bien[18] ». C'est donc seulement en 1965 que Sainte-Justine réorganise son Service social, le bureau médical ayant finalement donné son accord pour en remettre la direction à une travailleuse sociale. Le nouveau service, qui totalise une vingtaine de professionnelles, réunit les travailleuses sociales de l'ancien Service social, mais aussi celles du centre de l'ouïe, des cliniques de fissure palatine et d'audiologie, du Service d'orthopédie et du Service de psychiatrie qui, à lui seul, en compte une dizaine. La syndicalisation des travailleurs sociaux en 1963 et les négociations qui s'engagent avec l'hôpital en 1964 ne sont peut-être pas non plus étrangères à cette réorganisation. Signalons que c'est également en 1965 que l'hôpital reçoit

Un groupe d'employées des archives médicales et la religieuse responsable du service en 1951 (AHSJ, photo Associated Screen News).

Une religieuse apprend à un jeune patient à contrôler sa diète, 1948 (AHSJ).

Une séance de physiothérapie à la piscine de l'hôpital vers 1950 (AHSJ).

son accréditation de l'École de service social de l'Université de Montréal[19].

Contrairement aux travailleuses sociales, les diététiciennes diplômées sont bien accueillies à Sainte-Justine. Dès 1946, sœur Claire du Saint-Sacrement, qui vient de terminer un baccalauréat à l'Institut de diététique et de nutrition (IDN) de l'Université de Montréal, un nouveau programme ouvert en 1942, et d'obtenir un autre diplôme à l'Université de Toronto, devient diététicienne en chef. Il est alors question d'embaucher deux autres professionnelles, mais en 1948 la religieuse, devenue directrice du Service de diététique nouvellement créé, est assistée d'une seule personne, Madeleine Leroux, également diplômée de l'IDN. Malgré les efforts de recrutement, le service demeure modeste : en 1960, à peine huit professionnelles y travaillent. En fait, les candidates ne se bousculent pas aux portes de l'université, si bien que les hôpitaux s'arrachent les diplômées. Pour combler ses besoins, Sainte-Justine cherche à être reconnu par l'IDN comme lieu d'enseignement et tente d'organiser un internat en diététique. Selon la direction, ce type de stage prolongé est essentiel pour assurer une meilleure formation et surtout convaincre les candidates de continuer à travailler à l'hôpital après l'obtention de leur diplôme. Ce projet prendra cependant beaucoup de temps à aboutir puisque ce n'est qu'en 1966 qu'il se concrétise. Du reste, son effet sur le nombre des diététiciennes à l'emploi de l'hôpital a été plutôt marginal, puisqu'en 1969 elles n'étaient toujours que 13 à y travailler. Mentionnons que les diététiciennes font cependant figure de pionnières en matière de défense de leurs droits professionnels, puisque dès 1956 elles obtiennent un statut de corporation à titre réservé[20].

Comme on l'a déjà signalé, la formation universitaire des professionnelles de la réadaptation devra attendre l'ouverture de l'École de réhabilitation de l'Université de Montréal en 1954. D'une durée de trois ans, le cours offre l'enseignement de la physiothérapie et de l'ergothérapie, encore

Des jeunes patients supervisés par une orthophoniste font des exercices de souffle en 1951 (AHSJ, photo Associated Screen News).

Germaine Huot

Germaine Huot a été l'une des pionnières du Service d'orthophonie de Sainte-Justine, mais aussi l'une des figures dominantes de la profession à son époque. Désireuse de se perfectionner dans un domaine où elle avait tout appris par apprentissage avec Aline Delorme, Huot quitte Sainte-Justine pour aller suivre un cours à la School of Speech Correction and Audiology de l'Université Northwestern de Chicago. À son retour, elle devient directrice du Service d'orthophonie à l'Institut de réhabilitation de Montréal (IRM) et responsable de l'organisation de l'enseignement de l'orthophonie et de l'audiologie à l'École de réhabilitation affiliée à l'Université de Montréal. Des différends avec le directeur de l'école, le Dr Gustave Gingras, qui tient à maintenir ces professions sous contrôle médical, aboutissent à son renvoi de l'IRM et de l'école au début des années 1960. Poursuivant sa carrière dans le milieu scolaire, Huot sera aux premières loges en 1964 pour défendre les positions des orthophonistes-audiologistes lors de la présentation d'un projet de loi privé devant le Parlement visant à leur accorder le statut de corporation.

appelée thérapie occupationnelle à l'époque. Fondée à l'instigation du Dr Gustave Gingras, l'école a pour premier mandat de former des professionnelles canadiennes-françaises capables de travailler auprès des patients de l'Institut de réadaptation de Montréal (IRM), dont le Dr Gingras est également le directeur médical. Les candidates n'étant pas légion, Gingras offre à Sainte-Justine d'admettre trois élèves recommandées par la direction, une proposition que l'hôpital s'empresse d'accepter, mais dont il ne profite pas pleinement. Effectivement, parmi les huit premières diplômées de l'école, une seule, Agathe Martel, vient de Sainte-Justine, où elle fera carrière durant plusieurs années. Au total, durant les trois premières années d'existence de l'école, l'hôpital embauche moins d'une dizaine des 45 physiothérapeutes qu'elle forme. Néanmoins, durant la même période, les effectifs du Service de physiothérapie de Sainte-Justine doublent, passant de 8 en 1957 à 17 en 1959, soit l'année de la dernière grande épidémie de poliomyélite ; en 1964, le rapport annuel mentionne également la présence de trois ergothérapeutes formant désormais une section séparée[21].

À compter du début des années 1960, l'expansion et la professionnalisation du Service de physiothérapie de Sainte-Justine permettent à l'hôpital de recevoir des internes recommandés par la Société canadienne de physiothérapie, des stagiaires de l'École de réhabilitation et des étudiants de troisième année en médecine physique et même en psychiatrie. Cette « médicalisation » du service correspond à une tendance amorcée au milieu des années 1950 et qui rejoint bientôt les autres professionnelles de la réadaptation ; en 1956, en effet, le conseil médical de l'hôpital fait part à l'administration de son intention de nommer un comité formé de trois médecins « pour contrôler et coordonner les activités du Service de Physiothérapie [et] d'Orthophonie ». Trois ans plus tard, l'hôpital crée un service de réhabilitation placé sous la responsabilité d'un médecin physiatre, le Dr René Allard, et auquel sont rattachées les physiothérapeutes[22].

Moins nombreuses que les physiothérapeutes, soit à peine une demi-douzaine vers la fin des années 1950, les orthophonistes voient cependant leurs effectifs augmenter dans la première moitié des années 1960 pour répondre à de nouvelles demandes. Au cours de cette période, en effet, l'hôpital se dote d'une clinique pour la réadaptation des patients opérés d'une fissure palatine, tandis que le Dr Gingras, toujours directeur de l'IRM et de l'École de réhabilitation, entreprend des recherches à Sainte-Justine sur les tensions neuromusculaires chez les bègues, ce qui nécessite l'embauche de plusieurs orthophonistes. À ces projets s'ajoute la mise sur pied de classes spéciales pour les enfants aphasiques, à l'initiative de Gustave Gauthier et en collaboration avec l'école Victor-Doré. Gauthier, l'un des rares orthophonistes masculins de son époque, était devenu directeur du service en 1954 à la suite du départ de Germaine Huot, qui avait elle-même remplacé Aline Delorme quelques années plus tôt[23].

L'audiologie suit à peu près le même parcours : enseignée

à l'École de réhabilitation depuis 1956, soit la même année que l'orthophonie, cette spécialité, encore méconnue, attire d'abord bien peu de candidates. En 1963, elles ne sont toujours que trois à œuvrer dans l'hôpital, nombre qui passe cependant à six en 1964 avec la création du centre de l'ouïe, placé sous la responsabilité du Dr Roger Desjardins, médecin spécialiste en ORL. À la fin de la décennie, 14 audiologistes sont à l'emploi de Sainte-Justine, dont six affectées exclusivement à ce centre. Malgré leur petit nombre et contrairement aux physiothérapeutes qui se forment en association professionnelle en 1961, les orthophonistes-audiologistes obtiennent un monopole d'exercice dès 1964, un privilège obtenu à l'arraché, mais qui leur sera retiré lors de l'implantation du Code des professions dans les années 1970. Par ailleurs, les physiothérapeutes et les orthophonistes-audiologistes, tout comme les diététistes d'ailleurs, hésitent à se syndiquer comme l'avaient fait les travailleuses sociales et les techniciennes. Se considérant avant tout comme des professionnelles de la santé, elles préfèrent s'en remettre à des associations pour améliorer leurs conditions de travail. Le nouveau régime de négociation entre l'État et les employés d'hôpitaux qui s'instaure peu à peu dans les années 1960 rend cependant cette option incontournable. À compter de 1969, en effet, un amendement au Code du travail exclut les « associations reconnues », comme celles de ces professionnelles, du processus de négociation des conventions collectives. Seules les « associations accréditées » auprès du Tribunal du travail, c'est-à-dire les organisations syndicales, peuvent entreprendre des pourparlers avec l'État. Comme, en plus, les centrales syndicales déposent des demandes d'accréditation englobant l'ensemble du personnel salarié des hôpitaux, y compris ces professionnelles, ces dernières n'ont pratiquement d'autre choix que de joindre les rangs des syndiqués, ce qu'elles font en créant des organisations autonomes, suivant en cela les traces des travailleurs sociaux et des techniciens en radiologie et de laboratoire, qui demeurent eux aussi à l'écart des grandes centrales syndicales[24].

Les années de consolidation (1970-2007)

S'il est plus difficile de suivre précisément l'évolution du secteur paramédical après 1970, les quelques informations disponibles laissent supposer qu'il poursuit sa croissance durant au moins une dizaine d'années encore, alors que le nombre de postes augmente et que d'autres groupes viennent s'ajouter aux premiers. Ainsi, à compter du début des années 1970, les inhalothérapeutes font véritablement leur entrée à l'hôpital, leur nombre passant d'un seul préposé en oxygénothérapie, en 1963, à une trentaine d'inhalothérapeutes en 1980 et à près de 80 en 1995. Les compressions budgétaires qui affectent le réseau de la santé à partir du début des années 1980 et les changements technologiques ont toutefois pour conséquence de ralentir la progression dans d'autres domaines.

Une technicienne dans le laboratoire de biochimie en 1983 (AHSJ).

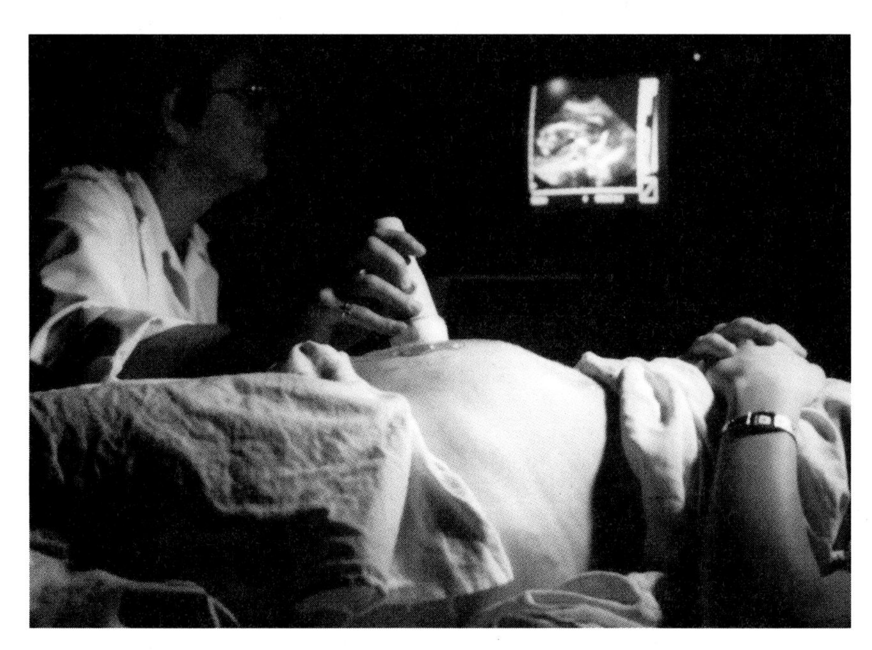

Une patiente subissant une échographie (AHSJ).

L'arrivée de nouveaux appareils ayant recours à l'informatique et à l'électronique transforme en effet profondément la nature des tâches accomplies dans certains services, tout en diminuant le temps requis pour le faire. C'est notamment le cas dans les laboratoires où, depuis le milieu des années 1990, certaines analyses sont effectuées à partir de postes de travail informatisés. À la fin des années 1970, l'hôpital entreprend également d'informatiser les 750 000 fiches des patients. Soulignons que, malgré les gains de productivité que permet l'informatique, le nombre des archivistes médicales a beaucoup augmenté au cours des dernières décennies, passant de 5 à 21 entre 1969 et 2003. En radiologie, l'introduction de la médecine nucléaire et de la résonance magnétique incite le département à changer son nom en 1992 pour adopter celui « d'imagerie médicale » ; au milieu des années 1990, il comprend une trentaine de technologues, soit à peine plus qu'en 1969. Par contre, l'intégration du Centre de réadaptation Marie-Enfant (CRME) en 2000 entraîne une forte hausse du nombre des physiothérapeutes, et des ergothérapeutes, dont les effectifs passent de 19 à 66 dans le premier cas et de 4 à 60 dans le second[25].

Au plan de la formation et des avancées professionnelles, ces années sont le témoin de plusieurs bouleversements. Ainsi, tout comme les infirmières, les techniciens de laboratoire et de radiologie, de même que les inhalothérapeutes et les archivistes médicales, quittent les écoles hospitalières pour suivre les nouveaux programmes offerts dans les cégeps à la fin des années 1960. La réforme de l'enseignement

Margot Pedneault

Margot Pedneault a été une pionnière dans le domaine de la physiothérapie au Québec. Diplômée de l'École de réhabilitation de l'Université de Montréal en 1959, elle travaille à l'Hôpital Notre-Dame auprès des adultes, puis en Grande-Bretagne. Arrivée à Sainte-Justine en 1962 comme physiothérapeute, elle est nommée directrice du service, poste qu'elle occupe de 1963 à 1972.

À la fin des années 1960, alors que la formation en physiothérapie et en ergothérapie est portée de deux à trois ans, Margot Pedneault se joint à d'autres professionnelles pour faire reconnaître les diplômes émis par les écoles de réadaptation avant cette réforme moyennant la poursuite de quelques cours de mise à niveau. Elle-même quitte l'hôpital en 1972 pour mettre à jour ses connaissances. En 1975, elle obtient une maîtrise en sciences neurologiques. Elle est alors l'une des rares physiothérapeutes détenant une formation de deuxième cycle, ce qui lui permet de poursuivre sa carrière en tant que professeur à l'École de réadaptation jusqu'à sa retraite en 1995.

universitaire, avec la mise en œuvre d'un baccalauréat de trois ans au tournant des années 1970, favorise pour sa part la refonte des programmes d'études en diététique, en physiothérapie et en ergothérapie, qui sentent le besoin de se démarquer des nouvelles techniques (technique en diététique et en réadaptation physique) instaurées au niveau collégial.

Déjà affiliée à la Faculté de médecine, l'École de réhabilitation, qui prend le nom d'École de réadaptation à compter de 1971, met en place des baccalauréats séparés pour les programmes de physiothérapie et d'ergothérapie. Elle crée également un programme de premier cycle en orthophonie-audiologie qui vient remplacer le cours de deuxième cycle qui était exigé jusqu'alors. Par ailleurs, elle inaugure les études de deuxième cycle en physiothérapie. En 1976, l'IDN est intégrée à la Faculté de médecine de l'Université de Montréal, pour devenir le département de nutrition, et élabore également un programme de maîtrise professionnelle. Tous ces changements, qui visent à relever le niveau de la formation, ne se sont cependant pas traduits par une plus grande reconnaissance professionnelle. Le Code des professions implanté en 1973 ne reconnaît en effet qu'un titre réservé aux diététiciennes, physiothérapeutes, ergothérapeutes et orthophonistes-audiologistes, sans leur conférer un monopole d'exercice. Sans doute en raison des dangers associés à la manipulation d'appareils émettant des radiations, seuls les technologues en radiologie détiennent un tel privilège[26].

À l'instar de ce qui se produit dans le monde hospitalier, les années 1970 marquent une réelle intensification des luttes syndicales des salariées du secteur paramédical. Déjà dans les années 1960, les quelques groupes syndiqués, comme les travailleuses sociales et les techniciens en radiologie, avaient négocié leurs premières conventions collectives, mais ce n'était pas encore le cas pour toutes ces catégories de personnel. En 1970, les physiothérapeutes, les ergothérapeutes et les diététistes se regroupent finalement en syndicats, mais trop tard pour participer aux négociations dans le secteur hospitalier qui se concluent cette année-là. Refusant d'attendre l'expiration de la convention collective que viennent de signer les employés d'hôpitaux, les trois groupes entreprennent une première lutte syndicale conjointe afin d'obtenir la parité salariale avec les travailleuses sociales. Le refus catégorique du gouvernement de satisfaire à cette revendication, en dépit de sa politique salariale fondée sur le niveau de scolarité, entraîne au début de l'année 1972 le déclenchement d'une grève de six semaines impliquant, entre autres, les professionnelles de Sainte-Justine. Tout comme lors de la grève des infirmières en 1963, ce conflit, qui se termine par un compromis, reçoit une large publicité, surtout quand un sous-ministre adjoint prétend que ces femmes n'ont pas besoin d'argent puisqu'elles ont des maris pour les faire vivre.

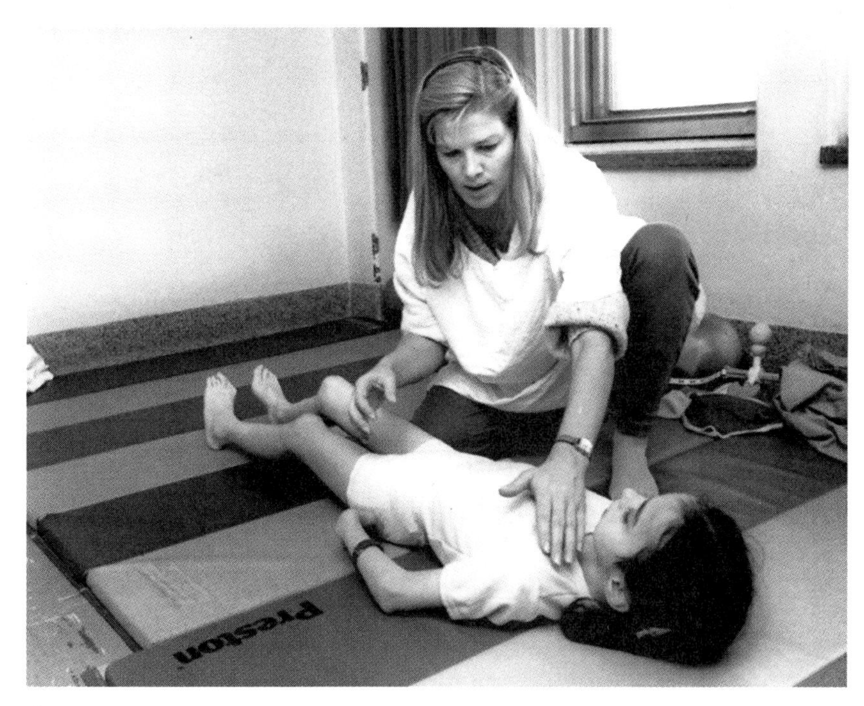

Édith Théberge, physiothérapeute, donnant ses soins à un patient (AHSJ).

Pendant qu'ils mènent cette première lutte, les trois groupes de professionnelles rejoignent les rangs du Cartel des organismes professionnels de la santé (COPS) créé en 1971 pour répondre aux exigences de la loi 46. Celle-ci stipule en effet qu'à l'avenir les conventions collectives dans le secteur hospitalier seront négociées à l'échelle provinciale avec trois agents négociateurs : la Confédération des syndicats nationaux (CSN), la Fédération des travailleurs du Québec (FTQ) et un troisième mandataire représentant les autres associations non affiliées aux grandes centrales. Le COPS jouera ce rôle pour les « non-alignés ». Lors des négociations subséquentes, le personnel paramédical (professionnelles et techniciennes) est donc intégré au front commun, tout en négociant à une table différente où il peut faire valoir ses revendications spécifiques. La parité salariale entre les groupes de professionnelles demeure l'un des principaux objets de litige. Au milieu des années 1980, lassés d'essuyer des refus de la part du gouvernement, certains syndicats associés au COPS déposent une plainte devant la Commission des droits de la personne, accusant l'État de discrimination fondée sur le sexe. Il faudra 20 ans avant que cette cause ne débouche sur un règlement définitif[27].

Le personnel non médical

Les employés avant la syndicalisation

En 1907, Sainte-Justine compte à peine six employés, nombre qui passe à 11 en 1910, quand l'hôpital emménage avenue De Lorimier, puis à une vingtaine dans les années qui suivent le déménagement rue Saint-Denis. Comme l'indique le tableau 8, c'est durant les années 1920 que l'hôpital connaît la plus forte croissance de ses effectifs, qui triplent en moins de dix ans. Le cap du millier est atteint en 1954, un chiffre qui double durant les six années suivantes pour s'établir à plus de 2 000 au début des années 1960 et à 2 500 en 1965.

Ces données, qui ne comprennent pas les religieuses mais incluent les aides-malades et les infirmières, attestent le développement de l'hôpital et ses besoins exponentiels en main-d'œuvre. Durant les premières décennies, outre le personnel soignant, l'hôpital recherche surtout des aides pour la cuisine, la buanderie et l'entretien ménager ; de leur côté, les

Tableau 8. – Nombre d'employés de l'Hôpital Sainte-Justine pour certaines années, 1907-1967

Année	Nombre d'employés
1907	6
1910	11
1915	22
1919	36
1920	70
1923	103
1928	208
1930	315
1935	439
1940	576
1945	722
1950	863
1954	1 045
1960	2 051
1965	2 511
1967	2 689

Source : AHSJ, rapport annuel 1967.

Horaire de travail des premiers employés, 1908

Blanchisseuse

6 h : Lever

7 h 30 : Déjeuner

Lavage des couches

Lundi : lavage du linge des enfants

Mardi : lavage du linge de maison

Mercredi : lavage du linge des enfants

Jeudi : lavage du linge des gardes-malades

Vendredi : lavage du linge des enfants

Samedi : lavage du linge du personnel et des enfants. Ménage de la buanderie

Dimanche et tous les soirs de la semaine : temps libre.

Cuisinière

Tous les jours :

— préparer le déjeuner des gardes-malades pour 7 h, celui du personnel pour 7 h 30 ;

— laver la vaisselle ;

— faire le ménage de la salle à manger ;

— préparer le dîner des gardes pour midi, celui du personnel pour 12 h 30 ;

— laver la vaisselle ;

— préparer le souper des gardes pour 6 h et celui du personnel pour 6 h 30 ;

— laver la vaisselle et remettre à l'ordre la salle à manger et la cuisine.

Lundi : repassage de 2 h à 5 h p.m. ;

Mardi : lavage des glacières, armoires, etc., de 2 h à 5 h p.m. ;

Mercredi : repassage du linge de maison de 2 h à 5 h p.m. ;

Jeudi : sortie de 2 h à 5 h p.m. ;

Vendredi : lavage des prélarts dans les salles des enfants de 2 h à 5 h ;

Samedi : ménage de la salle à manger et de la cuisine de 2 h à 5 h ;

Dimanche : sortie de 2 h à 5 h ;

Tous les soirs : temps libre.

L'homme

Lever à *5 h 30.*

À 6 h : allumer les deux poêles, chauffer la fournaise, nettoyer la cave.

À 7 h 30 : déjeuner.

À 8 h : ménage extérieur ; balayer le trottoir et le jardin ; épousseter les persiennes, les barrières, etc. ; laver la galerie et les marches du portique ;

À 9 h : laver les passages, l'escalier principal, la chambre de bain et les cabinets de toilette du personnel.

À midi : laver le dispensaire.

Lundi : ménage de la cave et des remises, de 2 h à 5 h ;

Mardi : temps libre ;

Mercredi : vitres ;

Jeudi : temps libre ;

Vendredi : lavage des planchers du deuxième ;

Samedi : lavage des escaliers et des corridors de service ;

Dimanche : temps libre ;

Tous les jours : « se rendre généralement utile ».

Sources : AHSJ, ACE, 27 octobre 1908.

Des employées de la cuisine et une religieuse dans les années 1920 (AHSJ).

employés de bureau (secrétaires, commis aux dossiers, à l'admission et au bureau des réclamations, réceptionnistes et téléphonistes) et les hommes de métier deviennent plus nombreux à compter des années 1930 seulement. Par exemple, c'est en 1937 que l'hôpital songe à embaucher un premier plombier à temps plein. Avec l'imprimerie, l'atelier d'orthopédie, mis en place en 1934 afin de fabriquer sur place les appareils et les prothèses nécessaires à la réadaptation de certains patients, constitue l'un des secteurs qui emploient les ouvriers les plus qualifiés avant la Seconde Guerre mondiale[28].

Comme c'est le cas dans l'ensemble des hôpitaux, jusqu'aux années 1960, les employés de Sainte-Justine reçoivent des salaires dérisoires, tout en étant astreints à des conditions de travail très contraignantes. Dans certains cas, le travail hospitalier peut s'avérer moins pénible que le travail industriel, mais dans plusieurs services, à la cuisine, à la buanderie et à la chaufferie notamment, les travailleurs doivent composer avec un environnement tout aussi difficile. La chaleur des poêles et des fournaises, l'humidité, le bruit et la rapidité sont en effet inhérents à l'exécution de plusieurs tâches. Le travail en milieu hospitalier n'est pas non plus sans danger pour la santé, même si l'administration tarde à réagir à cet égard. Ainsi, ce n'est qu'à la fin des années 1930 que le conseil décide que « les employés qui vont à la chute à linge en bas [doivent] toujours [porter] une blouse spéciale, un masque, un couvre-chef et des gants, et cela, pour leur propre protection[29] ». C'est également durant cette décennie que l'hôpital oblige le personnel non soignant à se faire vacciner contre la typhoïde, mais il faudra attendre les années 1960 pour que l'examen de santé avant l'embauche ne soit véritablement instauré, même s'il en est question à plusieurs reprises. Jusque-là, il arrive souvent que cet examen soit reporté et n'ait lieu que plusieurs semaines après l'entrée en fonctions[30].

Jusqu'à la Seconde Guerre mondiale, la semaine de travail à Sainte-Justine est de près de 50 heures, répartie sur six jours pour les employées de bureau, davantage pour le reste du personnel. Vers la fin des années 1930, le personnel de bureau bénéficie d'une demi-journée de congé le samedi, une semaine sur deux, un privilège également accordé en 1943 aux employés de la buanderie, de la « repasserie » et de la couture, à la condition que la distribution du linge n'en souffre pas, et à certains ouvriers de métier (menuisiers, peintres et mécaniciens). La semaine de 54 heures, soit neuf heures de travail par jour, six jours par semaine, demeure cependant de mise pour les autres employés, alors qu'à cette époque la semaine de travail de 40 heures répartie sur cinq jours est en voie de devenir la norme dans bien d'autres secteurs. En 1958, le conseil décide que « le travail supplémentaire fait après 48 heures de travail par semaine par les

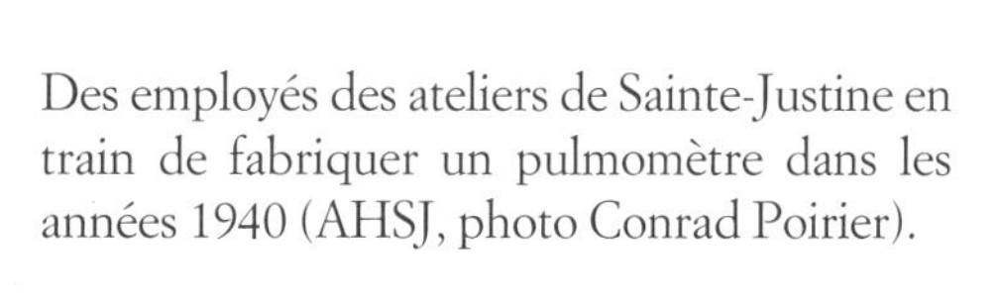

Des employés des ateliers de Sainte-Justine en train de fabriquer un pulmomètre dans les années 1940 (AHSJ, photo Conrad Poirier).

Fabrication d'appareils orthopédiques dans les ateliers de l'hôpital en 1946. C'est à la demande des orthopédistes que l'hôpital met sur pied cet atelier en 1934 (AHSJ, photo Conrad Poirier).

employés de toute catégorie soit payé temps et demi », ce qui signifie que la semaine normale de travail est encore fixée à 48 heures. À cette date, les employées de bureau travaillent 38 heures par semaine, mais elles doivent toujours se présenter un samedi sur deux pour l'avant-midi. Ce n'est finalement qu'en 1961 que la semaine de 40 heures et de cinq jours de travail est établie pour toutes les catégories d'employés[31].

Il faut dire que les administrations hospitalières ont toute latitude pour imposer le nombre d'heures qu'elles désirent, car jusqu'aux années 1960 leurs employés sont exclus de la protection des lois sociales qui limitent la durée de la semaine de travail. Ces employés ne sont pas non plus couverts par la Loi des établissements industriels et commerciaux, qui fixe l'âge minimum pour pouvoir travailler, ni par la Loi des accidents du travail, entrée en vigueur en 1931, ni par la Loi de l'assurance-chômage, votée par le gouvernement fédéral en 1940. Sous prétexte que les institutions de santé sont assimilables à des organismes de charité, l'État refuse de les obliger à contribuer financièrement à ces programmes au même titre que les autres employeurs. Dans le cas de l'assurance-chômage, Sainte-Justine fait d'ailleurs front commun avec les autres hôpitaux formant le Conseil des hôpitaux de Montréal (CHM) dans les années 1940 et 1950, pour s'opposer à l'adoption d'amendements qui incluraient ces travailleurs. L'administration, qui considère que les employés ont le « privilège » de ne pas payer de cotisation à l'assurance-chômage, exige le *statu quo* en soulignant que « les hôpitaux ne [doivent] pas être considérés comme des établissements d'affaires[32] ».

Privés de recours juridique, les employés d'hôpitaux se retrouvent donc à la merci d'employeurs qui n'hésitent pas à faire valoir leurs problèmes financiers et l'esprit de charité qui devrait les animer pour maintenir les salaires au plus bas niveau possible. Sainte-Justine ne fait pas exception, loin s'en faut : de l'aveu même de l'administration, le personnel y est moins bien rémunéré que dans les grands hôpitaux montréalais, qui ne sont déjà pas si généreux. Les procès-verbaux du conseil en témoignent d'ailleurs de manière éloquente : dans les années 1920 et 1930, les salaires du personnel de bureau varient par exemple de 40 $ à 60 $ par mois, alors qu'ils atteignent 80 $ par mois dans d'autres secteurs. Certains employés masculins ne reçoivent pas plus de 7 $ par semaine, alors que le salaire moyen dans l'industrie du textile, réputée pour ses salaires de famine, est de près de 18 $ en 1934. À 23 $ par semaine, le cuisinier embauché en 1936 reçoit à peine plus que le minimum vital pour une famille de cinq personnes, tandis que le responsable de l'atelier d'orthopédie touche 1 600 $ par année à la même époque, ce qui est très peu pour un travailleur aussi qualifié. La disparité entre les salaires est tout aussi frappante. Pour un même emploi, ils peuvent varier considérablement, même à années de service égales. En outre, des postes qui, à première vue du moins, exigent des compétences plus complexes sont rétribués deux fois moins que d'autres postes qui en nécessitent très peu. Ainsi, en 1936, un ouvrier de l'atelier d'orthopédie ne gagne que 25 $ par mois, contre 50 $ par mois pour le gardien de nuit[33]. L'administration ne fait d'ailleurs pas mystère des critères qu'elle applique ; en 1937, alors qu'elle s'apprête à réviser les salaires, elle prend soin de préciser que des augmentations seront envisagées uniquement « si les employés ont des charges de famille » et en considérant « quelles sont ces charges[34] ».

Le nombre d'enfants ou le fait de soutenir de vieux parents constituent donc des facteurs tout aussi importants que la compétence ou l'ancienneté pour déterminer les salaires. L'hôpital tient également compte du fait qu'il héberge et nourrit de nombreux employés, en particulier les jeunes filles venant de la campagne qui sont affectées aux tâches ménagères, à l'entretien du linge et à la cuisine. En fait, la faiblesse des salaires oblige ces jeunes campagnardes, comme de nombreux autres employés masculins, à vivre dans la résidence attenante à l'hôpital, où tous font l'objet d'une étroite surveillance. Astreints à des règles de vie plutôt strictes et à un couvre-feu, ils sont fortement incités à assister régulièrement à la messe, non seulement le dimanche mais aussi durant la semaine[35]. En ce qui concerne les filles, ce type d'arrangement rassure sans doute les parents inquiets pour leur vertu, mais il permet aussi d'imposer plus facilement des heures de travail brisées et garantit la docilité de la main-d'œuvre, qui risque de perdre son toit en plus de son gagne-pain en cas d'insoumission.

Les employés d'hôpitaux sont par contre à l'abri des périodes de chômage qui affectent souvent l'industrie manufacturière et le secteur des services. À Sainte-Justine, comme dans d'autres institutions, ils bénéficient également de certains avantages sociaux encore peu répandus avant la Seconde Guerre mondiale. Ainsi, dès 1923, le conseil d'administration adopte une résolution stipulant que les employés malades « continueront de recevoir leurs salaires pendant un mois ». À compter des années 1940, l'hôpital propose un régime familial d'assurance-maladie offert par la Croix Bleue, dont il assume la moitié des primes, tout en maintenant un ensemble de gratifications pour le personnel. Ce double système engendre cependant sa part de problèmes, car de nombreuses employées célibataires ne souscrivent pas au nouveau régime d'assurance, ce qui entraîne des hausses de primes importantes pour ceux qui y adhèrent. Vers la fin des années 1950, considérant que le montant exigé est devenu carrément prohibitif par rapport aux salaires, l'hôpital décide de payer la différence entre l'ancienne et la nouvelle prime pour au moins une année. Ce n'est finalement qu'en 1961, alors que la Croix Bleue baisse ses tarifs en raison de l'entrée en vigueur de l'assurance-hospitalisation et que l'hôpital abolit ses gratifications, que cette assurance devient obligatoire.

La faiblesse des salaires et la forte proportion, parmi les employés, de jeunes femmes célibataires qui n'envisagent pas de demeurer très longtemps sur le marché du travail, ou du moins à Sainte-Justine, compliquent également la mise en place d'un régime de retraite et d'un régime d'assurance-vie. Dans ce dernier cas, de manière à maintenir la police d'assurance pour ceux qui sont intéressés, l'hôpital doit prendre à sa charge la prime équivalant aux premiers 1 000 $ de couverture. Pour ce qui est du régime de retraite, à peine 5 % des employés y souscrivent au moment de sa mise en place en 1946. Enfin, notons que les employés de Sainte-Justine ont droit à une semaine de vacances après une année de service, à deux semaines après deux ans et à trois semaines après dix ans à compter des années 1930 ; à partir des années 1950, ceux qui ont accumulé plus de 20 ans de service ont droit à un mois de vacances. Bien peu cependant demeurent aussi longtemps à l'emploi de l'hôpital : en 1955, seulement 82 employés comptent plus de 10 ans de service, 34, plus de 15 ans, et 20, plus de 20 ans, sur un total de 1 064 personnes[36].

Des employées préparant les biberons en 1940 (AHSJ).

En dépit de ces quelques avantages, les conditions de travail et les salaires offerts dans les hôpitaux sont si déplorables que le roulement du personnel, à plus de 70 % féminin, y atteint des proportions dramatiques. Selon André Valiquette, même durant la crise des années 1930, les employés d'hôpitaux ne restent en poste, en moyenne, pas plus de deux années. Beaucoup d'entre eux vont d'ailleurs se tourner vers les industries de guerre qui démarrent leurs activités au début des années 1940, ce qui provoque une grave pénurie de personnel dans le réseau hospitalier. La situation est telle qu'en 1942 le CHM tente d'exercer des pressions sur le Comité national sélectif, un organisme fédéral chargé de contrôler les mouvements de la main-d'œuvre pour la durée du conflit, afin qu'il interdise aux employés d'hôpitaux d'abandonner leur emploi. Cette demande est appuyée par Sainte-Justine qui l'année suivante, en violation de la Loi des établissements industriels et commerciaux, mais avec l'accord tacite des autorités gouvernementales, embauche des jeunes de moins de 14 ans pour remplacer les employés qu'il lui manque. La situation revient quelque peu à la normale dans l'après-guerre, mais l'hôpital éprouve tout de même de la difficulté à recruter des domestiques, travail le plus mal payé et le moins prisé, car le marché de l'emploi offre alors davantage de possibilités aux femmes. En 1947, il fait donc appel à des femmes originaires de Pologne qui avaient tout perdu durant la guerre et qui désiraient émigrer[37].

Groupe d'employées de la repasserie dans le nouvel immeuble du chemin de la Côte-Sainte-Catherine peu après son ouverture à la fin des années 1950 (AHSJ, photo Adolphe Roy).

La composition du personnel hospitalier, où se retrouvent plus de 70 % de femmes, son instabilité et le mode de gestion paternaliste qui prévaut dans ces établissements jusqu'aux années 1960 ne favorisent guère la syndicalisation. Dès les années 1930 pourtant, soit au moment où de plus en plus de laïcs sont embauchés, un groupe d'employés de l'Hôpital Notre-Dame, dirigé par Armand Lacaire, forme une association sportive qui se transforme peu à peu en regroupement syndical. Officiellement fondée en 1936, l'Association des employés d'hôpitaux de Montréal (AEHM) parvient à regrouper les travailleurs des huit plus gros hôpitaux montréalais, dont Sainte-Justine. Il tente alors d'entreprendre des négociations avec le CHM, qui représente la partie patronale, mais les pourparlers sont ardus. Prétextant l'insuffisance des ressources financières des hôpitaux et le refus de l'État de leur accorder davantage de subsides, le conseil rejette les demandes de l'AEHM. À l'automne 1937, les négociations sont pratiquement rompues. Bien que nantie d'un mandat de grève à déclencher au moment opportun, l'association choisit de s'adresser à l'Office des salaires raisonnables, un organisme créé en 1937 dont le mandat est de déterminer des normes minimales de travail pour les travailleurs non syndiqués. Par l'ordonnance n° 11, rendue en septembre 1938, l'office accorde des augmentations de salaire qui doivent entrer en vigueur immédiatement. Plutôt que de se plier à cette décision, le CHM en conteste la constitutionnalité devant les tribunaux. En réponse, un groupe d'employés, dont 76 de Sainte-Justine, entreprennent à leur tour des poursuites pour que les hôpitaux respectent le verdict de l'office, mais c'est peine perdue : le 24 février 1939, le gouvernement Duplessis se rend aux arguments des hôpitaux et abroge l'ordonnance nº 11. Les plaignants obtiennent néanmoins que soient versées les augmentations de salaire pour la période où l'ordonnance a été en vigueur, soit de septembre 1938 à février 1939[38]. C'est dans ce contexte que Sainte-Justine décide, à l'automne 1939, de « reconnaître la loyauté de tous nos employés qui n'ont pas pris de procédures contre l'hôpital [...] en leur donnant un dollar d'augmentation par mois[39] ». Signalons qu'en 1944, au terme d'une enquête portant sur l'ensemble du système hospitalier québécois mise sur pied à la suite de pressions exercées par l'AEHM, une nouvelle ordonnance nº 11 est adoptée, à laquelle cette fois les hôpitaux doivent se soumettre. Les augmentations ainsi décrétées demeurent cependant minimes[40].

La syndicalisation des employés d'hôpitaux reprend vers la fin de la guerre à la faveur de l'adoption de la Loi des relations ouvrières, mais à Sainte-Justine l'administration parvient à endiguer le mouvement. Rappelons que cette loi, adoptée par le gouvernement d'Adélard Godbout en 1944, oblige les employeurs à négocier de « bonne foi » avec le syndicat qui a obtenu l'appui de la majorité des travailleurs lors d'un vote d'accréditation, ce qui constitue une première dans l'histoire du syndicalisme. Cette disposition renforce la position des organisations syndicales, même si, dans le cas des employés d'hôpitaux, la Loi sur les différends entre les services publics et leurs salariés, adoptée au même moment, leur interdit la grève et rend l'arbitrage obligatoire en cas de mésentente, la sentence arbitrale étant exécutoire. Ce régime de négociation, qui repose en fait sur des sentences arbitrales, prévaut jusqu'aux années 1960, alors qu'une vague de syndicalisation sans précédent gagne tous les employés d'hôpitaux, qui regagnent leur droit de grève[41].

À compter des années 1940, la forte augmentation du nombre des employés oblige Sainte-Justine à rationaliser ses pratiques en matière de gestion du personnel, mais sans pour autant abandonner sa philosophie paternaliste. La crainte de voir ses employés se syndiquer explique peut-être également certaines de ses décisions. À l'automne 1938, alors que plane la menace de la première ordonnance nº 11, le conseil décide en effet de former un comité « pour étudier la question des salaires », comité qui selon toute apparence demeure toutefois inactif jusqu'en octobre 1944, soit quelques mois après la promulgation de la deuxième ordonnance nº 11. Au début des années 1950, alors que de nombreux employés demandent des augmentations, le conseil envisage d'établir des échelles salariales et d'accorder des augmentations statutaires après des périodes de travail déterminées. Il est même question de confier à un spécialiste l'étude de la classification du personnel. Au comité des salaires s'ajoute, en 1955, un comité du personnel dont les attributions ne sont toutefois pas spécifiées ; un premier directeur du personnel, Thomas Pogany, est également embauché. Les décisions de ces comités et du nouveau directeur sont cependant toujours soumises au conseil d'administration et elles s'appliquent encore le plus souvent à des individus plutôt qu'à des catégories d'employés, ce qui laisse grande ouverte la porte à l'arbitraire et aux traitements de faveur. Selon une étude réalisée par Paul Curzi à la fin des années 1950, la gestion du personnel demeure d'ailleurs l'une des grandes faiblesses du milieu hospitalier en général. Confiée à des religieuses ou à des professionnels laïques « qui, malheureusement, n'ont pas toujours la compétence voulue », soutient-il, la supervision des employés, toujours empreinte de favoritisme et d'autoritarisme, suscite bien des mécontentements qui trouveront à s'exprimer dans les années 1960[42].

Les employés de Sainte-Justine face à l'État-providence

La décennie 1960 s'ouvre avec l'entrée en vigueur du programme d'assurance-hospitalisation, qui devient rapidement une source d'insatisfaction pour les employés de Sainte-Justine et contribue à leur mobilisation. Le financement du système hospitalier par l'État inclut en effet les salaires, ce qui les encourage à se montrer plus revendicateurs. Les espoirs d'obtenir rapidement des augmentations sont cependant déçus, car les hôpitaux doivent fonctionner à l'intérieur d'un cadre budgétaire fixé par le SAH, mais qui ne couvre pas tous les coûts et n'accorde pas automatiquement le plein montant même pour les dépenses admissibles. Au chapitre des salaires, le SAH fixe des échelles qui doivent servir de guide aux hôpitaux, mais il arrive souvent que la somme demandée à ce poste budgétaire soit amputée parce que le nombre des employés est jugé trop élevé. C'est du moins ce qui se produit à Sainte-Justine, où les prévisions budgétaires sont régulièrement revues à la baisse, particulièrement en ce qui concerne la masse salariale. Dans ces conditions, l'hôpital se sent parfaitement justifié de ne pas accorder les salaires établis par le SAH.

Ainsi, dès la première année d'application de la loi, Sainte-Justine doit faire des représentations auprès du SAH pour obtenir un budget plus généreux. Celui-ci lui accorde en effet un taux quotidien par patient de 18,50 $, alors que l'hôpital estime qu'il lui faudrait 22,42 $. Cette révision budgétaire, dont les résultats ne sont connus qu'à la fin de l'année, est la raison invoquée pour retarder le versement des augmentations statutaires promises pour le 1er juillet. C'est seulement dans l'éventualité où le SAH lui attribuerait la totalité de la somme demandée que la direction entend verser ces augmentations. Or, après reconsidération, le SAH maintient une réduction du budget de fonctionnement de l'hôpital de plus de 700 000 $, dont 620 000 $ au chapitre des salaires. Mentionnons que la masse salariale de Sainte-Justine représente alors 72 % du budget des dépenses « partageables », c'est-à-dire ce que les deux paliers de gouvernement acceptent de payer, comparativement à 66 % pour les hôpitaux généraux de la province[43].

En février 1962, l'hôpital consent finalement des augmentations de salaire moyennes de 10 % à 12 % selon une échelle établie par le directeur du personnel, Thomas Pogany. De l'aveu même de ce dernier, les salaires offerts à Sainte-Justine demeurent tout de même plus bas que ceux qui sont versés dans d'autres hôpitaux. À son avis, il faudra donc « prévoir une certaine pression de la part de ces employés au cours de l'année ». L'existence de cet écart montre bien que l'entrée en scène de l'État n'a pas suffi, dans un premier temps, à uniformiser les conditions de travail des employés d'hôpitaux, dont certains, rappelons-le, s'étaient regroupés en syndicats et avaient obtenu des hausses de salaire par sentences arbitrales tout au long des années 1940 et 1950. Les conditions plus avantageuses offertes par d'autres établissements entraînent d'ailleurs de nombreux départs de Sainte-Justine, non seulement chez les techniciennes, comme on vient de le voir, mais aussi chez les employées de bureau. En octobre 1961, par exemple, sœur Aimée de l'Assomption, responsable du Service des archives, signale au directeur du personnel qu'en moins d'un mois huit personnes ont quitté son service pour des emplois mieux rémunérés dans d'autres hôpitaux, le priant « de bien vouloir remédier à la situation[44] ».

C'est dans ce contexte que reprennent les tentatives de syndicalisation des employés de Sainte-Justine : en mars 1962, les membres du conseil notent que « les Syndicats Nationaux font actuellement pression auprès des employés de l'Hôpital pour les faire entrer dans les syndicats ». Visiblement, cette campagne de syndicalisation dérange, car elle repose, selon la direction, sur « des faussetés concernant les conditions de travail et les augmentations de salaires ». Officiellement, la direction convient néanmoins qu'il vaut mieux « ne rien faire qui soit contraire à la loi » et décide « de n'entreprendre aucune démarche pour connaître l'opinion générale des employés à ce sujet ». Selon les recommandations de son avocat, elle décide plutôt d'attendre la suite des événements, estimant qu'il « n'en découlera probablement aucune conséquence ». Un mois plus tard, Pogany déclare au conseil qu'il a reçu la visite d'un organisateur syndical qui voulait lui acheter la liste des adresses des employés. Là encore, le conseil adopte une attitude attentiste. Apparemment convaincue que les travailleurs de Sainte-Justine ne joindraient pas les rangs des syndiqués, la direction ne tente même pas de se montrer plus conciliante sur la question des salaires ; en août, l'hôpital n'a toujours pas versé les augmentations statutaires promises pour le 1er juillet, prétextant qu'il « n'a pas le crédit voulu à la banque pour les payer ». Soulignons qu'à l'automne de cette année-là un tribunal d'arbitrage doit se prononcer sur le renouvellement de la convention collective des employés syndiqués de dix hôpitaux de la région montréalaise, ce qui risque pourtant d'alimenter la campagne syndicale[45].

Effectivement, au cours de l'année 1963, les employés de Sainte-Justine joignent finalement les rangs des syndiqués. Les mécaniciens de machines fixes se regroupent au sein de la National Union of Operating Engineers of Canada, mais la plupart adhèrent au Syndicat national des employés d'hôpitaux, affilié à la CSN. Ce mouvement de syndicalisation, qui s'ajoute à la grève des infirmières déclenchée à l'automne et aux négociations entreprises avec les travailleuses sociales, est peut-être ce qui conduit l'administration, en janvier 1964, à ajuster les salaires de tout le personnel en fonction des échelles du SAH en vigueur depuis le 1er janvier 1962, mais rétroactivement au 1er juillet 1963. Malgré cette concession, les employés de Sainte-Justine participent à leur première ronde de négociation avec l'ensemble des employés d'hôpitaux de la région montréalaise, dont les conventions

Un boucher de l'hôpital en 1964 (AHSJ).

Des employées de la cuisine préparant les plateaux pour les malades hospitalisés, 1984 (AHSJ).

collectives viennent à échéance cette année-là. De son côté, l'administration se joint à un comité patronal composé de représentants de ces établissements. Dès le début du mois de mai 1964, les deux parties obtiennent, pour les syndiqués affiliés à la CSN, une sentence arbitrale qui prévoit des augmentations de salaire rétroactives au 14 février 1963 et une procédure de griefs. Pour les nouveaux syndiqués de Sainte-Justine, cela représente le paiement de 253 000 $ en rétroactivité. En mai 1964, l'hôpital en arrive aussi à un accord avec les mécaniciens de machines fixes et, en juillet, il signe une seconde entente avec les infirmières[46].

Deux ans plus tard, les employés de Sainte-Justine participent à la première grève d'envergure des employés d'hôpitaux. Pour la première fois, en effet, les conventions collectives du secteur hospitalier prennent fin en même temps, ce qui permet à l'État de centraliser les négociations à l'échelle provinciale. Représentants patronaux et syndicaux se retrouvent à une table centrale où siège également un délégué du gouvernement, mais rapidement les pourparlers piétinent. Au cœur du conflit se trouvent non seulement les demandes salariales des employés, mais aussi leurs revendications concernant la classification des emplois, les promotions à des postes de responsabilités traditionnellement réservés aux religieuses et la liberté syndicale. L'adoption d'un nouveau code du travail incluant le droit de grève pour les employés du secteur public à l'été 1964 va cependant leur donner des armes pour obtenir gain de cause. Un débrayage déclenché vers la mi-juillet dans tous les hôpitaux de la province, auquel participent 1 500 employés de Sainte-Justine, convainc en effet le nouveau gouvernement de Daniel Johnson de la nécessité de nommer un médiateur. Les hôpitaux qui ont vu venir la grève ont cependant pris des mesures pour y faire face et n'entendent pas céder aux moyens de pression de leurs syndiqués. À Sainte-Justine, le conseil se vante même d'être parmi « les mieux organisés » pour affronter la situation ; selon Gaspard Massue, avec un nombre restreint de patients (140) et le personnel en place, soit environ 200 personnes logées à l'hôpital, celui-ci peut fonctionner indéfiniment. Persuadées de leur bon droit, les administrations hospitalières refusent tout particulièrement de discuter des clauses portant sur les promotions et la liberté syndicale. Le gouvernement n'endosse toutefois pas leur point de vue ; après 20 jours de grève, devant leur intransigeance, il place les hôpitaux sous tutelle, le temps de signer une entente acceptée précédemment par la partie syndicale[47].

Les négociations de 1966 marquent un tournant important dans l'histoire des employés d'hôpitaux, car c'est la première fois qu'ils exercent leur droit de grève et obtiennent des gains significatifs tant aux plans des salaires que des possibilités d'avancement. À Sainte-Justine, l'administration reconnaît d'ailleurs que cette dernière clause va transformer le visage de l'institution. Mentionnant le départ de religieuses, le conseil note en effet « qu'à l'avenir, il sera très difficile de maintenir certains postes occupés jusqu'à présent par des religieuses puisqu'il faut se conformer aux exigences du Contrat [*sic*] de travail[48] ». Implicitement, une telle affirmation reconnaît que les sœurs n'avaient pas toujours les compétences voulues pour exercer des fonctions de surveillance ou de direction. En fait, l'ensemble de cette convention collective renverse les traditions dans le domaine hospitalier, ce que les administrations hospitalières n'acceptent tout simplement pas. Au moment d'entreprendre les négociations suivantes, le président du comité patronal de l'AHQ affirme d'ailleurs que son groupe demande « une redéfinition du statut de l'employé, une redéfinition du statut syndical et une formulation nouvelle de promotion et d'application du principe de l'ancienneté[49] ».

Les salaires constituent cependant la principale pomme de discorde des négociations entamées en 1968. Cette fois, les hôpitaux et le gouvernement, qui vient d'accoucher d'une politique salariale globale qu'il entend bien faire respecter, s'entendent sur les grands principes. Regroupés au sein de six syndicats distincts, les employés, de leur côté, ne sont pas tous au diapason. Dans certains hôpitaux, dont Sainte-Justine, des groupes de travailleurs font la grève du zèle ou interrompent le travail durant quelques heures, mais il n'est pas question d'une grève générale. Signée à l'automne 1969, la convention collective ne constitue pas un recul au chapitre des promotions ; il faut dire qu'à cette date le nombre de religieuses dans les hôpitaux est en nette régression, ce qui désamorce sans doute le conflit sur cette question. Quant aux augmentations de salaire, si elles n'atteignent pas le niveau espéré par les syndiqués, elles sont cependant suffisantes pour créer une situation plutôt ironique : au printemps 1970, l'administration de Sainte-Justine note en effet que, « depuis la signature de la convention collective, la nouvelle échelle de salaires fait en sorte que les employés syndiqués reçoivent une rémunération supérieure à celle de leurs chefs de service. » Pour régulariser cette situation, le nouveau directeur du personnel, Claude Rivard, propose de verser aux chefs de service des montants qui maintiennent la différence de rémunération qui existait entre eux et leurs subalternes avant la négociation et de demander au SAH d'approuver cette mesure en attendant que le ministère statue sur le salaire des cadres[50].

À partir du début des années 1970, chaque renouvellement des conventions collectives est marqué par un conflit de travail qui affecte l'ensemble des hôpitaux, y compris Sainte-Justine, et même l'ensemble de la fonction publique. L'histoire de ces débrayages, qui ont pour toile de fond le resserrement des dépenses gouvernementales puis, à partir des années 1980, des compressions budgétaires de plus en plus draconiennes, peut se lire comme un recul progressif de l'exercice, par les employés de l'État, de leur droit de faire la grève et même de négocier. Ainsi, lors du front commun de 1972, après 15 jours de débrayage, le gouvernement suspend le droit de grève de ses employés et menace de fixer par décret les conditions de travail pour les deux années suivantes, à moins que les parties n'en arrivent rapidement à un règlement. Dans les hôpitaux, une entente accordant des augmentations de salaire de 4 % à 6 % pour chacune des quatre années de la convention collective est finalement signée à l'automne. En janvier 1976, de manière à atténuer les effets des débrayages massifs, l'État exige des syndicats qu'ils s'entendent avec les administrations hospitalières afin d'assurer les services essentiels ; en cas de désaccord, un arbitre devra trancher. À Sainte-Justine, plusieurs groupes parmi les professionnels paramédicaux, de même que les mécaniciens de machines fixes, signent de telles ententes, mais ce n'est pas le cas des syndiqués affiliés à la CSN. Pour leur part, les techniciennes de radiologie préfèrent démissionner en bloc, ce qui leur vaut une injonction qui n'est toutefois pas respectée. En fait, tout au long de ce conflit marqué par des grèves rotatives puis une grève générale de quelques jours déclenchée en juin, les employés d'hôpitaux choisissent de défier la loi, une stratégie qui leur permet d'obtenir leur principale revendication,

Claude Rivard (1925-2005)

Embauché à Sainte-Justine en 1946 au poste d'enquêteur au département des réclamations, Claude Rivard a par la suite occupé diverses fonctions, dont celles de chef du bureau de règlement des comptes de 1951 à 1963, chef de service aux comptes recevables (1963), assistant au directeur du personnel (1964) et, finalement, directeur du personnel de 1965 jusqu'à sa retraite en 1987. Apprécié de tous pour son humanisme, sa générosité, sa discrétion et son sens de l'équité, Claude Rivard est demeuré attaché à l'hôpital même après son départ en devenant président de l'Association des retraités de Sainte-Justine pendant de nombreuses années et en participant aux campagnes de financement de la fondation de l'hôpital.

soit un salaire minimum de 165 $ par semaine pour la dernière année de la convention. Les infirmières, les techniciennes de radiologie et de laboratoire poursuivent cependant leur débrayage durant une partie de l'été[51].

Le troisième front commun de 1979 se solde également par une grève déclenchée après l'adoption d'une loi spéciale (loi 62) qui interdit le recours à ce moyen de pression pour quinze jours, soit le temps que les syndicats soumettent les offres gouvernementales à leurs membres. Encore une fois, les syndiqués, qui défient la loi, obtiennent des redressements intéressants en ce qui concerne les salaires, mais, selon l'historien Jacques Rouillard, l'écart qui les sépare du secteur privé depuis le début des années 1970 commence alors à se rétrécir. Menées dans un contexte de récession économique et de crise des finances publiques, les négociations de 1982-1983 n'en sont pas vraiment. Bien déterminé à réduire ses dépenses, le gouvernement de René Lévesque décide de récupérer les hausses de salaire déjà consenties pour une période de trois mois, soit de janvier à mars 1983, ce qui représente une réduction salariale de plus de 20 %. Adoptée en juin 1982, la loi qui prévoit cette mesure s'accompagne d'une autre loi qui supprime le droit de grève dans le secteur public, cette fois pour la durée des négociations. À l'automne, le gouvernement présente des « offres » qui comprennent un gel des salaires pour 1983 et de très légères augmentations pour les années suivantes, de manière à ramener la rémunération des employés de l'État au même niveau que celle des travailleurs du secteur privé. En novembre, devant le refus des syndicats de négocier sur cette base, le gouvernement adopte finalement la loi 105, qui détermine les conventions collectives jusqu'en 1985 et interdit le recours à la grève pour les trois années suivantes[52].

Les négociations de 1982-1983 représentent un véritable électrochoc pour les employés de la fonction publique, qui constatent que leurs droits ne sont jamais vraiment assurés lorsqu'ils font face à l'État employeur et législateur. « À outrance, le gouvernement Lévesque met en danger les fondements mêmes de la démocratie et chacun a la responsabilité de le dénoncer, au moins jusqu'aux prochaines élections », peut-on lire dans *Interblocs* en février 1983[53]. Effectivement, les « lois-matraques » du gouvernement Lévesque, pour reprendre une expression consacrée, sont considérées comme l'une des causes de sa défaite électorale en 1985. Tout en se disant inquiète « des conséquences de la loi 105 sur la productivité, la quantité et la qualité des services qui seront offerts[54] », l'administration de Sainte-Justine tente d'atténuer l'impact des diminutions de salaire sur ses employés en mettant en place un service d'aide pour son personnel. Elle prend également diverses mesures, comme une clinique d'impôt gratuite, des séances et des kiosques d'information portant sur la consommation, et elle accorde à ceux qui en font la demande une avance garantie par les jours de maladie payables à la fin de l'année. Ces initiatives en matière de consommation remportent un tel succès que la direction décide, à la fin de l'année 1983, de les maintenir et même de les bonifier en y ajoutant un programme d'achats de groupe. Il est alors le seul établissement à offrir ce genre de services. Dès l'année suivante, le programme d'aide aux employés (PAE), qui devient permanent, inclut le soutien psychologique[55].

Le retour au travail des employés de Sainte-Justine à la fin de la grève de 1972 (photo *La Presse,* tirée des AHSJ).

Jean-Pierre Chicoine (1949-)

Détenteur d'un baccalauréat en génie industriel de l'École polytechnique de l'Université de Montréal et d'un M.B.A. de l'Université Laval, Jean-Pierre Chicoine arrive à Sainte-Justine en 1975 où il occupe divers postes au sein de l'administration, dont ceux de directeur général adjoint et de directeur des services administratifs, avant d'être nommé directeur général en 1981. En 1985, au terme d'un premier mandat, il quitte l'établissement pour se joindre à la firme CGO inc. à titre de président-directeur général. De 1995 à 1999, il revient à l'hôpital pour un second mandat comme directeur général, avant de le quitter définitivement pour occuper le même poste au Centre hospitalier universitaire de Sherbrooke.

Au cours de ses deux mandats à la tête de Sainte-Justine, Jean-Pierre Chicoine a dû faire face à des compressions budgétaires importantes, à des négociations souvent houleuses et aux départs massifs à la retraite encouragés par le gouvernement de Lucien Bouchard en 1997. Au nombre de ses réalisations, il faut mentionner le rétablissement de l'équilibre budgétaire au début des années 1980 par une décentralisation de la gestion et l'augmentation du volume de services malgré un contexte défavorable. Au cours de son deuxième mandat, l'hôpital a renforcé ses liens avec l'Université de Montréal en devenant un centre hospitalier universitaire, les services ont été restructurés sur la base de regroupements de clientèles et le réseau mère-enfant suprarégional a été mis sur pied, ce qui a contribué au renforcement de la position de Sainte-Justine à l'échelle du Québec.

Les négociations entreprises en 1986 se déroulent sous la férule de la loi 37, qui prive à nouveau les syndicats de leur droit de grève, et surtout de la loi 160, qui prévoit la perte d'une journée de salaire additionnelle et d'une année d'ancienneté pour chaque jour de débrayage illégal. Chaque jour de grève entraîne de plus la suspension des retenues syndicales à la source pour une période de trois mois. Peu d'employés osent défier une loi aussi sévère et les conventions collectives sont renouvelées sans conflit majeur. Lors des négociations de 1989, la loi 160 s'applique toujours, mais cette fois les infirmières, excédées par la détérioration de leurs conditions de travail qui s'alourdissent toujours davantage à cause d'une pénurie récurrente, décident d'affronter le gouvernement. Au printemps, elles perturbent le fonctionnement des hôpitaux en refusant de faire des heures supplémentaires, puis, à l'automne, elles déclenchent une grève générale illimitée, qui est immédiatement déclarée illégale, mais qui incite le gouvernement à bonifier ses offres. Dans la foulée, les employés d'hôpitaux débraient aussi pendant cinq jours à la mi-septembre, ce qui leur vaut 15 mois de « non-retenues » syndicales et des pertes d'ancienneté pouvant aller jusqu'à cinq ans. Tout comme d'autres hôpitaux, Sainte-Justine choisit cependant d'étaler le prélèvement de la pénalité salariale. Quant à la perte d'ancienneté, devant les difficultés rencontrées par les administrations hospitalières pour appliquer cette mesure, elle sera finalement abandonnée en 1991 ; un jugement de la Cour supérieure déclare d'ailleurs que cette sanction est inconstitutionnelle parce qu'elle est complètement disproportionnée par rapport aux buts poursuivis[56].

Les conflits de travail des années 1970 et 1980 contribuent à entretenir un climat de tension, qui va bientôt forcer l'administration de Sainte-Justine à remettre en question certaines pratiques de gestion de son personnel. Tout d'abord, vers le milieu des années 1970, l'hôpital entreprend de revaloriser le travail de ses cadres par une plus grande décentralisation de son fonctionnement. Cette décision découle d'un litige survenu en 1975 opposant les employés et la direction de l'hôpital au sujet de la gratuité du stationnement. Conformément aux directives ministérielles qui exigent désormais l'autofinancement de ce service, l'hôpital décide en effet d'en faire payer tous les utilisateurs, ce que refusent obstinément la plupart des employés syndiqués. Débrayages, manifestations devant l'entrée du stationnement pour en bloquer l'accès et même vandalisme ponctuent ce conflit, qui s'achève par une entente où les syndicats obtiennent temporairement gain de cause[57]. L'épisode aura, semble-t-il, fait réfléchir sur les rapports de pouvoir à l'intérieur de l'hôpital. Désireuse d'établir un meilleur climat de travail, la haute administration confie davantage de responsabilités aux cadres dans l'espoir que les employés bénéficient de cette décentralisation de la gestion et soient davantage consultés. Un sondage réalisé au début des années 1980 auprès de l'ensemble du personnel laisse voir cependant que ce processus de délégation n'a pas eu l'effet escompté, la majorité des employés n'ayant remarqué « aucun changement dans l'attitude de leur chef depuis le moment où Sainte-Justine a envisagé d'assouplir son approche en ce qui touche les relations de travail[58] ». C'est pendant le mandat de Jean-Pierre Chicoine, nommé directeur général de Sainte-Justine en 1981, que l'amélioration des communications et la participation du personnel à l'organisation du travail deviennent des priorités. De l'avis du nouveau directeur, après avoir accordé plus de latitude aux cadres, Sainte-Justine doit « pousser plus loin le partage des responsabilités, l'autonomie des individus, promouvoir leur créativité[59] ».

De tels engagements, qui supposent que l'on se mette à l'écoute des suggestions des employés, sont cependant difficiles à respecter quand, par exemple, les compressions budgétaires exigent la fermeture de lits et même d'unités en dépit de l'opposition des employés, comme il est arrivé à plus d'une reprise à partir des années 1980. Certaines initiatives, comme l'évaluation du rendement que l'administration cherche à implanter durant la première moitié des années 1980, génèrent pour leur part une bonne dose de résistance. En principe, ce processus doit encourager l'ouverture et la coopération à tous les niveaux de la hiérarchie, l'employé participant à l'élaboration des objectifs qu'il doit atteindre et à son évaluation par son supérieur. En pratique, cependant, certains craignent que les chefs de service n'en viennent à faire fi de la consultation et n'imposent tout simplement leur point de vue[60].

Se mettre à l'écoute des employés devient pourtant une préoccupation de plus en plus obsédante à mesure que les budgets de la santé s'amenuisent, que la précarité devient le lot d'une proportion toujours plus grande du personnel et que la charge de travail de chacun s'alourdit. À la fin des années 1980, l'administration entreprend une vaste enquête sur la satisfaction au travail afin de définir des « moyens d'action permettant d'améliorer, dans la mesure du possible, les

Durant les années 1980, le personnel de Sainte-Justine conteste à quelques reprises la réduction du nombre de lits ou la fermeture d'unités de soins. En 1982, c'est contre la décision de la direction de fermer le 6ᵉ, bloc 4 qu'ils manifestent (AHSJ).

aspects les plus déficients[61] ». L'attention portée à cette question, alors que s'appliquent les sanctions de la loi 160 et que les cadres reçoivent depuis quelques années une prime au « rendement exceptionnel » que plusieurs perçoivent comme une prime aux compressions, fait cependant bien des sceptiques. Les résultats de l'enquête, qui révèlent une insatisfaction assez généralisée au plan des communications, de la reconnaissance, de la charge de travail, du manque de ressources et plus globalement de la gestion, font néanmoins l'objet de mesures correctrices concrètes au cours des années suivantes. Sous la direction de Richard L'Écuyer, Sainte-Justine tente en effet de mieux informer ses employés au sujet des grandes orientations et d'améliorer les services offerts par la direction des ressources humaines aux employés et aux gestionnaires. À compter de 1994, un comité de la reconnaissance entreprend pour sa part de souligner la contribution exceptionnelle des employés dans divers domaines[62].

Malgré les lois spéciales qui restreignent le droit de grève, les négociations dans les années 1980, à l'exclusion de celles de 1982-1983, se concluent généralement par des augmentations de salaire de l'ordre de 3 à 5 %, et parfois même davantage pour certaines catégories de salariés. C'est également au cours de cette décennie que les syndicats font des gains importants en matière de congé de maternité et d'équité salariale, même si ce dernier dossier connaîtra son dénouement seulement à l'automne 2006. Dans les années 1990, par contre, les négociations avec l'État s'avèrent beaucoup plus ardues ; le plus souvent, en effet, elles aboutissent à des gels, à des augmentations minimales de l'ordre de 1 % ou 2 % et à l'abolition de postes. Ainsi, en mai 1993, le gouvernement libéral impose la loi 102 qui prolonge les conventions collectives de deux ans, interdit de nouveau la grève et permet à l'État de récupérer 1 % de la masse salariale, ce qui revient à imposer trois journées de travail sans solde à tous les employés des secteurs public et parapublic. Un mois plus tard, il fait adopter une autre loi qui prévoit une réduction des effectifs de 20 % chez les cadres et de 12 % chez le personnel de la fonction publique avant le mois d'avril 1998. Pour Sainte-Justine, cela signifie l'élimination de près de 400 postes. Alarmé, le syndicat des employés présente une pétition au directeur général lui demandant « de dénoncer formellement » la loi 102 et de soustraire le réseau de la santé à l'application de la loi 98 portant sur les baisses des effectifs. Sans se prononcer sur la première question, l'administration convient qu'elle « pourrait revenir à la charge auprès du MSSS en leur [*sic*] demandant de protéger la vocation de l'institution ». Les représentants syndicaux deman-

Richard L'Écuyer (1940-1994)

Richard L'Écuyer a été directeur général du centre hospitalier de Sorel et de l'hôpital Pierre-Boucher de Boucherville avant d'exercer les mêmes fonctions à Sainte-Justine. Premier directeur général à provenir de l'extérieur de l'établissement, son passage à l'hôpital, de 1985 à 1994, a contribué à faire de Sainte-Justine un chef de file dans le réseau de la santé au Québec. L'une de ses préoccupations majeures a été de procurer la meilleure qualité de soins aux mères et aux enfants et d'encourager l'humanisation des soins. Il a réussi à conserver l'équilibre budgétaire malgré les contraintes imposées par le ministère de la Santé et des Services sociaux à la fin des années 1980, ce qui a valu à l'hôpital de nombreux développements et un rehaussement budgétaire de trois millions de dollars en 1992-1993. Il a aussi été l'instigateur de grands projets, notamment le centre de cancérologie Charles-Bruneau et l'intégration des deux fondations de l'hôpital.

Richard L'Écuyer est décédé en 1994, des suites d'un cancer, alors qu'il occupait toujours son poste à la direction générale. Tout au long de son mandat, il a su inspirer ses équipes par son enthousiasme, sa détermination et sa chaleur humaine. Son excellence et son mérite ont d'ailleurs été reconnus en 1991, alors que l'Association des directeurs généraux des services de santé et des services sociaux lui décernait un prix d'excellence, l'Ordre émérite des directeurs généraux.

dent également que les employés soient rapidement tenus au courant de toutes démarches et décisions de l'administration afin « de sécuriser le personnel[63] ».

Adoptées au moment même où le budget de l'hôpital subit des compressions de l'ordre de 2 %, les deux lois annoncent des jours plus difficiles que jamais pour les employés de Sainte-Justine. Dans un effort visant à rationaliser ses dépenses au maximum, l'administration entreprend une opération baptisée « Revue d'utilisation des ressources » (RUR) qui, entre autres mesures, propose d'appliquer un moratoire sur l'affichage de postes et d'inciter les employés à réduire volontairement leurs heures de travail ou à prendre leur retraite. Cette fois, afin de calmer leurs inquiétudes, le personnel et les syndicats sont tenus très étroitement au courant des changements qu'entend apporter la direction pour respecter ses engagements financiers ; le directeur général prend même soin de les rencontrer durant les différents quarts de travail, y compris le quart de nuit[64].

Élu à l'automne 1994, le gouvernement du Parti québécois abroge la loi 98, mais sans augmenter le budget des hôpitaux. Tout au contraire, dès l'année suivante, il choisit de sabrer encore davantage dans le réseau de la santé en fermant plusieurs établissements. Cette décision engendre encore plus d'appréhensions et de craintes chez les employés de Sainte-Justine, car l'hôpital doit absorber sa part d'employés permanents venant des établissements visés par les fermetures. Pour la deuxième fois en moins d'une année, la direction met en branle un plan de communication baptisé « L'heure juste », qui l'amène à rencontrer les employés pour tenter de répondre à leurs questions. Contrairement à l'Association des hôpitaux du Québec (AHQ) qui préconise le gel des embauches et de l'affichage de postes jusqu'à ce que le personnel excédentaire bénéficiant de la permanence n'ait été absorbé par le réseau, Sainte-Justine privilégie leur répartition au prorata des budgets des établissements. Selon Jean-Pierre Chicoine, qui effectue son second mandat à la tête de l'hôpital, la manière de procéder de l'AHQ désavantage les hôpitaux qui ont pratiqué une gestion « clairvoyante » en ne comblant pas tous les postes devenus vacants, comme à Sainte-Justine. En effet, ces hôpitaux se verraient obligés d'accepter une plus grande proportion d'employés bénéficiant de la sécurité d'emploi que ceux qui auraient systématiquement comblé tous leurs postes[65]. Dans ce dossier, l'hôpital prend donc le parti de ses employés, en particulier ceux qui n'ont pas acquis la permanence et qui risquent d'être délogés par cette vaste opération de relocalisation. Suivant cette proposition, qui est appuyée par le syndicat, il se dit prêt à recevoir 200 employés, ou l'équivalent de 150 personnes à temps plein, « ce qui correspond au poids relatif du budget de l'établissement[66] ». Ce point de vue prévaudra et Sainte-Justine accueillera finalement son contingent de nouveaux employés, du personnel de bureau et du personnel non

Tableau 9. – Nombre d'employés, de 1985 à 2005

Années	Employés
1986-1987	3 744
1988-1989	3 730
1992-1993	4 200
1993-1994	3 949
1995-1996	3 873
2004-2005	4 121

Source : AHSJ, rapports annuels 1986-2005.

soignant dans la plupart des cas, suivant les paramètres qu'il s'était fixés[67]. Le tableau 9 (p. 301), permet d'apprécier les variations du nombre des employés entre le milieu des années 1980 et le milieu des années 2000, des décennies ponctuées par l'abolition de postes, mais aussi par des fusions.

Parallèlement, l'hôpital met aussi en place un plan de réduction de ses effectifs en offrant des programmes de préretraite. Dès 1996, une centaine d'employés se prévalent de cette option. L'année suivante, le gouvernement de Lucien Bouchard propose une mesure semblable à l'ensemble des salariés de la fonction publique. Cette fois, ce sont 300 employés qui quittent Sainte-Justine, dont 20 % des cadres. De nouveaux départs durant l'année 1998 portent ce nombre à plus de 400 personnes. Une telle ponction, qui représente 10 % de la main-d'œuvre de l'hôpital, devient un autre sujet d'inquiétude, surtout dans certains secteurs plus névralgiques qui voient partir une somme d'expérience inestimable, alors que l'on n'a guère eu le temps de former la relève. Dans certains services, notamment au bloc opératoire et en chirurgie d'un jour, il faudra plusieurs mois avant que la situation ne se stabilise. Cette réduction draconienne du nombre d'employés n'étant pas suffisante aux yeux de l'État pour renflouer ses coffres, celui-ci impose également le non-paiement de 1,3 jour de salaire par employé[68].

Les fermetures d'hôpitaux et les départs massifs à la retraite n'ont pas non plus empêché la poursuite des compressions budgétaires et des réductions de personnel. Des rumeurs de privatisation ou de régionalisation de certains services, notamment la buanderie, ont aussi circulé à partir des années 1990 et ont contribué à entretenir un climat de morosité, qui s'est entre autres traduit par des taux d'absentéisme élevés. Pour contrer cette tendance et garantir des soins et des services de qualité, la direction des ressources humaines remet à l'ordre du jour les grandes priorités déjà définies depuis le début des années 1980, comme la communication, la reconnaissance et l'autonomie au travail[69]. Dans un contexte où l'État continue de restreindre les budgets et s'en tient à une politique salariale très stricte, comme en témoignent les négociations de 1999 et de 2003 qui se sont terminées par l'adoption de nouveaux décrets, contrer la démotivation, mobiliser le personnel et maintenir le sentiment d'appartenance représentent certainement des préoccupations de chaque instant. Pour les employés, le défi consiste plutôt à composer, jour après jour, avec des équipes réduites, un rythme de travail accéléré et une reconnaissance salariale qui n'a cessé de diminuer depuis les années 1980. Reste la conviction très souvent exprimée de travailler dans une institution qui, par sa mission, se distingue nettement des autres centres hospitaliers. Si l'idée de « vocation » est définitivement révolue, ce qu'a bien montré le militantisme syndical des années 1960 à 2000, plusieurs membres du personnel estiment néanmoins que travailler à Sainte-Justine, pour les enfants malades et les mères, demeure une source importante d'inspiration et de motivation.

ÉPILOGUE

Du chemin de la Côte-Sainte-Catherine...

Le souci d'assurer à une très grande population les secours médicaux appropriés, l'ardent désir de maintenir ou d'apporter notre hôpital au niveau toujours mobile du progrès scientifique, ont incité deux de nos médecins, MM. les docteurs J.-C. Bourgoin et Henri Baril, — et d'autres vont suivre — à aller à Paris au cours de l'été, prendre contact avec les idées et les techniques nouvelles.

Rapport annuel 1929, p. 43

Ces propos tirés du rapport annuel de Sainte-Justine pour l'année 1929 témoignent bien de la volonté de la direction et du corps médical de maintenir l'institution à la fine pointe des développements de la médecine. Pour y parvenir, l'hôpital encourage les études et les stages de formation à l'étranger, finance la publication des *Annales médico-chirurgicales de l'Hôpital Sainte-Justine* et soutient la participation de ses médecins à des congrès scientifiques tenus au Québec, au Canada, aux États-Unis et en Europe. En 1930, le Dr Arthème Dutilly suit des cours d'été à l'École de puériculture de Paris, alors que trois ans plus tard, le Dr Louis Paré bénéficie d'un congé d'études de six mois qui l'amène en France, en Belgique et en Angleterre pour se familiariser avec les procédés de fabrication des sérums antipoliomyélitique et antituberculeux.

Dès l'entre-deux-guerres, l'hôpital accueille également des sommités dans le domaine de la pédiatrie, qui viennent donner des conférences et des cliniques ou pratiquer des chirurgies auxquelles assistent les médecins et les internes de l'hôpital. Ainsi, en 1922, le Dr Louis Ombrédanne, chirurgien à l'Hôpital des Enfants malades de Paris, procède à plusieurs interventions devant ses collègues de Sainte-Justine, lors de son passage à Montréal pour assister au congrès de l'Association des médecins de langue française de l'Amérique du Nord. Le professeur Adolphe Pinard, célèbre gynécologue français et directeur de l'École de puériculture de Paris, venu assister au même congrès, est aussi présent. Les Drs Georges Mouriquand, professeur à l'Université de Lyon, Émile Sergent, membre de l'Académie de médecine de Paris et spécialiste de la tuberculose, et Robert Turpin, de la Faculté de médecine de l'Université de Paris, font aussi partie des visiteurs qui, à au moins deux reprises, viennent partager leur savoir et leur expertise avec leurs confrères montréalais dans les années 1930. Ces spécialistes, qui ont souvent connu les médecins de Sainte-Justine lorsque ces derniers étudiaient en France, deviennent des courroies de transmission pour la diffusion des connaissances pédiatriques. Du point de vue de la direction de l'hôpital, leur contribution à la formation du corps médical est cruciale car elle est un gage de son développement scientifique[1].

La Seconde Guerre mondiale marque un temps d'arrêt dans les rapports avec la France, les médecins des deux côtés de l'Atlantique ne pouvant guère se déplacer durant le conflit. Une fois la paix revenue, les échanges reprennent, mais l'hôpital reçoit aussi des médecins des États-Unis. Il faut dire qu'en raison de la guerre, précisément, plusieurs pédiatres de Sainte-Justine y font leurs études postdoctorales ou des stages de spécialisation, créant de nouveaux réseaux qui sont ensuite mis à profit. En 1948, par exemple, sur les six conférenciers invités à l'hôpital grâce à la Fondation L.-G.-Beaubien, trois sont des États-Unis, dont deux de l'université Johns Hopkins, l'une des plus réputées pour sa Faculté de médecine, les trois autres étant rattachés à des hôpitaux parisiens et au Toronto Sick Children[2].

Visite du sénateur Kennedy et de son épouse en 1953.

Dans les années 1950 et 1960, Sainte-Justine reçoit de nombreux visiteurs de marque (AHSJ).

Visite de sa Majesté la reine Élisabeth II en 1959.

Visite de l'impératrice d'Iran en 1965.

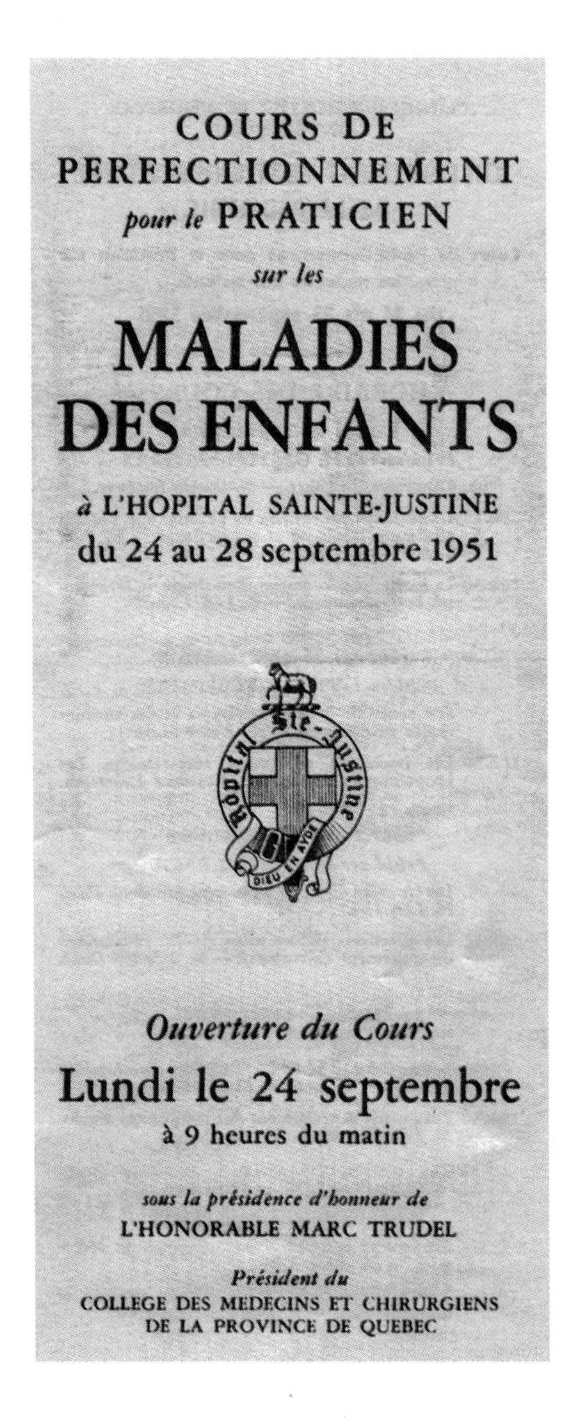

Annonce du cours de perfectionnement organisé à l'Hôpital Sainte-Justine en 1951 (AHSJ).

Loin de fonctionner en vase clos, Sainte-Justine s'ouvre donc dès les premières décennies de son histoire aux traditions médicales française puis états-unienne. La formation qu'en retirent ses médecins contribue à l'amélioration des soins et au rayonnement de l'institution qui, dans l'après-guerre, voit croître sa renommée. En 1948, le rapport annuel constate que Sainte-Justine « est de plus en plus connu à l'étranger, soit que nous rendions des visites à l'extérieur, ou que l'on vienne nous apporter les résultats des découvertes faites ailleurs[3] ». Cette année-là, le Dr Jean Lapointe, premier chirurgien à pratiquer des greffes de la cornée au Canada, se rend en France à l'invitation des professeurs Louis Paufique et Pierre Sourdille, deux pionniers de l'ophtalmologie française, pour assister à des congrès tenus à Lyon et à Nantes, où ils pratiquent également des greffes. L'année suivante, c'est au tour de Paufique et de Sourdille de venir à Sainte-Justine, où ils donnent « deux séances opératoires [...] devant des ophtalmologistes de la province[4] ».

Si, au début, les transferts de connaissances se font davantage de la France ou des États-Unis vers le Québec, l'exemple du Dr Lapointe montre que dans les années 1940 certains médecins de Sainte-Justine commencent à faire leur marque à l'échelle internationale dans leur domaine de spécialisation. À l'intérieur de la province, l'hôpital fait déjà figure de chef de file : dès cette époque, l'institution s'attire une clientèle venant d'aussi loin que l'Abitibi, qui vient y chercher des soins spécialisés qu'elle ne peut trouver ailleurs. Au début des années 1950, les pédiatres de Sainte-Justine, forts de leur expertise, organisent des sessions de perfectionnement à l'intention de leurs confrères des villes et des centres ruraux. Mise en place à l'occasion de la campagne de souscription lancée pour la construction de l'immeuble de la Côte-Sainte-Catherine, cette formation, d'une durée de quatre jours, constitue un excellent outil de promotion pour l'hôpital, mais elle semble aussi répondre à un réel besoin puisqu'une centaine de médecins, dont 60 % proviennent de l'extérieur de Montréal, s'y inscrivent la première année. Ce succès incite l'hôpital à répéter l'expérience jusqu'en 1955, année où le nombre des inscriptions, alors en constante diminution, ne justifie plus l'investissement. Les années 1950 sont aussi le moment où l'hôpital devient un centre d'enseignement pour les soins aux prématurés, dont un nombre toujours croissant y sont traités[5].

En assumant de tels mandats à l'échelle provinciale, Sainte-Justine affine son expertise dans le domaine des soins infantiles et maternels et se prépare à intervenir sur la scène internationale. En 1961, le Dr Denis Lazure prend congé de l'hôpital pour une période de six mois afin de diriger le Centre psychiatrique de Port-au-Prince ; deux ans plus tard, à la demande du Bureau fédéral d'aide extérieure, une technicienne de laboratoire de Sainte-Justine, Josée Larose, se joint à une équipe médicale canadienne à l'hôpital central de Kumasi, au Ghana, pour un an. C'est cependant en Tunisie que Sainte-Justine se voit confier sa mission la plus importante au cours des années 1960. Mandaté par le ministère des Affaires extérieures, l'hôpital confie au Dr Albert Royer la tâche de mettre sur pied un hôpital pédiatrique à Tunis. De septembre 1966 à juillet 1967, le Dr Royer assume la direction de l'équipe canadienne déléguée sur place pour concrétiser ce projet ; à son retour, l'hôpital choisit le Dr Gloria Jeliu pour lui succéder. L'équipe canadienne comprend alors trois médecins, trois physiothérapeutes, six techniciennes de laboratoire, une technicienne de radiologie et 31 infirmières et puéricultrices. Son mandat est de réorganiser l'enseignement de la pédiatrie en collaboration avec la Faculté de médecine et le ministère tunisien de la Santé publique, de s'occuper de la formation paramédicale des infirmières et des autres soignantes et d'élaborer un programme de recyclage en radiologie. L'équipe prodigue également des conseils médicaux dans le cadre d'une campagne de prévention de la poliomyélite. En 1969, le gouvernement fédéral s'adresse de nouveau à Sainte-Justine pour qu'il prenne la responsabilité de l'organisation d'un institut de pédiatrie, toujours à Tunis. L'entente entre l'Agence canadienne de développement international (ACDI) et l'hôpital, signée en janvier 1970, est prolongée en avril 1973. Quelques mois plus tard, Sainte-Justine se voit également confier la gestion de l'École professionnelle de santé publique d'Avicenne (Tunis), un projet qui prolonge le travail d'enseignement paramédical amorcé quelques années plus tôt par le Dr Jeliu. Selon le Dr Royer, « ce projet est le plus important en Tunisie et celui dont les effets à long terme seront les plus bénéfiques pour les enfants tunisiens et pour le rayonnement et la réputation de l'Hôpital Sainte-Justine ». Un autre contrat de coopération avec la Tunisie conduit sous l'égide de l'ACDI suivra en 1976 ; cette fois, Sainte-Justine doit voir à l'établissement d'un service de médecine préventive à l'hôpital régional de Menzel Bourguiba[6].

L'expérience tunisienne s'étend sur plus de dix ans et est suivie, dans les années 1980, par l'établissement d'un jumelage entre Sainte-Justine et l'hôpital Albert-Royer de Dakar (Sénégal), un établissement construit en 1982 qui fait appel à l'expertise du Dr Royer. Dans le cadre de ce programme, Sainte-Justine s'engage à accueillir des stagiaires sénégalais (médecins et personnel paramédical et administratif) et à déléguer les spécialistes requis au Sénégal lors du démarrage de projets particuliers. Au tournant des années 1990, un nouveau jumelage est établi avec l'hôpital Xin-Hua de Shanghai (Chine) dans le but de favoriser les échanges en matière de recherche, d'enseignement et de soins. Des voyages de reconnaissance sont alors entrepris de part et d'autre ; en 1994, le président de la communauté chinoise de Montréal et président du jardin de Chine au Jardin botanique, M. Raymond Wong, conclut une entente avec

Sainte-Justine afin de mettre sur pied des projets de collaboration pour venir en aide aux enfants malades dans les hôpitaux chinois. Au plan scientifique, Sainte-Justine se démarque au cours de la décennie 1990 par l'organisation d'au moins trois événements internationaux d'importance : le colloque Robert-Debré qui, en avril 1994, réunit plus de 80 personnes provenant du centre hospitalier français du même nom et, en 1996, un colloque portant sur l'approche clientèle, organisé par Pauline Turpin, alors directrice des services ambulatoires, où des experts de l'Europe, du Canada anglais et du Québec viennent partager leur expérience respective. La même année, le Dr Claude C. Roy réunit une centaine de chercheurs internationaux dans le cadre du Pediatric Travel Club[7].

La présence de Sainte-Justine sur la scène internationale à partir des années 1960 va de pair avec son expansion comme institution de soins spécialisés, et même ultraspécialisés, nanti d'un centre de recherche de plus en plus actif. La synergie entre les soins, la recherche et l'enseignement qui s'établit à partir de cette époque lui permet de se maintenir à l'avant-garde des connaissances médicales et de devenir un point de référence en ce qui concerne le traitement des mères et des enfants. Cette expertise est d'abord sollicitée dans le cadre d'ententes bilatérales, qui se concrétisent par des jumelages, mais dans la seconde moitié des années 1990 elle est mise à contribution à l'intérieur de réseaux qui se forment tant à l'échelle du Québec qu'au niveau de la francophonie.

Ainsi, en 1996, l'Hôpital Sainte-Justine reçoit le mandat des régies régionales de mettre sur pied un réseau mère-enfant suprarégional (RMES) réunissant des centres hospitaliers de la province qui dispensent des soins à ces clientèles. L'objectif principal d'un tel réseau est d'assurer l'accessibilité, la qualité et la continuité des soins et des services, tout en favorisant la concertation entre les professionnels de la santé qui œuvrent dans différents centres hospitaliers. En amenant les partenaires à harmoniser leurs pratiques et à élaborer des projets cliniques ou technologiques novateurs, le RMES entend rapprocher les soins spécialisés des patients et ainsi leur éviter des déplacements inutiles. Grâce à ce genre de partenariat, en effet, les mères et les enfants venus en consultation ou pour une chirurgie à Sainte-Justine peuvent ensuite être suivis près de chez eux. En 2004, vingt centres hospitaliers de l'ouest du Québec, depuis l'Abitibi-Témiscamingue jusqu'à la Montérégie, en passant par la Mauricie et la région de Lanaudière, sont membres du RMES piloté par Sainte-Justine ; pour leur part, les centres hospitaliers de l'est de la province sont regroupés sous l'égide du Centre hospitalier universitaire de Québec (CHUQ), qui a mis en place ce réseau grâce au soutien que lui a apporté Sainte-Justine.

Financée par le fonds d'adaptation des services de santé du gouvernement fédéral, la mise sur pied du RMES a favorisé la création d'un dossier patient « partageable » qui permet à différents hôpitaux d'avoir accès à l'information clinique concernant la clientèle qu'ils traitent conjointement. Le RMES a aussi expérimenté un nouveau logiciel qui, dans les cas de grossesse à risques, permet aux obstétriciens de Sainte-Justine et aux médecins des régions de suivre à distance la progression des accouchements ayant lieu dans les centres hospitaliers régionaux sélectionnés ; en néonatalogie, les partenaires du réseau ont mis l'accent sur l'amélioration des conditions dans lesquelles les prématurés sont transférés de l'hôpital où ils sont nés au Service de néonatalogie de Sainte-Justine, et inversement lors de leur retour dans leur milieu. Des services en pédopsychiatrie sont également offerts aux centres et aux régions moins bien desservis grâce, entre autres, à la télémédecine qui permet aux spécialistes de Sainte-Justine d'offrir des consultations à distance. En 2002, le RMES s'est également doté d'un site Internet où les partenaires ont accès à une information clinique diversifiée et à des formations médicales continues accréditées, c'est-à-dire reconnues par la Faculté de médecine de l'Université de Montréal, sous forme de présentations audiovisuelles. Alimenté par les médecins et

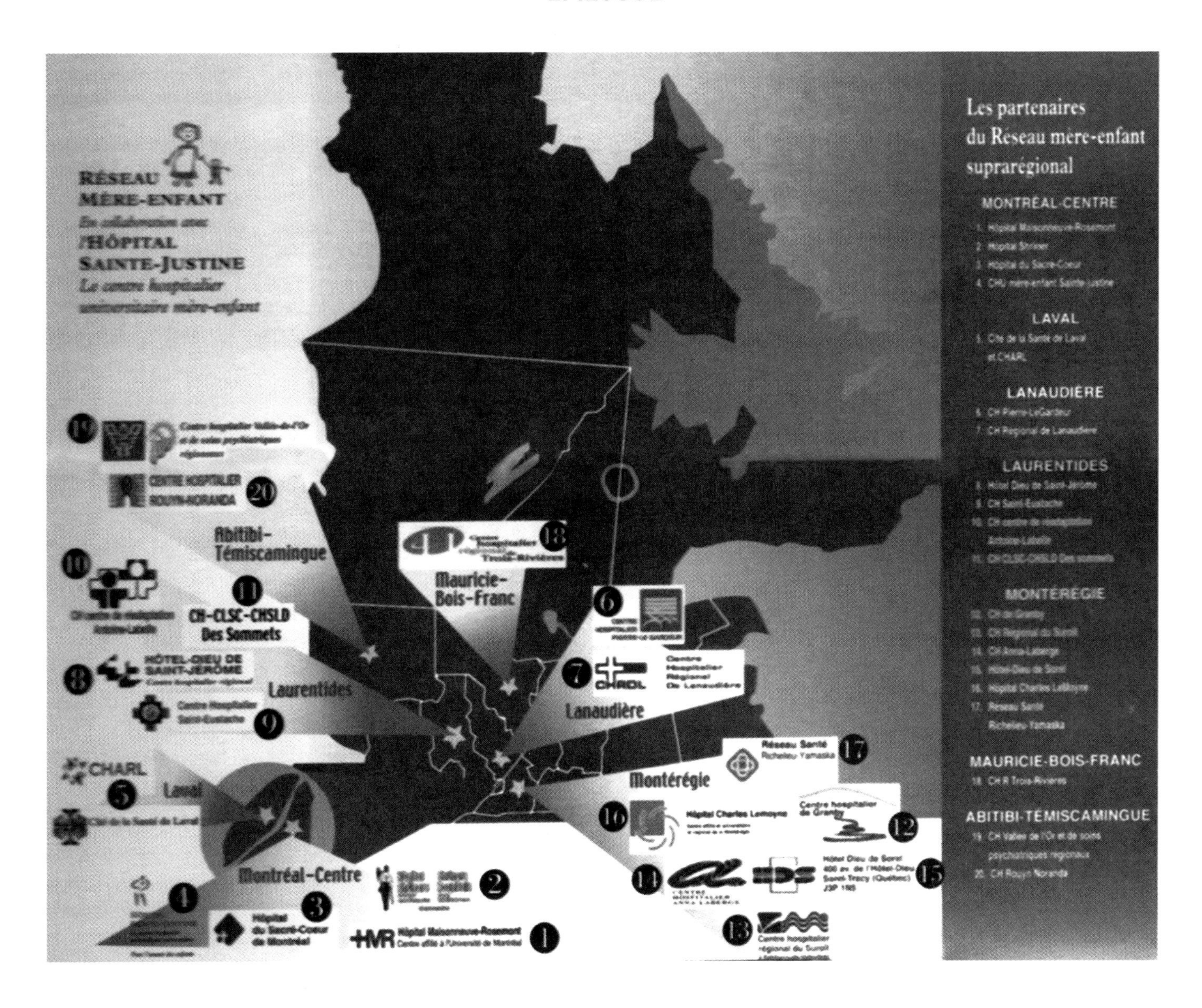

Carte des centres hospitaliers affiliés au réseau mère-enfant suprarégional en 2004 (AHSJ).

les professionnels du réseau, le RMES diffuse aussi des visioconférences sur des sujets variés allant de la néonatalogie aux abus sexuels, en passant par la scoliose, les troubles du comportement, la prise en charge des enfants en fin de vie, le syndrome du bébé secoué et l'obésité. Mentionnons que, grâce à cette technologie, les professionnels de tous les établissements affiliés peuvent assister à distance au déroulement d'une conférence retransmise en direct dans le site.

Logo du réseau mère-enfant de la francophonie (AHSJ).

Comme on peut le constater, le RMES fait largement appel aux nouvelles technologies informatiques et aux nouveaux moyens de communication électroniques pour assurer la distribution des soins et la formation continue du personnel médical et paramédical. Selon un rapport du Groupe de recherche interdisciplinaire en santé, déposé en 2001, ces technologies se sont avérées des outils de première importance pour atteindre les principaux objectifs du réseau et assurer des retombées positives, principalement en ce qui concerne la qualité des soins et la diffusion des connaissances. Si la technologie facilite les échanges et la concertation, celle-ci ne résout cependant pas tous les problèmes : comme le souligne une analyse récente, apprendre à travailler en équipe dans le respect de tous les partenaires constitue l'un des défis qu'il a fallu apprendre à relever afin que s'établisse un véritable climat de confiance entre les membres du réseau et Sainte-Justine, qui agit comme tête de pont[8].

Parallèlement à ce réseau québécois, les années 2000 voient aussi se développer le Réseau mère-enfant de la francophonie (RMEF), dont Sainte-Justine est l'un des principaux initiateurs. Amorcée en 1998 par un projet de jumelage avec le centre hospitalier universitaire de Lille (France) sous la direction du Dr Lucie Poitras, directrice médicale, et du Dr Jacques Lacroix, intensiviste, la mise en place du RMEF prend forme l'année suivante lors d'un voyage de reconnaissance d'une délégation de l'Hôpital Sainte-Justine à des centres hospitaliers universitaires de Lille, Lyon, Paris et Bruxelles. L'objectif de cette mission est d'établir des liens de partenariat plus officiels avec ces différents hôpitaux et ainsi de favoriser les échanges scientifiques, la mobilité étudiante et le développement de la télémédecine. Une seconde mission effectuée au début de l'année 2001 en France, en Belgique et en Suisse permet d'élargir le nombre des partenaires du réseau, qui se constitue de manière officielle lors d'une rencontre qui a lieu à Sainte-Justine en février 2002. Formé au départ de six partenaires, le RMEF se donne pour mission de « promouvoir l'accès à des soins et des services de santé de qualité pour les mères et les enfants des pays membres de la communauté francophone ». Concrètement, les objectifs poursuivis comprennent le développement et le partage de l'expertise et des connaissances dans le domaine des soins, de la recherche et de la gestion à l'intention de la communauté francophone, la promotion de réseaux mère-enfant à l'échelle nationale en liaison avec le RMEF et l'aide aux pays en émergence dans le développement de leurs services pour les mères et les enfants. Présidé par Khiem Dao, directeur général de Sainte-Justine, le nouveau réseau y installe également son secrétariat permanent, donnant une très grande visibilité à l'institution montréalaise.

Tout comme le RMES, le RMEF se dote d'un site Internet, qui facilite la circulation de l'information entre les membres du réseau, et d'un bulletin électronique, mais il encourage également les contacts par la visite de délégations, l'organisation de stages de formation, les échanges de personnel médical, infirmier, paramédical et administratif et la tenue de colloques, dont le premier s'est déroulé en 2003 à Bruxelles. À la fin de cette même année, le RMEF met aussi en place un comité scientifique qui doit élaborer une politique générale pour le regroupement, établir des liens avec d'autres organismes scientifiques et proposer les thèmes des colloques et des visioconférences diffusées dans son site. Ce comité a également pour mandat de soutenir les projets de recherche regroupant des chercheurs issus de différents établissements partenaires.

Tourné vers l'expansion de la recherche à l'échelle internationale, les stages et le partage des connaissances et des expériences sur le terrain, le RMEF devient un important pôle d'attraction pour les hôpitaux francophones, comme en témoignent le ralliement du CHUQ et de plusieurs établissements européens (Nantes, Liège, Marseille) au cours des années suivantes de même que les demandes de rattachement en provenance de Casablanca et de Madagascar. En 2006, le RMEF regroupe plus de 16 membres, issus de huit pays francophones. Sainte-Justine participe activement à ce réseau de pointe : non seulement il héberge son secrétariat, mais il accueille aussi chaque année de nombreux délégués et stagiaires venant des établissements partenaires et il contribue à la plupart des projets de recherche qu'il parraine. Au printemps 2007, Sainte-Justine devient l'hôte du 5e colloque annuel du RMEF, qui se tient pour la première fois en Amérique du Nord. Organisé dans le cadre de son centenaire, l'événement retient pour thème « Culture et continents : partager le savoir[9] ».

Partager le savoir est sans contredit l'un des principaux objectifs qui animent les membres de l'équipe de Sainte-Justine, composée de chirurgiens, d'anesthésistes et d'infirmières, lorsqu'elle entreprend une mission au Maroc, au printemps 2006, sous la direction du Dr Joaquim Miró. À l'origine de cette mission se trouve l'organisation non gouvernementale (ONG) québécoise Mobilisation enfants du monde, qui a mis en contact l'Hôpital Sainte-Justine et l'ONG marocaine les Bonnes Œuvres du cœur, située à Casablanca. Subventionné en bonne partie par la communauté marocaine de Montréal, le séjour de l'équipe médicale canadienne vise d'abord et avant tout à procéder à un transfert d'expertise. Tout en supervisant une quarantaine d'interventions pratiquées sur des enfants atteints d'une cardiopathie congénitale, le personnel de Sainte-Justine cherche surtout à maximiser l'autonomie des intervenants marocains dans la pratique de chirurgies cardiaques. Cette expérience, qui devrait se répéter dans les années à venir, amène Sainte-Justine à renouer avec son engagement amorcé dans les pays du Sud au cours des années 1960, mais cette fois dans un domaine chirurgical hautement spécialisé pour lequel l'hôpital est désormais reconnu[10]. Ce type de mission humanitaire visant le transfert de connaissances a eu lieu à plusieurs reprises en Haïti, sous la direction du Dr Dickens St-Vis, mais aussi en Chine et au Pérou. En fait, les années 2000 sont marquées par une augmentation significative des collaborations internationales.

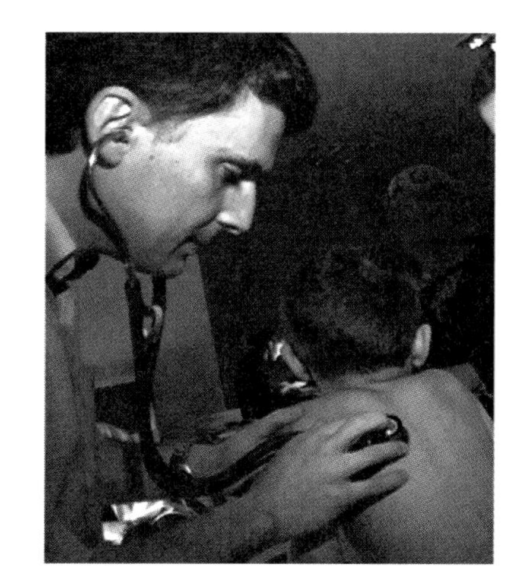

Le Dr Joaquim Mirò examinant un enfant à la clinique des Bonnes Œuvres du cœur lors de la mission de Sainte-Justine au Maroc (AHSJ).

Du chemin de la Côte-Sainte-Catherine, la renommée de Sainte-Justine atteint maintenant une ampleur difficilement imaginable au moment de sa fondation en 1907. D'une œuvre « très humanitaire et franchement nationale », comme se plaisaient à le rappeler les premiers rapports annuels, l'hôpital des débuts s'est peu à peu transformé en une institution de soins qui met l'accent sur la pratique d'une médecine de pointe au profit d'une clientèle diversifiée et qui déborde même des frontières du Québec. Plutôt que de se trouver à la remorque des découvertes provenant d'ailleurs, Sainte-Justine contribue maintenant à la production scientifique par les activités de ses nombreux chercheurs. La formation plus poussée du personnel infirmier et paramédical et la disponibilité d'équipements sophistiqués et de médicaments efficaces contribuent également à accentuer la distance qui sépare le petit établissement de quelques lits qui existait en 1907 et le centre hospitalier universitaire qu'il est devenu en 2007. En fait, cette distance paraît tellement grande que l'hôpital d'aujourd'hui semble ne plus rien devoir à celui d'hier.

Il est pourtant possible de tracer des lignes de force qui traversent l'histoire de Sainte-Justine. Au premier chef, on doit reconnaître que sa fondatrice était tout aussi fascinée par le progrès et par la volonté de faire de son hôpital une institution moderne, à l'avant-garde des établissements pédiatriques, que l'ont été les administrateurs qui lui ont succédé et qui ont recentré sa mission sur la dyade mère-enfant. L'association entre Sainte-Justine et la Faculté de médecine de l'Université de Montréal, qui remonte à 1914, représente une autre trame de fond ; en fait, cette affiliation, qui très tôt a fait de Sainte-Justine un lieu d'enseignement médical, représentait l'une des conditions essentielles pour établir la crédibilité scientifique de l'hôpital, ce à quoi aspirait Justine Lacoste-Beaubien.

Par ailleurs, tout au long de son histoire, l'hôpital a aussi connu des difficultés récurrentes, particulièrement sur le plan du financement. À chacune des époques, en effet, le manque d'argent a constitué un casse-tête quasi permanent pour les administrateurs, qui ont toujours eu recours à une combinaison de fonds publics et de fonds privés pour tenter de faire face aux besoins de l'hôpital. La pénurie de personnel infirmier représente une autre constante de l'histoire de Sainte-Justine, un problème qui a pris une plus grande ampleur à partir de la Seconde Guerre mondiale et qui a posé de nombreux défis en ce qui concerne l'organisation des soins.

Si l'histoire de Sainte-Justine permet d'identifier certaines continuités, cela ne signifie pas pour autant que les événements se répètent à l'identique ou que l'on peut en tirer de grandes leçons. L'évolution de la société québécoise et les transformations que celle-ci a connues aussi bien en matière économique qu'en matière politique et sociale font plutôt en sorte que, à différentes époques, les mêmes phénomènes s'expriment différemment ou prennent une tonalité différente, suivant un contexte en perpétuelle mutation. C'est à la lumière de ces changements que l'histoire de Sainte-Justine et de ses acteurs prend tout son sens. Partie prenante de la société québécoise, Sainte-Justine ne pouvait échapper à son influence ; inscrit dans une société qui s'est toujours inquiétée de ses enfants, il y a cependant joué un rôle qui le distingue nettement des autres institutions hospitalières.

Annexe

Jalons chronologiques

1907

Ouverture de l'Hôpital Sainte-Justine le 30 novembre dans une maison de la rue Saint-Denis.

1908

Incorporation de l'hôpital.

Formation du bureau médical.

Ouverture des dispensaires de médecine, de chirurgie et des maladies des yeux, nez, gorge et oreilles qui deviendront les premiers services internes.

Mise sur pied du cours de gardes-malades et d'aides maternelles.

Déménagement de l'hôpital sur l'avenue De Lorimier, en mai.

1910

Arrivée de six filles de la Sagesse qui prennent en charge la régie interne de l'hôpital.

Ouverture d'une Goutte de lait.

Création de dispensaires des maladies de la peau et d'odontologie.

1912

Création d'un Service de dermatologie.

Embauche d'un chloroformisateur.

Lancement d'une campagne pour amasser des fonds en vue de la construction d'un nouvel hôpital.

1914

Déménagement de l'hôpital au 1879, rue Saint-Denis, à la fin du mois d'avril.

Fermeture de la Goutte de lait.

Affiliation à la Faculté de médecine de l'Université Laval à Montréal.

Embauche du Dr A. Z. Crépault, premier interne de l'hôpital.

Inauguration du cours d'infirmières-bénévoles.

Ouverture d'un département privé de 12 lits.

1915

Ouverture du Service séparé d'ophtalmologie.

1917

Mise sur pied du Service social.

1918

Ouverture du laboratoire.

Ouverture du Service d'odontologie.

1919

Création du Service d'anesthésie.

1920

L'hôpital devient membre de la Catholic Hospital Association.

1921

Instauration de l'Assistance publique par le gouvernement du Québec.

1923

Ouverture du Département d'électrothérapie et de radiologie.

Ouverture du Service d'archives médicales.

Ouverture d'un laboratoire d'anatomie pathologique.

Ouverture d'un Département d'observation de 10 lits.

1925

Entrée en fonction du Dr J.C. Bernard au poste de surintendant médical, nouvellement créé en 1924.

Formation d'un conseil médical.

Formation de l'Association des gardes-malades graduées de l'Hôpital Sainte-Justine.

Inauguration du Service de massothérapie.

1926

Ouverture de l'École pour les enfants infirmes.

L'hôpital reçoit son accréditation de l'American College of Surgeons.

1927

La direction du laboratoire d'anatomie pathologique est confiée au professeur Pierre Masson de l'Université de Strasbourg.

Ouverture d'un département semi-privé.

1928

Ouverture du Département d'obstétrique.

Première campagne annuelle de souscription appelée la Journée du dollar.

1929

Inauguration des consultations prénatales.

Mise sur pied du Prix de pédiatrie Sainte-Justine offert à l'étudiant de la Faculté de médecine obtenant les meilleurs résultats aux examens de pédiatrie.

1930

Ouverture du Service de bronchoscopie.

Ouverture du Service de neuropsychiatrie.

Création du poste de directeur médical, confié au Dr Edmond Dubé.

1931

Publication du premier numéro des *Annales médico-chirurgicales* de l'Hôpital Sainte-Justine.

1932

Subdivision du Service social en Service social économique et Service médico-social, sous la direction du Dr Gaston Lapierre.

Début de l'enseignement aux enfants hospitalisés.

Fermeture de l'École des enfants infirmes.

Ouverture d'un Service de photographie médicale.

Embauche d'un opticien.

1933

Ouverture d'une consultation pour le dépistage de la tuberculose.

Mise sur pied d'un cours postscolaire pour les gardes-malades graduées.

Ouverture d'un service d'urgence.

Inauguration du Service des maladies contagieuses.

Ajout de la mécanothérapie au Service de massothérapie.

Division des départements de chirurgie et d'orthopédie.

1934

Inauguration d'un atelier pour la fabrication d'appareils orthopédiques.

1935

L'hôpital commence à verser une gratification aux médecins du dispensaire.

1936

Sainte-Justine devient le premier hôpital à rémunérer ses médecins.

1937

Fondation de l'École Sainte-Justine, affiliée à la Commission des écoles catholiques de Montréal.

Organisation du Service d'endoscopie.

1939

Ouverture d'un service d'électrocardiographie.

Organisation d'un centre de broncho-œsophagologie.

Ouverture d'une école de phonétique.

Instauration d'une bourse d'études de 100 $ pour les infirmières.

Présentation d'une série de cours de perfectionnement en pédiatrie sous la direction du Dr G. Lapierre.

Instauration du plan d'interne-résident de quatre ans.

1940

Inauguration des recherches en endocrinologie par le Dr Alcide Martel, et sur les anémies par le Dr Willie Major et le Dr A. Léveillé.

Mise en place du Service de cardiologie.

1941

Publication de la revue *Blanc et rose* par l'Association des gardes-malades graduées.

1942

Introduction des sulfamides à l'hôpital.

1943

Ouverture du Service externe de vénéréologie.

Création du Service d'endocrinologie.

1944

Introduction de la pénicilline à l'hôpital.

Ouverture de l'École des techniciens en radiologie.

Réalisation de la première greffe de la cornée par le Dr Jean-A. Lapointe.

1946

Établissement d'un fonds de pension pour le personnel.

Création du Service de diététique.

1947

Fusion du Service de massothérapie et du Service d'électrothérapie.

1948

Mise sur pied d'un département de chirurgie cardiovasculaire pour traiter les malformations congénitales.

1949

Ouverture de la clinique externe de psychiatrie infantile.

1950

Début des travaux sur le chantier du chemin de la Côte-Sainte-Catherine.

Organisation d'un laboratoire de recherches cliniques.

Ouverture de la clinique prénatale, natale et postnatale.

1951

Inauguration d'une campagne de souscription pour financer la construction du nouvel hôpital.

1953

Mise sur pied d'un service d'électroencéphalographie.

Organisation du Service de neurochirurgie.

Organisation d'une clinique des tumeurs.

Création d'un service d'art médical.

Nomination du Dr Albert Royer au poste de directeur de la recherche clinique.

Organisation d'un service pour les prématurés de 50 lits.

1954

Réorganisation des laboratoires en quatre sections distinctes : bactériologie, biochimie, hématologie, anatomie pathologique.

1955

Organisation d'un laboratoire de physiologie cardiopulmonaire.

Ouverture du centre d'orthoptie, le premier dans les hôpitaux de langue française.

1956

Inauguration du cours de perfectionnement dans le soin des prématurés pour les infirmières.

Reconnaissance de Sainte-Justine comme centre anticancéreux par l'American College of Surgeons.

Création du Service de physiothérapie.

1957

Déménagement des patients dans le nouvel hôpital le 20 octobre.

1958

Lancement d'une campagne de financement, la Croisade des enfants malades, qui commence l'année suivante.

Création d'un service de relations extérieures.

Ouverture de la Boutique du cadeau.

Inauguration du Centre de préparation à l'accouchement.

Regroupement des comités de bénévoles au sein du Service bénévole.

1959

Organisation d'un centre de lutte contre les intoxications.

Création du Service d'inhalothérapie.

Première opération à cœur ouvert réalisée par le Dr Paul Stanley.

1960

Inauguration d'un laboratoire de recherche en endocrinologie sous la direction du Dr Jacques-Raymond Ducharme.

1961

Entrée en vigueur de l'assurance-hospitalisation.

1963

Syndicalisation des infirmières, des travailleuses sociales, des mécaniciens de machines fixes et des employés généraux.

Grève des infirmières du 16 octobre au 16 novembre et signature d'une première convention collective.

Nomination de Gaspard Massue au poste de directeur général le 31 octobre 1963.

Création d'un laboratoire d'électromyographie, annexé au laboratoire d'électroencéphalographie, par le Dr Annie Courtois.

Aménagement du Service d'audiologie.

1964

Signature des premières conventions collectives avec les employés syndiqués.

Ouverture officielle du Centre de l'ouïe.

Ouverture de la Clinique de fibrose kystique du pancréas.

Ouverture de la Clinique de paralysie cérébrale.

Création d'un laboratoire d'isotopes à émissions gamma.

Inauguration du laboratoire de cytogénétique.

1965

Affiliation de l'École des infirmières à la Faculté de nursing de l'Université de Montréal.

1966

Grève des employés d'hôpitaux et signature par le gouvernement du Québec des conventions collectives.

Le Service de cardiologie est pourvu d'un équipement de cinéangio-radiographie à trois dimensions permettant le diagnostic précis des malformations congénitales complexes de l'enfant.

Ouverture d'une clinique de néphrologie.

1967

Décès de Mme Lacoste-Beaubien, le 17 janvier, à l'âge de 89 ans.

Grève des radiologistes du 19 août au 23 octobre.

Ouverture d'une clinique d'hématologie pour les enfants atteints de leucémie.

Ouverture d'une clinique pour les enfants atteints de myopathie.

1968

Ouverture de l'unité de soins intensifs.

Ouverture de la Clinique de gastro-entérologie.

Formation du Service de psychologie.

Établissement de la Clinique de rhumatisme articulaire aigu et de la Clinique de médecine pulmonaire au Service de cardiologie et de médecine pulmonaire.

Inauguration d'un service de soins à domicile subventionné par le gouvernement.

Création de la Fondation Justine-Lacoste-Beaubien pour amasser des fonds pour la recherche sur les maladies infantiles.

1969

Ouverture d'un service de génétique médicale.

Ouverture d'une unité des maladies infectieuses.

1970

Avènement de l'assurance-maladie.

Grève des médecins spécialistes et grève des résidents et internes.

Fermeture de l'École des infirmières.

Organisation d'un service de transplantation d'organes.

1971

Ouverture de l'Unité d'hémodialyse.

1972

Intégration des services de santé en milieu scolaire, au secondaire, de la CECM.

Ouverture d'un département de santé communautaire.

Développement de la Clinique des enfants maltraités.

Sainte-Justine est reconnu comme centre de soins spécialisés pour les enfants prématurés.

Grève des employés d'hôpitaux.

1973

Création du Conseil des médecins et dentistes (CMD).

Nomination d'un nouveau directeur général, sœur Jeanne Laporte, s.g.m.

Création de la Fondation Sainte-Justine.

Désignation de Sainte-Justine comme centre de grossesses à risques élevés (GARE) et de périnatalité avec service de gynécologie mineure.

Inauguration du Centre de recherche.

Création officielle de la section de médecine nucléaire.

1974

Réalisation de la première greffe rénale à l'hôpital par le Dr Hervé Blanchard.

Intégration du personnel de l'Hôpital de la Miséricorde.

Ouverture d'une unité de soins intensifs pour les prématurés.

Création du Service d'information et bibliothèques et du Service audiovisuel.

Mise sur pied du comité d'avortement thérapeutique.

Création du Département de santé communautaire.

L'échographie fait son entrée au département de radiologie.

1975

Ouverture du centre de prélèvements.

L'hôpital est désigné comme centre régional de périnatalogie pour la population francophone de Montréal.

Création d'une unité des adolescents.

Fondation de la Clinique de protection de l'enfance.

Ajout d'une clinique externe de gynécologie.

Création du département d'obstétrique-gynécologie.

1976

Grève des employés d'hôpitaux.

Fusion du Centre d'information sur l'enfance et l'adolescence inadaptées avec la bibliothèque médicale pour créer le Centre d'information sur la santé de l'enfant.

Établissement d'une audiovidéothèque au service audiovisuel.

Inauguration officielle de la clinique d'hygiène dentaire et de dentisterie pédiatrique.

Mise sur pied d'une unité de 20 lits pour les opérés en externe.

Réorganisation du département de pathologie en quatre sections : pathologie médicale et chirurgicale, cytopathologie exfoliatrice, cytogénétique et techniques spéciales.

Implantation d'une clinique d'hémophilie.

1977

Inauguration de la garderie Marmoville pour les employés de l'hôpital.

Parution du premier numéro du journal *Interblocs* en octobre.

Organisation du premier téléthon par le Conseil des clubs interservices de Montréal au profit de la recherche dans les hôpitaux Montreal Children's et Sainte-Justine.

1978

Création d'un service de génie biomédical.

Séparation de bébés siamois ischiopages par une équipe dirigée par le Dr Hervé Blanchard, une première à l'hôpital.

1979

Inauguration du Service de médecine nucléaire.

Grève dans les secteurs public et parapublic.

Mise en place d'un conseiller à la clientèle.

Mise en place d'un comité d'humanisation des soins.

1980

Ouverture d'une clinique de psychiatrie infantile dans Saint-Henri.

Désignation de Sainte-Justine comme centre pour le traitement de l'hémophilie.

1981

Nomination de Jean-Pierre Chicoine comme directeur général.

Ouverture d'une première chambre des naissances.

1982

Inauguration de la bibliothèque des enfants et de la joujouthèque.

Inauguration du manoir Ronald McDonald.

Renouvellement des conventions collectives qui ont mené à l'imposition des lois 70 et 105.

1983

Transfert du programme de réadaptation en milieu scolaire et de la clinique des maladies neuromusculaires sous la responsabilité de l'Hôpital Marie-Enfant.

Installation du tomodensitomètre.

1984

Première greffe cardiaque effectuée à Sainte-Justine par une équipe dirigée par le Dr Chartrand.

Ouverture d'une clinique de médecine sportive.

1985

Nomination de Richard L'Écuyer au poste de directeur général.

Réalisation d'une première greffe hépatique à l'hôpital par le Dr Hervé Blanchard.

Inauguration d'un secteur de génétique moléculaire permettant le dépistage des gènes anormaux pour prévenir les maladies héréditaires à la section de génétique médicale.

Fusion de la Fondation Sainte-Justine et de la Fondation Justine-Lacoste-Beaubien pour former la Fondation de l'Hôpital Sainte-Justine.

Désignation de la section d'immunologie comme centre de référence d'évaluation diagnostique et de traitement des syndromes d'immunodéficience acquise de l'enfant.

L'âge d'admission et d'inscription des patients est abaissé de 21 ans à 18 ans.

1986

Greffe d'un bras par le Dr Louise Caouette-Laberge, une première à l'hôpital.

1987

Inauguration du Centre de développement de l'enfant.

1988

Mise sur pied d'un comité d'éthique à la recherche.

Mise sur pied d'une unité d'épidémiologie et de recherche clinique pour superviser et coordonner la recherche clinique.

1989

Ouverture d'une clinique de médecine sociojuridique pour les enfants de moins de 12 ans.

1990

Ouverture du centre de jour d'hémato-oncologie et d'hémodialyse J. A. de Sève.

Sainte-Justine devient un centre reconnu pour les greffes de moelle osseuse.

Reconnaissance comme centre hospitalier suprarégional pour des enfants séropositifs ou atteints du SIDA.

1992

Aménagement d'une unité pour rendre possible la cohabitation parents-enfants.

Mise sur pied du projet Kangourou pour favoriser la cohabitation des parents et de leur nouveau-né prématuré.

1994

Cessation des activités de la Direction de la santé communautaire.

1995

Reconnaissance du statut d'hôpital universitaire pour Sainte-Justine qui devient le CHU mère-enfant.

Ouverture du pavillon Vidéotron du Centre de cancérologie Charles-Bruneau.

Nomination de Jean-Pierre Chicoine comme directeur général.

1996

Constitution d'un réseau mère-enfant suprarégional.

1997

Instauration d'un programme de départ volontaire à la retraite par le gouvernement provincial provoquant le départ de près de 400 personnes (employés et médecins) en six mois.

1999

Nomination de Khiem Dao comme directeur général.

Formation du Réseau mère-enfant de la francophonie.

Aménagement d'une unité de soins en infectiologie.

Aménagement d'un service de médecine nucléaire.

Acquisition de technologies en télésanté.

2000

Intégration de l'équipe de l'Hôpital Marie-Enfant, qui devient le Centre de réadaptation Marie-Enfant, au CHU Sainte-Justine.

2001

Association de l'hôpital et de l'Université de Montréal pour créer la chaire en sciences du mouvement.

2002

Lancement de la campagne Grandir en santé.

2003

Le Dr Louis Péloquin, chirurgien otorhinolaryngologiste, parvient à retirer un abcès cervical par les voies nasales, une première mondiale.

Le Dr Joaquim Mirò corrige une importante malformation cardiaque chez un bébé de 15 mois sans avoir recours à la chirurgie à cœur ouvert et sans anesthésie générale, une première nord-américaine.

Une équipe de chercheurs en gastro-entérologie et génétique identifie la cause génétique d'une maladie grave du foie qui peut entraîner la mort chez les enfants autochtones.

Mise en place d'un programme québécois de banque publique de sang et de cordon par Héma-Québec et l'Hôpital Sainte-Justine.

2005

Installation de stimulateurs cardiaques défibrillateurs sur deux patients par les Drs Suzanne Vobecky et Anne Fournier.

Adoption de la Loi concernant les conditions de travail dans le secteur public par le gouvernement du Québec.

2006

Mission au Maroc d'une équipe de spécialistes et d'infirmières de Sainte-Justine sous la direction du Dr Joaquim Mirò pour assurer un transfert d'expertise en cardiopathie congénitale.

Mise au point d'un premier test diagnostique pour le dépistage de la scoliose par le Dr Alain Moreau.

Liste des tableaux et des figures

Liste des tableaux

Liste des figures

Liste des sigles

AAHPQ	Association des auxiliaires d'hôpitaux de la province de Québec
ACA	Assemblée du conseil d'administration
ACDI	Agence canadienne de développement international
ACE	Assemblée du conseil exécutif
ACTL	Association canadienne des techniciens de laboratoire
AEHM	Association des employés d'hôpitaux de Montréal
AGMEPQ	Association des gardes-malades enregistrées de la province de Québec
AGMH	Association générale des médecins d'hôpitaux
AHSJ	Archives de l'Hôpital Sainte-Justine
AHCA	Procès-verbal de l'assemblée hebdomadaire du conseil d'administration
AHQ	Association d'hospitalisation du Québec
AIM	Alliance des infirmières de Montréal
AMCE	Assemblée mensuelle du conseil exécutif
AIPQ	Association des infirmières de la province de Québec
AMLFAN	Association des médecins de langue française d'Amérique du Nord
APPQ	Association des pédiatres de la province de Québec
ASCA	Assemblée spéciale du conseil d'administration
ASCE	Assemblée spéciale du comité exécutif
BCHM/CBMH	Bulletin canadien d'histoire de la médicine/ Canadian Bulletin of Medical History
BFS	Bureau fédéral de la statistique
BM	Bureau médical
CA	Conseil d'administration
CE	Conseil exécutif
CÉCM	Commission des écoles catholiques de Montréal
CHM	Conseil des hôpitaux de Montréal
CHU	Centre hospitalier universitaire
CHUM	Centre hospitalier de l'Université de Montréal
CLSC	Centre local de services communautaires
CMCPQ	Collège des médecins et chirurgiens de la province de Québec
CMD	Conseil des médecins et dentistes

CMDP	Conseil des médecins, dentistes et pharmaciens
COPS	Cartel des organismes professionnels de la santé
CPMQ	Corporation professionnelle des médecins du Québec
CRMCC	Collège royal des médecins et chirurgiens du Canada
CRME	Centre de réadaptation Marie-Enfant
CSN	Confédération des syndicats nationaux
CSS	Centre de services sociaux
CSSS	Conseil de la santé et des services sociaux
DSC	Département de santé communautaire
DSP	Direction des services professionnels
ÉHSA	École d'hygiène sociale appliquée de l'Université de Montréal
FJLB	Fondation Justine-Lacoste-Beaubien
FNSJB	Fédération nationale Saint-Jean-Baptiste
FSJ	Fondation Sainte-Justine
FTQ	Fédération des travailleurs du Québec
GARE	Grossesse à risques élevés
IDN	Institut de diététique et de nutrition de l'Université de Montréal
IMY	Institut Marguerite-d'Youville
IQRC	Institut québécois de recherche sur la culture
IRM	Institut de réadaptation de Montréal
MAS	Ministère des Affaires sociales
MSSS	Ministère de la Santé et des Services sociaux
PAE	Programme d'aide aux employés
PTG	Plein temps géographique
PVBMHND	Procès-verbal du bureau médical de l'Hôpital Notre-Dame
PVFMUM	Procès-verbal de la Faculté de médecine de l'Université de Montréal
OIIAQ	Ordre des infirmières et infirmiers auxiliaires du Québec
OIIQ	Ordre des infirmières et infirmiers du Québec
ORL	Otorhinolaryngologie
R&D	Recherche et développement
RA	Rapport annuel de l'Hôpital Sainte-Justine
RACR	Rapport annuel du centre de recherche
RADE	Rapport annuel de la direction de l'enseignement
RHAF	Revue d'histoire de l'Amérique française
RMEF	Réseau mère-enfant de la francophonie
RMES	Réseau mère-enfant suprarégional
RUR	Revue de l'utilisation des ressources
SAH	Service d'assurance-hospitalisation
SCA	Séance du conseil d'administration
SOCA	Séance ordinaire du conseil d'administration
SPCA	Séance publique du conseil d'administration
UQAM	Université du Québec à Montréal
UMC	Union médicale du Canada

Liste des encadrés

Chapitre 1

Chapitre 2

Chapitre 3

Chapitre 4

Chapitre 5

Chapitre 6

Chapitre 7

Liste de références des encadrés

Les rapports annuels de Sainte-Justine de 1908 à 2004-2005, les procès-verbaux du conseil d'administration de 1907 à 2005, les dossiers de presse contenus dans les archives de l'hôpital, de même que certains documents et dossiers relatifs aux services et au personnel représentent les principales sources qui ont permis la rédaction des encadrés. En ce qui concerne les biographies de médecins, les nécrologies publiées dans *l'Union médicale du Canada* et dans les *Annales médico-chirurgicales de l'Hôpital Sainte-Justine,* de même que des articles parus dans la revue interne de Sainte-Justine *Interblocs* et les sites internet de l'hôpital et de son centre de recherche relatant leurs réalisations, ont également été mis à contribution. Pour certains textes, d'autres travaux ou documents ont été consultés. En voici la liste :

Chapitre 1

Dr Irma LeVasseur

Site Bibliothèque et Archives Canada : www.collectionscanada.ca/women/002026-408-f.html consulté le 12 juillet 2006.

Madeleine des Rivières, *Une femme, mille enfants. Justine Lacoste-Beaubien. 1877-1967,* Montréal, Bellarmin, 1987, p. 77-93.

Justine Lacoste-Beaubien

Madeleine des Rivières, *Une femme, mille enfants. Justine Lacoste-Beaubien. 1877-1967,* Montréal, Bellarmin, 1987.

Origine du nom de l'hôpital

Madeleine des Rivières, *Une femme, mille enfants. Justine Lacoste-Beaubien. 1877-1967,* Montréal, Bellarmin, 1987, p. 100.

Nicole Forget, Francine Harel-Giasson et Francine Séguin, *Justine Lacoste-Beaubien et l'Hôpital Sainte-Justine,* Montréal, Presses de l'Université du Québec, 1995, coll. « Les Grands gestionnaires et leurs œuvres », p. 14.

La congrégation des Filles de la Sagesse

Congrégation des Filles de la Sagesse [En ligne] : www.sagesse.ca consulté le 12 juillet 2006.

Joseph Sawyer et l'Hôpital Sainte-Justine

Architecture — Bâtiment — Construction, vol. 8, n° 81 (janvier 1953), p. 19-34.

Canadian Hospital, vol. 35, n° 9 (septembre 1958), p. 35-43.

Annmarie Adams et David Theodore. « The Architecture of Children's Hospitals in Toronto and Montreal, 1875-2010 », dans Cheryl Krasnick Warsh et Veronica Strong-Boag (dir.), *Children's Health Issues in Historical Perspective,* Waterloo, Wilfrid Laurier University Press, 2005, p. 439-478.

Gaspard Massue

Rita Desjardins, *L'Institutionnalisation de la pédiatrie en milieu franco-montréalais, 1880-1980. Les enjeux politiques, sociaux et biologiques,* Thèse PhD (Histoire) Université de Montréal, 1998, p. 423.

Sœur Jeanne Laporte, s.g.m.

Archives des Sœurs grises de Montréal. Notice biographique et curriculum vitae de soeur Jeanne Laporte.

Khiem Dao

Paule des Rivières, « Khiem Dao. Une histoire d'amour avec Sainte-Justine », *Les Diplômés,* n° 411 (automne 2006), p. 18-23.

Chapitre 2

La Fédération nationale Saint-Jean-Baptiste

Collectif Clio, *L'Histoire des femmes au Québec depuis quatre siècles,* Montréal, Le Jour éditeur, 1992, p. 342-364.

La Société de secours aux enfants infirmes

Société pour les enfants handicapés du Québec[En ligne] : www.enfants handicapés.com/html/francais/qui_sommes_nous_/histoire.php consulté le 9 août 2006.

Le Club Kiwanis

Site de Kiwanis International : www.kiwanis.org/ln/francais/faq.asp consulté le 9 août 2006.

La Fondation Hubert-Biermans

André Vermeirre, *Hubert Biermans : du Congo à Shawinigam,* Sillery, Septentrion, 2001.

Marcelle Hémond-Lacoste

Barreau du Québec [En ligne] : www.barreau.qc.ca/fr/barreau/historique/stabilite.html consulté le 30 juillet 2006.

Les téléthons de la recherche sur les maladies infantiles et Opération Enfant Soleil

Opération Enfant Soleil [En ligne] :www.oes.qc.ca/fr/01_1.html consulté le 9 août 2006.

Fondation de la recherche sur les maladies infantiles [En ligne] : www.telethon.qc.ca/fr/acceuil.php consulté le 11 août 2006.

La Fondation Charles-Bruneau

Fondation Charles-Bruneau [En ligne] : www.charlesbruneau.qc.ca consulté le 2 janvier 2007.

Chapitre 3

Elizabeth Kenny

Patrick Ross, « Kenny, Elizabeth (1880-1952) », dans *Australian Dictionary of Biography,* [En ligne] : http://www.adb.online.anu.edu.au/biogs/A090570b.htm consulté le 19 octobre 2006.

Site Rewind (ABC TV) : Sister Kenny : saint or charlatan ? www.abc.net.au/tv/rewind/txt/s1184925 consulté le 14 juillet 2006.

Dr Hervé Blanchard

Journal *Forum,* dans Université de Montréal [En ligne] : http://www.forum.umontreal.ca/numeros/2000_2001/forum_01_06_04/article05.html#prof6 consulté le 19 octobre 2006.

Dr Louis Dallaire

Journal *Forum,* dans Université de Montréal [En ligne] : http://www.forum.umontreal.ca/numeros/2000_2001/forum_01_06_04/article05.html#prof7 consulté le 19 octobre 2006.

Les associations de parents

Association de paralysie cérébrale du Québec [En ligne] : www.paralysie cerabrale.com/cgi-bin/index.cgi ?page=fl_9 consulté le 11 août 2006.

Association québécoise de la fibrose kystique [En ligne] : www.aqfk.qc.ca/mission.html consulté le 11 août 2006.

Fondation canadienne de la fibrose kystique [En ligne] : www.ccff.ca/maison.asp consulté le 11 août 2006.

Dr Michel Lemay

Perfectionnement.com [En ligne] : www.perfectionnement.com/formateur.php ?id_formateur=10 consulté le 5 janvier 2007.

Dr Luc Chicoine

MEAnomadis [En ligne] : www.meanomadis.com/content/credo/article_equipe.asp ?ID=12 consulté le 14 juillet 2006.

Dr Gloria Jeliu

Sophie Beauregard, « Dre Gloria Jeliu », *Le Spécialiste,* mars 2004, p. 15.

Société canadienne de pédiatrie [En ligne] : www.cps.ca/français/proadv/Prix/DefenseEnfantsTitulaire04.html consulté le 12 juillet 2006.

Dr Harry Bard

Eureka, no 3 (octobre-novembre 2006), p. 9.

Lucie Lamoureux-Bruneau

Centre de réadaptation Lucie-Bruneau [En ligne] : www.luciebruneau.qc.ca/1_2_historique.jsp consulté le 31 mai 2006.

Chapitre 4

La Ligue de la jeunesse féminine

Collectif Clio, *L'Histoire des femmes au Québec depuis quatre siècles,* Montréal, Le Jour éditeur, 1992, p. 390.

Le bal des petits souliers, dans Bilan du Siècle [En ligne] : http://www.bilan.usherb.ca/bilan/pages/evenements/23631.html consulté le 1er août 2006.

Les Services volontaires féminins

Collectif Clio, *L'Histoire des femmes au Québec depuis quatre siècles,* Montréal, Le Jour éditeur, 1992, p. 390, p. 397.

Ruth Roach Pierson, *Les Canadiennes et la Seconde Guerre mondiale,* Ottawa, Société historique du Canada, 1983, p. 15-19 (brochure historique no 37), p. 15.

Centre d'action bénévole de Montréal [En ligne] : http://cabm.cam.org/cabm-fr/messages/27.html#haut %20de %20 page consulté le 1er août 2006.

Bénévole à la salle d'opération

Sylvie Demars, « Bénévole à la salle d'opération », *Benevox,* s.d. (1997).

Michel Bergeron, le bénévole des bénévoles 1991.

Iva Catalogna, « Bénévole des bénévoles », *Benevox,* no 6 (juin 1991), p. 7-8.

Chapitre 5

Dr Paul Letondal

Association des pédiatres du Québec [En ligne] : http://www.pediatres.ca/sectionvisiteurs/apq.cfm consulté le 31 octobre 2006.

Les femmes médecins à Sainte-Justine

Denis Goulet, *Histoire de la Faculté de médecine de l'Université de Montréal, 1843-1993,* Montréal, VLB éditeur, 1993, p. 211, 263 et 453-454.

Dr André Davignon

Journal *Forum,* dans Université de Montréal [En ligne] : www.forum.umontreal.ca/numeros/1997-1998/Forum98-6-8/article03.html consulté le 19 octobre 2006.

Dr Albert Royer

Gloria Jeliu, « Hommage au Dr Albert Royer », *Forum,* vol. 36, no 14 (3 décembre 2001), dans Université de Montréal [En ligne] : www.iforum.umontreal.ca/Forum/ArchivesForum/2001-2002/011203/437.htm consulté le 19 octobre 2006.

Les Annales medico-chirurgicales de l'hôpital Sainte-Justine

Rita Desjardins, *L'Institutionnalisation de la pédiatrie en milieu franco-montréalais, 1880-1980. Les enjeux politiques, sociaux et biologiques,* thèse de doctorat (histoire) Université de Montréal, 1998, p. 321-322.

Dr Jacques-Raymond Ducharme

Thomas Gervais, « Un des pionniers de Sainte-Justine s'éteint », *La Presse,* 1er décembre 2006, p. A21.

Principaux prix et distinctions décernés aux médecins de Sainte-Justine depuis les années 1980

« Sur la scène de l'actualité ; la personnalité de la semaine : Louise Caouette-Laberge », *La Presse,* 28 décembre 1986.

Mathieu Perreault, « La personnalité de la semaine : Jean-Marie Leclerc », *La Presse,* 14 janvier 1996, A8.

Anne Richer, « La personnalité de la semaine : Dr Joachim Mirò », *La Presse,* 26 novembre 2006, cahier Plus, p. 6.

Carole Thibaudeau, « La personnalité de la semaine : Jocelyn Demers », *La Presse,* 27 octobre 1991, B3.

Association des médecins de langue française du Canada [En ligne] : www.amlfc.org consulté le 12 décembre 2006.

Association des pédiatres de la province de Québec [En ligne] : www.pediatres.ca consulté le 12 décembre 2006.

Société canadienne de pédiatrie [En ligne] : www.cps.ca consulté le 12 décembre 2006.

Dr Claude C. Roy

Journal *Forum,* dans Université de Montréal [En ligne] : http://www.forum.umontreal.ca/numeros/1996-1997/Forum97-06-02/liste2.html consulté le 19 octobre 2006.

Société canadienne de pédiatrie [En ligne] : http://www.cps.ca/francais/proadv/Prix/Ross.htm consulté le 19 octobre 2006.

Chapitre 6

L'uniforme des infirmières

Site du Musée canadien des civilisations, *Cent ans de coiffes d'infirmières,* http://www.civilization.ca/hist/infirm/inint01f.html consulté le 13 septembre 2006.

Sœur Valérie de la Sagesse (Élisa Sauvé), fdls

Madeleine Morgan, *La Colère des douces. La grève des infirmières de l'hôpital Sainte-Justine en 1963,* Montréal : CSN, 2003, p. 32.

OIIQ [En ligne] : http://www.oiiq.org/infirmieres/historique/communautes.asp consulté le 18 septembre 2006.

Les infirmiers

OIIAQ [En ligne] : http://www.oiiaq.org/ordre/historique.fr.html consulté le 9 décembre 2006.

OIIQ [En ligne] : http://www.oiiq.org/oiiq/histoire.asp consulté le 9 décembre 2006.

Madeleine Morgan

Madeleine Morgan, *La Colère des douces. La grève des infirmières de l'Hôpital Sainte-Justine en 1963,* Montréal, CSN, 2003, p. 19-26.

Sœur Noémi de Montfort (Aline Bachand), fdls

Sœur Mariette Labrosse, fdls., « Profil de Sœur Noémi de Montfort », texte ronéotypé, 2006.

Chapitre 7

Sœur Marie-Cyprien (Marie-Alice Barnabé), fdls

Lucille Deschênes, fdls, « Hommage et reconnaissance. Sœur Marie-Alice Barnabé. Simplicité et solidité d'une femme » dans Congrégation des Filles de la Sagesse [En ligne] : www.sagesse.ca/francais/fdls/MarieAlice.pdf consulté le 6 juin 2006.

Germaine Huot

Julien Prud'homme, *Histoire des orthophonistes et des audiologistes,* p. 25-28, 44-45 et 52.

Margot Pedneault

Entrevue réalisée par Guillaume Tremblay, le 9 novembre 2005.

Notes

Chapitre 1 • De la rue Saint-Denis au chemin de la Côte Sainte-Catherine

1. Québec, *Rapport annuel du Conseil Supérieur d'hygiène,* 1920-1921, p. 170 ; Denyse Baillargeon, *Un Québec en mal d'enfants. La médicalisation de la maternité, 1910-1970,* Montréal, Remue-ménage, 2004, p. 32-64 ; Montréal, *Rapport sur l'état sanitaire de la cité de Montréal,* 1912, p. 58.
2. « De l'allaitement des enfants privés de lait de femmes », *Montréal Médical,* n° VII, mars 1907, p. 455-462, cité dans Rita Desjardins, *Hôpital Sainte-Justine, Montréal, Québec (1907-1921),* mémoire de maîtrise (histoire), Université de Montréal, 1989, p. 24 et 35 ; Archives de l'Hôpital Sainte-Justine (AHSJ), *Rapport annuel* (RA) 1908, p. 17 ; Nicole Forget, Francine Harel Giasson et Francine Séguin, *Justine Lacoste-Beaubien et l'Hôpital Sainte-Justine,* Sainte-Foy, Presses de l'Université du Québec et Presses des Hautes Études commerciales, 1995, p. 45-48 ; Madeleine Des Rivières, *Une femme, mille enfants. Justine Lacoste-Beaubien,* Montréal, Bellarmin, 1987, p. 83-84 et 96-99.
3. AHSJ, RA 1955, p. 29 ; Denis Goulet, *L'Hôpital Maisonneuve-Rosemont. Une histoire médicale 1954-2004,* Sillery, Septentrion, 2005 ; François Rousseau, *La Croix et le Scalpel. Histoire des Augustines et de l'Hôtel-Dieu de Québec,* tome II : *1892-1989,* Sillery, Septentrion, 1994 ; Denis Goulet, François Hudon et Othmar Keel, *Histoire de l'Hôpital Notre-Dame, 1880-1980,* Montréal, VLB éditeur, 1993.
4. AHSJ, Procès-verbal de l'assemblée hebdomadaire du conseil d'administration (AHCA), 27 janvier 1908 ; Forget *et al., Justine Lacoste-Beaubien,* p. 53. Notons que le manque d'espace disponible n'a jamais permis à Sainte-Justine d'accueillir des bébés en santé ; pour cette même raison, l'hôpital a dû, dès la première année, limiter à cinq ans l'âge des enfants admis.
5. AHSJ, RA 1908, p. 3.
6. AHSJ, PV de l'assemblée générale de la corporation, 16 juin 1914.
7. Paul-André Linteau, *Histoire de Montréal depuis la Confédération,* Montréal, Boréal, 1992, p. 162.
8. AHSJ, Loi constituant en corporation l'Hôpital Sainte-Justine, Edouard VII, chap. 137.
9. AHSJ, Hôpital Sainte-Justine. Règlements, n.d., p. 3.
10. AHSJ, Hôpital Sainte-Justine. Règlements, n.d., p. 6-7.
11. AHSJ, PV de l'assemblée du Conseil exécutif (ACE), 9 et 16 décembre 1907, 8 juin 1908 et 12 février 1928.
12. AHSJ, AHCA, 3 février 1908.
13. AHSJ, AHCA, 13 janvier 1908.
14. Des Rivières, *Une femme, mille enfants,* p. 84 ; Desjardins, *Hôpital Sainte-Justine,* p. 37.
15. Desjardins, *Hôpital Sainte-Justine,* p. 37 et 39 ; Forget *et al., Justine Lacoste-Beaubien,* p. 78.
16. AHSJ, RA 1908, p. 19.
17. AHSJ, assemblée spéciale du CE (ASCE), 10 août 1909 et 2 novembre 1909.
18. AHSJ, ACE, 16 mai 1910 et 20 mai 1910 ; dossier 16, échange de lettres entre le bureau médical et la direction, 15 mai 1910, 13 juin 1910 et 19 avril 1913, cité dans Desjardins, *Hôpital Sainte-Justine,* p. 39.
19. AHSJ, PV du bureau médical, 22 août 1913, cité dans Forget *et al., Justine Lacoste-Beaubien,* p. 79.
20. Goulet, *Histoire de la Faculté de médecine de l'Université de Montréal, 1843-1993,* Montréal, VLB éditeur, 1993, p. 128 ; Goulet *et al., Histoire de l'Hôpital Notre-Dame,* p. 36 ; AHSJ, ACE, 30 novembre 1914 et Règlements de l'Hôpital Sainte-Justine, partie médicale, 16 février 1916.
21. AHSJ, RA 1914, p. 27.

22. AHSJ, ASCE, 29 avril 1909, et Desjardins, *Hôpital Sainte-Justine,* p. 44.
23. Desjardins, *Hôpital Sainte-Justine,* p. 45 ; lettre de la supérieure provinciale à Justine Lacoste-Beaubien, 15 décembre 1910, citée dans Forget *et al., Justine Lacoste-Beaubien,* p. 69.
24. AHSJ, ACE, 5 juin 1911, ASCE, 3 avril 1913.
25. AHSJ, dossier 27-A, lettre de la supérieure générale à Justine Lacoste-Beaubien, 16 juin 1916, et Traité entre le comité exécutif de l'Hôpital Sainte-Justine et la surintendante générale de la congrégation des Filles de la Sagesse, 1916.
26. AHSJ, dossier 27-A, lettre de la supérieure générale à la présidente, 4 novembre 1916.
27. AHSJ, RA 1917, p. 51 ; Desjardins, *Hôpital Sainte-Justine,* p. 72 et 75 ; AHSJ, RA 1921, p. 21-22, 1922, p. 17, p. 23-24, et 1923, p. 17 ; Dr Édouard Desjardins, Suzanne Giroux et Eileen C. Flanagan, *Histoire de la profession d'infirmière au Québec,* Montréal, Association des infirmières et infirmiers de la Province de Québec, 1970, p. 198.
28. AHSJ, RA 1927, p. 41.
29. AHSJ, AHCA, 13 janvier 1908.
30. AHSJ, Robert Rumilly, *Histoire de l'Hôpital Sainte-Justine,* texte ronéotypé, p. 48, cité dans Forget *et al., Justine Lacoste-Beaubien,* p. 68.
31. AHSJ, RA 1909, p. 12.
32. AHSJ, dossier 16, lettre du Dr Raoul Masson, secrétaire du bureau médical, à la direction, 15 mai 1910, cité dans Desjardins, *Hôpital Sainte-Justine,* p. 69.
33. AHSJ, ACE, 28 mai 1912 et 29 août 1912 ; RA 1914, p. 6 ; Forget *et al., Justine Lacoste-Beaubien,* p. 107-108.
34. AHSJ, RA 1914, p. 13, et ACE, 11 mai 1914 ; Desjardins, *Hôpital Sainte-Justine,* p. 70-71.
35. AHSJ, ACE, 26 avril 1920, 3 août 1921, 11 septembre 1922 et 6 juin 1927 ; RA 1924, p. 26.
36. AHSJ, RA 1922, p. 17.
37. AHSJ, RA 1927, p. 40, et 1928, p. 35.
38. AHSJ, RA 1931, p. 38.
39. AHSJ, RA 1939, p. 30.
40. AHSJ, AHCA, 6 juin 1939, 25 janvier 1949 et 4 octobre 1949, et RA 1940, p. 45.
41. AHSJ, PV assemblée spéciale du CA (ASCA), 22 septembre 1955 ; AHCA, 21 mars 1950, 17 novembre 1953, 12 octobre 1954 et 20 septembre 1956.
42. Goulet, *Histoire de la Faculté de médecine,* p. 179-181 et p. 265-273.
43. AHSJ, AHCA, 30 août 1938.
44. AHSJ, RA 1945, p. 44.
45. AHSJ, RA 1944, p. 41.
46. AHSJ, AHCA, 5 novembre 1946, 26 novembre 1946, 20 mai 1947, 5 juillet 1949 et 12 juin 1951 ; Forget *et al., Justine Lacoste-Beaubien,* p. 115.
47. AHSJ, RA 1946, p. 27.
48. AHSJ, dossier de presse, *La Presse,* 12 mai 1947 et 13 janvier 1951 ; *L'Écho Journal,* 29 novembre 1950 ; RA 1949, p. 23.
49. Forget *et al., Justine Lacoste-Beaubien,* p. 130. AHSJ, RA 1952, p. 22-24.
50. AHSJ, RA 1954, p. 29. AHCA, 24 octobre 1957, 31 octobre 1957.
51. AHSJ, dossier 15-25, lettre de Gaspard Massue, directeur général, à Justine Lacoste-Beaubien, 20 juillet 1965.
52. AHSJ, dossier 15-25, rapport des représentants du Bureau médical au Comité médico-administratif, 28 octobre 1965.
53. AHSJ, PV assemblée du CA (ACA), 17 août 1965, 31 août 1965, 7 septembre 1965 et 21 septembre 1965 ; PV assemblée conjointe du CA et du Conseil médical, 30 août 1965 ; ASCA, 17 septembre 1965 et 30 septembre 1965 ; dossier 15-25, lettre de Justine Lacoste-Beaubien à Jean Lesage, 16 août 1965, et mémo de Gilles Desroches, de la firme GDA, à Gaspard Massue, directeur général de Sainte-Justine, 7 octobre 1965 ; Goulet, *Histoire de la Faculté de médecine,* p. 277-278.
54. AHSJ, ACA, 11 février 1971, 29 février 1972, 28 novembre 1972, 19 décembre 1972 et 17 mai 1977 ; PV assemblée extraordinaire du CA, 22 septembre 1977, 3 octobre 1977 ; PV, séance publique du conseil d'administration (SPCA), 24 octobre 1995.
55. AHSJ, ACA, 15 octobre 1968 ; SPCA, 26 avril 1994, et RA 1984-1985, p. 1 ; ACA, 13 mars 1979, 10 avril 1979, 16 octobre 1979, 11 mars 1980 et 10 février 1981 ; SPCA, 26 avril 1994 et 28 novembre 1995.
56. AHSJ, ACA, 23 septembre 1980, 17 mars 1981, 17 septembre 1982, 23 août 1983, 5 décembre 1986, 28 avril 1987, 20 novembre 1987, 26 janvier 1988, 29 août 1989, 28 avril 1992 ; SPCA, 25 août 1992, 15 juin 1993, 23 août 1994, 25 octobre 1994, 22 novembre 1994, 30 mai 1995, 12 septembre 1995, 19 décembre 1995, 10 septembre 1996, 26 novembre 1996, 28 avril 1998 ; « Une triste fin. Le manoir du Montreal Hunt Club », *Sur la Montagne,* no 17, hiver-printemps 2000, p. 1-2.

57. AHSJ, ACA, 29 août 1989, et RA 1993-94, p. 13.
58. AHSJ, ACE, 12 janvier 1925 ; PV assemblée conjointe du CA et du Conseil médical, 30 août 1965.
59. AHSJ, AHCA, 6 octobre 1964, ACA, 1er mars 1966, 1er novembre 1966, 4 avril 1967, 23 janvier 1968, 20 mars 1973, et Stéphanie Gagnon, *Changement et institution : le cas de l'Hôpital Sainte-Justine,* thèse de doctorat (HÉC), 2004, p. 95-96.
60. AHSJ, RA 1975, p. 26, et RA 1974, p. 42.
61. AHSJ, RA 1978-1979, p. 23.
62. AHSJ, AHCA, 12 octobre 1963, 13 septembre 1967 ; RA 1963, p. 48, 1966, p. 44 et 52 ; AHCA, 1er décembre 1964 ; RA 1964, p. 51, 1971, p. 37, 1973, p. 22, ACA, 18 février 1970, 3 mars 1970, 19 mai 1970 ; RA 1985-1986, p. 14, et 1986-1987, p. 6.
63. AHSJ, SPCA, 21 février 1995, 10 septembre 1996, 27 février 1996 et 28 novembre 1997 ; *Planification stratégique 1996-2000,* p. 3.
64. AHSJ, SPCA, 29 janvier 2002.
65. AHSJ, ACE, 24 septembre 1923, 9 mars 1925, 14 septembre 1925, 12 octobre 1925, 4 novembre 1925.
66. AHSJ, PV assemblée mensuelle (AMCE), 30 janvier 1933 et 19 septembre 1938, AHCA, 2 août 1949 et 19 avril 1955.
67. AHSJ, AHCA, 24 octobre 1939, 9 juillet 1940, 10 février 1942, 30 avril 1946, 25 octobre 1949, 17 janvier 1950 et 18 mars 1952.
68. AHSJ, AHCA, 27 mars 1951.
69. AHSJ, AHCA, 28 octobre 1952.
70. AHSJ, AHCA, 12 avril 1938.
71. AHSJ, AHCA, 19 mai 1953, 17 mai 1955, 14 juin 1955 et 27 mai 1958.
72. AHSJ, RA 1955, p. 29.
73. Goulet, *L'Hôpital Maisonneuve-Rosemont,* p. 67 ; Rousseau, *La Croix et le Scalpel,* p. 344.
74. AHSJ, RA 1963, p. 8 ; AHCA, 31 octobre 1963.
75. AHSJ, AHCA, 15 janvier 1963, 31 octobre 1963 et 4 août 1964 ; ACA, 9 novembre 1965, ASCA, 16 novembre 1965 et 1er août 1966. ACA, 25 mars 1969 et 20 mai 1969.
76. François Guérard, *Histoire de la santé au Québec,* Montréal, Boréal, 1996, p. 79-85, et François Rousseau, *La Croix et le Scalpel,* p. 345-348.
77. AHSJ, ACA, 18 septembre 1973.
78. AHSJ, SPCA, 23 mars 1993 et 28 octobre 1997.

Chapitre 2 • Assurer le pain et le beurre

1. AHSJ, RA 1908, p. 18.
2. Sur l'histoire de la santé au Québec, voir François Guérard, *Histoire de la santé au Québec,* Denis Goulet, « Des bureaux d'hygiène municipaux aux unités sanitaires. Le Conseil d'hygiène de la province de Québec et la structuration d'un système de santé publique, 1886-1926 », *Revue d'histoire de l'Amérique française (RHAF),* vol. 49, nº 4 (printemps 1996), p. 491-520, et Benoît Gaumer, *Histoire du Service de santé de la Ville de Montréal, 1865-1975,* Québec, IQRC, coll. « Culture et société », 2002.
3. AHSJ, AHCA, 2 décembre 1907, 9 décembre 1907, 16 décembre 1907, 23 décembre 1907, 20 janvier 1908, 27 janvier 1908, 3 février 1908, 24 février 1908, 25 mai 1908, 28 septembre 1908.
4. AHSJ, RA 1909, p. 13, 1914, p. 12, et 1915, p. 10 ; Des Rivières, *Une femme, mille enfants,* p. 131.
5. AHSJ, dossier de presse, *La Patrie,* 17 mai 1911.
6. AHSJ, dossier de presse, *La Patrie,* 17 février 1912, *Le Devoir,* 12 juin 1913, *La Patrie,* 26 octobre 1912.
7. Jean-Marie Fecteau, « Un cas de force majeure : le développement des mesures d'assistance publique à Montréal au tournant du siècle », *Lien social et politiques — RIAC,* nº 33, printemps 1995, p. 107-113.
8. AHSJ, RA 1916, p. 9 ; ACE, 16 mars 1916, et Desjardins, *Hôpital Sainte-Justine,* p. 52-53. En 1916, l'hôpital a reçu 2 267 $ du sou du pauvre et, selon nos calculs, 5 150 $ en 1917 (voir les rapports annuels 1916, 1917 et 1918).
9. Desjardins, *Hôpital Sainte-Justine,* p. 53 ; AHSJ, dossier de presse, *Le Canada,* 16 mai 1919, *La Patrie,* 12 juin 1919.
10. Calculé à partir des rapports annuels de la trésorière.
11. AHSJ, RA 1920, p. 16.
12. AHSJ, RA 1910-1920.
13. Propos rapportés par le député de Joliette, Pierre-Joseph Dufresne, lors du débat à l'Assemblée législative, 28 février 1922, www.assnat.qc.ca/rd/rd15/3se/index/seance.asp ?se=220228, consulté le 15 septembre 2005.
14. Bernard Vigod, « Ideology and Institutions in Quebec. The Public Charities Controversy 1921-1926 », *Histoire sociale/Social History,* vol. 11, nº 21, mai 1978, p. 167-182.
15. AHSJ, ACE, 10 octobre 1921.
16. Desjardins, *Hôpital Sainte-Justine,* p. 54.

17. AHSJ, RA 1924, p. 15.
18. AHSJ, RA 1929, p. 35.
19. AHSJ, RA 1961, p. 42-43.
20. AHSJ, RA 1935, p. 36.
21. AHSJ, RA 1942, p. 27.
22. AHSJ, RA 1938, encart entre les p. 34 et 35, RA 1952, p. 35, ACE, 1er octobre 1946 et RA 1956, p. 30.
23. AHSJ, RA 1961, p. 42-43.
24. AHSJ, RA 1959, p. 39.
25. AHSJ, RA 1957, p. 31.
26. AHSJ, RA 1931, p. 31, 1942, p. 27, 1945, p. 27, 1948, p. 32, 1951, p. 93, 1954, p. 24, et 1955, p. 31.
27. AHSJ, RA 1932, p. 27 et 32.
28. AHSJ, RA 1933, p. 34.
29. AHSJ, RA 1939, p. 39.
30. AHSJ, RA 1959, p. 35.
31. AHSJ, RA 1914, p. 44.
32. AHSJ, RA 1927, p. 130.
33. AHSJ, RA 1922, p. 86, 1932, p. 93, 1939, p. 129, 1943, p. 153, 1945, p. 165, et 1958, p. 97.
34. AHSJ, RA 1955, p. 29 et 1961, p. 44-45.
35. AHSJ, AHCA, 27 mars 1933.
36. AHSJ, AHCA, 19 février 1946, 1er octobre 1946, et 13 avril 1948 ; RA, 1956, p. 30.
37. Yvan Rousseau, « Le commerce de l'infortune. Les premiers régimes d'assurance maladie au Québec, 1880-1939 », *RHAF,* vol. 58, no 2, automne 2004, p. 177-181, et François Guérard et Yvan Rousseau, « Le marché de la maladie. Soins hospitaliers et assurances au Québec, 1939-1961 », *RHAF,* vol. 59, no 3, hiver 2006, p. 304.
38. AHSJ, AHCA, 2 août 1949, 9 août 1949, 27 mars 1951, 22 avril 1952, et 19 août 1952.
39. AHSJ, AHCA, 21 avril 1953 ; Aline Charles, François Guérard et Yvan Rousseau, « L'Église, les assureurs et l'accès aux soins hospitaliers au Québec (1939-1960) », *Études d'histoire religieuse,* vol. 69, 2003, p. 45 et François Guérard et Yvan Rousseau, « Le marché de la maladie », p. 308.
40. AHSJ, RA 1920, p. 47 ; dossier de presse, *La Presse,* 16, 18, 22 et 23 octobre 1920 ; *Le Canada,* 28 octobre 1920 et 6 novembre 1920.
41. AHSJ, dossier de presse, *La Presse,* [novembre ?] 1920, *La Presse,* octobre 1926, *La Patrie,* 7 octobre 1926 ; RA 1926, p. 30.
42. AHSJ, dossier de presse, *Le Canada,* 15 octobre 1932.
43. AHSJ, Dépliants, campagne de la Journée du dollar 1933, 1942 et 1944 ; dossier de presse, *La Patrie,* 21 septembre 1947.
44. AHSJ, dossier de presse, *La Presse,* 22 novembre 1941.
45. AHSJ, RA 1928-1943.
46. Madeleine Morgan, *La Colère des douces. La grève des infirmières de l'Hôpital Sainte-Justine en 1963,* Montréal, CSN, 2003, p. 19.
47. AHSJ, RA 1940, p. 28.
48. AHSJ, RA 1945, p. 79, et 1949, p. 94.
49. AHSJ, RA 1951, p. 90.
50. Forget *et al., Justine Lacoste-Beaubien,* p. 130-131 ; AHSJ, RA 1951, p. 92 ; dossier de presse, *Le Devoir,* 9 octobre 1951.
51. AHSJ, RA 1951, p. 92-93, 1952, p. 79, 1953, p. 83, 1954, p. 88, 1955, p. 31, 1956, p. 86, 1957, p. 90.
52. AHSJ, RA 1920-1960, 1947, p. 27 ; AHCA, 2 mars et 16 mars 1954, 18 janvier 1955 et 1er mai 1956.
53. Guérard, *Histoire de la santé,* p. 79-80 ; Rousseau, *La Croix et le Scalpel,* p. 337-338.
54. AHSJ, RA 1960, p. 31.
55. Rousseau, *La Croix et le Scalpel,* p. 345, et Guérard, *Histoire de la santé,* p. 80 et 83.
56. AHSJ, 1960, p. 31, 1961, p. 37, 1965, p. 31, et 1967, p. 27-28.
57. AHSJ, ACA, 11 janvier 1966. Voir aussi 19 décembre 1961, 6 décembre 1966 et 21 mars 1967.
58. AHSJ, ASCA, 16 novembre 1965.
59. AHSJ, RA 1969, p. 13, ACA, 19 décembre 1967 et 9 janvier 1968.
60. Guérard, *Histoire de la santé,* p. 85 ; AHSJ, RA 1970, p. 21 ; ACA 10 septembre 1974.
61. AHSJ, ACA, 14 avril 1981, 12 mai 1981, 11 août 1981 ; Assemblée extraordinaire du conseil, 24 septembre 1981 ; ACA, 19 janvier 1982 et 15 mars 1982.
62. AHSJ, ACA, 25 octobre 1983 ; PV de la séance du conseil d'administration (SCA), 28 août 1984, 20 novembre 1987 et 15 décembre 1987.
63. AHSJ, SCA, 16 décembre 1991 ; SPCA, 15 février 1994, 24 mai 1994 et 23 août 1994.
64. AHSJ, SPCA, 26 mars 1996.
65. AHSJ, SPCA, 28 janvier 1997.
66. AHSJ, SPCA, 28 avril 1998.
67. AHSJ, SPCA, 27 janvier 1998.
68. AHSJ, SPCA, 23 mars 1999.
69. AHSJ, SPCA, 28 mars 2000.

70. AHSJ, SPCA, 18 décembre 2001.
71. AHSJ, AHCA, 1er décembre 1959, 24 janvier 1961, 23 mai 1961, 12 septembre 1961, 14 novembre 1961, 14 janvier 1964, 9 juin 1964, 30 juin 1964, 22 septembre 1964, 27 octobre 1964, 29 juin 1965, 28 décembre 1965.
72. AHSJ, ASCA, 30 avril 1965 ; AHCA, 21 juin 1960, 30 octobre 1962, SPCA, 26 mai 1998 et 24 novembre 2004.
73. AHSJ, RA 1959, p. 82.
74. AHSJ, AHCA, 6 juillet 1961 ; RA, 1960-1968 ; dossier de presse, *Dimanche-matin,* 8 octobre 1961.
75. AHSJ, RA 1968, p. 22 ; ACA, 4 février 1969 et 28 juin 1973. Notons que la Fondation JLB est finalement incorporée en 1969 ; RA 1968, p. 22, 1969, p. 14, 1975, p. 47, 1978-1979, p. 24 ; ACA, 17 mars 1981.
76. AHSJ, ACA, 28 juin 1973.
77. AHSJ, ACA, 21 décembre 1982 ; RA 1985-1986, p. 26 ; SCA, 27 août 1985 et 16 novembre 1985.
78. AHSJ, RA 1989-1990.
79. AHSJ, SCA, 24 septembre 1991, et RA 1991-1992, p. 26.
80. AHSJ, RA 1993-1994, p. 28 ; SPCA, 16 septembre 1997.
81. AHSJ, RA 1995-1996, s.p., 2002-2003, s.p. ; site de la Fondation de l'Hôpital Sainte-Justine : www.fondation-sainte-justine.org/fr/campagne/, consulté le 9 décembre 2005 ; communiqué de presse, « La campagne Grandir en santé de la Fondation de l'Hôpital Sainte-Justine récolte 125,4 M $ ».
82. AHSJ, RA 1983-1984, p. 18 et 20, 1993-1994, p. 27, 1999-2000, s.o., 2003-2004, s.p. ; RA 1980-2004.

Chapitre 3 • Maux d'enfants

1. AHSJ, Loi constituant en corporation l'Hôpital Sainte-Justine, Édouard VII, chap. 137.
2. Les pourcentages ont été calculés à partir des données contenues dans les rapports annuels, 1908-1941 ; Dr Claire Laberge-Nadeau, *Les Caractéristiques de la population hospitalière à l'Hôpital Sainte-Justine,* mémoire de maîtrise (administration hospitalière), Université de Montréal, 1963, citée dans Desjardins, *L'Institutionnalisation de la pédiatrie en milieu franco-montréalais, 1880-1980 : les enjeux politiques, sociaux et biologiques,* thèse de doctorat (histoire), Université de Montréal, 1998, p. 421 ; AHSJ, SCA, 30 mai 1989 et 25 février 1990 ; SPCA, 28 mai 1996.
3. Desjardins, *Hôpital Sainte-Justine,* p. 82 et p. 85-86.
4. AHSJ, RA 1938, p. 35 ; dossier de presse, *Montréal-Matin,* 21 février 1957.
5. AHSJ, dossier de presse, *Le Devoir,* 28 mai 1956.
6. AHSJ, Cd-explorateur ARP-DRG, 2004-2005.
7. AHSJ, RA 1925, p. 47, et 1955, p. 46.
8. AHSJ, AHCA, 20 janvier 1908 ; Règlements, 11 mai 1908 ; ACE, 9 mars 1911, 29 juin 1914 ; assemblée mensuelle, 11 février 1924.
9. AHSJ, Loi amendant la Loi constituant en corporation l'Hôpital Sainte-Justine, George V, chap. 128, article 1.
10. AHSJ, ACE, 12 janvier 1925.
11. AHSJ, ACE, 26 janvier 1926 ; AHCA, 2 mai 1932 et 10 avril 1933.
12. AHSJ, AHCA, 24 janvier 1950.
13. AHSJ, AHCA, 13 mars 1962 et 19 novembre 1963 ; ACA, 9 janvier 1968, 12 mars 1968 et 14 décembre 1971.
14. AHSJ, ACA, 11 février 1971.
15. AHSJ, ACA, 20 mars 1973.
16. AHSJ, ACA, 19 novembre 1974 ; SCA, 23 avril 1985, 25 juin 1985, 24 septembre 1985, 28 janvier 1986.
17. Desjardins, *Hôpital Sainte-Justine,* p. 99 ; données établies selon les rapports annuels suivant la classification proposée dans le rapport annuel de 1957. Nous avons retenu les maladies qui représentaient plus de 2 % du total des admissions pour les années 1925, 1929, 1933, 1937, 1941, 1945, 1949, 1953 et 1957.
18. Sur cette question, voir Catherine Cournoyer, *Les Accidents impliquant des enfants et l'attitude envers l'enfance à Montréal (1900-1945),* Université de Montréal, mémoire de maîtrise (histoire), 2000.
19. AHSJ, ACE, 16 mars 1908 et 11 février 1924 ; AHCA, 15 février 1932 ; Marie-Josée Fleury et Guy Grenier, « La contribution de l'hôpital Saint-Paul et de *l'Alexandra Hospital* à la lutte contre les maladies contagieuses infantiles à Montréal, 1905-1934 », dans Cheryl Krasnick Warsh et Veronica Strong-Boag (dir.), *Children's Health Issues in Historical Perspective,* Waterloo, Wilfrid Laurier University Press, 2005, p. 411-439.
20. AHSJ, RA 1931, p. 31, 1946, p. 49 et 55 ; AHCA, 7 décembre 1937, 5 juillet 1938, 21 février 1939, 7 mars 1939, 7 mars 1944, 6 août 1946, 20 août 1946 ; RA 1942, p. 39-40, et 1946, p. 24.
21. AHSJ, RA 1959, p. 48 et 54 ; Rita Desjardins, *L'Institutionnalisation de la pédiatrie,* p. 351.

22. AHSJ, RA 1967, p. 51, et Desjardins, *Hôpital Sainte-Justine,* p. 95.
23. AHSJ, RA 1910, p. 17.
24. AHSJ, RA 1940, p. 41 et 50 ; RA 1945-1950.
25. Desjardins, *Hôpital Sainte-Justine,* p. 94 ; AHSJ, RA 1928, p. 43, et 1935-1960 ; PV de la 35e assemblée annuelle, 22 février 1943, p. 16.
26. AHSJ, RA 1957, p. 45.
27. AHSJ, RA 1968, p. 48.
28. AHSJ, RA 1973, p. 30.
29. AHSJ, RA 1977-78, p. 17.
30. AHSJ, AHCA, 6 juin 1959, et SPCA, 24 novembre 2004 ; RA 1992-93, p. 4 ; Desjardins, *L'Institutionnalisation de la pédiatrie,* p. 487 ; SCA, 23 avril 1985 et 24 avril 1990.
31. AHSJ, AHCA, 20 septembre 1956 ; Desjardins, *L'Institutionnalisation de la pédiatrie,* p. 462 et p. 479-505.
32. AHSJ, RA 1970, p. 32. Sur le concept de développement optimal, voir Desjardins, *L'Institutionnalisation de la pédiatrie,* p. 404.
33. AHSJ, RA 1983-1984, p. 3 ; SPCA, 14 décembre 1999.
34. AHSJ, AHCA, 21 novembre 1949 ; Desjardins, *L'Institutionnalisation de la pédiatrie,* p. 488-489 et 521 ; RA 1950-1957 et 1952, p. 65.
35. AHSJ, RA 1930, p. 30.
36. Desjardins, *L'Institutionnalisation de la pédiatrie,* p. 522-523 et p. 525-527, et AHSJ, ACA, 14 janvier 1977.
37. Cynthia Comacchio, *The Dominion of Youth : Adolescence and the Making of Modern Canada, 1920 to 1950,* Waterloo, Wilfrid Laurier University Press, 2006.
38. Pierre-André Michaud, Jean Wilkins et Jean-Yves Frappier, « L'état de santé des adolescents québécois vu sous un angle épidémiologique : recherche bibliographique et statistique », *L'Union médicale du Canada (UMC),* vol. 111, nº 9, septembre 1982, p. 748-754 ; Desjardins, *L'Institutionnalisation de la pédiatrie,* p. 529-532 ; AHSJ, 24 mars 1987.
39. AHSJ, AHCA, 8 avril 1959 et 12 mai 1959 ; voir par exemple « Prévention des accidents à la mai son et à l'école », *Santé et bien-être au Canada,* vol. 1, nº 4, janvier 1946, p. 5, et Wallace McKay, « Les accidents au foyer et les enfants », *Santé et bien-être au Canada,* vol. 6, nº 7, avril 1951, p. 4-5 ; AHSJ, RA 1962 à 1982-1983.
40. AHSJ, dossier 611, Comité pour la protection de la jeunesse — loi 78.
41. Renée Joyal, *Les Enfants, la Société et l'État au Québec, 1608-1989. Jalons,* Montréal, Hurtubise HMH, 1999, p. 250-251 et p. 258-261 ; AHSJ, SPCA, 9 septembre 2003 et 23 octobre 2003.
42. AHSJ, RA 1970, p. 82, 1973, p. 13, 1979-1980, p. 13, 1984-1985, p. 12, et 1989-1990, s.p.
43. AHSJ, RA 1956, p. 44, 1962, p. 50, 1963, p. 50, et RA 1970, p. 82, DSA-AS 478 et 471.
44. AHSJ, RA 1969, p. 2 et 61 ; ACA, 14 janvier 1969 ; RA 1978-1979, p. 16 ; rapport statistique annuel 2000-2001, Annexe II, p. 20.
45. AHSJ, RA 1985-1986, p. 17.
46. Canada, Bureau fédéral de la statistique (BFS), *Statistiques de l'état civil,* Ottawa, ministère de l'Industrie et du commerce, 1959, cité dans Baillargeon, *Un Québec en mal d'enfants,* p. 62 ; AHSJ, ACE, 14 février 1929, 4 mars 1929 et 12 mai 1937 ; Baillargeon, *Un Québec en mal d'enfants,* p. 158-165 ; Montréal, RA du Service de santé de la Ville de Montréal, 1940, p. 119, et 1950, p. 112.
47. AHSJ, RA 1929, p. 41, 1934, p. 37, et 1940, p. 42 ; RA 1930-1940 ; Canada, BFS, *Statistiques de l'état civil,* cité dans Baillargeon, *Un Québec en mal d'enfants,* p. 60.
48. AHJS, RA 1945 à 2002-2003, et 1980-1981, p. 8.
49. AHSJ, RA 1929, p. 29.
50. AHSJ, RA 1931, p. 51, et ACE, 17 avril 1931.
51. AHSJ, RA 1950, p. 34.
52. AHSJ, RA 1958, p. 35, et 1962, p. 49.
53. AHSJ, RA 1966, p. 45.
54. AHSJ, AHCA, 2 juin 1942 ; 13 juin 1944, 28 octobre 1948, 18 janvier 1949.
55. AHSJ, RA 1951, p. 72, 1952, p. 64 et 1956, p. 43 ; AHCA, 24 avril 1956 ; Desjardins, *L'Institutionnalisation de la pédiatrie,* p. 432.
56. Desjardins, *L'Institutionnalisation de la pédiatrie,* p. 434 ; AHSJ, RA 1970, p. 45 et 47, et 1973, p. 14.
57. Desjardins, *L'Institutionnalisation de la pédiatrie,* p. 450.
58. AHSJ, SCA, 14 juin 1988.
59. AHSJ, SCA, 26 janvier 1988, 23 août 1988, 16 juin 1992, et SPCA, 16 décembre 2003.
60. AHSJ, SCA, 14 décembre 1992.
61. AHSJ, ACA, 13 janvier 1974, 12 mars 1974, 10 février 1976, 14 février 1978.
62. AHSJ, ACA, 17 janvier 1978, 22 mai 1980, 28 août 1984 ; SCA, 24 septembre 1985, 25 mars 1986, 22 septembre 1987.
63. Musée de l'Assistance publique — Hôpitaux de Paris, *L'Hôpital et l'Enfant : l'hôpital autrement ?,* Paris, ENSP, 2005, p. 67-68.
64. AHSJ, RA 1934, p. 29.

65. AHSJ, RA 1938, p. 130.
66. AHSJ, RA 1928, p. 82.
67. AHSJ, RA 1928, p. 86, 1932, p. 31 et 90, 1927, p. 89, et 1928, p. 87.
68. AHSJ, RA 1928, p. 87.
69. AHSJ, RA 1929, p. 90, 1930, p. 27, et 1932, p. 31; ACE, 5 mars 1930, 14 mars 1930, 24 mars 1930, 7 avril 1930, 19 mai 1930.
70. AHSJ, RA 1932, p. 29 et 92, 1934, p. 29, 1936, p. 128-129, 1937, p. 36 et 135, 1938, p. 27, 1939, p. 120, 1941, p. 21, et 1946, p. 179.
71. AHSJ, RA 1940, p. 95, 1949, p. 103, 1959, p. 99, 1964, p. 97, 1965, p. 89, 1992-1993, p. 11.
72. AHSJ, RA 1934, p. 29, 1936, p. 129, 1937, p. 36, et 1938, p. 130; AHCA, 15 janvier 1952, 12 juin 1958, 31 mars 1959 et 12 novembre 1963.
73. AHSJ, RA 1967, p. 78.
74. AHSJ, AHCA, 29 avril 1947.
75. AHSJ, ACE, 23 mars 1909 et 25 mai 1909.
76. AHSJ, ACE, 19 mars 1923, 31 mars 1924, 7 mai 1928.
77. AHSJ, ACE, 8 novembre 1938; AHCA, 22 août 1950, 31 juillet 1951, 20 et 27 septembre 1956.
78. AHSJ, AHCA, 20 octobre et 30 décembre 1959; ACA, 8 juin 1965, 14 octobre 1980; SCA, 22 octobre 1991; RA 1992-1993, p. 10.
79. AHSJ, SCA, 22 mars 1988.
80. AHSJ, RA 1912, p. 11.
81. AHSJ, ACE, 22 juillet 1910 et 30 mars 1914. Sur l'histoire des Gouttes de lait de Montréal, voir Denyse Baillargeon, « Fréquenter les Gouttes de lait. L'expérience des mères montréalaises », *RHAF,* vol. 50, n° 1 (été 1996), p. 29-68.
82. AHSJ, RA 1912, p. 39.
83. Selon les estimations de Desjardins, *Hôpital Sainte-Justine,* p. 117.
84. AHSJ, RA 1928, p. 46.
85. AHSJ, RA 1927, p. 57.
86. AHSJ, RA 1931, p. 47.
87. AHSJ, RA 1934, p. 29, 1987-1988, p. 8 et 2002-2003, s.p.; SPCA, 28 septembre 1993; Desjardins, *L'Institutionnalisation de la pédiatrie,* p. 238-240.
88. Marie-Jeanne T. Pépin, « Une étude du fonctionnement de la clinique d'obstétrique de l'Hôpital Sainte-Justine et un aperçu des responsabilités de l'auxiliaire sociale pour l'année 1948 », mémoire de maîtrise (service social), Université de Montréal, 1950, p. 6.
89. Pépin, « Une étude du fonctionnement », p. 47.
90. AHSJ, AHCA, 14 août 1958, et ACA, 12 mai 1981; AHCA, 4 octobre 1955, 31 janvier 1956, 3 décembre 1963; ACA, 14 mars 1978; SCA, 23 septembre et 5 décembre 1986; ACA, 21 décembre 1982, et SCA, 22 octobre 1985; RA 1978-79, p. 19.

Chapitre 4 • Travailler sans compter

1. Aline Charles, *Travail d'ombre et de lumière. Le bénévolat féminin à l'Hôpital Sainte-Justine 1907-1960,* Québec, IQRC, coll. « Edmond-de-Nevers », n° 9, 1990, p. 36-38.
2. AHSJ, RA 1909, p. 62.
3. AHSJ, RA 1921, p. 42.
4. AHSJ, RA 1932, p. 83; voir aussi RA 1933, p. 78-79, cité dans Charles, *Le Bénévolat féminin,* p. 60.
5. Charles, *Le Bénévolat féminin,* p. 57 et 61; AHSJ, dossier 25-B, Rapport de l'enquête sur le bénévolat à Sainte-Justine, septembre 1971; *Bénévox,* n° 22, décembre 1995, s.p., et dossier « Les bénévoles », *Interblocs,* vol. 29, n° 4, avril-mai 2006, s.p.
6. AHSJ, ACE, 9 mars 1908.
7. AHSJ, RA 1958, p. 52.
8. Charles, *Le Bénévolat féminin,* note 27, p. 68, p. 53-54 et p. 64.
9. AHSJ, AHCA, 27 novembre 1936; 9 juin 1942, 2 mai 1944, 24 octobre 1944, 11 mai 1948, 19 octobre 1948, 25 octobre 1949, 15 septembre 1953 et 23 août 1955; ASCA, 13 décembre 1948.
10. AHSJ, AHCA, 3 août 1937.
11. AHSJ, AHCA, 8 octobre 1940, 2 mai 1944, 20 septembre 1949, 4 novembre 1952, 25 novembre 1952, 2 novembre 1954; RA 1924, p. 17.
12. Charles, *Le Bénévolat féminin,* p. 105-106, et Goulet *et al., Histoire de l'Hôpital Notre-Dame,* p. 58 et 238-240.
13. AHSJ, AHCA, 16 décembre 1907; RA 1908, p. 36; Charles, *Le Bénévolat féminin,* p. 54.
14. AHSJ, ACE, 13 avril 1908, 3 novembre 1908 et 8 mars 1909; AHCA, 31 juillet 1958, 27 juillet 1960 et RA 1958, p. 36, 1960, p. 92, et 1970, p. 101; ASCA, 30 mars 1960; SCA, 26 mai 1987; René Després, « Peine d'amour », *Interblocs,* vol. 28, n° 2, février-mars 2005, p. 4.
15. AHSJ, RA 1910, p. 24, 1921, p. 60-62, 1922, p. 78, 1923, p. 70, 1928, p. 31, 1930, p. 96; ACE, 23 mars 1923.
16. AHSJ, AHCA, 11 septembre 1933.
17. AHSJ, RA 1940, p. 25 et 92.

18. AHSJ, RA 1941, p. 24.
19. AHSJ, RA 1943, p. 25 ; RA 1955-1957 et Charles, *Le Bénévolat féminin,* p. 72 ; RA 1953, p. 30 ; AHCA, 13 juin 1957 ; RA 1957, p. 97.
20. Charles, *Le Bénévolat féminin,* p. 73.
21. AHSJ, RA 1940, p. 104.
22. AHSJ, dossier de presse, *Le Canada,* 30 décembre 1925.
23. AHSJ, RA 1928, p. 82-90, 1929, p. 29 et 85, 1930, p. 27 et 72-75, et AMCE, 17 janvier 1927.
24. AHSJ, RA 1934, p. 60, 1936, p. 131, et 1937-1948.
25. AHSJ, ACE, 6 juillet 1908.
26. AHSJ, AMCE, 14 décembre 1914 ; ACE, 15 janvier 1915, 6 décembre 1915, 22 mars 1916 ; Jeanne Baril, « Le service social de l'Hôpital Sainte-Justine », *La Bonne Parole,* vol. XII, n° 1, janvier 1924, p. 4.
27. Jeanne Baril « Le service social de l'Hôpital Sainte-Justine », *La Bonne Parole,* vol. 19, n° 11, novembre 1931, p. 10.
28. Charles, *Le Bénévolat féminin,* note 17, p. 102 ; AHSJ, RA 1925, p. 48, et 1941, p. 67.
29. AHSJ, RA 1941, p. 66.
30. AHSJ, RA 1942, p. 62.
31. Cité dans Charles, *Le Bénévolat féminin,* p. 138.
32. AHSJ, RA 1945, p. 66.
33. AHSJ, AMCE, 9 novembre 1908 ; Yvonne Knibiehler *et al., Cornettes et blouses blanches. Les infirmières dans la société française, 1880-1980,* Paris, Hachette, 1984, cité dans Charles, *Le Bénévolat féminin,* p. 102, note 9.
34. AHSJ, RA 1914, p. 43.
35. AHSJ, RA 1923, p. 46-47, 1924, p. 47, et 1929, p. 73-74 ; ACE, 7 mars et 24 mars 1924.
36. AHSJ, RA 1924, p. 47.
37. AHSJ, RA 1928, p. 69-70, et 1929 p. 73.
38. AHSJ, dossier 25-B ; AHCA, 1er août 1932 et 19 septembre 1933.
39. AHSJ, dossier 25-B, Services auxiliaires, Services des bénévoles — Infirmières-bénévoles (1924-1945), lettre de l'administration à Jeanne de Guise, 1er décembre 1936, et AHCA, 27 novembre 1936.
40. AHSJ, AHCA, 13 septembre 1938.
41. AHSJ, RA 1937, p. 132, et AHCA, 6 février 1940.
42. AHSJ, RA 1916, p. 26-28, et 1924, p. 47 ; Charles, *Le Bénévolat féminin,* p. 75-76 ; AHCA, 14 mai 1940, et RA 1940, p. 93-94, 1942, p. 19 et 123, 1944, p. 159, et 1945, p. 159.
43. Charles, *Le Bénévolat féminin,* p. 94, 110 et 131.
44. Cité dans Charles, *Le Bénévolat féminin,* p. 134.
45. AHSJ, AHCA, 26 janvier 1954 ; RA 1966, p. 91.
46. AHSJ, AHCA, 14 et 21 septembre 1954, 9 janvier 1957, 4 avril 1957, 7 novembre 1957, 28 novembre 1957, 24 février 1958, 4 mars 1958 ; Guide des bénévoles, 1959, dans Charles, *Le Bénévolat féminin,* p. 117 ; dossier 840.99, rapport du comité central, 1962.
47. AHSJ, AHCA, 31 octobre 1957.
48. AHSJ, RA 1965, p. 81.
49. AHSJ, RA 1967, p. 76.
50. AHSJ, RA 1961, p. 89.
51. AHSJ, RA 1966, p. 93.
52. AHSJ, RA 1958, p. 88, et RA 1960-1970.
53. AHSJ, RA 1963, p. 85.
54. AHSJ, RA 1962, p. 91, 1963, p. 85, et 1964, p. 89 ; dossier de presse, *La Presse,* 20 novembre 1968, p. 64.
55. AHSJ, RA 1960-1972.
56. AHSJ, RA 1963, p. 86.
57. AHSJ, RA 1963, p. 86.
58. AHSJ, dossier 25-B, lettre de Mme Roger Lacoste à Gaspard Massue, 2 février 1965, et dossier 840.99, lettre de Mme André Robitaille à Gaspard Massue, 14 juillet 1967.
59. AHSJ, dossier 840.99, résumé d'une rencontre entre Mlles P. Jodoin, M.-H. Ouellette et Dr Legendre-Roberge pour discuter d'un fonctionnement efficace du service du bénévolat en relation avec le service du milieu thérapeutique, 31 juillet 1974.
60. AHSJ, dossier 840.99, lettre de bénévoles à M. Montpetit, directeur général adjoint, 19 décembre 1975.
61. AHSJ, Projets proposés par les services de bénévolat dans le cadre de l'Année internationale de l'enfant, 17 juillet 1978.
62. AHSJ, Compte rendu d'une rencontre concernant la joujouthèque, 17 octobre 1978, et Projet joujouthèque, novembre 1978.
63. AHSJ, RA 1971, p. 77.
64. AHSJ, RA 1972, p. 95.
65. AHSJ, dossier 840.99, *Guide du bénévole,* c. 1975, p. 6.
66. AHSJ, *Guide du bénévole de l'Hôpital Sainte-Justine,* s.d (c. 1996), p. 1.
67. AHSJ, RA 1980-81, p. 8.
68. AHSJ, RA 1983-84, p. 10.
69. AHSJ, RA 1980-1992 ; entrevue téléphonique avec Louise L'Hérault, chef du Service bénévole, 19 juin 2006.

70. Entrevues téléphoniques avec Claire Nolet, Béatrice Lafontaine et Louise L'Hérault, successivement directrices du Service bénévole entre 1988 et 2006, 19 juin 2006.
71. AHSJ, Lucie Drapeau, Renée-Louise Patout et Diane Trudel, *Guide pratique pour les bénévoles en unités de soins,* septembre 1998 ; Service bénévole, *Guide de formation,* 1er et 2e partie, automne 2005, et dossier « Les bénévoles », *Interblocs,* vol. 29, nº 4, avril-mai 2006, s.p.
72. AHSJ, Service bénévole, document de réflexion, juin 1995, p. 1, 3 et 15 ; PV du comité de bénévoles, 22 janvier 1996 et 26 février 1996 ; *Bénévox,* nº 26, décembre 1996, p. 23.
73. AHSJ, PV du Comité des bénévoles, 18 avril 1994, 24 janvier 1996, 11 avril 1996 et note de service, s.d.
74. AHSJ, RA 1989-1990, s.p., et 1992-93, s.p.
75. AHSJ, RA 1972, 1981-1982, 1989-1990 et 1995-1996 ; entrevue téléphonique avec Louise L'Hérault, 19 juin 2006, et données contenues dans les rapports annuels et les rapports statistiques annuels du Service bénévole.
76. AHSJ, Service bénévole, *Bénévox,* nº 22, décembre 1995, s.p., et dossier « Les bénévoles », *Interblocs,* vol. 29, nº 4, avril-mai 2006, s.p.

Chapitre 5 • Des pédiatres à l'œuvre

1. Goulet *et al., Histoire de l'Hôpital Notre-Dame,* p. 22 et 34 ; Goulet, *Histoire de la Faculté de médecine,* p. 52-54 et p. 90-92.
2. Desjardins, *L'Institutionnalisation de la pédiatrie,* p. 101, 119, 126, 152-156, 162-163, 169-170 ; AHSJ, ASCE, 12 février 1911.
3. AHSJ, ACE, 30 novembre 1914 ; dossier 15-3, cité dans Desjardins, *L'Institutionnalisation de la pédiatrie,* p. 367.
4. AHSJ, Règlements des internes, ACE, 7 décembre 1914, et Goulet, *Histoire de la Faculté de médecine,* p. 143-145 ; ACE, 9 novembre 1914.
5. Goulet, *Histoire de la Faculté de médecine,* p. 185-193, p. 198-199 et p. 243, note 96 ; Guy Grenier, *100 ans de médecine francophone. Histoire de l'Association des médecins de langue française du Canada,* Sainte-Foy, MultiMondes, 2002, p. 165 ; AHSJ, AHCA, 27 février 1932.
6. AHSJ, ACE, 7 mai 1923 ; dossier 15-C, lettre du secrétaire de la Faculté de médecine de l'Université de Montréal à Mme Beaubien, 5 juillet 1923, et RA 1925, p. 30.
7. AHSJ, dossier 15-C, lettre de l'administration de l'Hôpital Sainte-Justine au doyen Louis de Lotbinière-Harwood, 13 septembre 1928.
8. AHSJ, RA 1929, p. 23, et 1938, p. 23 ; dossier 15-1, Règlements, 1931 et 1945 ; dossier 26-8, lettre du Conseil médical au bureau d'administration, 30 mars 1931 ; Desjardins, *L'Institutionnalisation de la pédiatrie,* p. 316 et 367-368 ; Goulet, *Histoire de la Faculté de médecine,* p. 195 et 282.
9. Goulet, *Histoire de la Faculté de médecine,* p. 233 ; Desjardins, *L'Institutionnalisation de la pédiatrie,* p. 381-384 ; Denis Goulet, *Histoire du Collège des médecins du Québec, 1947-1997, Montréal, Le Collège,* 1997, p. 108 et 380 ; AHSJ, dossier 18, « Projet d'un service d'internat pour l'Hôpital Sainte-Justine », 19 décembre 1935, et lettre du Dr Dubé à Justine Lacoste-Beaubien, 28 octobre 1954 ; AHCA, 12 mai 1953 ; RA 1948, p. 53.
10. AHSJ, dossier 15-C, lettre du Dr Edmond Dubé à Mme L. de Gaspé Beaubien, 12 avril 1944.
11. AHSJ, dossier 15-C Université de Montréal, contrat d'affiliation, 1910-1977, lettre du conseil d'administration de l'Hôpital Sainte-Justine au Dr Edmond Dubé, doyen de la Faculté de médecine, 4 octobre 1945.
12. Dr Paul Letondal, « Existe-t-il une pédiatrie canadienne d'expression française ? », *UMC,* vol. 79, nº 10, octobre 1950, p. 1241.
13. Goulet, *Histoire de la Faculté de médecine,* p. 292-296 et p. 337, note 76 ; Desjardins, *L'Institutionnalisation de la pédiatrie,* p. 371.
14. AHSJ, RA 1962, p. 29 ; Goulet, *Histoire de la Faculté de médecine,* p. 303-309 ; Desjardins, *L'Institutionnalisation de la pédiatrie,* p. 373.
15. Desjardins, *L'Institutionnalisation de la pédiatrie,* p. 372 et 390.
16. PV, Conseil de la Faculté de médecine de l'Université de Montréal (PUFMUM), 28 avril 1966, cité dans Goulet, *Histoire de la Faculté de médecine,* p. 313.
17. Goulet, *Histoire de la Faculté de médecine,* p. 314 ; AHSJ, AHCA, 6 décembre 1960, 28 février 1961, 7 mars 1961 ; RA 1961, p. 47.
18. Goulet, *Histoire de la Faculté de médecine,* p. 314-315 ; Desjardins, *L'Institutionnalisation de la pédiatrie,* p. 369 et 371.
19. PVFMUM, 11 novembre 1965, cité dans Goulet, *Histoire de la Faculté de médecine,* p. 316.
20. AHSJ, AHCA, 23 janvier 1951, 3 avril 1951 et 27 janvier 1959 ;

dossier 18, lettre du Dr Dubé à Justine Lacoste-Beaubien, 28 octobre 1954.
21. Desjardins, *L'Institutionnalisation de la pédiatrie,* p. 385-389 ; AHSJ, RA 1968, p. 48, et 1972, p. 44.
22. Goulet, *Histoire de la Faculté de médecine,* p. 396-397 et 415-420.
23. CPMQ/CRMCC, *Rapport de la visite conjointe d'agrément des programmes de résidence et de la visite d'agrément des programmes d'internat, de médecine familiale et d'enseignement continu,* 1975, cahier I, p. 9, cité dans Goulet, *Histoire de la Faculté de médecine,* p. 419.
24. Cité dans Desjardins, *L'Institutionnalisation de la pédiatrie,* p. 374.
25. Desjardins, *L'Institutionnalisation de la pédiatrie,* p. 373 et 377 ; Goulet, *Histoire de la Faculté de médecine,* p. 460-468 ; AHSJ, ACA, 7 décembre 1976 ; RA 1980-1981, p. 18, et 1981-1982, p. 11 ; *Rapport annuel de la direction de l'enseignement (RADE) 1992-1993,* p. 4, 2003-2004, p. 12, 2004-2005, p. 2.
26. AHSJ, AHCA, 10 août 1961 et 31 août 1961 ; ACE, 25 mars 1969 ; SOCA, 24 février 1987 ; dossier 0240-00-000, Sommaire du projet de contrat d'affiliation entre l'Université de Montréal et les centres hospitaliers, document 388, réunion du CA, 24 février 1987 ; SCA, 24 septembre 1991 et 26 novembre 1991 ; SPCA, 27 avril 1993, 26 avril 1994, 16 décembre 1997, 27 janvier 1998, 24 février 1998 et 24 mars 1998.
27. AHSJ, règlements de la partie médicale, ACE, 5 avril 1916.
28. AHSJ, ACE, 9 novembre 1914, 4 mai 1920, 6 février 1922, 30 mai 1923.
29. AHSJ, ACE, 13 avril 1909 et 30 juin 1909 ; RA 1918, p. 8, 1922, p. 12, 1927, p. 9, 1940, p. 39-40 ; Desjardins, *Hôpital Sainte-Justine,* p. 152-153.
30. AHSJ, RA 1908, p. 14, 1925, p. 28, et 1940, p. 36-38.
31. PV Bureau médical, 18 décembre 1916, cité dans Desjardins, *Hôpital Sainte-Justine,* p. 72 ; AHSJ, ACE, 4 avril 1912, 3 novembre 1919, 1er décembre 1919 et 15 novembre 1921 ; RA 1922, p. 23, et 1923, p. 17.
32. AHSJ, RA 1918, p. 11, et Desjardins, *L'Institutionnalisation de la pédiatrie,* p. 317-318.
33. AHSJ, RA 1930, p. 55, et 1940, p. 52 et 58-59.
34. Goulet *et al., Histoire de l'Hôpital Notre-Dame,* p. 133.
35. AHSJ, ASCE, 7 mai 1911, ACE, 21 août 1924 et 15 septembre 1924.
36. AHSJ, ACE, 3 octobre 1924.
37. AHSJ, ACE, 26 septembre 1924.
38. AHSJ, SPCA, 23 novembre 1993.
39. AHSJ, ACE, 1er mars 1920.
40. AHSJ, ACE, 24 septembre 1923.
41. AHSJ, ACE, 4 novembre 1925. À compter de 1931, on parle plutôt du directeur médical (ACE, 30 novembre 1931).
42. AHSJ, ACE, 9 mars 1925, 14 septembre 1925 et 12 octobre 1925.
43. AHSJ, ACE, 24 septembre 1930.
44. AHSJ, RA 1933, p. 40, 1934, p. 42, 1940, p. 44-45.
45. AHSJ, ACE, 14 septembre 1908, 27 mars 1912, 3 novembre 1913, 1er décembre 1921, 15 octobre 1923, 29 octobre 1923, 21 août 1924, 8 octobre 1925, 26 octobre 1928, 28 janvier 1929.
46. Cité dans Goulet *et al., Histoire de l'Hôpital Notre-Dame,* p. 121.
47. AHSJ, ACE, 3 avril 1929.
48. AHSJ, ACE, 12 mai 1930 ; Desjardins, *L'Institutionnalisation de la pédiatrie,* p. 318.
49. AHSJ, ACE, 1er juin 1931 et 15 juin 1931 ; Goulet *et al., Histoire de l'Hôpital Notre-Dame,* p. 114.
50. Albert Lesage, cité dans Goulet *et al., Histoire de l'Hôpital Notre-Dame,* p. 271-272.
51. Goulet *et al., Histoire de l'Hôpital Notre-Dame,* p. 272-274 ; AHSJ, AHCA, 12 novembre 1934 et 19 décembre 1934.
52. AHSJ, AHCA, 9 avril 1935.
53. AHSJ, RA 1936, p. 26 et 44 ; AHCA, 1er décembre 1936, 21 décembre 1936 et 27 juillet 1937.
54. AHSJ, dossier 15-4, lettre des internes au Dr Télesphore Parizeau, directeur des études, 27 novembre 1930 ; AHSJ, ACE, 4 décembre 1930.
55. Goulet *et al., Histoire de la Faculté de médecine,* p. 200 ; AHSJ, ACE, 27 juin 1934.
56. AHSJ, AHCA, 10 janvier 1950, 26 septembre 1950, 20 octobre 1953, 17 novembre 1953 et 1er décembre 1953 ; Desjardins, *L'Institutionnalisation de la pédiatrie,* p. 466.
57. AHSJ, RA 1940, p. 39, 1950, p. 53-54, et 1970, p. 95.
58. AHSJ, RA 1950, p. 54, 1955, p. 60, 1960, p. 63-64, 1965, p. 65-66.
59. AHSJ, AHCA, 16 août 1949, 16 août 1955, 24 novembre 1959, 10 août 1961, 20 février 1962, 14 mai 1963.
60. AHSJ, AHCA, 18 août 1964.
61. AHSJ, AHCA, 11 août 1964, 18 août 1964, 15 septembre 1964, 1er décembre 1964, 20 janvier 1965, 7 décembre 1965, 21 septembre 1965, 16 août 1966, 6 décembre 1966.

62. AHSJ, AHCA, 11 décembre 1951.
63. AHSJ, AHCA, 18 juillet 1950, 5 février 1952, 4 mars 1958, 27 février 1962, 5 juin 1962.
64. AHSJ, AHCA, 1er juin 1932, 7 janvier 1936, 11 octobre 1938 ; RA 1932, p. 56, 1936, p. 35, 1940, p. 45 ; Desjardins, *L'Institutionnalisation de la pédiatrie,* p. 324-325, 356-357 et 469.
65. Desjardins, *L'Institutionnalisation de la pédiatrie,* p. 465-466 ; AHSJ, AHCA, 3 janvier 1951, 1er mai 1956, 21 mars 1957, 11 avril 1957, 13 août 1959, 17 novembre 1959, 24 novembre 1959, 22 mars 1960, 24 mai 1960, 21 juin 1960.
66. C. Laberge-Joncas, « Essor de la pédiatrie canadienne-française à Montréal depuis 1950 », *UMC,* vol. 96, nº 11, novembre 1967, p. 1333-1336, cité dans Desjardins, *L'Institutionnalisation de la pédiatrie,* p. 471 ; AHSJ, AHCA, 3 juillet 1963, 22 août 1963 ; ASCA, 2 novembre 1967, 23 janvier 1968.
67. AHSJ, RA 1960, p. 46.
68. AHSJ, dossier 16-I, statuts et règlements du bureau médical, 1962 ; RA 1965, p. 49.
69. AHSJ, AHCA, 13 janvier 1948, 27 mars 1951, 14 mars 1957, 22 septembre 1959, 19 octobre 1960.
70. AHSJ, AHCA, 11 mars 1940, 24 avril 1945, 24 septembre 1946, 28 octobre 1952, 19 mai 1953, 26 mai 1953, 30 juin 1953, 6 octobre 1953, 15 décembre 1953, 22 juin 1954, 26 octobre 1954, 21 décembre 1954, 25 octobre 1955, 3 juillet 1958.
71. AHSJ, AHCA, 14 août 1945.
72. AHSJ, dossier de presse, *La Presse,* 2 août 1967, et *Le Devoir,* 2 novembre 1967, p. 5 ; AHCA, 2 août 1967.
73. AHSJ, AHCA, 24 janvier 1956, 7 février 1957, 16 mai 1957, 28 juillet 1960, 3 et 19 octobre 1960 ; dossier de presse, *La Presse,* 2 février 1967, et *Le Journal de Montréal,* 8 février 1967.
74. AHSJ, RA 1973, p. 23.
75. AHSJ, SPCA, 26 février 2002.
76. AHSJ, dossier de presse, *Le Devoir,* 31 octobre 1970 ; ACA, 19 janvier 1982, et SCA, 25 août 1987 et 27 novembre 1990 ; SPCA, 20 juin 1995, 27 janvier 1998, 24 avril 2001, 26 juin 2001, 26 mars 2002, 22 avril 2003, 28 avril 2004.
77. AHSJ, SPCA, 24 octobre 1995, 28 novembre 1995, 23 février 1999 et 23 mars 1999 ; RA 1998-1999, s.p.
78. AHSJ, SPCA, 24 avril 2001, 26 novembre 2002, 28 janvier 2003.
79. AHSJ, RA 1977-1978, p. 16, et 1992-1993, p. 12, et données transmises par la DSP, août 2006.
80. Collège des médecins, *Chirurgienne infectée par le VIH au CHU mère-enfant Sainte-Justine,* rapport public du Collège des médecins du Québec, 1er avril 2004, et *Le Médecin et les Infections transmissibles par le sang, énoncé de position,* avril 2004, www.cmq.org/, consulté le 19 septembre 2006.
81. AHSJ, SPCA, 25 janvier 1994, 15 février 1994, 20 décembre 1994, 28 mars 1995, 20 mai 1995, 12 septembre 1995, 24 octobre 1995, 26 mars 1996, 23 avril 1996, 28 mai 1996, 25 juin 1996, 22 octobre 1996, 28 janvier 2003 et 17 juin 2003.
82. AHSJ, ACA, 15 mai 1973, et rapport annuel du Centre de recherche (RACR), 1975, p. 5.
83. AHSJ, RACR 1975, p. 38.
84. AHSJ, RACR 1976-1977, p. 3.
85. AHSJ, RACR 1976-1977, p. 4.
86. AHSJ, RACR 1978, p. 3 et p. 55-64 ; ACA, 19 septembre 1978 et 14 novembre 1978 ; SCA, 22 novembre 1988, 29 mai 1990, 24 novembre 1992 ; SPCA, 25 mai 1993, 26 octobre 1993, 24 mai 1994, 23 janvier 1996, 28 octobre 1997.
87. AHSJ, RA 1973, p. 14, RA 1980-1981, p. 17 ; RA 1991-1992, p. 14 ; RACR 1975 à 2004-2005 ; ACA, 19 février 1980 ; SCA, 27 août 1991, 28 janvier 1992 ; SPCA, 19 septembre 1998, 28 septembre 1999, 25 avril 2000 ; 26 juin 2001, 18 juin 2002.
88. AHSJ, SCA, 23 février 1988, 28 février 1989, 23 janvier 1990 ; SPCA, 26 juin 2001.
89. AHSJ, RACR 1978, p. 7.
90. AHSJ, SCA, 15 décembre 1987.
91. AHSJ, RACR 1995-2000, s.p.
92. AHSJ, RACR 2002, p. 1.
93. AHSJ, RACR 1995-2000, 2002 et 2004-2005.
94. AHSJ, RACR 2004-2005, s.p.

Chapitre 6 • Au chevet des malades

1. Kathryn McPherson, « The Nightingale Influence and the Rise of the Modern Hospital », dans Christina Bates, Dianne Dodd et Nicole Rousseau (dir.), *On All Frontiers. Four Centuries of Canadian Nursing,* Ottawa, Presses de l'Université d'Ottawa et le Musée canadien des civilisations, 2005, p. 73-87.
2. Mentionnons que l'École d'infirmières de l'Hôtel-Dieu n'est ouverte aux candidates laïques qu'à compter de 1901. Denis Goulet et

André Paradis, *Trois siècles d'histoire médicale au Québec. Chronologie des institutions et des pratiques (1639-1939),* Montréal, VLB éditeur, 1992, p. 427-428 ; Rita Desjardins, *Hôpital Sainte-Justine,* p. 136 ; AHSJ, ACE, 20 janvier 1908, 1er décembre 1908, 20 janvier 1909 et 2 et 16 mars 1909.

3. AHSJ, dossier 16, lettre du secrétaire du bureau médical à la secrétaire du bureau d'administration, février 1909.
4. AHSJ, dossier 19-5, lettre de Raoul Masson, secrétaire du bureau médical, à Thaïs Lacoste, secrétaire du bureau d'administration, 20 février 1908.
5. AHSJ, ACE, 19 novembre 1908 ; dossier 19-9, nombre de graduées par année, 1910-1970. Précisons que les données contenues dans cette liste ne correspondent pas toujours aux chiffres publiés dans les rapports annuels des années 1920.
6. AHSJ, ASCE, 10 août 1909.
7. AHSJ, ACE, 19 mai 1913.
8. AHSJ, RA 1913, p. 38, et 1920, p. 31 ; ACE, 4 mai 1923 et 5 novembre 1923.
9. AHSJ, RA 1908-1912.
10. Desjardins, *Hôpital Sainte-Justine,* p. 132 ; Denyse Baillargeon, « "Sur les berceaux je veille" : les aides-maternelles de la Fédération nationale Saint-Jean-Baptiste et la professionnalisation des domestiques, 1928-1940 », dans Éliane Gubin et Valérie Piette (dir.), *Actes du colloque international Bonnes pour service. Déclin, professionnalisation et émigration de la domesticité. Europe et Canada, 20e siècle. Sextant,* vol. 15-16, 2001, p. 203-234 ; AHSJ, ACE, 17 octobre 1910, et AHCA, 16 mars 1948.
11. AHSJ, RA 1914, p. 41.
12. AHSJ, dossier 19-5, lettre du secrétaire du bureau médical à la présidente, 9 juin 1908.
13. AHSJ, ACE, 31 octobre 1910.
14. André Petitat, *Les Infirmières. De la vocation à la profession,* Montréal, Boréal, 1989, p. 235-245.
15. AHSJ, ACE, 2 mars 1909, et AMCE, 8 mars 1909.
16. AHSJ, dossier 19-3, lettre du secrétaire du bureau médical à la présidente, 16 novembre 1909 ; ACE, 28 mai 1911, 11 mars 1912 ; Desjardins, *Hôpital Sainte-Justine,* p. 135-137.
17. Diana Mansell et Dianne Dodd, « Professionalism and Canadian Nursing », dans Bates, Dodd et Rousseau, *On All Frontiers,* p. 197-211 ; Desjardins *et al., Histoire de la profession infirmière,* p. 79 ; Desjardins, *Hôpital Sainte-Justine,* p. 137 et 139.
18. AHSJ, RA 1921, p. 21-22.
19. AHSJ, ACE, 4 mai , 17 mai et 3 décembre 1920.
20. Desjardins *et al., Histoire de la profession infirmière,* p. 80-81 ; Desjardins, *Hôpital Sainte-Justine,* p. 138, et Yolande Cohen et Louise Bienvenue, « Émergence de l'identité professionnelle chez les infirmières québécoises, 1890-1927 », *BCHM/CBMH,* vol. 11, 1994, p. 136-140.
21. AHSJ, ACE, 30 janvier 1922.
22. AHSJ, dossier 19-4, lettre du Dr P.-E. Benoît à Justine Lacoste-Beaubien, 26 juillet 1923.
23. AHSJ, dossier 19-3, programme de cours de garde-malade de l'Hôpital Sainte-Justine, mai 1922 ; Desjardins, *Hôpital Sainte-Justine,* p. 138 ; Cohen et Bienvenue, « Émergence de l'identité professionnelle » ; Desjardins *et al., Histoire de la profession infirmière,* p. 80-81 et 109 ; Petitat, *Les Infirmières,* p. 192.
24. AHSJ, ACE, 3 octobre 1924, 8 décembre 1924, 15 décembre 1924 ; RA 1929, p. 67 ; Desjardins, *Hôpital Sainte-Justine,* p. 137-138 et p. 159, note 13.
25. AHSJ, RA 1925, p. 13 et encart entre les p. 50 et 51.
26. AHSJ, RA 1928, p. 26.
27. AHSJ, RA 1932, p. 61.
28. AHSJ, RA 1937, p. 30 et 73.
29. AHSJ, RA 1937, p. 73 ; Desjardins *et al., Histoire de la profession infirmière,* p. 114-117.
30. AHSJ, RA 1938, p. 72.
31. AHSJ, RA 1934, p. 52, et 1938, p. 72.
32. AHSJ, AHCA, 16 mars 1936.
33. AHSJ, AHCA, 23 août 1938.
34. AHSJ, ACE, 17 novembre 1919.
35. AHSJ, ACE, 4 juin 1923 ; Petitat, *Les Infirmières,* p. 189-190.
36. AHSJ, RA 1937, p. 29.
37. AHSJ, RA 1941, p. 17, et 1939, p. 70.
38. AHSJ, RA 1933, p. 27, et 1939, p. 23 ; ACE, 25 novembre 1929 et 17 septembre 1930 ; AHCA, 7 septembre 1934, 4 mai 1937, 17 mai 1937, 25 avril 1939 et 16 décembre 1941 ; dossier 19-3, cours postscolaire pour les infirmières diplômées, s.d. ; « Assemblée annuelle de l'Association provinciale, rapport de la visiteuse », *La Garde-malade canadienne-française,* avril 1933, p. 223.
39. AHSJ, RA 1939, p. 70, et 1936, p. 68 ; propos du cardinal Villeneuve cité dans Johanne Daigle, « L'éveil syndical des "religieuses laïques" : l'émergence et l'évolution de l'Alliance des infirmières de

Montréal, 1946-1966 », dans Marie Lavigne et Yolande Pinard (dir.), *Travailleuses et Féministes. Les femmes dans la société québécoise,* Montréal, Boréal, 1983, p. 120.

40. AHSJ, RA 1929, p. 26, 1930, p. 25, et 1938, p. 23.
41. AHSJ, RA 1939, p. 73.
42. AHSJ, *Blanc et Rose,* vol. 1, nº 1, avril 1941, p. 1.
43. Desjardins *et al., Histoire de la profession infirmière,* p. 96 ; Petitat, *Les Infirmières,* p. 69 et 192 AHSJ, AHCA, 22 avril 1952, 9 août 1956, 3 juillet 1958 et 4 novembre 1958 ; RA 1957, p. 77, 1959, p. 71 et 73, et 1961, p. 71 ; dossier 19-3, programme de cours pour l'année 1959-1960, et 1954-1957 (heures de cours offertes par matière et par semestre).
44. AHSJ, dossier 21-1, Association des infirmières de la province de Québec, 1921-1969, rapport de la visiteuse de l'AIPQ, 20 décembre 1954 ; AHCA, 3 avril 1956 et 29 mai 1956.
45. AHSJ, dossier 19-2, lettre de sœur Laurette de la Sainte-Face, directrice du nursing, au conseil d'administration, 8 août 1957.
46. Petitat, *Les Infirmières,* p. 200 ; AHSJ, RA 1955, p. 76 ; AHCA, 20 septembre 1956 et 27 mai 1958.
47. AHSJ, RA 1951, 1955, 1957, et AHCA, 30 avril 1946, 21 juillet 1953, 22 février 1955, 17 avril 1956, 25 octobre 1956, 12 février 1963.
48. AHSJ, RA 1964, p. 82.
49. AHSJ, AHCA, 3 septembre 1959, 8 octobre 1961, 12 septembre 1961.
50. AHSJ, RA 1951, p. 75, 1957, p. 77, 1958, p. 72, 1960, p. 71, 1961, p. 71-72, 1962, p. 76-77, 1963, p. 78, 1964, p. 82, 1965, p. 30, et 1968, p. 83 ; AHCA, 27 mai 1952, 26 janvier 1954, 24 avril 1956 et 28 février 1957 ; ACA, 8 juin 1965 et 8 novembre 1966.
51. AHSJ, RA 1963, p. 77.
52. AHSJ, AHCA, 29 août 1957, 23 juin 1959, 6 août 1959 ; RA 1966, p. 82.
53. AHSJ, RA 1966, p. 82.
54. AHSJ, AHCA, 2 novembre 1943, 25 janvier 1944, 25 juillet 1944, 17 juillet 1945, 7 août 1945, 11 septembre 1945, 11 octobre 1945, 21 janvier 1947, 6 mai 1947, 7 octobre 1947, 27 juillet 1950, 26 août 1952, 2 septembre 1952, 22 juin 1954 ; dossier 19-12, lettre de sœur Valérie de la Sagesse, directrice des gardes-malades, à Justine Lacoste-Beaubien, 19 novembre 1945 ; dossier 20-11, liste des aides-infirmières, 1953.
55. AHSJ, AHCA, 23 septembre 1958, et ASCE, 21 mars 1957 ; dossier 20-2, infirmières graduées de l'Hôpital Sainte-Justine actuellement en service, 17 mars 1959.
56. AHSJ, AHCA, 22 mai 1956, 1er août 1957, 2 et 16 octobre 1962 et 21 mai 1963.
57. Madeleine Morgan, *La Colère des douces,* Montréal, CSN, 2003, p. 75-80 ; Daigle, « Le réveil syndical des religieuses laïques », p. 125 ; AHSJ, AHCA, 16 juillet 1946, 26 mai 1953, 22 novembre 1955 ; ASCE, 21 mars 1957 et 12 septembre 1957.
58. AHSJ, AHCA, 30 décembre 1959.
59. AHSJ, AHCA, 3 mai 1961, 5 décembre 1961, 16 août 1962, 2 octobre 1962, 20 novembre 1962 et 12 février 1963 ; Morgan, *La Colère des douces,* p. 78-79 ; mémoire de l'AIM-HSJ au premier ministre et au ministre de la Santé, cité dans Morgan, *La Colère des douces,* p. 185.
60. AHSJ, dossier 25-N, lettre d'un groupe d'infirmière à mère Noémi de Montfort, responsable de la régie interne, 15 septembre 1959.
61. Daigle, « L'éveil syndical des infirmières laïques », p. 135 ; Morgan, *La Colère des douces,* p. 87-88 ; AHSJ, AHCA, 9 juillet 1963, 30 juillet 1963, 1er août 1963, 17 septembre 1963, 24 septembre 1963, 2 octobre 1963, 31 octobre 1963.
62. Déclaration de Gaspard Massue au quotidien *Le Devoir,* citée dans Morgan, *La Colère des douces,* p. 89.
63. Claude Ryan, « Le drame de Sainte-Justine », *Le Devoir,* 26 octobre 1963, reproduit dans Morgan, *La Colère des douces,* p. 199.
64. Message du Dr Favreau aux infirmières réunies au Centre Maria-Goretti, novembre 1963, reproduit dans Morgan, *La Colère des douces,* p. 205.
65. Morgan, *La Colère des douces,* p. 138-140.
66. AHSJ, RA 1963, p. 31.
67. Morgan, *La Colère des douces,* p. 151-152.
68. AHSJ, ACA, 26 mars 1968, et ASCA, 18 juin 1968.
69. AHSJ, RA 1968, p. 22.
70. AHSJ, RA 1955, p. 6, et RA 1966, p. 10 ; AHCA, 29 décembre 1960 ; ACA, 7 février 1967, 9 juillet 1968 et 15 octobre 1968.
71. AHSJ, RA 1964, p. 49, et RA 1965, p. 75 ; Petitat, *Les Infirmières,* p. 156-157.
72. AHSJ, RA 1967, p. 69, RA 1968, p. 82, et RA 1970, p. 97.
73. AHSJ, RA 1969, p. 82.
74. Claire Laberge-Nadeau *et al.,* Projet Irodom, rapport de recherche, Hôpital Sainte-Justine, Montréal, 1974, et Monique Chagnon,

M. C. Tilquin *et al.,* PRN 74, Hôpital Sainte-Justine, Montréal, 1975 ; Petitat, *Les Infirmières,* p. 136.
75. AHSJ, RA 1972, p. 90, et 1974, p. 42.
76. Petitat, *Les Infirmières,* p. 226.
77. AHSJ, *Interblocs,* vol. 14, n° 4, octobre 1991, p. 4.
78. AHSJ, RA 1973, p. 66 ; SPCA, 22 mai 2001 et 25 septembre 2001.
79. AHSJ, *Interblocs,* vol. 3, n° 8, septembre 1980, p. 4.
80. Petitat, *Les Infirmières,* p. 92-95 et 102 ; AHSJ, AHCA, 7 mai 1963, 18 juillet 1963 et 26 novembre 1963 ; ACA, 10 avril 1975, 12 octobre 1976, 15 février 1977, 16 mai 1978, 13 février 1979, 16 décembre 1980, 25 janvier 1983.
81. AHSJ, SCA, 25 avril 1989.
82. AHSJ, SCA, 28 novembre 1989.
83. AHSJ, *Interblocs,* vol. 9 n° 1, janvier 1986, p. 6; ACA, 20 mars 1973 ; *Interblocs,* vol. 10, n° 3, octobre 1987, p. 3.
84. AHSJ, *Interblocs,* vol. 29, n° 2, février-mars 2006, p. 1 ; *Interblocs,* vol. 27, n° 7, septembre 2004, p. 1.
85. AHSJ, SPCA, 27 novembre 2001.
86. AHSJ, *Interblocs,* vol. 10, n° 3, octobre 1987, p. 5 ; Petitat, *Les Infirmières,* p. 141.
87. AHSJ, SPCA, 28 mai 2002.

Chapitre 7 • Sur la scène et derrière le décor

1. AHSJ, ACE, 10 octobre 1921, et RA 1921, p. 14; M.-Paule Malouin, *Entre rêve et réalité. Marie Gérin-Lajoie et l'histoire du Bon-Conseil,* Montréal, Bellarmin, 1998, p. 77, 107 et 125.
2. AHSJ, ACE, 23 octobre 1922 ; RA 1927, p. 27.
3. AHSJ, ACE, 20 mai 1929, 28 octobre 1929, 27 janvier 1930, 17 septembre 1930, 19 janvier 1931, 11 août 1931 ; AHCA, 29 juin 1937 ; Desjardins, *L'Institutionnalisation de la pédiatrie,* p. 318.
4. AHSJ, ACE, 23 février 1925 ; François Hudon, *Histoire de l'École de réadaptation de l'Université de Montréal. Cinquante années au service de la société, 1954-2004,* Montréal, PUM, 2004, p. 25.
5. AHSJ, ACE, 19 novembre 1928 et 13 novembre 1929; AHCA, 3 avril 1933 et 27 novembre 1936 ; RA 1929, p. 32 et 65, 1933, p. 56, et 1939, p. 20.
6. AHSJ, AHCA, 27 mai 1935, 15 novembre 1937, 10 juin 1941, 13 avril 1943, 12 septembre 1944 et 27 janvier 1948 ; Hudon, *Histoire de l'École de réadaptation,* p. 26 et 28.
7. AHSJ, AHCA, 10 août 1948.
8. Julien Prud'homme, *Histoire des orthophonistes et des audiologistes au Québec 1940-2005. Pratiques cliniques, aspirations professionnelles et politiques de la santé,* Montréal, PUQ, coll. « Santé et Société », 2005, p. 21-22 ; AHSJ, AHCA, 6 juin 1939 ; RA 1945, p. 39-40.
9. AHSJ, AHCA, 30 mars 1948, 12 juillet 1949 et 19 mai 1959 ; RA 1964, p. 87.
10. AHSJ, RA, 1945-1969 ; AHCA, 14 mars 1961 et 25 avril 1961.
11. AHSJ, dossier 24-L-T ; AHCA, 19 août 1947, 16 septembre 1947 et 14 septembre 1948 ; Nadia Fahmy-Eid et Lucie Piché, « Le savoir négocié. Les stratégies des associations de technologie médicale, de physiothérapie et de diététique pour l'accès à une meilleure formation professionnelle (1930-1970) », *RHAF,* vol. 43, n° 4, printemps 1990, p. 511 et 517 à 522.
12. AHSJ, AHCA, 31 mars 1953.
13. AHSJ, AHCA, 22 juin 1954, 7 septembre 1954, 7 juin 1955, 22 novembre 1955, 24 janvier 1957, 13 décembre 1960 et 13 juin 1961.
14. AHSJ, AHCA, 31 janvier 1956 et 21 février 1956 ; entrevue avec José Jacquin réalisée par Catherine Chouinard l'Italien, 4 novembre 2005.
15. AHSJ, AHCA, 17 octobre 1961, 6 février 1962, 22 janvier 1963, 31 octobre 1963 ; ACA, 8 juin 1965, 8 septembre 1965 et 11 janvier 1966.
16. Desjardins, *L'Institutionnalisation de la pédiatrie,* p. 257 ; AHSJ, AHCA, 2 juillet 1952.
17. AHSJ, AHCA, 27 janvier 1953, 31 mars 1953, 7 avril 1953, 26 mai 1953, 7 juillet 1953, 18 août 1953, 11 juillet 1957, 12 septembre 1957, 11 novembre 1958.
18. AHSJ, AHCA, 10 septembre 1963.
19. AHSJ, AHCA, 25 février 1965, 23 août 1963, 21 janvier 1964, 25 février 1964, 30 juin 1964 ; RA, 1964, p. 70-71, et 1965, p. 60 ; Desjardins, *L'Institutionnalisation de la pédiatrie,* p. 255.
20. AHSJ, AHCA, 3 septembre 1948, 29 mars 1960, 11 avril 1961, 3 mai 1961, 4 février 1964, 30 juin 1964, 3 novembre 1964 ; ACA, 3 février 1966 ; RA 1948, p. 47, 1960, p. 62, et 1969, p. 75 ; Nadia Fahmy-Eid *et al., Femmes, santé et professions. Histoire des diététistes et des physiothérapeutes au Québec et en Ontario 1930-1980,* Montréal, Fides, 1997, p. 82 et 169.
21. AHSJ, AHCA, 20 janvier 1948, 22 décembre 1953, 2 mars 1954, 11 mai 1954 et 9 novembre 1954 ; Hudon, *Histoire de l'École de réadaptation,* p. 39, 80 et 91 ; RA 1957-1969.

22. AHSJ, AHCA, 13 septembre 1956, 30 juin 1959, 4 octobre 1960, 15 novembre 1960, 12 novembre 1963.
23. AHSJ, AHCA, 15 septembre 1953, 19 janvier 1954, 9 février 1954, 9 juin 1959, 6 février 1962, 13 septembre 1962, 4 juin 1963, 26 novembre 1963 ; RA 1955-1969 ; Prud'homme, *Histoire des orthophonistes et des audiologistes,* p. 25-28, 44-45 et 52.
24. AHSJ, RA 1963-1969, et AHCA, 2 juin 1964 ; Fahmy-Eid *et al., Femmes, santé et professions,* p. 210-215.
25. AHSJ, *Interblocs,* vol. 4, nº 1, novembre 1980, p. 6 ; *Interblocs,* vol. 18, nº 4, septembre 1995, p. 4. ; *Interblocs,* vol. 18, nº 5, novembre 1995, p. 6 ; *Interblocs,* vol. 17, nº 2, avril 1994, p. 7 ; *Interblocs,* vol. 1, nº 3, décembre 1977, p. 12 ; *Interblocs,* vol. 1, nº 5, mars 1978, p. 4 ; *Interblocs,* vol. 26, nº 7, septembre 2003, p. 4 ; *Interblocs,* vol. 25, nº 5, juin 2002, s.d. ; *Interblocs,* vol. 26, p. 1, janvier 2003, p. 3 ; RA 1969, p. 72.
26. Fahmy-Eid *et al., Femmes, santé et professions,* p. 86-87 et 107-109 ; Hudon, *Histoire de l'École de réadaptation,* p. 80-87 ; Prud'homme, *Histoire des orthophonistes et des audiologistes,* p. 60.
27. AHSJ, AHCA, 30 juin 1964 ; ACA, 8 septembre 1966 et 8 février 1972 ; Fahmy-Eid *et al., Femmes, santé et professions,* p. 214-221, et p. 339, note 34.
28. AHSJ, AHCA, 11 juillet 1932, 13 août 1934, 6 avril 1937.
29. AHSJ, AHCA, 28 février 1939.
30. AHSJ, AHCA, 19 mai 1934, 26 juin 1935, 13 avril 1948, 11 décembre 1951, 7 janvier 1954, 8 avril 1958 ; ACA, 7 janvier et 11 février 1964.
31. AHSJ, AHCA, 5 avril 1938, 4 juin 1938, 3 juillet 1943, 14 juillet 1943, 5 septembre 1944, 29 avril 1947, 11 avril 1957, 7 août 1958 et 25 avril 1961.
32. AHSJ, AHCA, 14 février 1949, 28 mars 1950 et 28 novembre 1958.
33. AHSJ, ACE, 17 septembre 1928, 8 octobre 1928 ; AHCA, 13 mars 1933, 5 septembre 1935, 22 octobre 1935, 26 mai 1936, 7 juillet 1936 ; Michèle Dagenais, « Itinéraires professionnels masculins et féminins en milieu bancaire : le cas de la Banque d'Hochelaga, 1900-1929 », *Labour/Le Travail,* vol. 24, automne 1989, p. 45-68, André Valiquette, *L'Essor du syndicalisme catholique chez les employé(e)s d'hôpitaux du Québec dans les années trente et quarante,* mémoire de maîtrise (histoire), UQÀM, 1982, p. 34 ; Denyse Baillargeon, *Ménagères au temps de la crise,* Montréal, Remue-ménage, 1991, p. 21.
34. AHSJ, AHCA, 26 octobre 1937.
35. AHSJ, AHCA, 14 janvier 1936.
36. AHSJ, ACE, 26 février 1923 ; AHCA, 26 juin 1933, 18 décembre 1933, 13 juin 1944, 5 décembre 1944, 10 juillet 1945, 6 novembre 1945, 2 juillet 1946, 17 septembre 1946, 16 juin 1953, 21 mars 1957, 28 mars 1957, 19 décembre 1957, 28 novembre 1958, 5 avril 1960, 30 juin 1960, 6 décembre 1960, 24 janvier 1961 ; ASCA, 15 juin 1950.
37. Valiquette, *L'Essor du syndicalisme catholique,* p. 28 ; AHSJ, AHCA, 18 août 1942, 3 août 1943, 18 novembre 1947, 2 décembre 1947, 16 décembre 1947.
38. Valiquette, *L'Essor du syndicalisme,* p. 88-107 ; Morgan, *La Colère des douces,* p. 57 ; AHSJ, AHCA, 3 octobre 1939.
39. AHSJ, AHCA, 24 octobre 1939.
40. Valiquette, *L'Essor du syndicalisme,* p. 152-159 ; AHSJ, AHCA, 5 septembre 1944.
41. Valiquette, *L'Essor du syndicalisme,* p. 180-182 ; Jacques Rouillard, *Le Syndicalisme québécois. Deux siècles d'histoire,* Montréal, Boréal, 2004, p. 99.
42. AHSJ, AHCA, 11 octobre 1938, 11 octobre 1944, 10 mars 1953, 7 juillet 1953, 7 septembre 1954, 7 juin 1955 et 25 mars 1958 ; Paul Curzi, *Les Relations ouvrières-patronales dans le système hospitalier à Montréal,* mémoire de maîtrise (relations industrielles), Université de Montréal, 1961, p. 38.
43. AHSJ, AHCA, 17 janvier 1961, 10 octobre 1961, 21 novembre 1961 et 19 décembre 1961.
44. AHSJ, AHCA, 17 octobre 1961, 6 février 1962.
45. AHSJ, ASCA, 2 mars 1962, 3 avril 1962, 16 août 1962, 18 septembre 1962.
46. AHSJ, AHCA, 9 juillet 1963, 28 janvier 1964, 3 mars 1964, 5 mai 1964, 19 mai 1964, 2 juillet 1964 et 22 septembre 1964 ; ASCA, 30 juillet 1963.
47. AHSJ, ASCA, 18 juillet 1966 ; ACA, 9 novembre 1965 ; dossier de presse, *La Presse,* Montréal, 1er août 1966.
48. AHSJ, ACA, 7 février 1967.
49. AHSJ, dossier de presse, *Le Devoir,* 11 décembre 1968.
50. AHSJ, ACA, 7 octobre 1969, 3 mars 1970 ; ASCA, 5 novembre 1968.
51. AHSJ, ACA, 5 avril 1972, 18 avril 1972, 24 octobre 1972, 13 janvier 1976, 10 février 1976, 9 mars 1976, 29 juin 1976 et 10 août 1976 ; Jacques Rouillard, *Histoire du syndicalisme québécois,* Montréal, Boréal, 1989, p. 379-384.

52. Rouillard, *Histoire du syndicalisme,* p. 386-390 ; AHSJ, ACA, 13 novembre 1979 et 11 décembre 1979.
53. *Interblocs,* vol. 6, nº 4, février 1983, p. 2.
54. AHSJ, ACA, 21 décembre 1982.
55. AHSJ, ACA, 21 décembre 1982 ; SCA, 25 janvier 1983, 22 novembre 1983 ; *Interblocs,* vol. 6, nº 6, mai 1983, p. 4 ; *Interblocs,* vol. 7, nº 1, septembre 1983, p. 5 et *Interblocs,* vol. 7, nº 4, février 1984, p. 5.
56. AHSJ, ASCA, 20 novembre 1987 ; ACA, 28 novembre 1989 ; Rouillard, *Le Syndicalisme québécois,* p. 252-254.
57. AHSJ, *Interblocs,* vol. 3, nº 7, été 1980, p. 12 ; ACA, 21 janvier 1975, 10 février 1975, 18 février 1975, 4 mars 1975 et 10 avril 1975 ; ASCA, 6 février 1975.
58. AHSJ, *Interblocs,* vol. 3, nº 7, été 1980, p. 2.
59. AHSJ, *Interblocs,* vol. 4, nº 3, janvier-février 1981, p. 7.
60. AHSJ, SCA, 24 mai 1988 ; *Interblocs,* vol. 5, nº 3, avril 1982, p. 4, et *Interblocs,* vol. 8, nº 2, mars 1985, p. 2-3.
61. AHSJ, *Interblocs,* vol. 11, nº 4, février 1989, p. 6.
62. AHSJ, *Interblocs,* vol. 13, nº 2, juin 1990, p. 7, *Interblocs,* vol. 13, nº 5, décembre 1990, p. 2, *Interblocs,* vol. 13, nº 2, juin 1990, p. 2, *Interblocs,* vol. 14, nº 4, octobre 1991, p. 3 ; *Interblocs,* vol. 18, nº 2, avril 1995, p. 3 ; SPCA, 25 octobre 1994.
63. AHSJ, SPCA, 21 décembre 1993 ; *Interblocs,* vol. 17, nº 1, février 1994, p. 7 ; Rouillard, *Le Syndicalisme,* p. 255.
64. AHSJ, SPCA, 15 février 1994, 22 mars 1994 ; SPCA, 26 avril 1994, 24 mai 1994, 25 avril 1995.
65. Rouillard, *Le Syndicalisme,* p. 254-256 ; AHSJ, *Interblocs,* vol. 18, nº 6, décembre 1995, p. 2, *Interblocs,* vol. 18, nº 6, décembre 1995, p. 7, et SPCA, 23 janvier 1996.
66. AHSJ, SPCA, 28 novembre 1995, 27 février 1996 ; *Interblocs,* vol. 19, nº 2, avril 1996, p. 9.
67. AHSJ, *Interblocs,* vol. 20, nº 1, janvier 1997, p. 2.
68. AHSJ, SPCA, 10 septembre 1996, 25 février 1997, 1er avril 1997, 17 juin 1997, 16 septembre 1997, 28 octobre 1997 ; RA 1997-1998, s.p. ; *Interblocs,* vol. 20, nº 1, janvier 1997, p. 2 ; *Interblocs,* vol. 20, nº 4, juin 1997, p. 1.
69. AHSJ, *Interblocs,* vol. 18, nº 3, juin 1995, p. 2 ; SPCA, 30 mai 1995.

Épilogue • Du chemin de la Côte Sainte-Catherine...

1. AHSJ, RA 1922, 1927, 1929, 1930, 1933, 1934, 1938 ; RA 1935, p. 44.
2. AHSJ, RA 1948, p. 55.
3. AHSJ, RA 1948, p. 54.
4. AHSJ, RA 1949, p. 53.
5. AHSJ, AHCA, 24 avril 1951, 7 août 1951, 25 septembre 1951, 16 octobre 1951, 8 avril 1952, 3 mars 1953, 28 septembre 1954, 19 juillet 1955, 27 septembre 1955.
6. AHSJ, AHCA, 7 février 1961, 14 et 20 mai 1963, 28 décembre 1965, 16 août 1966, 22 août 1967, 13 septembre 1967, 4 février 1969, 20 janvier 1970, 17 avril 1973, 28 juin 1973, 7 décembre 1976 ; RA 1968, p. 46.
7. AHSJ, SCA, 22 mars 1983, 24 janvier 1984, 17 décembre 1984, 27 septembre 1988, 24 janvier 1989, 24 avril 1990, 26 avril 1994 ; SPCA, 26 avril 1994, 23 avril 1996 et 22 octobre 1996.
8. AHSJ, http://www.hsj.qc.ca/rmeweb/remN.asp consulté le 23 novembre 2006, et *Interblocs,* vol. 27, nº 6, été 2004, p. 1-2 ; SPCA, 27 janvier 1998, 19 septembre 1998 ; http://rmeweb.staging.logient.com, consulté le 23 novembre 2006 ; *Interblocs,* vol. 25, nº 7, octobre 2002, p. 1 ; *Interblocs,* vol. 27, nº 6, été 2004, p. 1.
9. AHSJ, SPCA, 15 décembre 1998, 23 novembre 1999, 27 février 2001, 29 janvier 2002 ; http://www.rme-francophonie.org, consulté le 23 novembre 2006.
10. AHSJ, *Interblocs,* vol. 29, nº 5, mai -juin 2006, p. 1-2.

Bibliographie

Fonds d'archives de l'Hôpital Sainte-Justine

Rapports annuels

Rapports annuels de l'Hôpital Sainte-Justine (1908 à 2004-2005).
Rapports annuels du Centre de recherche (1975 à 2004-2005).
Rapports annuels de la Direction de l'enseignement (1992 à 2005).
Rapports annuels et rapports statistiques annuels du Service bénévole (1997-98 à 2004-05).

Procès-verbaux

Procès-verbaux du conseil d'administration de l'Hôpital Sainte-Justine, 1907 à 2005.
Procès-verbaux du comité de bénévoles (1994-1996).

Périodiques

Interblocs (1977-2006).
Blanc et rose (1941-1953).
Bénévox (1989-1998).

Dossiers de presse

Dépliants et brochures

Campagne de la Journée du dollar 1930, 1933, 1938, 1942.
Campagne de souscription 1944, 1946 et 1947.
La Résidence des infirmières, s.d. (c. 1957).
École d'infirmières de l'Hôpital Sainte-Justine pour les enfants, s.d. (c. 1960).

Dossiers divers

Dossier 15-1 Université de Montréal. Nomination des médecins, 1919-1949.
Dossier 15-4 Université de Montréal. Internes, 1917-1963.
Dossier 15-25 Université de Montréal. Projet de transformation de l'Hôpital Sainte-Justine en un hôpital universitaire, 1965.
Dossier 15-C Université de Montréal. Contrat d'affiliation, 1910-1977.
Dossier 16 Bureau médical — Direction des services professionnels, 1908-1921.
Dossier 16-I Bureau médical — Direction des services professionnels. Statuts et règlements, 1961-1962.
Dossier 18 Internes. Nominations, salaires, règlements, programmes, 1909-1977.
Dossier 19-2 École des infirmières. Fonctionnement, 1934-1968.
Dossier 19-3 Écoles des infirmières. Programme de cours,1908-1969.
Dossier 19-4 École des infirmières. Université de Montréal, 1922-1968.
Dossier 19-5 École des infirmières. Règlements, 1908-1964.
Dossier 19.9 École des infirmières. Infirmières graduées, 1910-1970.
Dossier 19-12 École des infirmières. Cours préparatoires, 1945-1958.
Dossier 20-2 Personnel infirmiers. Infirmières. Registre, 1933-1964.
Dossier 20-11 Personnel infirmiers, infirmières. Aides-infirmières, 1909-1960.
Dossier 20-12. Personnel infirmiers, infirmières. Aides-infirmières, 1938-1958.
Dossier 21-1 Association des infirmières de la province de Québec, 1921-1969.
Dossier 24-L-T Services hospitaliers. Laboratoires — Écoles de technologie, 1944-1956.
Dossier 25-B Services auxiliaires. Services bénévoles, 1969-1979.
Dossier 25-B. Services auxiliaires. Service des bénévoles — Infirmières bénévoles, 1924-1945.

Dossier 25-B Services auxiliaires. Service des bénévoles. Comité des loisirs, 1960-1967.
Dossier 25-B Services auxiliaires. Services des bénévoles — Comité de couture, 1908-1957.
Dossier 25-N Services auxiliaires. Service du nursing, 1959-1969.
Dossier 26-8 Comités. Conseil médical, 1931-1933.
Dossier 27-A Filles de la Sagesse, 1909-1980.
Dossier 27-1 Filles de la Sagesse. Religieuses de Sainte-Justine, 1924-1973.
Dossier 0240-00-000 Université de Montréal. Contrat d'affiliation provisoire 1986 et 1987.
Dossier 611 Comité pour la protection de la jeunesse — loi 78.
Dossier 840.99 Bénévoles, 1958-1972.
Dossier 840.99 Dames auxiliaires.
Dossier 1584 Jean-Pierre Chicoine.

Autres documents

Guide du bénévole de l'Hôpital Sainte-Justine, s.d (c. 1996).
Guide des infirmières, 1950.
Loi constituant en corporation l'hôpital Sainte-Justine, Edouard VII, chapitre 137.
Loi constituant en corporation l'Hôpital Sainte-Justine, George V, chapitre 128, article 1.
Planification stratégique 1996-2000.
Rapport statistique annuel 2000-2001.
Règlements, n.d. (c. 1916).
CRME — CHU mère-enfant. *Une vision d'avenir pour le Centre de réadaptation Marie Enfant. Plan stratégique 2002-2007,* septembre 2002.
DRAPEAU, Lucie, Renée-Louise Patout et Diane Trudel. *Guide pratique pour les bénévoles en unités de soins,* septembre 1998.
Service bénévole. *Guide de formation,* 1re et 2e parties, automne 2005.
Service bénévole. *Document de réflexion,* juin 1995.

Sources imprimées

Collège des médecins. *Chirurgienne infectée par le VIH au CHU mère-enfant Sainte-Justine,* rapport public du Collège des médecins du Québec, 1er avril 2004.
Montréal. *Rapport annuel du Service de santé,* 1940.
Montréal. *Rapport sur l'état sanitaire de la cité de Montréal,* 1912.
Montréal. *Rapport de la Commission d'enquête du chômage,* 1937.
Québec. *Rapport annuel du Conseil Supérieur d'hygiène,* 1920-1921.
Canada. Bureau fédéral de la statistique (BFS). *Statistiques de l'état civil,* Ottawa : ministère de l'Industrie et du Commerce, 1959.

Sources orales

Entrevue avec José Jacquin réalisée par Catherine Chouinard l'Italien, 4 novembre 2005.
Entrevues téléphoniques avec Claire Nolet, Béatrice Lafontaine et Louise L'Hérault, successivement directrice du service des bénévoles entre 1988 et 2006, réalisées le 19 juin 2006.

Mémoires de maîtrise et thèses de doctorat

COURNOYER, Catherine. *Les Accidents impliquant des enfants et l'attitude envers l'enfance à Montréal (1900-1945),* M.A. (histoire), Université de Montréal, 2000.
CURZI, Paul. *Les Relations ouvrières-patronales dans le système hospitalier, à Montréal,* M.A. (relations industrielles), Université de Montréal, 1961.
DESJARDINS, Rita. *Hôpital Sainte-Justine, Montréal, Québec (1907-1921),* M.A. (histoire), Université de Montréal, 1989.
—, *L'institutionnalisation de la pédiatrie en milieu franco-montréalais 1880-1980 : les enjeux politiques, sociaux et biologiques,* Ph.D. (histoire), Université de Montréal, 1998.
GAGNON, Stéphanie. *Changement et institution : le cas de l'Hôpital Sainte-Justine,* thèse de Ph.D., HEC-Montréal, 2004.
LABERGE-NADEAU, Dr Claire. *Les Caractéristiques de la population hospitalière à l'Hôpital Sainte-Justine,* maîtrise (administration hospitalière), Université de Montréal, 1963.
PEPIN, Marie-Jeanne T. « Une étude du fonctionnement de la clinique d'obstétrique de l'Hôpital Sainte-Justine et un aperçu des responsabilités de l'auxiliaire sociale pour l'année 1948 », M.A. (service social), Université de Montréal, 1950.
VALIQUETTE, André. *L'Essor du syndicalisme catholique chez les employé(e)s d'hôpitaux du Québec dans les années trente et quarante,* M.A. (histoire), UQAM, 1982.

Ouvrages de référence

GOULET, Denis et André Paradis. *Trois siècles d'histoire médicale au Québec. Chronologie des institutions et des pratiques (1639-1939),* Montréal, VLB éditeur, 1992.

GUÉRARD, François. *Histoire de la santé au Québec,* Montréal, Boréal, 1996.

JOYAL, Renée. *Les Enfants, la Société et l'État au Québec, 1608-1989. Jalons,* Montréal, Hurtubise HMH, 1999.

LINTEAU, Paul-André. *Histoire de Montréal depuis la Confédération,* Montréal, Boréal, 1992.

Monographies et ouvrages collectifs :

BAILLARGEON, Denyse. *Ménagères au temps de la crise,* Montréal, Remue-ménage, 1991.

—, *Un Québec en mal d'enfants. La médicalisation de la maternité, 1910-1970,* Montréal, Remue-ménage, 2004.

CHARLES, Aline. *Travail d'ombre et de lumière. Le bénévolat féminin à l'Hôpital Sainte-Justine 1907-1960,* Québec, IQRC, 1990, coll. « Edmond-de-Nevers », n° 9.

COMACCHIO, Cynthia. *The Dominion of Youth : Adolescence and the Making of a Modern Canada, 1920-1950,* Waterloo, Wilfrid Laurier University Press, 2006.

DAIGLE, Johanne. « L'éveil syndical des « religieuses laïques » : l'émergence et l'évolution de l'Alliance des infirmières de Montréal, 1946-1966 », dans Marie Lavigne et Yolande Pinard (dir.), *Travailleuses et féministes. Les femmes dans la société québécoise,* Montréal, Boréal, 1983, p. 115-138.

DESJARDINS, Dr Édouard, Suzanne Giroux et Eileen C. Flanagan . *Histoire de la profession infirmière au Québec,* Montréal, Association des infirmières et infirmiers de la Province de Québec, 1970.

DES RIVIÈRES, Madeleine. *Une femme, mille enfants. Justine Lacoste Beaubien,* Montréal, Bellarmin, 1987.

FAHMY-EID, Nadia *et al. Femmes, santé et professions. Histoire des diététistes et des physiothérapeutes au Québec et en Ontario 1930-1980,* Montréal, Fides, 1997.

FLEURY, Marie-Josée et Guy Grenier. « La contribution de l'hôpital Saint-Paul et de l'Alexandra Hospital à la lutte contre les maladies contagieuses infantiles à Montréal, 1905-1934 », dans Cheryl Krasnick Warsh et Veronica Strong-Boag (dir.), *Children's Health Issues in Historical Perspective,* Waterloo, Wilfrid Laurier University Press, 2005, p. 411-438.

FORGET, Nicole, Francine Harel-Giasson, Francine Séguin. *Justine Lacoste-Beaubien et l'Hôpital Sainte-Justine,* Sainte-Foy, Presses de l'Université du Québec et Presses des Hautes Études Commerciales, 1995.

GAUMER, Benoît. *Histoire du Service de santé de la Ville de Montréal, 1865-1975,* Québec, IQRC, 2002, coll. « Culture et société ».

GOULET, Denis. *Histoire de la Faculté de Médecine de l'Université de Montréal, 1843-1993,* Montréal, VLB éditeur, 1993.

GOULET, Denis, François Hudon, Othmar Keel. *Histoire de l'Hôpital Notre-Dame de Montréal. 1880-1980,* Montréal, VLB éditeur, 1993.

GOULET, Denis. *Histoire du Collège des médecins du Québec, 1847-1997,* Montréal, Le Collège, 1997.

—, *L'Hôpital Maisonneuve-Rosemont. Une histoire médicale 1954-2004,* Sillery, Septentrion 2005.

GRENIER, Guy. *100 ans de médecine francophone. Histoire de l'Association des médecins de langue française du Canada,* Sainte-Foy, Éditions MultiMondes, 2002.

HUDON, François. *Histoire de l'École de réadaptation de l'Université de Montréal. Cinquante années au service de la société, 1954-2004,* Montréal, Presses de l'Université de Montréal, 2004.

KNIBIEHLER, Yvonne *et al. Cornettes et blouses blanches. Les infirmières dans la société française, 1880-1980,* Paris, Hachette, 1984.

McPHERSON, Kathryn. « The Nightingale Influence and the Rise of the Modern Hospital », dans Christina Bates, Dianne Dodd et Nicole Rousseau (dir.), *On All Frontiers. Four Centuries of Canadian Nursing,* Ottawa, Presses de l'Université d'Ottawa et Le Musée canadien des civilisations, 2005. p. 73-87.

MALOUIN, Marie-Paule. *Entre rêve et réalité. Marie Gérin-Lajoie et l'histoire du Bon Conseil,* Montréal, Bellarmin, 1998.

MANSELL, Diana et Dianne Dodd. « Professionalism and Canadian Nursing », dans Christina Bates, Dianne Dodd et Nicole Rousseau (dir.), *On All Frontiers. Four Centuries of Canadian Nursing,* Ottawa, Presses de l'Université d'Ottawa et Le Musée canadien des civilisations, 2005, p. 197-211.

MORGAN, Madeleine. *La Colère des douces. La grève des infirmières de l'Hôpital Sainte-Justine en 1963,* Montréal, CSN, 2003.

MUSÉE DE L'ASSISTANCE PUBLIQUE — HÔPITAUX DE PARIS. *L'Hôpital et l'enfant : l'hôpital autrement ?,* Paris, ENSP, 2005.

PETITAT, André. *Les Infirmières. De la vocation à la profession,* Montréal, Boréal, 1989.

PRUD'HOMME, Julien. *Histoire des orthophonistes et des audiologistes au Québec 1940-2005. Pratiques cliniques, aspirations professionnelles et politiques de la santé,* Québec, Presses de l'Université du Québec, 2005, coll. « Santé et Société ».

ROUILLARD, Jacques. *Histoire du syndicalisme québécois,* Montréal, Boréal, 1989.

—, *Le Syndicalisme québécois. Deux siècles d'histoire,* Montréal, Boréal, 2004.

ROUSSEAU, François. *La Croix et le Scalpel. Histoire des Augustines et de l'Hôtel-Dieu de Québec,* tome II : *1892-1989,* Sillery, Septentrion, 1994.

Articles de périodiques

« Assemblée annuelle de l'Association provinciale, Rapport de la visiteuse », *La Garde-malade canadienne-française,* avril 1933, p. 223.

« Prévention des accidents à la maison et à l'école », *Santé et bien-être au Canada,* vol. 1, nº 4, janvier 1946, p. 5.

« Une triste fin. Le manoir du Montreal Hunt Club », *Sur la Montagne,* nº 17, hiver-printemps 2000, p. 1-2.

BAILLARGEON, Denyse. « Fréquenter les Gouttes de lait. L'expérience des mères montréalaises », *Revue d'histoire de l'Amérique française,* vol. 50, nº 1, été 1996, p. 29-68.

—, « "Sur les berceaux je veille" : les aides-maternelles de la Fédération nationale Saint-Jean-Baptiste et la professionnalisation des domestiques », 1928-1940 », dans Éliane Gubin et Valérie Piette (dir.), *Actes du colloque international Bonnes pour le service. Déclin, professionnalisation et émigration de la domesticité. Europe et Canada, 20e siècle, Sextant,* vol. 15-16, 2001, p. 203-234.

BARIL, Jeanne. « Le service social de l'hôpital Sainte-Justine », *La Bonne Parole,* vol. XII, nº 1, janvier 1924, p. 4.

—, « Le service social de l'hôpital Sainte-Justine », *La Bonne Parole,* vol. 19, nº 11, novembre 1931, p. 10.

CHARLES, Aline, François Guérard et Yvan Rousseau. « L'Église, les assureurs et l'accès aux soins hospitaliers au Québec (1939-1960) », *Études d'histoire religieuses,* nº 69, 2003, p. 29-49.

COHEN, Yolande et Louise Bienvenue. « Émergence de l'identité professionnelle chez les infirmières québécoises, 1890-1927 », *Bulletin canadien d'histoire de la médecine/Canadian Bulletin of Medical History,* nº 11, 1994, p. 119-151.

DAGENAIS, Michèle. « Itinéraires professionnels masculins et féminins en milieu bancaire : le cas de la Banque d'Hochelaga, 1900-1929 », *Labour/Le Travail,* nº 24, automne 1989, p. 45-68

FAHMY-EID, Nadia et Lucie Piché. « Le savoir négocié. Les stratégies des associations de technologie médicale, de physiothérapie et de diététique pour l'accès à une meilleure formation professionnelle (1930-1970) », *Revue d'histoire de l'Amérique française,* vol. 43, nº 4, printemps 1990, p. 509-534.

FECTEAU, Jean-Marie. « Un cas de force majeure : le développement des mesures d'assistance publique à Montréal au tournant du siècle », *Lien social et politiques — RIAC,* nº 33, printemps 1995, p. 107-113.

GOULET, Denis. « Des bureaux d'hygiène municipaux aux unités sanitaires. Le Conseil d'hygiène de la province de Québec et la structuration d'un système de santé publique, 1886-1926 », *Revue d'histoire de l'Amérique française,* vol. 49, nº 4, printemps 1996, p. 491-520.

GUERARD, François et Yvan Rousseau. « Le marché de la maladie. Soins hospitaliers et assurances au Québec, 1939-1961 », *Revue d'histoire de l'Amérique française,* vol. 59, nº 3, hiver 2006, p. 293-329.

LETONDAL, Dr Paul. « Existe-t-il une pédiatrie canadienne d'expression française ? », *L'Union médicale du Canada,* vol. 78, nº 10, octobre 1950, p. 1241.

McKay, Wallace. « Les accidents au foyer et les enfants », *Santé et Bien-Être au Canada,* vol. 6, nº 7, avril 1951, p. 4-5.

MICHAUD, Pierre-André, Jean Wilkins et Jean-Yves Frappier. « L'état de santé des adolescents québécois vu sous un angle épidémiologique : recherche bibliographique et statistique », *L'Union médicale du Canada,* nº 111, septembre 1982, p. 748-754.

ROUSSEAU, Yvan. « Le commerce de l'infortune. Les premiers régimes d'assurance maladie au Québec, 1880-1939 », *Revue d'histoire de l'Amérique française,* vol. 58, nº 2, automne 2004, p. 153-186.

VIGOD, Bernard. « Ideology and Institutions in Quebec. The Public Charities Controversy 1921-1926 », *Histoire sociale/Social History,* vol. 11, nº 21, mai 1978, p. 167-182.

Sources électroniques

Fondation de l'Hôpital Sainte-Justine [En ligne] : www.fondation-sainte-justine.org/fr/campagne/

Débat à l'Assemblée législative, 28 février 1922, dans Assemblée nationale du Québec [En ligne] : www.assnat.qc.ca/rd/rd15/3se/index/seance.asp ?se=220228

Le médecin et les infections transmissibles par le sang. Énoncé de position, avril 2004, dans Le Collège des médecins du Québec. [En ligne] : www.cmq.org/

INDEX

A

B

Table des matières

MISE EN PAGES ET TYPOGRAPHIE :
LES ÉDITIONS DU BORÉAL

ACHEVÉ D'IMPRIMER EN AVRIL 2007
SUR LES PRESSES DE L'IMPRIMERIE GAGNÉ
À LOUISEVILLE (QUÉBEC).